# BIOGRAFIA DA TELEVISÃO BRASILEIRA

VOLUME 2

Flávio Ricco e José Armando Vannucci

# BIOGRAFIA DA TELEVISÃO BRASILEIRA

# SUMÁRIO

**CAPÍTULO 31**
Jornalismo na TV: imprescindível em qualquer emissora e em qualquer tempo ............ **7**

**CAPÍTULO 32**
Esporte é cultura ......................................................................... **51**

**CAPÍTULO 33**
A TV da boa conversa .................................................................... **75**

**CAPÍTULO 34**
Do rádio para a televisão: programas de auditório se transformam na cara brasileira da TV.... **85**

**CAPÍTULO 35**
Os grandes comunicadores que nos fazem assistir à TV ............................... **109**

**CAPÍTULO 36**
A primeira em seu coração – surge a TVS e depois o SBT ............................. **135**

**CAPÍTULO 37**
Manchete, uma TV de primeira classe ................................................ **157**

**CAPÍTULO 38**
A teledramaturgia na década de 1980 ................................................ **167**

**CAPÍTULO 39**
A teledramaturgia nos anos 1990: trilogias, suspenses e o Brasil na TV.................. **201**

**CAPÍTULO 40**
Projac: o centro de entretenimento do Brasil ........................................ **243**

**CAPÍTULO 41**
Um novo século de novelas, com histórias cada vez mais perto da realidade ............ **251**

**CAPÍTULO 42**
Quem disse que seriado é coisa de americano? ....................................... **287**

**CAPÍTULO 43**
A TV do bom humor ................................................................... **319**

**CAPÍTULO 44**
Babá eletrônica: a TV das apresentadoras infantis .................................. **343**

**CAPÍTULO 45**
A força da TV regional ....................................................... **357**

**CAPÍTULO 46**
A ousadia de fazer uma TV diferente ............................................ **365**

**CAPÍTULO 47**
A mais nova rede de televisão do Brasil ......................................... **377**

**CAPÍTULO 48**
A realidade transformada em entretenimento: os reality shows chegam ao Brasil ........ **389**

**CAPÍTULO 49**
A TV por assinatura no Brasil .................................................. **411**

**CAPÍTULO 50**
A TV digital no Brasil: mais qualidade e possibilidades............................. **419**

**CAPÍTULO 51**
Saúde da TV – medição de audiência, um mal necessário para apontar o desempenho.... **425**

**CAPÍTULO 52**
A televisão brasileira na era da multiplataforma .................................. **433**

**CAPÍTULO 53**
Nem tudo é imagem na TV – vozes que marcam programas e emissoras ............... **439**

**CAPÍTULO 54**
A TV do intervalo ............................................................ **445**

**APÊNDICE**
Tô certo ou tô errado? Eternos bordões da TV brasileira ........................... **453**

# Jornalismo na TV: imprescindível em qualquer emissora e em qualquer tempo

O primeiro telejornal da televisão brasileira foi o *Imagens do Dia*, levado ao ar pela TV Tupi, Canal 3 de São Paulo, um dia após a sua inauguração. Era o rádio na televisão. Além de redator e produtor, Rui Resende também apresentava o programa, e o noticiário raramente era coberto por alguma imagem. Às vezes havia até o esforço de arrumar assunto para um dos raros filmes que havia em estoque. De acordo com Edgard Ribeiro de Amorim, no artigo "O Telejornalismo Paulista nas Décadas de 50 e 60", os arquivos que as emissoras começavam a formar eram basicamente emprestados ou doados por consulados estrangeiros e entidades culturais. "As imagens, quando utilizadas, quase sempre tinham uma participação neutra à informação prestada. Para um fato ocorrido no Cairo, o filme exibido dava uma visão geral da cidade egípcia sem qualquer ligação com o acontecimento noticiado", ressalta na obra. Nesse mesmo jornal, tempos depois do seu lançamento, Assis Chateaubriand entendeu que o melhor seria dividir os trabalhos. Deixou Rui Resende como produtor responsável e escolheu Maurício Loureiro Gama para ser o apresentador. As poucas matérias externas eram feitas numa pequena câmera RCA, operada pelos cinegrafistas Alfonso Zibas e Paulo Salomão, depois tratadas, em boa parte, na casa do fotógrafo Jorge Kurkjian, em seu laboratório particular. Tudo funcionava mais em função da vontade desses profissionais em fazer, e da melhor maneira possível, mesmo diante das poucas condições que existiam.

O substituto do *Imagens do Dia*, *Telenotícias Panair*, importante companhia aérea daquela época, ficou menos tempo no ar – apenas um ano. A empresa, com dificuldades, não quis renovar o patrocínio. Também nesse mesmo período, para aliviar o verdadeiro sofrimento dos intervalos muito longos – tudo era ao vivo e entre um programa e outro havia necessidade de trocar cenários, ajustar equipamentos e luz, e tudo isso demandava tempo –, Cassiano Gabus Mendes e Jorge Ribeiro tiveram a ideia de criar um interprograma, algo propositadamente arquitetado para segurar a atenção do telespectador, porém à base de total improviso. Os textos eram preparados em uma máquina de escrever com tipos gigantes para permitir a leitura com o olhar voltado para a câmera pelo maior tempo possível. O próprio Jorge Kurkjian, usando o pseudônimo de Cagliostro, era quem redigia as matérias, geralmente se valendo dos assuntos do dia. A quantidade de notícias, do Brasil e do mundo, variava de acordo com o tamanho do intervalo. Cagliostro, um são-paulino fanático, com a bênção de Cassiano, que também era, fazia o possível para arrumar, em cada edição, assuntos que levantassem a bola do seu time, algo que acabou se constituindo em um verdadeiro tormento para corintianos e palmeirenses.

A mesma Tupi, quando passou a iniciar as suas operações na hora do almoço, estreou o *Edição Extra*, com as participações de Maurício Loureiro Gama e José Carlos de Morais, o Tico-Tico. As suas apresentações diárias se encerravam com um comentário político intitulado "O que é que há?". Havia liberdade editorial, mas os assuntos de interesse do dono Assis Chateaubriand sempre acabavam prevalecendo e recebiam mais destaque. O *Edição Extra* foi exibido na Tupi durante cerca de 14 anos.

\*\*\*

Desde que a televisão existe, o público foi se acostumando a acompanhar trabalhos de excelentes repórteres. Além de Tico-Tico, Carlos Spera deve ser citado como um dos principais – transmitiu momentos importantes, como as informações, direto dos Estados Unidos, sobre o assassinato do presidente Kennedy. Um feito histórico na ocasião, considerado como grande furo de reportagem. Ele foi importante também no começo da TV Cultura, e dá nome à rua onde a emissora veio a funcionar, em 1969. Faleceu muito jovem, aos 36 anos, vítima de um câncer na garganta. Na mesma ocasião, imediatamente após o início das suas atividades, a TV Paulista estreou o jornal diário *O Que Vai pelo Mundo*, às 22h30, com Aloísio Jatobá, Délio Santos e Luís Guimarães. Na parte esportiva, o narrador Moacir Pacheco Torres e o jogador Leônidas da Silva como comentarista.

Da esquerda para a direita: Tico-Tico, Carlos Spera, Juscelino Kubitschek, Edmundo Monteiro e Ulisses Guimarães – Brasília, 1960

Em 1952, no Rio de Janeiro, a Tupi lançou a versão televisiva do *Seu Repórter Esso*, com apresentação de Gontijo Teodoro. Eram 31 notícias em cada edição – e ninguém até hoje sabe explicar o porquê desse número –, levadas ao ar em forma de uma conversa quase radiofônica com o telespectador. Esse foi, durante muitos anos, o principal telejornal da televisão brasileira, passando a ser exibido também nas cidades em que os Diários Associados montavam sua rede de televisão. Entre elas, São

Paulo (TV Tupi), Belo Horizonte (TV Alterosa) e Espírito Santo (TV Vitória), todas com edições locais e equipes próprias. Também com o tempo, eliminou-se o "Seu" do título, ficando apenas *Repórter Esso*, mas conservando sempre a sua vinheta de abertura: "Alô, alô, Repórter Esso, alô!". Além de Gontijo Teodoro, Antônio Carlos Nobre, Kalil Filho, Luiz Jatobá, Heron Domingues e Roberto Figueiredo foram outros que fizeram história na apresentação do programa.

Ainda em 1953, ano da sua inauguração, a TV Record em São Paulo criou o *Telejornal BCR*, oferecimento do Banco de Crédito Real, com a clara intenção de ser um concorrente direto do *Repórter Esso*. O objetivo não foi alcançado. Embora bem realizado, não teve o sucesso esperado, e, por isso, em seu lugar, um ano depois, entrou o *Record em Notícias*, com a participação de Murilo Antunes Alves e Raul Duarte, com direção de Fernando Vieira de Mello, juntamente com o *Última Edição*, às 23h, sob a responsabilidade de Waldick de Freitas, Clécio Ribeiro e Viegas Neto.

A loja Mappin se destacou como uma das grandes anunciantes da televisão nas primeiras décadas, e um telejornal patrocinado por ela, o *Mappin Movietone*, passou por praticamente todas as emissoras da época. Foi lançado na Tupi, mas sua maior projeção aconteceu na TV Paulista, em 1953, com apresentação de Roberto Corte Real, elegante no falar e no vestir. Um inesgotável estoque de gravatas-borboleta veio a se transformar em uma de suas marcas. Era também dele o comentário "Momento Político", exibido no final da noite. Em 1959, ainda na TV Paulista, após a saída do seu apresentador titular, o *Mappin Movietone* se manteve por breve período com as atrizes Cacilda Lanuza e Branca Ribeiro e a participação especial do poeta Paulo Bomfim. Houve a tentativa de dar ao programa um formato diferente daquele que existia, sem o uso de bancada e com uma linguagem mais atual, mas não foi bem aceito pelo público. Saiu rapidamente do ar. Por último, em fases diferentes na TV Record, o *Mappin Movietone* voltou a ser comandado por Roberto Corte Real até 1965. Depois, numa etapa seguinte e que acabou sendo a última, voltou à própria TV Record em 1970, com apresentação de Antônio Del Fiol e Ney Gonçalves Dias.

Um dos grandes destaques do jornalismo na televisão nos anos 1950 foi o programa *Bate-Papo com Silveira Sampaio*, exibido na TV Paulista de 1954 a 1960, ano em que se transferiu para a TV Record.

Dramaturgo e jornalista, Silveira Sampaio é citado até os dias de hoje como uma das grandes referências da TV de todos os tempos. Ele recebia seus convidados e comentava os principais fatos políticos e econômicos do dia, usando de certa ironia, inclusive durante um telefonema fictício que recebia todas as noites. Foi o primeiro grande programa de entrevistas da televisão brasileira. Ferreira Netto e Jô Soares, que criaram atrações parecidas anos depois, chegaram a trabalhar na sua produção.

No fim da década de 1950, a TV Rio estreou o *Telejornal Pirelli*, com apresentação de Léo Batista e Heron Domingues. Sempre foi comum na televisão brasileira agregar ao título do programa a marca do principal patrocinador – hábito, inclusive, que chegou até o *Jornal Nacional*. No caso do principal telejornal da Globo, o Banco Nacional, liquidado em 1995.

\*\*\*

A produção jornalística na TV teve impulso muito maior na década de 1960, com a chegada do videoteipe. Os programas, de maneira geral, ganharam em qualidade, mas foi um período em que as condições políticas determinaram um retrocesso importante em seu conteúdo, especialmente após o golpe de 1964, com a forte censura.

A inauguração de Brasília, em 21 de abril de 1960, teve transmissão ao vivo graças ao trabalho incansável de um grupo de profissionais na instalação de equipamentos que tornaram possível a chegada dessas imagens ao estúdio da TV Tupi, no Sumaré, em São Paulo. Nelson de Mattos, um dos grandes responsáveis pelo trabalho realizado, colocou o link num helicóptero especialmente cedido pela Força Aérea Brasileira (FAB), possibilitando a captação de imagem e som. Não por acaso, e dada a importância do acontecimento, esse é considerado um dos trabalhos de maior heroísmo da televisão do Brasil em todos os tempos.

Outro momento importante do jornalismo na trajetória da televisão brasileira foi a estreia do *Pinga-Fogo*, em 1961, na TV Tupi, apresentado no começo por Aurélio Campos e depois por Almir Guimarães, com um convidado especial e vários entrevistadores. Uma de suas históricas edições foi com o médium Chico Xavier, respondendo ao vivo e à queima-roupa às perguntas de alguns dos mais conceituados jornalistas da época, como Reali Júnior, Saulo Gomes, Herculano Pires, Freitas Nobre, Vicente Leporace, João de Scantimburgo e Durval Monteiro. Esse formato, anos depois, serviu para a TV Record criar o *Quem Tem Medo da Verdade?*, com apresentação de Carlos Manga, programa em que se colocavam os convidados em julgamento. Roberto Carlos, em uma das ocasiões, teve Silvio Santos como advogado de defesa. Os dois programas, com características que não agradavam ao regime autoritário, deixaram de ser apresentados. Por acaso ou não, em 1964, a TV Tupi deixou de apresentar o *Repórter Esso*, que deu lugar ao *Ultranotícias*, com apresentação de Ribeiro Filho.

O interessante é que um ano depois, em 1965, sob a direção de Armando Nogueira, a TV Globo lançou um jornal com o mesmo nome, *Ultra-Notícias*, sem que um tivesse nada a ver com o outro.

A TV Excelsior, mesmo num período muito difícil como foi o da ditadura e com forte marcação dos militares, conseguiu reunir alguns dos maiores nomes da época para a produção dos seus informativos – entre eles, Fernando Barbosa Lima, Vladimir Herzog, Millôr Fernandes, Mauro Borja Lopes, Gilda Muller, Nemércio Nogueira, João Batista Lemos, Newton Carlos e Tarcísio Holanda –, um trabalho que não foi longe. O *Jornal de Vanguarda*, uma das criações dessa equipe da Excelsior, foi obrigado a sair do ar por força do AI-5. Aliás, é importante ressaltar que, como foi dito anteriormente, alguns dos principais problemas enfrentados pela Rádio e TV Bandeirantes, desde o início, se deram por questões políticas, a começar pelo tempo em que Juscelino era uma força de Minas Gerais, e Adhemar de Barros, de São Paulo. Até a conhecida política "café com leite" tinha lá suas cisões, com consequências sempre inevitáveis. JK não queria que se fortalecesse um grupo paulista na área de comunicação, e isso foi atrasando o processo de implantação da TV Bandeirantes.

O *Titulares da Notícia*, primeiro jornal da Bandeirantes, foi apresentado de 15 de maio de 1967 até 11 de outubro de 1977, com direção de Alexandre Kadunc, e se destacou, enquanto esteve no ar, pela qualidade de seus participantes, como Maurício Loureiro Gama, Vicente Leporace, Salomão Ésper, Murilo Antunes Alves, Júlio Lerner, Lourdes Rocha e depois José Paulo de Andrade. O formato era, na verdade, uma adaptação de um programa da rádio do mesmo grupo.

Também egresso das ondas sonoras, com histórias importantes nas emissoras do Rio de Janeiro, Saulo Gomes veio a se tornar um dos repórteres mais importantes da televisão. Ele nunca deu por perdida nenhuma matéria e sua grande característica, entre os tantos trabalhos que deixou em seu currículo, foi sempre viver de perto todas as situações e se envolver inteiramente com elas. Foi assim na entrevista com o médium Chico Xavier, em que reuniu os detalhes para atender a curiosidade do público, e na reportagem do Hospital do Fogo Selvagem de Uberaba, que mais tarde virou campanha da emissora, com grande repercussão nacional. A mais inesquecível de suas matérias, porém, inclusive pelas marcas que deixou em seu corpo, foi aquela sobre as reivindicações de jangadeiros cearenses. "Em 1968, no auge do regime militar e da implementação do AI-5, a travessia de jangada do Ceará para Santos recebeu o nome de Iolanda Costa e Silva, a primeira-dama do país na época. Apesar da forma inusitada de chamar atenção, o presidente da República não recebeu os jangadeiros para ouvir suas amarguras, agruras, necessidades e reivindicações. E o que eu fiz? Em oposição a essa postura, um ato infeliz da assessoria de um presidente da República, em não receber os jangadeiros, eu fui para o Rio de Janeiro e consegui convencer os jangadeiros de que poderia viajar com eles. Fui o primeiro a fazer isso, e tudo teria saído mais ou menos dentro da normalidade, não fosse o fato de ficarmos três dias perdidos no oceano", recorda Saulo Gomes. "O impacto dessa reportagem foi muito grande e com esse trabalho eu consegui, através da TV Tupi, ouvir as dificuldades dos jangadeiros, mostrei na prática dentro de uma jangada durante sete dias o que era o drama e as dificuldades sob todos os aspectos e resolvemos participar esse problema. Consegui, com a ajuda de importantes empresas, barcos, redes, todo o material necessário, e demos a eles de presente. Ganharam também um barco de oito metros e meio, mais ou menos, com capacidade de receber entre 8 e 10 toneladas de peixe", conta com orgulho o jornalista.

Sintonizar todos os dias os jornais das suas emissoras de rádio e televisão foi um hábito que o dono da Bandeirantes, João Saad, levou até o fim da vida. Muito mais do que qualquer ouvinte ou telespectador, ele interrompia o que quer que estivesse fazendo, desde compromissos particulares até reuniões de negócios, para acompanhar os noticiários preparados pela equipe de Alexandre Kadunc, o seu diretor responsável. E quando só ouvia ou via notícias ruins, todos podiam esperar que, a qualquer momento, o telefone ia tocar. E tocava. A pergunta do seu João a quem atendesse era sempre a mesma: "Meu filho, hoje não nasceu nenhuma flor?". Passagens como essa do seu João, como era carinhosamente tratado pelos seus funcionários, integram a história da televisão brasileira.

\*\*\*

A década de 1970, para os brasileiros no geral e para o jornalismo em particular, é até hoje lembrada como a mais dolorosa, pelas consequências do Ato Institucional nº 5. A partir da sua decretação, em setembro de 1968, foram suspensos todos os direitos políticos e civis, com a supressão da liberdade de expressão e o cerceamento dos meios de comunicação. Um período extremamente difícil para as emissoras de televisão, mas ainda pior para os profissionais do jornalismo, claramente impedidos de desenvolver seu ofício. São inúmeras as histórias de perseguição, como a de Goulart de Andrade, que entre 1969 e 1971 entendeu que não podia mais continuar em São Paulo nem no Rio. "Como uma rota de fuga, fui ser diretor-geral da TV Jornal do Commercio, só que a ditadura acabou me descobrindo lá e obrigou os donos a me mandarem embora. Eles queriam a minha cabeça, e isso eu posso falar com segurança, porque tenho registros extraídos do Dops e do Exército", revela. No caso de Goulart, porém, o pior ainda estava por vir. De volta a São Paulo e já trabalhando na Tupi, resolveu fazer uma reportagem sobre tortura. E, para mostrar como funcionava o pau de arara, os eletrochoques, afogamentos e a palmatória, pagou "mil dinheiros, porque nem lembro mais qual era a moeda da época", para um assistente de estúdio servir de cobaia. Programa ao vivo. Foi só sair do estúdio para entrar no camburão.

Como esse, foram muitos os casos de perseguição, até se chegar ao mais triste deles, com a tortura e morte de Vladimir Herzog pelo regime militar brasileiro. Na época funcionário da TV Cultura e militante do Partido Comunista Brasileiro, ele se apresentou voluntariamente nas instalações do DOI-Codi, no quartel-general do II Exército, em São Paulo, para prestar esclarecimentos. E lá foi cruelmente assassinado, aos 38 anos, no dia 25 de outubro de 1975.

\*\*\*

No ar desde 1º de setembro de 1969, o *Jornal Nacional* funcionou como ponto de partida para transformar a Globo na primeira rede nacional. A inauguração do Tronco Sul pela Embratel tornou possível a integração, por meio de micro-ondas, da sua principal base de operações, no Rio de Janeiro, com São Paulo, Curitiba e Porto Alegre. A ideia, segundo o conceito de rede, era gerar uma programação vertical para todo o Brasil e, por meio dela, diluir custos operacionais e de produção. Em 1971, Ronaldo Rosas substituiu Hilton Gomes na apresentação do *JN*, para um ano depois permitir que Sérgio Chapelin formasse a bancada com Cid Moreira. Os dois se tornaram a cara do jornal por longos 12 anos. Nesse mesmo ano, em abril, inicialmente transmitido apenas para o Rio de Janeiro, estreou o *Jornal Hoje*, com apresentação de Léo Batista e Luiz Jatobá. Concebido como revista eletrônica, tinha todo o seu espaço destinado à abordagem de assuntos culturais. O seu alvo inicial, de maneira muito clara, foi atingir o público feminino, para alguns meses depois, levado pela necessidade dos tempos, estender-se aos demais temas de interesse público. A transmissão em rede nacional, com maior abrangência editorial, começou em 3 de junho do ano seguinte, mas ainda destinando parte de seu espaço ao noticiário das praças. A missão de alterar, aí, sim, todo o seu conceito e torná-lo mais noticioso, evitando as opiniões e comentários, foi destinada a Chico Santa Rita, seu editor-chefe, dez anos após o seu lançamento. Só em 1999 decidiu-se pela sua mudança do Rio de Janeiro, imediatamente após a construção dos novos estúdios da TV Globo em São Paulo. Foi marcante a presença de apresentadores e colunistas no *Hoje* desde o seu lançamento, entre eles Márcia Mendes, Berto Filho, Nelson Motta, Big Boy, Marisa Raja Gabaglia, Leda Nagle, Sônia Maria, Pedro Bial, Marcos Hummel, Leila Cordeiro, Augusto Xavier, Valéria Monteiro, Cláudia Cruz, Cristina Ranzolin, William Bonner, Fátima Bernardes, Mônica Waldvogel, Carlos Nascimento e Carla Vilhena, até se chegar aos atuais, Sandra Annenberg e Evaristo Costa. Para completar a sua programação jornalística semanal, em 5 de agosto de 1973, a Globo estreou o *Fantástico*, para mesclar variedades e informação nas noites de domingo. Criado por Boni, em sua produção o programa tinha a participação direta de Armando Nogueira, Augusto César Vannucci, Manoel Carlos e Borjalo, com Ronaldo Bôscoli na criação. A vinheta de abertura, que acabou se constituindo num dos grandes trabalhos visuais da TV brasileira de todos os tempos, foi desenvolvida por Hans Donner e sua equipe, com música de Guto Graça Mello e letra do próprio Boni. É a mesma até hoje, apenas recebendo, de tempos em tempos, novos arranjos.

***

O começo de Marília Gabriela na televisão, uma das principais jornalistas do país, se deu no finzinho dos anos 1960 e começo de 1970, e é do conhecimento de poucos como se deu o primeiro contato físico com aquela que a própria Gabi passou a considerar sua meia-irmã, a televisão. Um belo dia, depois de assistir ao *Jornal Nacional*, apresentado na ocasião por Lívio Carneiro, ela tomou a decisão de que aquele seria o seu mundo novo. Aquilo que, definitivamente, queria para a sua vida. Na manhã seguinte foi bater à porta da TV Globo, em São Paulo, ainda na Praça Marechal Deodoro, e com seu jeito taxativo foi parar na sala de Paulo Mário Mansur, diretor de jornalismo. A conversa não durou mais de cinco minutos, e a forma como se colocou fez com que conseguisse um lugar de "observadora", e sem receber nada por isso. Nem estagiária seria, porque não estava cursando jornalismo. Obra do acaso, logo no seu primeiro dia um repórter faltou e, como não havia outro disponível, acabou sendo ela a escalada para fazer reportagem com um homem que tinha anunciado o desejo de "trocar o seu violino Stradivarius por uma galinha". E lá foi ela. O homem realmente existia e era mesmo o desejo dele ter a ave, mas o violino estava longe de ser um Stradivarius. Ainda assim valeu. A matéria alcançou grande repercussão e a garota determinada foi imediatamente contratada como repórter, a única mulher da equipe.

Bancada do Fantástico com Sérgio Chapelin e William Bonner em 1989

\*\*\*

A chegada do sistema em cores e a implantação de duas grandes redes – Globo antes e Tupi em seguida – impeliram a televisão da época no geral e o jornalismo em particular a trabalhar com mais qualidade. Houve a necessidade de dar um melhor acabamento aos principais produtos e a implantação de novos processos eletrônicos foi fundamental. Graças a esse avanço, em 1973 foi possível a estreia do *Globo Repórter*, tal qual o conhecemos hoje, criado à imagem e semelhança do americano *60 Minutes*. Abriu-se com ele a oportunidade de aprofundar temas de grande interesse público. Assuntos como natureza, comportamento, ciência e aventura sempre estiveram entre os principais. Por meio do *Globo Repórter*, a televisão do Brasil descobriu que, ao se deparar com problemas de audiência, bichos podem ser a salvação. Historicamente, as melhores marcas do programa foram atingidas quando se valeu de reportagens sobre a vida e o comportamento dos animais. A primeira edição foi ao ar em 3 de abril de 1973, sob a direção de Paulo Gil Soares, coordenação de Moacyr Masson e apresentação de Sérgio Chapelin, ainda com todas as dificuldades da televisão de então. Em uma reportagem no Pantanal mato-grossense, entre outras preocupações, recorda José Hamilton Ribeiro, era preciso a todo instante lembrar que cada filme tinha apenas 11 minutos de duração e o trabalho sempre era feito completamente às cegas. Qualquer problema na câmera, se o que se pretendia gravar havia sido realmente gravado ou não, só era possível checar na volta ao Rio de Janeiro. Tudo isso sem contar a edição, completamente artesanal, com a necessidade de sincronizar, na base de tesoura ou lâmina de barbear, o áudio com a imagem. Sem dúvida, foi um programa que, através dos tempos, sempre acionou os principais valores da reportagem da Globo, no Brasil e no exterior, valendo-se por vezes, em suas edições, de imagens compradas de outros países. Além de Chapelin, que mais recentemente voltou a dividir esse trabalho com Glória Maria, o *Globo Repórter* teve como apresentadores Berto Filho, Celso Freitas e Carlos Campbell.

Em 1976, a Globo começou a utilizar no seu jornalismo pequenas unidades portáteis, popularmente conhecidas como ENGs – Electronic News Gathering, dotadas de câmeras mais leves, transmissores de micro-ondas, videoteipes e sistemas de edição. Esses equipamentos permitiam o envio de imagens e sons diretamente do local do acontecimento para a sede da emissora e substituíram o quadruplex, fitas de duas polegadas, e as câmeras de 16 mm, com enormes vantagens econômicas e operacionais – entre elas, aos poucos foi deixando de existir a necessidade de revelar filmes e de usar lâminas de barbear nas edições do material. Houve um ganho bem importante na qualidade, eficiência e rapidez. A ENG foi importante para a televisão em praticamente todos os seus setores de produção, mas poucos se valeram tanto da sua utilização como a teledramaturgia e o jornalismo. A utilização de micro-ondas portáteis tornou possível o completo fechamento de links, a passagem de imagem de um ponto para o outro, com tamanha eficácia e rapidez, que acabou permitindo ao jornalismo da TV atingir um nível de dinamismo dos mais surpreendentes para a época. A TV Globo tem, como registro histórico, uma entrada ao vivo da repórter Glória Maria, acompanhada do cinegrafista Roberto Padula, diretamente de um engarrafamento na Avenida Brasil, como a primeira a se utilizar desses novos recursos. Esse também foi um período em que reportagens mais elaboradas começaram a ganhar espaço nas programações das TVs, e, por iniciativa de Goulart de Andrade, em 1988, a emissora estreou o *Plantão da Madrugada* nos fins de semana. Em seu início, eram oito entradas nos intervalos dos filmes, mostrando a noite paulistana, muitas vezes com entradas ao vivo e o repórter como participante da matéria. Nesse papel de figurante, acompanhando plantões nas delegacias, funcionamento de casas de massagem, fechamento de jornais, o comportamento de travestis (compondo-se e comportando-se como um deles), entre outras situações, é que Goulart de Andrade criou o bordão "vem comigo", um chamado para o câmera e o próprio público segui-lo em algumas dessas inúmeras aventuras.

No entanto, enquanto uma emissora começava a alçar voos mais ousados, outras, como a Tupi e a Record, especialmente na segunda metade da década de 1970, passaram a enfrentar momentos muito difíceis. Tudo era feito para baratear os custos operacionais, e o jornalismo, considerado por seus diretores "um brinquedo muito caro", além de não receber necessários investimentos, entrou em um processo de quase total perecimento. A Record não tinha recursos nem mesmo para comprar novos filmes, e, como não havia o que colocar no ar depois da *Sessão Bang Bang*, às 21h, o seu presidente, Paulo Machado de Carvalho Filho, o Paulinho, decidiu apelar para o jornalista Ferreira Netto apresentar um programa de entrevistas ao vivo, diário. E com horário de início variável, ou seja, imediatamente após "a morte do bandido do filme".

Assim surgiu o *Programa Ferreira Netto*, em 1978, ainda em pleno regime militar, no início com atrações variadas, mas três ou quatro meses depois passando a se concentrar apenas em convidados do campo político. E, diante disso, dignando-se a conviver com ameaças de bomba ou de ataques do Comando de Caça aos Comunistas – CCC –, polícia à porta da emissora, entre outros meios de constrangimento. Foi um programa que, mesmo com todas as restrições, passou a receber algumas das grandes personalidades do mundo político, entre eles vários daqueles que voltavam do exílio, com a lei da anistia promulgada em 1979. Casos de Luís Carlos Prestes, Leonel Brizola, Mário Covas, Fernando Henrique Cardoso, Miguel Arraes e José Serra. Além de oportunidade a outros que começavam a surgir nesse cenário, como os metalúrgicos Luiz Inácio da Silva, Vicente Paulo da Silva, Jacó Bittar, Jair Meneguelli e Antônio Rogério Magri, célebre pela frase "cachorro também é gente", quando veio a se tornar ministro.

A TV Tupi, em julho de 1980, em decorrência dos seus problemas financeiros e administrativos e dívidas com a Previdência Social, como justificativas principais, teve a sua concessão cassada. O então presidente João Batista Figueiredo foi quem assinou o decreto que extinguiu a primeira emissora de televisão da América Latina, repetindo o que exatos dez anos antes tinha acontecido com a TV Excelsior. Ainda em 1980, o governo federal abriu concorrência para duas novas concessões, dela participando os grupos Abril, Grupo Silvio Santos, Bloch, Capital, Visão, Jornal do Brasil, Rede Rondon de Comunicação Ltda. e Rede Piratininga, mas o resultado final só saiu em 19 de março de 1981, em uma coletiva do então ministro das Comunicações, Haroldo Corrêa de Mattos.

Imediatamente após ser escolhido, em entrevista para a sua TVS, do Rio de Janeiro, que transmitiu a outorga das concessões ao vivo, Silvio Santos anunciou que o início de operações do SBT se daria imediatamente. Todas as instalações que ele possuía nos estúdios da Vila Guilherme já estavam preparadas para isso. Entre as principais atrações da sua programação, *O Povo na TV*, que já vinha tendo um sucesso muito grande na TV Tupi, com direção e apresentação de Wilton Franco e as participações de Wagner Montes, Christina Rocha, Sérgio Mallandro e o então advogado Roberto Jefferson. Às 18 horas, pontualmente, Wilton Franco rezava a ave-maria e pedia aos telespectadores que colocassem um copo de água sobre a televisão e bebessem depois da oração. Para atender à lei que exigia 5% de jornalismo no total da programação, estrearam também imediatamente o *Programa Ferreira Netto*, que Silvio Santos tirou da Record, então pertencente ao seu grupo, e o *Noticentro*, jornal de rede, às 7h30 da manhã, baseado no modelo da televisão dos Estados Unidos, em clima de informalidade, segundo seu criador, o americano Ricky Medeiros. Arlindo Silva, com toda uma história na revista *O Cruzeiro*, e que já havia alguns anos trabalhava com o apresentador, era o diretor nacional de jornalismo.

Na mesma TVS, em 22 de março de 1982, antecedendo as eleições ao governo do estado de São Paulo, foi realizado o primeiro debate político em rede nacional. De um lado Franco Montoro (MDB), do outro, Reynaldo de Barros (Arena). Debate de verdade, com Montoro mandando Reynaldo calar a boca e este insistir em levantar a mão, para apontar as cinco aposentadorias do seu oponente. A tensão não se deu somente no vídeo, mas principalmente nos bastidores. Silvio Santos, que antes de viajar para os Estados Unidos havia concordado com a realização do debate, antecipou o retorno ao Brasil para a manhã do dia do evento, porque pensou melhor e concluiu que a imensa repercussão que o encontro já vinha causando poderia colocar em risco a sua concessão, e ele não queria, de maneira alguma, desagradar o governo federal. Chegou até mesmo a sugerir, em um dos seus inúmeros telefonemas a Ferreira Netto, que levasse o confronto político para a emissora de Roberto Marinho. Só no comecinho da noite, depois de convencido por algumas pessoas de sua confiança, entre elas Luciano Callegari, Silvio Santos autorizou que fosse feito. Mas pela primeira vez, desde que tinha colocado a TVS São Paulo no ar, ele foi aos estúdios da Vila Guilherme. Chegou sem falar com ninguém e dirigiu-se para o switcher. Ficou lá o tempo todo, com uma "pera" na mão, que havia encomendado do engenheiro Alfonso Aurin. Tratava-se de um aparelho que, se acionado, poderia tirar a TVS do ar imediatamente, caso o debate esquentasse demais. Antes, para desespero dos telespectadores, havia realizado alguns testes, em todos eles interrompendo a transmissão da emissora. Silvio Santos tinha também uma linha de telefone reservada, pois, se "alguém de Brasília" quisesse ligar, poderia falar com ele a qualquer momento. No final, elegantemente, ele desceu para cumprimentar os participantes e o apresentador, dizendo que, se soubesse que o nível seria aquele, não teria se dado ao trabalho de quebrar sua rotina e sair de casa numa hora daquelas.

Esse também foi um período em que as emissoras passaram a destinar novos horários para os seus informativos. Em 3 de janeiro de 1983, com apresentação de Carlos Monforte e Antônio Britto, a Globo estreou o *Bom Dia Brasil*, direto de Brasília, e entre as atrações do primeiro dia um "café da manhã" com o presidente João Figueiredo em sua residência, na Granja do Torto. José Emílio Ambrósio, com passagens importantes por algumas das principais TVs, nesse mesmo ano trabalhava na Globo como editor do *Hoje* pela manhã e, à tarde, ocupava um cargo executivo na Bandeirantes, que na época tinha Fernando Barbosa Lima como diretor de jornalismo. Estava com tudo pronto para colocar outro jornal na grade, o *Jornal de São Paulo*, desde que se encontrasse um novo casal, mais jovem, que ele entendesse como ideal, para a apresentação. No caso, faltava o homem, porque a figura feminina, Maria Alice Guedes, modelo e jornalista, já havia sido escolhida. "A Band tinha no ar o *Jornal de Vanguarda*, e quem fazia os offs, a narrativa do texto sobre as imagens exibidas, era um locutor da rádio USP FM, que aparecia para trabalhar todo dia com calça jeans azul-clara, camisa branca e óculos de lentes grossas. O nome dele: William Bonner. Um cara simpático, brincalhão e sempre de bem com a vida, mas que não estava nem aí para televisão e também não muito para o mundo. "Depois de tanto que eu insisti, ele concordou em fazer um teste. Foi pra bancada, sem compromisso e com aquele baita vozeirão, só me deu a certeza de que era o cara. Aquele que o Fernando [Barbosa Lima] estava procurando", recorda Ambrósio. "Aí iniciamos um trabalho de preparação, desde pilotos no estúdio até maquiagem, a cargo do Lazinho, que reclamava por eu não ter conseguido alguém com pele melhor e sem tantas espinhas no rosto. Assim foi até a véspera da estreia. A gente já tinha gravado pra caramba e, tarde da noite e antes de ir embora, o William chegou pra mim e disse que tinha desistido. Sentia muito, mas que aquele não era mesmo o negócio dele. Imagine a situação. Jornal com estreia marcada, chamada no ar e o único apresentador que eu tinha preparado me veio com uma dessas. Mandei que fosse para casa, descansasse, dormisse e que no dia seguinte, mais tranquilos, conversaríamos", completa. No dia seguinte, o garoto Bonner chegou com sua surrada calça jeans clara e a camisa branca de sempre. Depois de um longo bate-papo, concordou em ir para o ar. Hoje é esse sucesso. Me orgulho muito", completa Ambrósio.

*** 

No decorrer dos anos 1980, as emissoras foram percebendo que poderiam se aproveitar melhor da abertura política e outros grandes debates políticos foram realizados, até se chegar ao principal deles, nas eleições presidenciais de 1989. A Globo, por entender que não havia como reunir tantos candidatos num mesmo evento – eram 22 no total –, não realizou nenhum desse tipo no primeiro turno e, no segundo, com o afunilamento da disputa, a direção da emissora entendeu que não poderia mais se manter alheia a um acontecimento tão importante. Mas a sua proposta de fazer um debate sozinha não foi aceita. Diante das dificuldades apresentadas e da impossibilidade de atender às reivindicações de todas as emissoras, visto que cada uma queria promover o seu debate com dinâmicas e regras específicas, houve a decisão de realizar uma dessas disputas no Rio de Janeiro e outra em São Paulo, com a formação de um *pool* das quatro principais redes do país na época – SBT, Globo, Manchete e Bandeirantes, cada uma delas representada respectivamente pelos mediadores Boris Casoy, Alexandre Garcia, Eliakim Araújo e Marília Gabriela. O candidato do PRN, Fernando Collor, mesmo se saindo vencedor no primeiro turno, com 28% do total de votos, ao contrário do seu adversário, Luiz Inácio da Silva, do PT, até então não tinha participado de nenhum debate.

O primeiro deles aconteceu na sede da TV Manchete, no Rio de Janeiro, no dia 3 de dezembro, e o segundo, no momento mais nervoso da campanha – com acirradas acusações das duas partes, dia 14, na TV Bandeirantes, em São Paulo. No horário eleitoral de Collor, Miriam Cordeiro acusou o ex-namorado Lula de tentar forçá-la a fazer um aborto e de não aceitar a filha Lurian depois do seu nascimento. Algo tão bombástico como o aviso dado por telefonema à dona Marisa Letícia, mulher de Lula, de que seu marido havia presenteado uma namorada de Brasília com um aparelho de som. Fernando Mitre – que assumiu naquele ano de 1989 a direção nacional de jornalismo da Bandeirantes, em substituição a Silvia Jafet – revela que, ao receber os candidatos e durante os minutos que antecederam a realização do programa, já tinha a convicção de quem sairia vencedor das eleições. Collor chegou aos estúdios confiante, de acordo com Mitre, acompanhado de quase meia centena de pastas – desconfia-se que a maioria não tinha nada dentro –, firme e seguro, procurando ser simpático com todos os que ali estavam. "O Lula, não. Veio praticamente em cima da hora, transpirando bastante, e, assim que me viu, me falou no ouvido: 'Corta a parte do começo, porque eu não vou cumprimentar aquele filho da puta de jeito nenhum'. Na hora, percebi que ele estava completamente fora do seu normal e dificilmente iria se recuperar durante o programa. Era minha obrigação avisar o Collor que não haveria os cumprimentos, e, assim que avisei, ele abriu um vitorioso sorriso, como se me dissesse 'já ganhei'", revela Mitre. Os desdobramentos desse encontro também são conhecidos, como acusações à TV Globo por erros propositais em favor do candidato Collor na edição do debate, em matéria exibida no *Jornal Nacional* do dia seguinte.

No começo da década de 1980, todas as TVs, umas mais e outras nem tanto, se envolveram com a campanha das Diretas Já e com a obrigatoriedade de cobrir uma nova campanha, mas, desta vez, a última eleição indireta, que levou Tancredo Neves a vencer Paulo Maluf, com 480 votos a 180, no Congresso Nacional. Na véspera da cerimônia de posse, o presidente eleito foi hospitalizado em Brasília e transferido quase que imediatamente para o Instituto do Coração – Incor – em São Paulo, onde veio a falecer depois de 38 dias internado e passar por sete cirurgias. Durante esse período, foi permanente o plantão dos jornalistas à porta do Incor, com transmissão quase ininterrupta de boletins sobre seu estado de saúde. É difícil para alguém, ao lembrar dessa cobertura, não associá-la a Carlos Nascimento. "Eu entrava várias vezes seguidas no ar, o dia inteiro, então por isso foi uma novidade. O jornalismo naquela época nunca entrava ao vivo. O Boni não deixava, e quando eu comecei a entrar, e não porque era eu, evidente, mas pelo assunto que estava se tratando, a audiência começou a subir. As pessoas estavam interessadas em saber o estado do presidente. O número de vezes em que eu era acionado durante o dia e a quantidade de tempo que eu falava, numa época em que repórter não ficava mais de trinta segundos no lugar, levaram as pessoas a identificar aquela cobertura comigo. Mas eu já era repórter há muito tempo", recorda o jornalista. Carlos Nascimento começou sua trajetória na Globo em 1977 e já tinha realizado importantes reportagens exibidas em rede. "No caso do Tancredo, foi uma questão de frequência, mas não de importância do profissional", finaliza.

\*\*\*

Do ponto de vista artístico, Antônio Augusto Amaral de Carvalho, o Tuta, sempre foi considerado o mais talentoso dos seus irmãos. Como um dos líderes da Equipe A, formada também por Nilton Travesso, Manoel Carlos e Raul Duarte, participou de trabalhos muito importantes na TV Record, até hoje lembrados, como *Jovem Guarda*, os especiais *Show do Dia 7*, *O Fino da Bossa*, *Família Trapo*, *Corte Rayol Show* e inúmeros outros. Em um determinado dia, descontente, achando que não era reconhecido por ser o mais novo, procurou seu pai, Paulo Machado de Carvalho, o Marechal da Vitória (apelido que ganhou por ter sido chefe da delegação da Seleção Brasileira de Futebol em duas Copas do Mundo), pedindo que fosse destinada a ele, Tuta, a empresa que todos considerassem a menos importante, mas com a condição de que fosse só dele. Foi a partir daquele momento que, sob o seu comando, a Rádio Panamericana, até então conhecida como "emissora dos esportes", se transformou em Jovem Pan, mesmo sem Tuta nunca esconder de ninguém o seu sonho de um dia também ter a sua própria televisão. Foi a partir da segunda metade dos anos 1980 que ele começou a trabalhar mais intensamente na realização desse sonho, e recebeu, em 10 de dezembro de 1987, a concessão da TV Jovem Pan Ltda., Canal 16 UHF, licitada em sociedade com João Carlos Di Genio e Fernando Vieira de Mello, que pouco depois vendeu suas ações para o empresário Hamilton Lucas de Oliveira. Todo o processo de montagem da nova emissora de São Paulo foi cuidadosamente observado, desde a compra do mais moderno transmissor daquela época, da marca NEC, até os demais equipamentos da Sony. Nem mesmo as emissoras mais poderosas, Globo, Record ou SBT, tinham um aparato técnico com aquela envergadura ou uma unidade de externas com tamanhos recursos.

A TV Jovem Pan entrou no ar em 1991, e a ideia de Tuta, desde o começo, foi seguir a mesma linha de programação da rádio, priorizando o jornalismo e o esporte. Portanto, não havia uma grade fixa de programação, porque os assuntos do momento tinham de ser obrigatoriamente explorados até o esgotamento. O inquestionável trabalho de qualidade da Jovem Pan, a partir daquele momento, passou a estar presente também na televisão, e pelas mesmas figuras que o público até então só conhecia do rádio, entre eles Milton Leite e Milton Neves. Em acertos com a Globo, foram feitas transmissões dos campeonatos Paulista e Brasileiro, Copa São Paulo, Torneio Clausura da Argentina e até mesmo jogos da Libertadores da América, além do futebol de salão. Marcelo Parada, atual diretor nacional de jornalismo do SBT, viveu esse período muito de perto, porque na oportunidade chefiava o departamento de jornalismo da rádio e apresentava na televisão um programa de entrevistas chamado *Parada Obrigatória*, no ar por quase dois anos nas noites de quarta-feira.

A TV Jovem Pan não durou muito tempo. Tuta se afastou da sociedade, Hamilton Lucas de Oliveira, envolvido com outros problemas empresariais, também, e ela foi transformada em TV Mix, apenas do empresário João Carlos Di Genio. E assim continua até os dias atuais, sem grande repercussão e muito distante do sonho de fazer uma CNN brasileira ou algo maior e inovador. Anos mais tarde, a própria Globo desenvolveu uma emissora só de notícias, mas na TV por assinatura, criando a Globo News.

***

Mortes de personalidades, como Elis Regina, Ayrton Senna e Hebe Camargo, por toda a emoção e pelo forte impacto que causaram, mereceram da televisão total acompanhamento jornalístico e se transformaram em momentos marcantes na história do maior veículo de comunicação do país. Uma das imagens que jamais sairão da memória é a do corpo de Senna sendo levado para a Assembleia Legislativa de São Paulo sob sol forte na Avenida 23 de Maio, uma das principais vias da capital paulista. O cinegrafista colocado no fim da avenida focando o caminhão dos bombeiros que transportava o corpo conseguiu captar o vapor subindo do asfalto, ao som da "Marcha da Vitória", em uma versão fúnebre. Não foi necessária nenhuma palavra do narrador William Bonner nem a intervenção dos repórteres. Nada mais precisava ser acrescentado para demonstrar aquele momento de grande emoção. A morte do nosso grande campeão de Fórmula 1, dia 1º de maio de 1994, foi anunciada para o Brasil às 13h40, horário de Brasília, por Roberto Cabrini, que acompanhou o piloto desde o momento do acidente, na pista de Ímola, até o hospital, em Bolonha, para onde ele foi levado minutos depois. O premiado repórter descreve esse acontecimento como um dos mais dolorosos da sua carreira, por tudo que Senna representava para o povo brasileiro e para ele próprio. "Foi como anunciar a morte de um parente próximo de cada um e ao mesmo tempo conter a emoção. O Senna também era o meu ídolo, e desde os primeiros atendimentos, ainda no circuito, eu já tinha a convicção da sua morte. Convivi de perto com ele, em inúmeras situações e em diferentes momentos da sua carreira. Foi pessoalmente muito complicado, naquele momento, ligar para o Brasil e fazer prevalecer o lado profissional", relata.

Embora considere que a mais importante reportagem sempre será a próxima, Cabrini foi autor de outros trabalhos históricos, entre eles, entrevistas como as realizadas com Ben Johnson, contando detalhes do seu doping em Seul, e a de Fernando Collor de Mello, em Miami, depois de deixar a presidência do Brasil. Ou ainda a busca por foragidos, casos de Jorgina Maria de Freitas Fernandes – a maior fraudadora do INSS – e de Roberto Osório, que roubou um depósito público do Rio de Janeiro, localizado por Cabrini em Moçambique. No entanto, confessa o jornalista, os trabalhos mais complicados foram as reportagens com Paulo César Farias, a primeira em Barcelona, outra em Londres e a última quando ele foi localizado na Tailândia. Foram dias e noites seguidos dando plantão em portas de hotel, além de um intenso trabalho de investigação em diferentes ocasiões realizado na companhia dos cinegrafistas Sérgio Gilz e Paulo Nascimento.

A entrevista realizada na Inglaterra, em 1992, de todas, confessa Cabrini, foi a mais difícil. Àquela altura, PC já era considerado um foragido da justiça brasileira e a descoberta dele em Londres era um privilégio de apenas seis pessoas na Globo: o próprio Cabrini, o produtor Edson Nascimbeni, o arquivista Antônio Silva, o chefe do escritório da Globo em Londres, Silio Boccanera, o diretor executivo Carlos Schroder e o diretor-geral de jornalismo Alberico Souza Cruz. Todos os cuidados foram observados para que ninguém mais pudesse saber. Nada podia vazar. As ligações para o Brasil eram evitadas, temendo telefones grampeados. Toda a comunicação passou a ser feita por computadores, por meio dos serviços de mensagens disponíveis na época, "mesmo assim, não escrevíamos 'PC' – iniciais do nome do chefe de campanha de Fernando Collor de Mello. Nos contatos com a direção de jornalismo, o codinome usado era Harrison. O bacalhau tinha virado Harrison e estava quase na mesa", revela Cabrini. Na Espanha, no Ritz, mais luxuoso hotel da Catalunha, quando entrevistou Paulo César Farias pela primeira vez, Cabrini foi apresentado a um amigo dele, Raul Gomes de Almeida, brasileiro que vive na França, sócio de uma empresa que aluga limusines. Ao amigo foi feito o pedido para intermediar o encontro. "Duas horas da madrugada de 20 de outubro, o Raul ao telefone. Ele disse que tinha acabado de conversar com Paulo César Farias e queria me encontrar ao meio-dia no bar do hotel Le Méridien, no centro de Londres, para que pudéssemos ajustar os detalhes da reportagem", conta. Horas depois, lá estava Cabrini no local combinado. Meio-dia e quinze e nada do Raul. "Eu já estava começando a me acostumar com a alta tensão daquela matéria. Passados mais alguns minutos e ele chega, pedindo desculpas pelo atraso", completa. Durante a refeição, novas regras.

– Vou ligar pra tua casa às 10 horas da noite. Consiga um telefone celular e me dê o número nessa hora – iniciou Raul.

Cabrini tentou argumentar, mas não teve tempo de iniciar a frase.

– Vou dizer, então, onde você deverá estar às 11h30 da noite. Você terá que ir sozinho.

– Garanto que o trabalho vai ser totalmente imparcial – reforçou Cabrini.

– Só depois passo o endereço de onde vai ser o encontro – completou Raul.

– Pra mim, pode ser em qualquer lugar de Londres. No apartamento da Randolph Avenue ou até em casa, se ele se sentir mais seguro. Mas tem que ser hoje. Não espero mais. Tenho que dar a informação – reforçou Cabrini, com tom de voz mais firme.

No final da tarde, Silio Boccanera ligou para checar como tinha sido o encontro com o informante e para saber se realmente a reportagem ficaria pronta. Toda essa operação envolvia muito dinheiro e, conforme o tempo passava, aumentavam as possibilidades de vazar o paradeiro do brasileiro mais procurado no mundo naquele ano.

– Você já o viu? – perguntou Boccanera.

– Ver, eu não vi; mas tenho certeza absoluta, sem margem de erro – disse Cabrini com confiança ao chefe, relatando também que o encontro aconteceria naquela noite, mas que pelo combinado ele teria que ir sozinho.

Nove horas da noite. O bipe de Roberto Cabrini tocou. No luminoso, o recado para telefonar urgente para a redação da Globo, já que Raul não conseguira ligar para a casa de Cabrini. Foi aí que o repórter percebeu que sua filha Gabriela, então com 3 anos de idade, havia brincado com o telefone e o tinha deixado fora do gancho. Foram longos 30 minutos com o sinal de ocupado, o que levou o intermediador do encontro a desconfiar que o jornalista estaria contando tudo aquilo para alguém ou se armando para levar outra pessoa até o local, que seria revelado. Poucos minutos depois, o aparelho tocou.

– Quer dizer que era sua filha? – disse Raul, aliviado e convencido de que esse era mesmo o caso.

Roberto Cabrini começou a contar sobre a mania de sua filha de brincar com o telefone, quando foi abruptamente cortado:

– Roberto, atenção! Esteja às 23h30 no bairro Kensington. Mas vá sozinho. Além de você, só um motorista.

Sem pensar duas vezes, imediatamente Roberto Cabrini contatou a empresa que atendia o transporte da Globo em Londres, a frota de Chris Stock, e se dirigiu para o ponto de encontro. "Eu levei comigo apenas um pequeno gravador de bolso e uma máquina fotográfica. Custasse o que custasse, eu registraria a presença de PC em Londres", conta o apresentador do *Conexão Repórter*. Ele chegou quinze minutos antes na Kensington Street e esperou a ligação de Raul.

Exatamente às 23h30, o celular tocou e Raul deu o endereço de um pequeno apart-hotel na Old Brompton Road Street, a dez minutos do local onde estavam. "Raul voltou a perguntar se eu estava sozinho. Confirmei que só havia um motorista de confiança e que chegaria em dez minutos", completa. Ao chegar, Cabrini ainda ficou mais algum tempo em pé ao lado do carro, a fim de se certificar de que não estava sendo observado de alguma janela, para que todos os envolvidos tivessem a certeza da segurança. Raul apareceu e o conduziu em silêncio até o apartamento 790 do apart-hotel. Quando a porta se abriu, o repórter viu o homem mais procurado do Brasil sentado ao lado do português Fernando Barbosa, o sócio de Raul na Sanal.

"'Roberto, como vai?', cumprimentou Paulo César Farias, bem mais abatido do que o homem que eu tinha encontrado em Barcelona dez meses antes", conta Cabrini. Ele estava dez quilos mais magro e sem o conhecido bigode. Mas em um aspecto não tinha mudado nada: a lábia, essa sim, era a mesma.

"Fiquei sabendo que você espreitou o prédio onde eu estava. Não precisava fazer nada disso. Eu o teria atendido com o máximo prazer", disse, num tom que misturava a admiração ao jornalista e ao mesmo tempo a certeza de que conhecia os passos da investigação.

Paulo César Farias continuou a conversa com seu amigo inseparável nas mãos: o velho *scotch on the rocks*, dezesseis anos. PC se apressou em dizer que estava na Inglaterra legalmente, que o departamento de imigração tinha acabado de entrar em contato com ele e que não havia o que esconder. Roberto Cabrini, usando o telefone do próprio apartamento, passou um *flash* para o *Jornal da Globo* comunicando sua descoberta e dando as primeiras informações sobre as mudanças na aparência do homem que controlava o caixa da campanha de Fernando Collor de Mello. Antes desse encontro, conta o jornalista, PC já havia ligado para Xico Sá, na época repórter da *Folha de S. Paulo*, em quem ele também confiava muito. "Descoberto por mim, e sabendo que a notícia iria ao ar naquela noite, aproveitou para fazer média com o jornalista que, na opinião dele, sempre o tratou de maneira justa. Ele já tinha pronta uma carta na qual me cumprimentava pelo furo jornalístico ao localizar o seu endereço em Londres, mas dizendo que, em respeito ao julgamento do pedido de *habeas corpus* no Brasil, não daria entrevista. Aliás, não admitia nem mesmo ser filmado", recorda Cabrini. O problema é que carta não funciona muito bem em televisão e o jornalista teve que explicar isso a ele. "Diante de tanta insistência, acabou concordando em ser filmado, desde que fosse muito rapidamente", fala com orgulho.

Com o sinal verde de PC Farias, foi necessário acionar Sérgio Gilz, cinegrafista de muitos trabalhos, carioca e comunicativo. Ninguém, segundo Cabrini, melhor que ele para aquele tipo de situação. "Pedi ao motorista que estava comigo para apanhar o Sérgio. Tinha agora certeza de que a presença de PC em Londres seria provada e documentada. Ele queria ser filmado na entrada do apart-hotel", pontua o jornalista. Dez minutos da madrugada de 21 de outubro e toca o interfone, anunciando a chegada do cinegrafista. Foi aí que entrou toda a experiência de Roberto Cabrini para realizar uma das reportagens mais emblemáticas da história da televisão brasileira.

– Estamos falando da história do Brasil – disse o repórter.

Paulo César Farias parou, olhou cada detalhe do ambiente, pensou...

– Nós não o encontramos saindo do apart-hotel. Eu o encontrei aqui dentro. E é aqui dentro que temos que filmá-lo – completou Cabrini, com firmeza.

PC estava relutante, mas Raul disse que concordava com Cabrini, e foi isso que o fez ceder. O próprio PC limpou a área, retirando todos os copos da sala, os que estavam cheios e os vazios. Em seguida, vestiu um paletó. Estava pronto para ser filmado pela primeira vez desde que fugira do Brasil. "O combinado era que fosse filmado conversando comigo no sofá. Seriam apenas imagens."

Meia-noite e meia. Tocou o telefone. Era Carlos Schroder me lembrando que o *Jornal Nacional* daquela quinta-feira, 21 de outubro, queria dez minutos de matéria sobre a minha descoberta. Era a deixa que eu precisava", revela.

– Preciso falar dez minutos a seu respeito. Preciso pelo menos de informações sobre sua fuga – disse Cabrini após desligar o celular.

Paulo César Farias concordou em dar informações e, na base do bate-papo, foi falando, falando... Cabrini conta que o seu grande entrosamento com Sérgio Gilz foi fundamental para o resultado final dessa reportagem. Com as imagens que haviam combinado fazer gravadas, o cinegrafista deixou a câmera abaixada, mas ligada para registrar o áudio da conversa informal. "O clima era de cordialidade. A câmera não estava no ombro, como PC estava acostumado a ver nas inúmeras entrevistas que tinha dado até então. O Sérgio apoiou a câmera na perna, apagou a luz que indica que ela está em funcionamento e, para disfarçar ainda mais, pedia água o tempo todo, conversava com Raul e com Fernando Barbosa, que várias vezes entraram em foco sem desconfiar de nada. O microfone estava na mesa, e, como a luz que normalmente era usada para entrevista foi deixada de lado, PC também não desconfiou de que nossa conversa estava sendo gravada. Para que PC não percebesse, durante todo o tempo eu o chamei de 'você'. Eu sabia que, se de repente começasse a chamá-lo de senhor, o comportamento mais formal poderia denunciar nossa gravação. Meu objetivo inicial era produzir um documento. Naquele momento, não importava se o bate-papo seria ou não usado. O que importava era registrar tudo o que fosse possível de minha descoberta", fala o repórter, com orgulho.

Roberto Cabrini, Sérgio Gilz e o motorista deixaram o apart-hotel da Old Brompton Road Street após as 6 horas da manhã, com mais de duas horas de conversa com o fugitivo mais procurado do Brasil. Esse material acabaria indo ao ar na própria quinta-feira, 21 de outubro, quando a equipe da Globo confirmou que Paulo César Farias havia rompido o acordo de exclusividade, já que o jornal *Folha de S. Paulo* anunciava uma reportagem especial com ele. Algumas horas depois, PC também deixou o local, com um ar mais bem-humorado, como se tivesse desabafado. Ele saiu do prédio acompanhado de seus dois assistentes a bordo de um tradicional táxi preto londrino.

\*\*\*

Recorrer a brasileiros que moram no exterior, principalmente aos correspondentes de jornais, revistas e rádios, é algo que ajuda muito nas coberturas dos grandes acontecimentos internacionais quando não há uma base ou escritório na região. Um bom exemplo disso ocorreu por ocasião da morte da princesa Diana, em 31 de agosto de 1997, madrugada de domingo, com intensa repercussão do acidente em todo o mundo. Por aqui não foi diferente. Poucos minutos depois, a TV Globo entrou com uma edição extraordinária e movimentou seu pessoal no Brasil e na Europa. João Saad, dono do Grupo Bandeirantes, ouvindo sua emissora de rádio jornalística, passou a estranhar por que a sua televisão, quase duas horas após o ocorrido, ainda não tinha dado notícia nenhuma sobre o ocorrido. Ligou várias vezes e não encontrou ninguém na redação da TV que pudesse explicar o que acontecia. Todo o pessoal tinha ido embora fazia tempo, logo após a apresentação do *Jornal da Band*, na época comandado por Paulo Henrique Amorim. Foi então que ele tentou resolver o assunto com a rádio, e, ao ser atendido por Marcelo Parada, pediu que ligasse para o seu amigo Reali Júnior em Paris para que fizesse algumas entradas na televisão.

Além de ser atendido, João Saad ainda conseguiu, a partir daquele dia, ter Reali Júnior como contratado da sua televisão por alguns anos. Um detalhe: o jornalista era correspondente da Jovem Pan na França e uma marca registrada no *Jornal da Manhã*, o maior concorrente dos jornais produzidos pela Rádio Bandeirantes. Naquele momento não havia competição entre as empresas, mas simplesmente a veiculação de uma informação importante por meio de alguém com credibilidade. Reali continuou contratado da Jovem Pan.

\*\*\*

Entre 1983 e 1999, período em que esteve no ar, a Rede Manchete sempre se preocupou em praticar, com seus programas e informativos, um jornalismo da melhor qualidade e de fino acabamento. Sua revista impressa impunha essa necessidade. *Edição da Tarde, Jornal da Manchete* e *Última Edição* foram alguns dos seus telejornais, além do *Programa de Domingo*, revista eletrônica criada para concorrer com o *Fantástico*. Todos eles, ao longo do tempo, reuniram conhecidos profissionais, como Carlos Bianchini, Ronaldo Rosas, Luiz Santoro, Márcia Peltier, Kátia Maranhão, Maitê Proença, Leila Richers, Georgia Wortmann, Íris Lettieri, Jacyra Lucas, Eliakim Araújo e Leila Cordeiro. Entre os seus programas, sempre contando com a larga experiência de Fernando Barbosa Lima, foram exibidos o *Câmera Manchete, Márcia Peltier Entrevista, Documento Especial, Operação Resgate* e *Na Rota do Crime*, além do premiado *Conexão Internacional*, de Roberto D'Avila.

\*\*\*

Já no SBT, Silvio Santos sempre chamou para si a responsabilidade de fazer as grandes contratações – ele mesmo telefonava para quem desejava ter em sua equipe. Dizem, internamente, que se incumbir disso e mexer a todo instante na programação sempre foram seus passatempos preferidos. É evidente que, por se tratar de algo que foge completamente da normalidade, ele já ouviu muitos palavrões e teve telefones batidos na cara, situações que sempre soube compreender muito bem. Leila Cordeiro, com passagens na Globo, Manchete e SBT e há muito morando nos Estados Unidos, viveu uma dessas surpresas, que, confessa, jamais conseguirá esquecer. Certa noite, depois de mais um dia inteiro de trabalho na Manchete, quase pegando no sono, o telefone tocou. A apresentadora olhou o relógio e atendeu assustada, porque já passava de uma hora da manhã e pensou que poderia ter acontecido algo grave com algum conhecido.

– É da casa de Leila Cordeiro e Eliakim Araújo? – perguntaram do outro lado da linha.

– Sim, é. O que foi? – respondeu Leila, meio atordoada pelo sono.

– Aqui é o Silvio Santos.

Leila Cordeiro lembra que por alguns segundos pensou que fosse um trote, mas, quando ele continuou a falar, percebeu que se tratava do apresentador e dono do SBT. "Como estava meio sonolenta, preferi passar o telefone para Eliakim, que, àquela altura, já estava preocupado, me olhando e querendo saber quem era", conta a jornalista. Silvio Santos foi direto ao assunto, disse que desejava contratar o casal e que daria dois dias para eles pensarem. "Como na época a Manchete já não estava muito bem, decidimos primeiro ter uma conversa pessoalmente, para depois darmos a nossa resposta. Ele mandou as passagens, fomos a São Paulo, participamos de uma reunião com a direção e em menos de dois meses já estávamos morando em Alphaville, bairro em uma cidade vizinha da capital, prontos para entrar no ar no SBT", completa. Depois de uma rápida passagem pelo *Aqui Agora*, como apresentadores, acabaram transferidos para o *Jornal do SBT*, que tinha o jornalista e escritor Alberto Villas como editor-chefe. "Foram quatro anos de um jornalismo pujante, alegre, descontraído", pontua. Esse foi um período de grandes mudanças no SBT e, segundo muitos profissionais, a fase de ouro do departamento de jornalismo da emissora, com grandes repórteres e apresentadores em seus quadros.

Alguns anos antes, em 1988, Boris Casoy fora contratado para assumir o jornalismo do SBT, deixando uma carreira de muitos anos na *Folha de S. Paulo*, inclusive com a responsabilidade de apresentar o *TJ Brasil*. E, como a televisão era algo absolutamente novo na vida dele, foi-lhe dado um tempo para conhecer melhor o funcionamento de tudo. Magdalena Bonfiglioli foi a encarregada de mostrar a Boris como era a produção de uma reportagem na rua. "Fiquei gelada quando fui avisada daquilo. Quem era eu para ensinar alguma coisa a ele, naquela época já um nome consagrado da imprensa brasileira? E fui, tremendo, falar com ele. Aquilo não fazia nenhum sentido para mim. Mas, tranquilo, humilde e rindo, falou para eu ficar tranquila, porque queria conhecer o mecanismo todo, por nunca ter feito televisão", lembra a jornalista.

Outro que se recorda bem desse início de Boris Casoy é o jornalista Albino Castro, que antes de chegar ao SBT passou muito tempo morando na Europa. Foram doze anos só na Itália, chamado para trabalhar na Tele Monte Carlo, que a Globo estava comprando. "Eu falava várias línguas e passei a fazer o meio-campo entre os caras brasileiros, americanos e alemães que estavam montando a televisão com os italianos. Acontece que o salário de lá era bem diferente do que se pagava por aqui, e nessa época a Tele Monte Carlo começou a passar dificuldades, porque a parte maior do dinheiro ia para o Silvio Berlusconi, que tinha várias redes. Foi aí que dois grandes amigos meus do Estadão, Marcos Wilson e Luiz Fernando Emediato, foram chamados pelo Silvio Santos para montar o departamento de jornalismo do SBT e me convidaram para dar uma olhada quando viesse ao Brasil. Quando cheguei, na hora percebi que estavam numa tremenda roubada, porque não havia projeto de jornalismo nenhum e eles não tinham a menor noção do que era televisão. Lá estavam, além do Marcos e do Emediato, Paulo Patarra,

Boris Casoy, Dácio Nitrini e Adhemar Altieri, que tinha sido repórter da TV Globo", recorda Castro. Luciano Callegari, como sempre, estava um pouco chateado porque Silvio Santos resolveu montar o jornalismo de uma hora para outra, com pessoas que não entendiam de televisão. O tempo necessário para adaptação e implantação de um novo jornal foi abreviado ao mínimo, até se chegar à discussão sobre o título que deveria levar. "De repente, numa das últimas reuniões, entra o advogado-chefe do jurídico do SBT, doutor Salvador Regina, dizendo que a direção do periódico impresso *Jornal do Brasil* havia proibido o SBT de usar esse nome, que era o nosso preferido. Como existia o *Jornal Nacional*, por causa do Banco Nacional, o Marcos pensou no *Jornal do Brasil*, que era muito respeitado na época. Acontece que os idiotas de lá não quiseram associar a marca Jornal do Brasil a Silvio Santos, por preconceito. Se tivessem se associado, talvez não tivessem quebrado", afirma Albino Castro, que interrompeu a discussão para lembrar a todos que tanto na França quanto na Itália a palavra "telejornal" era muito aceita pelo público. Assim, surgiu o *TJ Brasil*, marca que está registrada até os dias atuais.

Boris Casoy, como principal característica e novidade nos telejornais da ocasião, além de ler as notícias, fazia uma análise delas, valendo-se para isso de uma troca de câmeras. Ele saía da central para uma lateral, para fazer seus comentários. Foi quando surgiu, por puro acaso, o bordão "é uma vergonha" no fecho dos assuntos mais constrangedores.

***

Desde a sua inauguração, em 1981, até a mudança definitiva para o Centro de Televisão da Anhanguera, o CDT, em 1996, a TVS, no começo e mesmo depois de virar SBT, sempre conviveu com o problema das inundações. Ao contrário das TVs Globo, Record e Bandeirantes, que tiveram seus estúdios e teatros vitimados por incêndios, muitos dos arquivos e equipamentos do SBT foram destruídos pelas frequentes enchentes na região da Vila Guilherme, bairro da zona norte de São Paulo. Em uma dessas ocasiões, Boris Casoy apresentou o *TJ Brasil* com água na altura da canela. O diretor de TV recebeu instruções de não dar plano geral, só trabalhar num plano mais fechado.

Também no SBT, foi apresentado o *Aqui Agora*, noticiário policial barulhento, em sua primeira versão entre 1991 e 1997. Tinha o mesmo nome de um programa de variedades da antiga TV Tupi, levado ao ar em

1979. A campanha de François Mitterrand em 1981, quando ele chegou à presidência da França, também se utilizou desse slogan, o que só fez reforçar a ideia de usá-lo como título do telejornal. O *Aqui Agora*, com apelo popular, se destacava pelas reportagens de perseguição policial, com participação de Jacinto Figueira Júnior, o conhecido "Homem do Sapato Branco", assim como Gil Gomes, Christina Rocha, Wagner Montes, Magdalena Bonfiglioli, Celso Russomanno, Luiz Lopes Corrêa, além de apresentadores como Patrícia Godoy, Silvia Garcia, Sérgio Ewerton e uma grande equipe de repórteres. César Tralli, na ocasião com 20 anos de idade, chamou a atenção de Silvio Santos com seu trabalho de repórter aéreo da Jovem Pan. O dono do SBT sempre teve por hábito ouvir os noticiários dessa emissora no carro, em seu trajeto de ida e volta, entre casa e trabalho. A Jovem Pan era o segundo emprego de Tralli. Ainda muito jovem, ele já tinha passado pelo jornal *A Gazeta Esportiva*, e acabou contratado por Silvio Santos para trabalhar no *Aqui Agora*. "O Silvio e a equipe me chamaram porque a intenção era levar para a TV a linguagem do rádio. Foram pegando repórteres de rádio de várias emissoras. E nesse time lá estava eu, pinçado da Jovem Pan AM, então um jovem destemido e dedicado ao trabalho. Me lembro que as reportagens tinham até 30 minutos. Plano sequência, a câmera nervosa, o repórter falando, abrindo caminho e narrando tudo o que ocorria a sua volta", relembra o atual âncora do *SPTV 1ª Edição*.

No dia da estreia do *Aqui Agora*, o diretor Albino Castro foi avisado de que teria três meses para triplicar a audiência do horário e fazer o programa chegar a 12 ou 13 pontos. Em apenas um mês atingiu 16 de média e nunca mais obteve menos que isso. A líder Globo ficou incomodada? "Não mais que Silvio Santos. Ele acabou com o jornal porque dávamos o dobro da audiência do programa dele", diz o diretor, de forma categórica. Gabriel Priolli, na época editor no jornalismo da Globo em São Paulo, lembra que as derrotas do *SP TV* eram diárias. Apesar de todas as cobranças, não havia como, com um jornal de 10 minutos, enfrentar um programa com aquelas características. Até que veio a decisão de jogar o mesmo jogo. "Um dia, derrubamos toda a pauta para só destacar polícia e problemas da cidade. Foi uma ordem: vamos fazer em dez minutos o que eles fazem em sessenta. Foram dois meses ali, sangue contra sangue, tiro contra tiro, e a Globo recuperou a audiência. Depois de um tempo, quando paramos de apanhar, pudemos voltar à normalidade", revela.

Sérgio Ewerton e Lilian Ventura como apresentadores do
Aqui Agora em sua primeira versão, em 1991

Foi justamente a falta de limites na conquista de audiência que levou o *Aqui Agora* a ser alvo de críticas bastante severas por parte de vários setores da sociedade. Em 1993, uma das edições exibiu uma reportagem absolutamente dispensável. Uma jovem de 16 anos, Daniela Alves Lopes, saltou do sétimo andar de um prédio do centro de São Paulo por causa de uma desilusão amorosa. A gravação, feita às 11h da manhã de 5 de julho, foi ao ar integralmente às 20h30 do mesmo dia. A direção do programa teve apenas o cuidado de avisar os seus telespectadores que as cenas seriam muito fortes. Como emissoras de rádio, televisão e jornais não noticiam suicídios, justamente para não banalizar essa prática, o tema só é citado quando está vinculado a um fato maior, mas jamais a problemas amorosos ou decepções da vida. Naquela edição, porém, o telespectador viu o corpo caído no chão, uma cena inapropriada para a televisão, além de ter acompanhado uma narrativa dramática sobre os momentos finais da vida daquela garota.

\*\*\*

Utilizando-se de um formato similar ao do *Globo Repórter*, nasceu o *SBT Repórter* em 22 de agosto de 1995, dirigido por Mônica Teixeira, que foi substituída por Odilon Coutinho três anos depois. Profissional conhecido por grandes reportagens na Globo, ele dividiu com Hélio Costa, durante muito tempo, as matérias de encerramento do *Fantástico*. Entre elas, uma entrevista com Michel Frank, procurado pela polícia brasileira pelo assassinato de Cláudia Lessin Rodrigues, e que o jornalista localizou, um ano depois do crime, em 1978, na Suíça. Outro trabalho feito por Odilon e que também alcançou grande repercussão na época foi com Doca Street, culpado pelo assassinato da socialite Ângela Diniz, em Búzios. Sob sua direção, o *SBT Repórter* se destacou pelo registro de grandes audiências, sempre com profissionais que ainda hoje brilham com seus trabalhos em outras emissoras, como Domingos Meirelles, Heraldo Pereira, Luiz Carlos Azenha, Maria Cândida, Paulo Panayotis, Ricardo Carlini, Mario Rezende, Magdalena Bonfiglioli, Eleonora Pascoal, Adriana de Castro, Gérson de Souza e tantos outros. E, na apresentação, nomes como Marília Gabriela e Hermano Henning.

Toda essa equipe foi desfeita em 2003 e o *SBT Repórter* nunca mais se firmou depois disso, saindo definitivamente do ar em 2013. Assim como Odilon, Hélio Costa, correspondente da Globo nos Estados Unidos, foi autor de históricos trabalhos para o *Fantástico*, como as entrevistas com John Lennon, Frank Sinatra e Liza Minelli, entre outros grandes artistas. Cobriu o assassinato de John Kennedy no Texas e acompanhou algumas guerras na Nicarágua, no Oriente Médio e em El Salvador. Foi também o primeiro jornalista da televisão brasileira, em matéria no mesmo programa, a falar de uma doença misteriosa que começava a assustar o mundo: a aids.

\*\*\*

Gaúcha, a jornalista Ana Terra recorda-se das muitas tentativas da TV Globo, várias delas frustradas, de inovar entradas e posturas dos repórteres. Todos sabiam que era necessário buscar algo mais informal e natural, porque aos poucos o telespectador estava mudando e a televisão não podia mais ser engessada, principalmente no jornalismo. "A primeira foi fazer o repórter caminhar. Foi um festival de andanças de um lugar para outro, sem qualquer sentido. Depois de quilômetros e quilômetros percorridos nos textos das passagens, veio uma ordem proibindo as caminhadas. Outra vez, um comunicado interno sugeria que gesticulassem mais nas externas. O reportariado parecia um bando de Carmens Mirandas. Imediatamente veio novo comunicado, revogando o anterior", ri a jornalista ao recordar esses momentos. "Houve também quem buscasse ser mais participativo. Era repórter andando a cavalo, mergulhando em piscina, se oferecendo para ser refém nas rebeliões em presídios e – felizmente poucos – até criando fatos para que virassem notícia, como tocar fogo em mata para dizer que havia incêndio", completa a jornalista. Todo esse processo de aproximação com o telespectador levou muito repórter a ser tratado como artista, fazendo tanto sucesso quanto.

Aliás, é importante ressaltar que excelentes jornalistas sempre contribuíram muito para as linhas de entretenimento, principalmente por meio de programas com conteúdo informativo, como as revistas eletrônicas matinais. O gaúcho Britto Júnior é um desses que trocaram o dia a dia das pautas na rua pelo comando de atrações em estúdio. Antes do SBT e Record, até se tornar apresentador, ele atuou no jornalismo da Globo, primeiro na RBS, em Caxias do Sul, depois na Globo Oeste Paulista, em Bauru, até chegar a São Paulo. "A formalidade era obrigatória e a informalidade proibida no jornalismo. No próprio Manual de Telejornalismo da Globo, as regras estavam detalhadas. Coisas como o repórter não demonstrar emoção, não exagerar nos gestos, não poder aparecer mais do que a notícia e jamais utilizar gírias, nem se dirigir aos entrevistados por apelidos. Os diferentes sotaques sempre foram um problema na Globo", conta Britto. Assim como muitos profissionais de outras regiões, logo que chegou à redação paulista da rede, foi chamado pela fonoaudióloga Glorinha Beuttenmüller:

– Ô, Britto, porrrrque você fala desse jeito?

O jornalista parou por alguns segundos, pensou e, quando ameaçou responder, a fonoaudióloga completou:

– Churrrrasco com esse erre carregado é coisa lá do Sul. Aqui em São Paulo é churrasco.

Britto Júnior aprendeu imediatamente a lição e percebeu que, mais do que fonoaudióloga, Glorinha Beuttenmüller era uma verdadeira psicóloga, por compreender muito bem as características de cada um e trabalhar para unificar a linguagem, sem deixar de respeitar a individualidade. "E olha que a Glorinha tinha um carioquês daqueles. Foi engraçado", pontua o apresentador. Muitos repórteres de qualidade, nessa época, perderam a oportunidade de trabalhar no eixo Rio-São Paulo em razão do sotaque carregado. Hoje os tempos são outros e a Globo até incentiva que seus profissionais demonstrem seu jeito regional de pronunciar o português, sem que isso limite futuras oportunidades na rede.

Armando Nogueira, diretor da Central Globo de Jornalismo – CGJ – entre 1966 e 1990, um aficionado de esportes em geral, mas de futebol e avião em particular, dizia que a sua sensação, todas as noites, ao colocar o *Jornal Nacional* no ar era a de estar "decolando um Boeing". Para Boni, o telejornal foi decisivo para acelerar o processo de transmissão em rede. "Houve um momento em que sentimos que seria possível transmitir novelas e programas circulando videoteipes defasados, mas um telejornal com aquela importância tinha que ser tudo no mesmo dia e horário. Isso foi decisivo para consolidar nossa liderança", diz. Até hoje ele guarda na memória o grito de Armando, do switcher, naquele primeiro dia:

– Sala de comando chamando! O Boeing está no ar!

Boni e muitos outros reconhecem e destacam a importância de Armando Nogueira nas mais diversas e importantes transformações observadas pelo *Jornal Nacional* ao longo de anos, até seu afastamento definitivo, em 1990. Em depoimento ao Memória Globo, ele falou dos desafios enfrentados ao longo de 25 anos em um cargo de tamanha importância. "Nós sabíamos fazer telejornalismo melhor do que os nossos concorrentes. E fazer telejornalismo é uma coisa muito difícil. Não só do ponto de vista da forma; a forma você domina. Mas do ponto de vista do conteúdo. O que é o conteúdo? É muita informação, informação selecionada para um veículo que vive de seleção da informação. Esse veículo não vive de informação massificada". Em outro trecho, diz: "Eu tenho a satisfação muito grande de, em 25 anos de trabalho na emissora, não ter tido qualquer desapontamento com a direção política da empresa, com a qual eu ficava solidário nos momentos em que recebíamos pressões do poder central. E muito menos do Departamento Comercial, que é tradicionalmente conhecido como uma vertente de pressões".

O jornalismo da Globo adquiriu uma uniformidade de ação nada comum nas outras emissoras. Existe uma linha de conduta estabelecida para todos os trabalhos dos seus apresentadores e repórteres, independentemente do estado, cidade ou país em que atuem. Regras que valem tanto para as emissoras próprias quanto para as afiliadas, estabelecendo uma relação de confiança das mais interessantes. Mas nem sempre foi assim, como revela Oliveira Andrade, ex--diretor de jornalismo da EPTV, afiliada da Globo com emissoras em Campinas, Ribeirão Preto e Varginha. As dificuldades, segundo ele, para encaixar matéria com repórter local em jornal de rede eram enormes. Para todo e qualquer assunto importante, sempre era deslocada uma equipe completa de São Paulo, mesmo que o pessoal local tivesse condições de fazer. Um dos episódios de que Oliveira se lembra bem foi o acidente do ex-recordista mundial do salto triplo João do Pulo. "O Heraldo Pereira já era um bom repórter. Ele já era safo, já estava no time da Globo. Eu o desloquei para fazer a cobertura do acidente e ele fez um trabalho redondinho. A gente linkava para São Paulo e as matérias dele começaram a entrar no *Bom Dia*, no *Hoje* e, inclusive, no *Jornal Nacional*. Foi uma tremenda comemoração, porque realmente o material estava muito bom. Só que isso gerou ciumeira na redação de São Paulo", conta. A equipe de São Paulo começou a pressionar para entrar na cobertura do fato porque se sentiu preterida. "Isso provocou até um atrito meu com o diretor de jornalismo da Globo em São Paulo, na época, o Woile Guimarães", completa Oliveira. O estopim foi um telefonema sem nenhuma gentileza.

– Oliveira, olha, a brincadeira acabou! – anunciou Woile assim que ouviu o "alô" do diretor de jornalismo da EPTV.

– Como assim? Que brincadeira? – retrucou Oliveira Andrade.

– O Cabrini está indo aí para Campinas para assumir a cobertura do João do Pulo a partir de amanhã. A brincadeira acabou. Laboratório, aqui, é só no *Bom Dia São Paulo*.

Nervoso com a grosseria do diretor de jornalismo da Globo em São Paulo, Oliveira Andrade desligou o telefone e foi imediatamente para a sala do telex, equipamento que possibilitava a comunicação escrita entre dois locais, uma importante ferramenta nas redações de TV, rádio, jornal e revistas, que talvez seja o avô do e-mail. "Fiz uma resposta para o Woile, esculhambando a atitude dele, e ficamos atritados por muito tempo em função disso. Foi uma coisa muito chata", recorda.

Em outra situação, o hoje diretor de jornalismo da TV Cultura, Willian Corrêa, foi transferido de Belo Horizonte para a TV Globo de Brasília. Feliz, porque estaria mais próximo dos principais acontecimentos da República, mas receoso, sabendo dos problemas que teria pela frente. Entre os principais, romper as barreiras de uma redação muito fechada. Buraco de rua, link ao vivo em jornais locais, exposições, feiras ou seminários fazem parte de um estágio obrigatório na vida de todo e qualquer repórter. E seu início lá não foi diferente. Um belo dia, meio cansado disso, resolveu perguntar ao chefe Ângelo Lima se podia desenvolver as suas próprias pautas. Com o sinal verde, começou a caçar assuntos mais interessantes, até sentir que a chegada do jogador de basquete americano Tony Lee Harris ao time do Universo, de Brasília, daria uma boa reportagem – no *Globo Esporte* nacional ou, quem sabe, até no *Esporte Espetacular*. Só que na primeira externa, treino do time, Tony Lee não estava lá. Para piorar, os outros jogadores não queriam falar sobre o assunto, até que um deles abriu o jogo e disse que o americano tinha síndrome de pânico e já havia alguns dias não aparecia. "Pronto, estava ali um caso que poderia se tornar um grande furo de reportagem e um problema que envolveria até o governo brasileiro. Um jogador americano chega ao Brasil e ninguém dá suporte. Ele enlouquece e desaparece", recorda o exato momento em que veio a ideia da pauta à sua cabeça. "Depois de apurar cuidadosamente o caso, soube que ele tinha tentado viajar de avião para Natal, mas, como estava sem passaporte, foi de ônibus", completa. Autorizado pela chefia da Globo, Willian resolveu fazer o mesmo trajeto do atleta americano. E aos poucos foi colhendo informações. "Ele pegou um ônibus, depois um táxi, abandonou um carro em um posto de gasolina em Formosa e fugiu para uma mata. Cada avanço nas investigações gerava uma reportagem para o jornalismo de Brasília. O assunto começou a interessar a Globo nacional. Fiz reportagens para o *Bom Dia Brasil*, *Jornal Hoje*, *Jornal da Globo* e, finalmente, emplaquei a minha primeira reportagem no *Jornal Nacional*. Naquela época não era fácil para um repórter local ter uma matéria no *JN*", lembra. Depois de várias reportagens e nenhuma solução, faltava ouvir o padrasto de Tony Lee Harris, que ia chegar a Brasília. Era o que faltava para fechar o vídeo do *Fantástico*. "Só que, durante a entrevista, recebo uma ligação do delegado de Formosa dizendo que tinha encontrado o corpo de Harris. Que ele tinha se enforcado em uma árvore na mata que eu tinha apontado na reportagem", diz Willian Corrêa.

Tony Lee Harris havia se enforcado ou teria sido assassinado? Foi com essa pergunta que o jovem transferido para Brasília encerrou a reportagem para o *Fantástico* e conquistou definitivamente seu passaporte para o jornalismo nacional da Globo. "Não disse na reportagem, mas Harris se enforcou com o cadarço do próprio sapato, à beira de um lago, numa mata onde o Exército fazia treinamento militar", conclui a história, muitos anos depois.

***

Alberico de Souza Cruz ficou à frente do jornalismo da Rede Globo entre 1990 e 1995, quando deu lugar a Evandro Carlos de Andrade, egresso do jornal *O Globo* e com experiência de quase cinquenta anos de trabalho na mídia impressa. Sua chegada para dirigir o departamento de jornalismo em julho de 1995, depois de 24 anos como diretor de redação de *O Globo*, atendeu a um desejo de Roberto Irineu e João Roberto Marinho. "Você está sendo convidado para sinalizar que nós vamos fazer um telejornalismo absolutamente isento, imparcial, sem amigos, sem inimigos, sem assuntos vetados, sem recomendações, sem preconceitos de nenhuma natureza. Obediente à lei, respeitoso da lei, dos direitos das pessoas. Isso é o que nós vamos fazer." Um recado que ele entendeu como ordem e imediatamente retransmitiu aos seus comandados: a verdade dos fatos e a liberdade de expressão deveriam prevalecer sobre quaisquer outros interesses.

O jornalismo da Globo, ao longo dos anos 1990, durante o período em que Evandro esteve na direção – e mesmo um pouco antes dele –, passou a ocupar mais de três horas da programação diária. Nos dias atuais, cerca de sete horas por dia são dedicadas à informação. O jornalista também teve uma participação importante e decisiva na implantação do canal Globo News, em 1996.

Curiosamente, em 1997, em 1º de dezembro, José Carlos de Andrade, irmão de Evandro, assumiu a direção nacional de jornalismo do SBT, a convite de Luciano Callegari, para substituir Albino Castro. Duas das principais redes de televisão brasileira, Globo e SBT, durante certo período, tiveram dois irmãos na direção de seus departamentos de jornalismo. No entanto, eram completamente distintas as condições de trabalho de um e de outro. Enquanto Evandro foi inteiramente apoiado para reformular e modernizar o jornalismo da Globo, seu irmão viveu uma situação totalmente inversa. A redação do SBT, quase que completamente esvaziada, se prestava apenas a produzir boletins bastante precários, sob o título de *Noticidade*, com apresentação de Ricardo Carlini, Silvia Garcia, Valéria Balbi e Christina Rocha.

***

A televisão sempre teve um papel muito importante na luta pelos direitos do cidadão e no cumprimento da lei. Por meio do jornalismo, foi possível levar ao conhecimento do grande público ações que no passado, na época em que tudo era controlado pelo regime militar, eram apagadas pelo medo. Mas, com a abertura política e a garantia da liberdade de expressão, as coisas mudaram. O massacre na Favela Naval, em Diadema, e a reportagem sobre a violência policial levada ao ar em 31 de março de 1997 valeram a Marcelo Rezende o Prêmio Líbero Badaró de Jornalismo. As imagens de um cinegrafista amador realizadas em Diadema mostraram cenas de extorsão, tortura e espancamento de moradores daquela comunidade e um policial executando um motorista dentro do carro. Servindo-se dessa reportagem, a Assembleia Legislativa de São Paulo anunciou a criação de uma CPI para apurar o caso e, em 3 de abril, foi aprovado pelo Congresso Nacional o projeto de lei que estabelece que a tortura é crime, com pena de até 21 anos de prisão.

Marcelo Rezende recebeu muitos outros prêmios e comandava o *Cidade Alerta*, mas começou sua carreira no jornal *O Globo*, passando pela revista *Placar*, até chegar à televisão, inicialmente como repórter e depois apresentador. Ao dar entrevista para este livro, recordava-se das mãos amigas que encontrou no caminho. "Roberto Talma é um gênio. Sabia tudo e mais um pouco. Mas há um segredo na televisão: você não anda sem conhecer os bastidores – ou sem os bastidores te adotarem. Dificilmente eu teria conseguido chegar até aqui se não tivesse companheiros – e amigos – que cruzaram a minha vida – e desses eu posso falar, porque trabalhei com eles: Boni e Alberico, como duas figurinhas carimbadas, Amauri Soares, Robertinho Almeida, Samuca, Toninho Zimmermann, Durval Valente e Eduardo Faustini. Toda televisão tem profissionais geniais como eles. Se você for trabalhar em televisão e não conhecê-los, você pode até brilhar, mas isso não quer dizer que aprendeu o que é fazer TV".

\*\*\*

A Record estreou o *Cidade Alerta* em 3 de abril de 1995. A sua transmissão era só para São Paulo, mas, diante da repercussão alcançada, passou quase que imediatamente para todo o país. Estar à frente de um programa policial, depois de tantos outros trabalhos na televisão, inclusive o clássico *TV Mulher*, até hoje na memória de muita gente, fez Ney Gonçalves Dias receber críticas que ele nunca mais esqueceu. "Fui eu quem criou o programa e, na época, todo mundo me enchia. A Marta Suplicy, na época deputada federal pelo PT, era uma das que mais falavam, reclamando que era só assunto policial. 'É Morro do Alemão, Rocinha, não tem outra coisa?' A audiência era extraordinária, e isso acabou chamando a atenção do Silvio Santos, que me contratou para o *Aqui Agora*", conta o jornalista. Em substituição a Ney, que se transferiu para o SBT em 1997, João Leite Neto assumiu o *Cidade Alerta*, e seguiram-se a ele Gilberto Barros e José Luiz Datena, que em 2003 transferiu-se para a Bandeirantes. Com a saída de Datena, outros nomes conhecidos passaram pela apresentação do programa, como Milton

Neves, Oscar Roberto Godói, Ricardo Capriotti, Wagner Montes e Lino Rossi, alguns até em sistema de rodízio, até a chegada de Marcelo Rezende, vindo da Rede TV!, em 2004, onde fazia o *Repórter Cidadão*.

O *Cidade Alerta*, em sua primeira fase, ficou no ar até junho de 2005. Voltou em 2011, com rápida nova passagem de Datena pela Record, e desde 2012 foi apresentado por Marcelo Rezende. "É um programa que eu gosto muito de fazer porque tem matérias de violência social dosadas com brincadeiras, piadas, interação com repórteres e a genialidade do Percival de Souza. Prova de que, com sutileza, sabendo o tempo certo, dá para misturar as questões", diz o atual apresentador. Em sua opinião, o jornalístico cativa as pessoas porque parece que todos estão na sala de casa brincando e falando sério, quando necessário. "No início havia uma absoluta descrença no jeito de fazer, mas nós insistimos com a forma. E deu no que deu: o programa da família brasileira, como sempre digo".

\*\*\*

*Brasil Urgente*, da Bandeirantes, nasceu como programa de auditório em 15 de fevereiro de 1997, com apresentação de Wilton Franco e a clara intenção de se transformar em um novo *O Povo na TV*. O formato era praticamente igual ao do original, mas, durante o seu pouco tempo de exibição, sempre ficou muito longe de alcançar a mesma repercussão junto ao público. Voltou ao ar em 2001, já como um jornal policial, com apresentação de Roberto Cabrini, que saiu em 2003. José Luiz Datena assumiu seu comando no dia 10 de março de 2003.

A partir dos anos 2000, de maneira mais intensa, adotando o que os programas policiais já vinham fazendo, o jornalismo da TV passou a trabalhar mais com o "ao vivo", para dar instantaneidade ao seu noticiário. O jornalista, professor, apresentador e diretor de televisão Gabriel Priolli Neto, com trabalhos prestados em diversas emissoras, participou de várias dessas experiências. "A grande vantagem que a televisão tem para o jornalismo é a possibilidade do testemunho, de você viver os fatos enquanto eles estão acontecendo. Ou seja, você ser testemunha ocular da história, como já dizia o *Repórter Esso* cinquenta anos atrás. Você estar dentro do fato. Então, o *timing* da cobertura deve ser ao vivo. Quando o país viveu as jornadas de junho de 2013, aquele momento que foi um impacto, todo o país foi muito afetado por aquilo, com o povo nas ruas, só havia um assunto que interessava", explica. Para onde as pessoas correram? "Para a televisão, que derrubou a grade [da programação] e transmitiu ao vivo o tempo inteiro", responde.

Essa nova tendência levou Silvio Santos a reinventar o departamento de jornalismo do SBT em 2005, num primeiro momento contratando Luiz Gonzaga Mineiro e, quase que imediatamente a seguir, Ana Paula Padrão para a direção. Essa era uma profissional que ele tinha no alvo havia muito tempo e que em outras duas ocasiões falhou em contratar. Na área desde 1986, como estagiária da Rádio Nacional, enquanto ainda cursava a Universidade Nacional de Brasília, e antes da TV Globo DF, no ano seguinte, ela teve rápida passagem pela TV Brasília. "É óbvio que consegui administrar direito as oportunidades que apareceram e sempre fui muito aplicada. Eu não deixo o barco ir assim, não é? Eu tento remar. Mas ter passado por Brasília, desde o fim dos anos 80, foi fundamental na minha carreira. Cobrir os bastidores políticos e econômicos, passando por todos os planos até chegar à estabilização da moeda, considero a minha maior e melhor escola", revela uma das jornalistas mais admiradas do país e que também deixou a bancada do telejornal para levar sua credibilidade para o entretenimento.

Na Globo, Ana Paula foi correspondente em Londres e em Nova York, e de lá, sem escalas, foi para a bancada do *Jornal da Globo*. "Não chegou a ser um convite, mas uma intimação do Evandro Carlos de Andrade. Ele me ligou e falou: 'na sexta-feira eu vou chegar a Nova York'. Pediu que eu não avisasse ninguém do nosso encontro. E assim foi", lembra Ana Paula.

– Olha, como você sabe, a Lillian Witte Fibe saiu do *Jornal da Globo* e o Carlos Tramontina está apresentando temporariamente.

Ana Paula fez sinal com a cabeça de que sabia de toda a movimentação, porque acompanhava os detalhes, mesmo que de longe. Então, ele emendou:

– Na reunião do conselho eu levei o seu nome. Você foi aprovada. Então quero que assuma imediatamente. E que seja nova âncora e editora executiva do jornal.

Foi uma surpresa para Ana Paula Padrão, que, meses antes, durante suas férias no Brasil, aproveitara para visitar a redação da Globo no Rio de Janeiro e conversou rapidamente com o diretor. "O próprio Evandro tinha me assegurado que eu estava muito bem como correspondente e ia ficar anos trabalhando lá. Como o aluguel era muito caro em Nova York, comprei um apartamento na planta em janeiro de 2000. Em maio, quatro meses depois, ele me chamou de volta", recorda. A frase "Ana, mais do que um convite, estou te pedindo, eu banquei o seu nome no conselho e não posso sair com um não" é viva até hoje em sua memória. "Ele só me permitiu, antes de voltar, fazer uma série de reportagens no Afeganistão, que eu vinha trabalhando havia quase dois anos. Fui, em meio a uma correria toda, atrás de vistos, autorizações etc. Fiz a matéria e cheguei de volta ao Brasil em julho. Assumi o *Jornal da Globo* em 20 de agosto. Eu e quatro folhinhas embaixo do braço, sem conhecer uma criatura em São Paulo, sem conhecer nada da redação, sem conhecer nada da cidade. Eu era a aposta do Evandro e não podia decepcioná-lo", conta.

Foram cinco anos com Ana Paula Padrão no *Jornal da Globo*. No começo, sem ainda ter a segurança de como tudo funcionava, ela resolveu primeiro virar os olhos e depois o corpo até achar o teleprompter, o que se transformou num charme pessoal. A própria jornalista, no entanto, confessa que isso se deu por puro acaso ou pela mais absoluta falta de confiança. Só depois de ver onde a câmera se encontrava é que ela se virava por completo. Primeiro olhava e depois ia. Pegou. Um dia, no meio da tarde, toca o telefone na redação da Globo e ela atende:

– Alô!

– Pa-Pa-Paulinha, é o Silvio. Paulinha, precisamos conversar.

Aquele era o terceiro convite feito pessoalmente por Silvio Santos e a jornalista percebeu que precisava ouvir o que ele tinha para falar. "Disse que tinha coisas novas para me oferecer e se eu podia passar na casa dele. Fui lá, e, durante a conversa, me disse que precisava remontar o seu jornalismo e estava entregando tudo na minha mão. Era uma proposta totalmente diferente, porque até então o que ele tinha me oferecido era apresentar o jornal. A nova proposta era remontar todo o departamento de jornalismo no país inteiro, refazer os laços com as praças, fazer um jornal grande, montar de novo o departamento de jornalismo ali dentro, chamar uma equipe grande para fazer isso. Tinha que fazer contratações, tinha que mudar todo o sistema tecnológico. Mais que uma proposta, era um desafio", conta, com orgulho. E a menina de Brasília que um dia foi para Nova York topou.

Durante três anos e nove meses Ana Paula Padrão trabalhou no SBT, dividindo a direção de jornalismo com Luiz Gonzaga Mineiro. De 2009 a 2013 foi apresentadora do *Jornal da Record* ao lado de Celso Freitas, e em 2014 assinou com a Band para ficar à frente do reality gastronômico *MasterChef*.

\*\*\*

O problema do abuso de poder e a violência urbana continuam na pauta dos telejornais, mas nos últimos anos as grandes denúncias mudaram de foco.

Atualmente, políticos, agentes públicos e empresários vivem aparecendo nas notícias, com ênfase no jornalismo investigativo. César Tralli, depois do *Aqui Agora*, já com 24 anos de idade e na condição de mais novo correspondente internacional da TV Globo, foi transferido para Londres, onde ficou durante cinco anos. Quando voltou da Europa e antes de assumir a função de apresentador, especializou-se na cobertura de crimes de colarinho branco. Percebendo que havia esse vácuo, resolveu investir na função, e por vários anos acabou se debruçando sobre processos de lavagem de dinheiro, corrupção, desvio de dinheiro público, improbidade. "Foi quando resolvi me aprimorar, frequentando gabinetes de juízes e desembargadores, salas de promotores e procuradores, delegacias especializadas, escritórios de doleiros e de advogados renomados", revela. Entre as principais denúncias, as contas de Paulo Maluf no exterior, a Operação Satiagraha, em que foram presos o banqueiro Daniel Dantas, o ex-prefeito de São Paulo Celso Pitta e o empresário Naji Nahas.

Tralli é um jornalista que sempre soube utilizar muito bem suas fontes de informação. Em vários casos, apoiado por elas, conseguiu desvendar crimes de corrupção, como os cometidos pelo juiz Nicolau dos Santos Neto, na construção do Fórum Trabalhista de São Paulo, e os que culminaram nas prisões do banqueiro Edemar Cid Ferreira e do empresário e contrabandista Law Kin Chong.

\*\*\*

O histórico de dificuldades da Record, em seus primeiros anos, não foi diferente do de outras emissoras. E, como as demais, também no jornalismo, ela soube se servir de valores do rádio. Murilo Antunes Alves, Vicente Leporace, Hélio Ansaldo, José Carlos de Morais e Blota Júnior foram alguns deles. Durante muito tempo, o grande destaque jornalístico da sua programação foi o *É Tempo de Notícia*, apresentado na hora do almoço, que veio a ser apelidado de "Jornal da Tosse", por causa da idade avançada dos seus apresentadores. Sempre o som de um deles tirando pigarro da garganta vazava no ar.

Em 9 de novembro de 1989, quando assinou o contrato de compra da Record, o grupo do religioso Edir Macedo estabeleceu como prioridades trabalhar na expansão da rede de emissoras e aparelhar o departamento de jornalismo. Contratado para ser o diretor responsável, Dante Matiussi colocou imediatamente no ar um jornal às seis da tarde, que, dadas as condições de então, era transmitido apenas para São Paulo, com muita prestação de serviços e informações de interesse local. Ao mesmo tempo, estreou o *Jornal da Record – Edição Nacional*, apresentado por Carlos Oliveira, com a participação de Lucas Mendes, em Nova York, e Otto Sarkis, em Brasília. Em 1991, com a chegada de Eduardo Lafon para a sua direção artística, o jornalismo da Record ganhou novo impulso, com as contratações de Marilena Chiarelli, Adriana de Castro e Salete Lemos.

Na sua chegada, em 1997, além da direção do departamento de jornalismo e de assumir o *Jornal da Record,* Boris Casoy estreou um programa semanal de entrevistas, *Passando a Limpo*, com exibição aos sábados, sempre procurando contar com a participação das principais personalidades da vida pública brasileira. Dois anos depois, a Record teve o seu departamento de jornalismo dividido com a chegada de Luiz Gonzaga Mineiro, contratado para expandir os trabalhos da área e se responsabilizar por novos produtos. O lançamento do *São Paulo Notícia*, diariamente, à uma da tarde, com apresentação de Eleonora Paschoal e Miguel Dias Filho, foi um deles. Também sob sua gestão, a emissora estreou o *Edição de Notícias*, no fim de noite, tirando Paulo Henrique Amorim da Bandeirantes para ser o seu apresentador.

A experiência de ter dois departamentos de jornalismo gradativamente se deteriorou e acabou por provocar a saída dos seus dois diretores. A de Mineiro em 2004 e um ano depois a de Boris, com todo o seu pessoal. Douglas Tavolaro, até então editor-chefe do *Repórter Record*, assumiu a direção de jornalismo, tornando-se vice-presidente do setor em 2009.

***

Quando se tornaram donos da Rede TV!, em 1999, Amilcare Dallevo e Marcelo de Carvalho já tinham resolvido que o ex-Globo Alberico de Souza Cruz, por toda a sua experiência, tinha de ser o diretor de jornalismo, e a contratação dele aconteceu poucos meses antes de a emissora entrar no ar, em novembro daquele ano. Paulo Roberto Leandro, até hoje considerado um dos melhores textos da TV em todos os tempos, foi imediatamente acionado por Alberico, já com a missão de contratar outro ex-companheiro de Globo, José Emílio Ambrósio, naquela oportunidade trabalhando na Bandeirantes. Os três, depois de algumas reuniões com Amilcare, num galpão empoeirado de Alphaville, ficaram impressionados com a sua determinação e a coragem de colocar no ar uma emissora que, tecnicamente, fugia a tudo que existia e se entendia como convencional. Fascinado por novas tecnologias e porque não tinha dinheiro suficiente para proceder de outra maneira, o dono da Rede TV! tinha uma visão muito nítida do que pretendia: colocar no ar uma televisão com um software que a sua empresa tinha desenvolvido. Amilcare Dallevo e Marcelo de Carvalho desenvolveram os sistemas de 0800 para emissoras de TV, muito utilizados nos sorteios ao vivo e em promoções que arrecadavam milhões de reais.

Foi assim que, no dia 15 de novembro de 1999, a Rede TV! foi inaugurada, com três produtos do jornalismo em sua grade: *Jornal da TV*, *Bola na Rede* e *Leitura Dinâmica*. Todos eles, assim como o restante da programação, eram feitos na frente de uma tapadeira, com cenário virtual desenvolvido por meio de um software e inserido no vídeo através de computação gráfica. Entrava um, saía o outro. Em 2003, sem concordar com as mudanças na linha editorial e com o tom mais popularesco em toda a programação, Alberico deixou a Rede TV!. Insatisfeitos com a sua saída, Juca Kfouri e Jorge Kajuru, apresentadores e participantes de programas esportivos, decidiram acompanhá-lo. José Emílio Ambrósio assumiu no lugar de Alberico. O *Rede TV News* veio a se transformar no principal jornal da casa, e o *Leitura Dinâmica*, que em seu começo era feito por Milton Jung, sofreu uma grande reformulação, quebrando alguns paradigmas – apresentadora em pé, passeando pelo estúdio e interagindo com a imagem. Américo Martins passou a comandar o departamento em 2010, e em agosto de 2014 a direção passou para Franz Vacek, depois de muitos anos como correspondente internacional.

Na opinião da maioria dos profissionais que atuam na televisão e de acordo com o homem mais respeitado desse veículo de comunicação, Boni, o jornalismo é e sempre será um produto imprescindível nas grades de programação. Em qualquer emissora e em qualquer tempo.

### Quer que eu repita?

Um dos elevadores da TV Tupi, no prédio do Sumaré, São Paulo, pifou e parou entre dois andares com os apresentadores do telejornal, Íris Lettieri e Fausto Rocha. Os dois estavam prontos para entrar no ar e ninguém conseguia tirá-los dali. Foi então que se optou por capturar alguém, o primeiro que aparecesse, para apresentar o jornal naquela noite. E quem estava passando era justamente o Arley Pereira, jornalista, figura do disco e da noite, que horas mais tarde seria jurado de Flávio Cavalcanti. E foi ele mesmo o escolhido. Apareceu de summer, cravo vermelho no bolsinho... e gago. Uma noite inesquecível.

# Esporte é cultura

O título deste capítulo é propositadamente extraído de um slogan que a TV Cultura, em São Paulo, criou e usou durante muitos anos, expressando em três palavras a real importância da atividade esportiva na cultura e na formação de um povo. E nada melhor que ele, com a devida licença do seu criador, Orlando Duarte, para também exprimir o que esse conteúdo – com destaque maior ao futebol – passou a representar na televisão do nosso país.

A presença do atacante do Corinthians, Baltazar, o "cabecinha de ouro", como convidado especial da Tupi, no dia da sua inauguração em São Paulo, foi o pontapé inicial de uma relação verdadeira e muito estreita, que só se acentuou com o tempo. A televisão como um todo soube se valer muito bem do avanço técnico proporcionado ao longo desses quase 70 anos de existência, mas poucos dos seus setores se igualam ao progresso observado nas programações e transmissões esportivas. O que antes era realizado graças aos esforços de alguns poucos profissionais, que se valiam de recursos próximos do zero, com o decorrer dessas mais de seis décadas avançou para uma nitidez de detalhes muito próxima da perfeição.

Tem-se como dado histórico que o jogo de futebol Portuguesa de Desportos e São Paulo, partida do segundo turno do Campeonato Paulista em 1950, foi o primeiro a ser filmado como reportagem esportiva para um telejornal da TV Tupi, em São Paulo. Só depois é que vieram as transmissões diretas. O começo, segundo o comentarista Paulo Planet Buarque, foi de muito sacrifício. "Primeiro porque não havia ainda o domínio absoluto da máquina. Então, às vezes, no decorrer da transmissão nós perdíamos o elo. Perdíamos o ritmo", explica. Era muito comum a equipe começar os trabalhos muito animada, com cortes rápidos das câmeras e, aos poucos, perder essa velocidade tanto na narração quanto nas imagens levadas ao telespectador.

A Tupi, para fazer jogos no Pacaembu ao vivo, levava duas das suas três câmeras, deixando apenas uma no estúdio. Jorge Amaral, um professor de Educação Física, era o seu narrador, e o que mais chamava atenção nele não era propriamente o seu estilo de narrar, mas o meio de transporte que utilizava para chegar ao estádio. Um cavalo, que sempre deixava amarrado no portão 16. Roberto Petri, jornalista com passagens importantes na Tupi e na Gazeta, recorda que no Pacaembu, inaugurado em 1940, não havia locais apropriados para receber emissoras de televisão. Só as de rádio. A prefeitura de São Paulo, com a chegada do novo veículo de comunicação, improvisou acomodações para elas em cima da tribuna de honra. Aurélio Campos, que já tinha a experiência do rádio, chegou a fazer alguns jogos na TV, embora deixasse como registro de seu maior sucesso a apresentação de *O Céu é o Limite*, programa de perguntas e respostas com prêmios em dinheiro aos participantes. O Canal 4, em seu começo, também teve Hélio Campos como narrador e, desde a década de 1950, passou a contar com os comentaristas Ari Silva e Geraldo Bretas. Este, além de ácido em suas análises, também ficou conhecido anos depois por ter afirmado que o jogador do São Paulo, Mirandinha, só fazia gols em times fracos e prometeu cortar o cabelo com máquina zero se ele marcasse no clássico contra o Palmeiras. O atleta marcou o gol e todos fizeram questão de agendar o dia para o cumprimento da promessa. No programa *Clube dos Artistas*, elegantemente, o jogador não aceitou dar a primeira aparada.

A TV Paulista, também imediatamente após sua inauguração, em 1952, passou a fazer futebol, transmitindo partidas do Campeonato Paulista que aconteciam aos domingos no Pacaembu, no Parque Antártica, campo do Nacional, Rua Javari e na Fazendinha, estádio do Corinthians. Em sua equipe, o narrador Moacyr Pacheco Torres, os comentaristas Leônidas da Silva e José Iazzetti, além do repórter Silvio Luiz.

Foi somente no dia do seu 5º aniversário, em 19 de setembro de 1955, que a televisão fez a sua primeira transmissão esportiva de outra cidade sem ser São Paulo. Era o clássico entre Santos e Palmeiras, na Vila

Belmiro, no litoral do estado, vencido pelos donos da casa, por 3 a 1. Foi quase uma operação de guerra desenvolvida pelos técnicos da TV Record, que trabalharam durante semanas na instalação de links que permitiram o enlace das imagens geradas desde o Estádio Urbano Caldeira até a sua sede, na Avenida Miruna, no bairro do Aeroporto, em São Paulo. A partida teve a narração de Raul Tabajara, comentários de Paulo Planet Buarque, Leônidas da Silva – ex-jogador, como convidado especial – e José Iazzetti, analista de arbitragens. As reportagens foram de Silvio Luiz. Leônidas e Silvio se transferiram da TV Paulista para a Record, 22 dias após a sua inauguração.

Assim como em São Paulo, também no Rio de Janeiro a pioneira da televisão foi a Tupi, inaugurada em 1951. Mas o primeiro grande feito esportivo de uma emissora carioca coube à TV Rio, com a inédita transmissão em rede interestadual de um jogo de futebol, combinada com a TV Record SP. Era o amistoso Brasil e Itália, no Maracanã, em 1º de julho de 1956, vencido pela nossa seleção por 2 a 0. O jornalista José Trajano, com a sua carreira dividida entre Rio e São Paulo, se lembra bem desse começo. "A televisão transmitia os jogos do Maracanã em preto e branco. Um negócio completamente primário, sem recursos. As câmeras e a iluminação eram muito ruins, mas a gente se divertia. Era o que tinha naquele tempo e a gente achava ótimo aquilo tudo". A mesma TV Rio, com a TV Record, acabou beneficiada em 8 de junho de 1958, quando mostrou pela primeira vez em VT um jogo de Copa do Mundo de Futebol, Brasil 3 x 0 Áustria. O curioso é que quem comprou o direito de exibição foi a Tupi, só que o filme de 16 milímetros – e até hoje ninguém sabe explicar como isso aconteceu – foi parar nas mãos da concorrente. Coincidência ou não, Paulo Machado de Carvalho, dono da Record, foi o chefe da delegação do Brasil na Copa da Suécia.

Mesmo se utilizando muitas vezes de alguma descontração, as transmissões esportivas, desde o começo, já exigiam necessário cuidado para não distorcer aquilo que o telespectador estava vendo, ou, como define Paulo Planet, "usar de uma argumentação própria, mas ao mesmo tempo muito forte, para divulgar da melhor maneira possível os fatos que estavam sendo focalizados". Vale destacar que, em sua saída para a TV Excelsior, Silvio Luiz foi substituído por Reali Júnior na reportagem de campo da Record. E Reali, anos depois, se tornou até o fim de sua vida correspondente internacional da Jovem Pan na Europa, com base na "Maison de la Radio", como ele mesmo chamava, em Paris.

Outra emissora tipicamente carioca, a TV Continental, fez de Brasil 2 x 0 Inglaterra sua primeira transmissão de futebol, em 13 de maio de 1959, jogo em que Julinho Botelho, substituindo Garrincha na ponta direita, levou a maior vaia que o Maracanã registrou na história. Mas depois, com a bola rolando, Garrincha se transformou no grande nome da partida. Três das quatro câmeras levadas ficaram inutilizadas por vinte minutos e a narração coube a Waldir Amaral, que depois marcaria época na Rádio Globo. Nesse mesmo ano, a Continental noticiou em primeira mão, com o jornalista Teixeira Heizer, o assassinato do remador brasileiro Ronaldo Duncan Arantes nos Jogos Pan-Americanos de Chicago.

Na TV Record, em São Paulo, no fim da década de 1950, foi levada ao ar a primeira "mesa redonda" de esportes, criada com base no interesse do telespectador em repercutir os fatos da jornada esportiva. Naquele começo, bem ao contrário do que passou a acontecer tempos depois, além dos contratados da própria casa, o programa da Record também contava com a participação de profissionais de outras emissoras, tanto da televisão como do rádio.

Segundo Silvio Luiz, a rivalidade que depois passou a existir entre as TVs não havia naquele tempo. De acordo com ele, essa cordialidade só acabou quando uma começou a contratar profissionais da outra. O diferencial desse debate era que, pela primeira vez, os analistas e os telespectadores podiam rever os lances mais polêmicos e alguns trechos da partida. Isso só era possível porque, além da transmissão ao vivo, o jogo era filmado com material de cinema, revelado imediatamente após o juiz dar o apito final. "O pessoal corria com os rolos de filmes para um local onde ficavam os galões com líquidos para a revelação. Era tudo muito rápido. Depois, projetávamos as imagens numa parede branca ou numa tela e a câmera captava para gerar ao vivo para o telespectador", conta Nilton Travesso, já que náquela época não havia o videoteipe. A contratação de profissionais pelas concorrentes levou a Tupi, em várias oportunidades, a renovar a sua equipe de esportes. Surgiram nomes como os de Walter Abrahão, Geraldo Bretas, Roberto Petri, Ely Coimbra, Gerdi Gomes, Walter Silva (o Pica-Pau), Augusto Machado de Campos, o Machadinho, e Mário Moraes.

Mário Moraes é um capítulo à parte. Insubstituível como comentarista no rádio, na TV Tupi se consagrou como narrador. Tinha um jeito diferente, todo dele, de contar o jogo. Nas partidas do Santos ou da Seleção Brasileira, nunca citava o nome de Pelé, preferindo se referir a ele como "a fera". Algo parecido com o que Walter Abrahão fez tempos depois, tratando o mesmo jogador como "ele" em suas transmissões. Em seu começo na narração esportiva, quase às vésperas da inauguração da TV Bandeirantes, em 1966,

Fernando Solera passou um tempo na TV Tupi fazendo transmissões-
-piloto ao lado de Mário Moraes no Pacaembu. Até hoje ele lembra os ensinamentos e a forma como foi recebido por aquele que era o grande nome da televisão esportiva daquele tempo. "Você fica à vontade e fala o que quiser, como quiser, o tempo que quiser", pontua. E, como a história do "olho no peixe e outro no gato", o tempo foi mostrando com clareza quais as diferenças e os cuidados a serem observados numa transmissão esportiva pela televisão, segundo Solera, bem diferente do rádio. "O locutor de rádio, ele é competente para fazer com que o ouvinte veja o estádio e as coisas que estão acontecendo. Na televisão isso é um exagero, não dá certo, porque quem assiste ao jogo pela televisão está vendo que o cara chutou a bola, que o cara caiu, chutou a gol, ou o que o juiz apitou e deixou de apitar. A imagem detalha melhor que qualquer palavra. A TV transmite, o narrador faz o áudio. A grande manha é ter um olho no campo e outro no monitor, porque às vezes você pode estar falando do jogo e a câmera está mostrando outra coisa", explica. Outra passagem importante da sua carreira foi na Copa do México, em 1970, quando a nossa seleção chegou ao tricampeonato e a transmissão, a primeira de um mundial ao vivo para o Brasil, acabou sendo feita por um *pool* de emissoras. Coube a ele, Solera, representando a TV Bandeirantes, transmitir os primeiros quinze minutos da estreia contra a Tchecoslováquia e os últimos da final contra a Itália. Oduvaldo Cozzi e Walter Abrahão, ambos da TV Tupi, Geraldo José de Almeida, da TV Globo, e os comentaristas Rui Porto, João Saldanha e Leônidas da Silva completaram essa equipe.

A Bandeirantes, em seu início, usava na televisão muitas pessoas da equipe da rádio, entre eles Alexandre Santos, que foi considerado um dos mais perfeitos narradores de luta de boxe no Brasil. Preciso nos detalhes. No futebol, o seu grito de gol era sempre trocado por "cutucou e guardou!". O traço comum na carreira desses grandes nomes, e de outros que se juntaram a eles com o passar dos anos, é que todos sempre tiveram o rádio, tanto no Rio de Janeiro quanto em São Paulo ou em outras praças, como a grande escola.

Léo Batista, com muitos anos de TV Globo, tem uma passagem bem significativa no primeiro mundial ao vivo na TV brasileira. "A Copa de 70, a do México, foi a primeira transmitida pela televisão, porque antes era filme, que chegava depois. Dois, três dias depois. Então eu estava lá na Globo, vendo o jogo de abertura, México e União Soviética, que foi 0 x 0. Saiu tudo direitinho. No dia seguinte, a televisão do Brasil escolheu transmitir a estreia do Peru contra a Bulgária, isso porque o treinador do Peru era o Didi, o nosso Didi, e estava lá o Geraldo José de Almeida", começa a recordar. Naquele tempo, era bastante complicado viajar, e os custos que envolviam toda a operação levaram as principais emissoras a fazerem um *pool* para a transmissão daquele mundial. Cada uma representada por uma dupla, narrador e comentarista, por quinze minutos. Nesse segundo jogo, do Peru contra a Bulgária, coube à Globo fazer os quinze primeiros minutos. "Só que o som começou a falhar. Caía toda hora", diz Léo. A imagem estava boa, mas o som não parava de cair. Léo Batista, que naquele tempo nem sabia o que era stand-by, estava nos estúdios do Rio de Janeiro para qualquer eventualidade. "De repente, veio o Walter Clark correndo e já mandando: 'Léo, você sempre transmitiu futebol. Então vai lá embaixo, pelo amor de Deus'. Realmente, eu já tinha transmitido no interior de São Paulo e depois nas rádios do Rio. Mas televisão, nunca. Só que não tinha outro jeito. Desci correndo, e me lembro que eu peguei um *Jornal do Brasil*, que trazia as escalações e o número da camisa, e botei o jornal ali na frente e entrei. Expliquei que estávamos corrigindo os problemas e logo voltaríamos com o Geraldo José de Almeida e o João Saldanha, do México", completa o narrador. E assim ele foi, sem imaginar que, por essa obra do acaso, se tornaria um personagem dos mais importantes na transmissão de mundiais de futebol no Brasil. "Nisso, o jogador do Peru saiu jogando e tentou lançar uma bola na ponta, interceptada por um tal de Dermendjev, búlgaro baixinho, que avançou com ela e deu uma porrada que o goleirão, acho que o Rubiños, bom, o goleiro, voou e não pegou. Então o primeiro gol da Copa de 70 na televisão fui eu que narrei. Depois, logo em seguida, voltou o áudio normal do México", completa.

Nesse mesmo dia do jogo, no entanto, ao sair do estúdio, Léo viu Lincoln Bloom, que era o editor na época do *Jornal Nacional*, falando a Walter Clark que haviam dispensado o Cid Moreira do plantão e que havia acabado de chegar a informação do sequestro do ex-presidente da Argentina. Haviam invadido a casa dele em meio a um intenso tiroteio. Era preciso entrar com uma edição extraordinária. O primeiro que Walter viu pela frente foi Léo. Mandou que arrumassem um paletó, que a maquiadora lhe desse um trato e, mal havia se sentado, entrou no ar a característica vinheta que até hoje é a mesma da edição extraordinária. Quando saiu do estúdio, ouviu Walter falando para Boni: "Não te falei? Ele joga nas 11".

Na década de 1960, o futebol ao vivo foi proibido no Rio de Janeiro e em São Paulo, e os jogos passaram a ser apresentados em videoteipe no final da noite ou apenas no dia seguinte, de acordo com cada federação. Os clubes, achando que tinham prejuízos muito sérios por causa da televisão, resolveram bloquear as transmissões ao vivo. Para o torcedor, entendiam os dirigentes do futebol, a TV havia se colocado como uma alternativa muito prática. Ela não obrigava mais ninguém a se locomover até o estádio, em um tempo em que o sistema de transporte já deixava a desejar, para assistir ao seu time preferido. Foi uma decisão que as federações dos diversos estados e os clubes resolveram tomar, permitindo apenas a gravação das partidas para exibição muitas horas depois. O jeito era criar alternativas, sem ser o futebol, para as programações. A TV Excelsior, no Rio, burlava o estabelecido, colocando jogos do Maracanã no ar em VT imediatamente após o início do segundo tempo. As imagens eram geradas do próprio caminhão de externas.

Orlando Duarte na TV Cultura, em 1974

Orlando Duarte foi o primeiro diretor de esportes da TV Cultura em São Paulo, uma emissora com equipe pequena. Luiz Noriega, José Carlos Cicarelli, José Góes, João Zanforlin e Carlos Eduardo Leite, "essa equipe era conhecida como nosso exército de Brancaleone", formavam o time que se propôs a destinar a outros esportes a mesma atenção dada ao futebol. Jogos de tênis, válidos pela Copa Davis e realizados no Clube Pinheiros com a participação dos brasileiros Thomas Kock e Edson Mandarino, argentino naturalizado, foram mostrados pela primeira vez na televisão pelo Canal 2, assim como provas de hipismo, basquete, vôlei e lutas de boxe. Ficaram na história alguns dos seus slogans, como "um grande país se forja nos campos esportivos" ou "esporte é cultura". Também foi na TV Cultura, anos mais tarde, que surgiu o *Cartão Verde*, com a participação de nomes conhecidos da crônica esportiva, como Juca Kfouri, José Trajano, Flávio Prado, Luiz Alberto Volpe e Armando Nogueira, além de Sócrates e Xico Sá, mais recentemente. O programa se mantém no ar até hoje, apresentado por Vladir Lemos, com participações de Celso Unzelte, Vitor Birner e Roberto Rivellino.

A TV Manchete teve curta existência, apenas 16 anos, mas foi bem significativa a sua participação na transmissão dos eventos esportivos, e com uma equipe das mais atuantes. Dela fizeram parte Paulo Stein, Márcio Guedes, João Saldanha, Osmar de Oliveira, Luiz Alfredo, Telê Santana, Alberto Léo e outros. O SBT, por sua vez, nunca destinou ao esporte muita atenção, embora tivesse feito a cobertura de alguns mundiais ou jogos olímpicos, e, por mais paradoxal que isso possa parecer, o registro de uma das suas maiores audiências em todos os tempos foi com o futebol. A transmissão exclusiva da final da Copa do Brasil, em 1995, Grêmio 0 x 1 Corinthians, marcou 52 pontos de média na Grande São Paulo.

Foi na TV Record, em 1970 e de uma forma que poucos conhecem ou recordam, o começo de Fausto Silva na TV, com toda uma história no rádio antes disso. "Eu não era muito ligado nisso, em televisão. Era mais pelo rádio, pelo futebol, pelo esporte, porque eu jogava bola. O meu pai era muito ligado a um tio do Blota Júnior e ficou amigo dele. Por influência do Blota é que eu acabei me interessando e gostando do rádio, na época em que tinha uns 9 ou 10 anos, e já queria trabalhar com isso. Meu foco era mais o esporte. Mas foi daí que comecei a acompanhar tudo de perto, principalmente os profissionais mais importantes da época, como o Blota, Paulo Planet Buarque, o Golias e o Kalil Filho, que apresentava o *Repórter Esso*. Então essas são as primeiras imagens que me vêm à cabeça", revela o apresentador. E esse desejo de trabalhar no rádio Fausto Silva carregou desde criança, passando por algumas situações das mais curiosas e inesperadas por causa disso. "A parte do rádio, para mim, foi interessante porque quando eu comecei a fazer foi por brincadeira, em Araras, e por duas figuras que me influenciaram muito, Olavo Marques e Newton Camargo Brantes, que era narrador esportivo. Tive duas ou três experiências rápidas em Araras e depois mudei para Campinas. Já morando lá, teve um tio, muito ligado a mim, que achava que era brincadeira esse negócio de eu trabalhar em rádio", lembra. Um dia, convencido do desejo do sobrinho, ele falou:

– Ah! Você quer trabalhar em rádio? Então, vai na Rua Andrade Neves, 442.

Chegando lá, viu de um lado um hospital e, do outro, a polícia. O jeito foi voltar para casa.

– Tio, o senhor se enganou, não tinha rádio nenhuma lá. Só o hospital e a polícia – disse Faustão.

– Como não? Era a radiopatrulha! – respondeu o tio, às gargalhadas.

A sacanagem não parou por aí. Alguns dias depois, mandou o sobrinho até um terreno localizado numa estrada em Valinhos. "Sabe o que era? A torre da televisão, porque ele achava que o meu sonho era uma brincadeira", conclui Fausto Silva. Depois disso sua carreira finalmente se encaminhou, mas também de uma forma meio inesperada. Ainda em Campinas, na Rádio Cultura, o diretor Bráulio Mendes Nogueira, irmão do músico Paulinho Nogueira, ao recebê-lo já foi abrindo a porta do estúdio para que fizesse um teste. "Ele me deu um texto de propaganda. O cara ligou a luz e já estava no ar. Meu teste foi assim, no ar, ao vivo", recorda. A frase "se o seu problema é a televisão, a Casa Bóris tem" nunca saiu de sua memória, afinal começava ali sua história. "Então essa coisa do rádio depois acabou me ajudando no jornal e o jornal me ajudou no rádio. E os dois na televisão. Porque quando você fala no rádio, você aprende. Eu lembro uma vez, em Votuporanga, que eu estava fazendo uma reportagem e o cara me jogou uma casca de meia melancia nas costas. Outra vez, foi uma pilha na cabeça ou rojão estourando do lado. Então você sempre trabalha num clima ou adverso ou desconfortável ou inusitado e tem que se virar. Você está num vestiário cheio de torcedor abraçando jogador, jogador pelado de sabão, então é sempre num clima e o rádio te dá esse jogo de cintura. Tudo isso me ajudou demais a partir do momento que eu fui trabalhar na televisão", conclui Fausto Silva. "Na época, com o Fernando Vieira de Mello, o *Record em Notícias*. Era um negócio tão doido que eles venderam o patrocínio e tinha que dar uma bonificação. Toda quinta-feira precisava entrar uma edição extra, tivesse ou não notícia, só para compensar o patrocinador. Então, toda quinta-feira, 10 da noite, *Record em Notícias*, edição extra, e eu lá. Depois vieram as transmissões do *Desafio ao Galo* nos domingos pela manhã, fora mesa-redonda e alguns programas esportivos. Eu tive dois convites para apresentar o *Globo Esporte*, mas acabei fazendo a parte esportiva do *Bom Dia São Paulo*, em 82", conta. Depois desse começo, primeiro no rádio e depois na televisão, a história de Fausto Silva tomou novos caminhos, contada em outros capítulos deste livro.

\*\*\*

O *Mesa Redonda*, da TV Gazeta, em São Paulo, se coloca entre os mais antigos da televisão brasileira em seu gênero. Está no ar desde março de 1970, e inicialmente foi levado ao ar nas noites de segunda-feira. Da sua primeira equipe fizeram parte Milton Peruzzi, José Italiano, Peirão de Castro, Wilson Brasil, Roberto Petri e Dalmo Pessoa; depois, Flávio Iazetti e Galvão Bueno. A partir de 1985, aí já aos domingos, depois de alguns anos fora do ar, Roberto Avallone assumiu a sua apresentação, por ali passando nomes como

Márcio Bernardes, Chico Lang, Fernando Solera e Alberto Helena Júnior, até chegar aos dias atuais, com Flávio Prado, Michelle Giannella, Wanderley Nogueira, Oscar Roberto Godói, além de Chico Lang – que nunca saiu – e Alberto Helena, que voltou depois de alguns anos fora.

Outro programa esportivo que marcou época na televisão brasileira, entre 1998 e 2001, foi o *Super Técnico*, idealizado por Hélio Sileman na TV Bandeirantes, com apresentação de Milton Neves. Todas as noites de domingo por lá passavam os principais treinadores da época, como Felipão, Vanderlei Luxemburgo, Abel Braga, Telê Santana, Carlos Alberto Parreira, Joel Santana, Oswaldo de Oliveira, Leão, Rubens Minelli, Zagallo e outros do exterior, caso de José Omar Pastoriza, também ex-craque do Independiente e da seleção da Argentina. Foi o programa que inseriu a presença feminina nos esportivos. Durante os três anos em que esteve no ar, Milton Neves teve ao seu lado Nereide Nogueira, Luize Altenhofen, Bianca Russo e Daniela Freitas. Renata Fan, que anos depois tornou-se apresentadora, foi revelada já no *Terceiro Tempo*.

***

A TV Globo iniciou as suas atividades no Rio de Janeiro em 1965, e, poucos meses depois, incluiu o futebol em sua programação. Teixeira Heizer criou os primeiros programas esportivos da casa, *Em Cima do Lance* e *Por Dentro da Jogada*, e também idealizou a transmissão do amistoso Brasil 2 x 2 União Soviética, em 21 de novembro, no Maracanã, mas em filme, que depois de montado recebeu a sua narração. Nos primeiros anos da década de 1970, a emissora passou a apresentar, todas as noites, o comentário *Dois Minutos com João Saldanha*, antes do *Jornal Nacional*. Pouco há o que acrescentar a Saldanha – jornalista, escritor e treinador de futebol –, além do que foi dito e do que os muitos livros publicados já falaram sobre ele. Chamado para dirigir a Seleção Brasileira, anunciou que o seu time só teria "feras". Ele está entre os principais nomes do jornalismo esportivo de todos os tempos. Alguém que fez da sua profissão um sacerdócio, uma missão de vida, a ponto de, muito doente, viajar sem autorização médica para a Copa da Itália, em 1990, onde veio a falecer, nove dias após ter completado 73 anos. "Um gênio, sem exagero. Vítima de uma grave doença pulmonar, morreu em Roma, dez dias após a Copa. Como médico, cuidei dele durante todo o torneio. Mesmo doente, comentou todos os jogos para os quais estava escalado", lembra Osmar de

Oliveira, médico e também comentarista esportivo, e seu companheiro de TV Manchete na Copa de 90, na Itália.

Geraldo José de Almeida, outro nome consagrado do rádio, passou a fazer transmissões na TV a partir da Excelsior, em 1968, formando dupla com o comentarista Mário Moraes e dividindo transmissões com Peirão de Castro. Todos como integrantes de uma equipe que também contava com a presença de Rubens Pecci e Edson "Bolinha" Cury. Além do futebol, as suas transmissões do *Telecatch* também registravam audiências bem interessantes.

A Excelsior acabou em 1970, e no Rio de Janeiro o seu Canal 2 foi ocupado a partir de 1975 pela TV Educativa, que firmou presença no futebol desde o princípio, com jogos narrados por José Cunha, tanto dos campeonatos locais quanto em outros lugares com a Seleção Brasileira. Os anos 1980 foram dominados pelos VTs tradicionais de domingo à noite na narração de Januário de Oliveira, que sairia em 1993 para a Bandeirantes. A partir de 2012, a sucessora TV Brasil voltou a fazer futebol, com a Série C do Campeonato Brasileiro. Um clássico ainda hoje no ar nos fins de semana é o *Stadium*, programa dedicado aos ditos esportes amadores, hoje chamados de esportes olímpicos, no ar desde 1977.

É importante destacar que, antes mesmo do surgimento das grandes redes e da centralização de conteúdos, a televisão esportiva também se desenvolveu em outras capitais. Em Belo Horizonte, a primeira televisão foi a Itacolomi, inaugurada em 1955 e que veio a fechar suas portas em 1980, junto com as demais emissoras que compunham a Rede Tupi de Televisão. Entre 1966 e 1977, nela atuou Fernando Sasso, considerado até hoje o principal narrador esportivo da televisão mineira. O homem do "tá no filó!", substituindo o grito de gol. Só a Itacolomi mostrou para Minas Gerais a primeira Libertadores da América, conquistada pelo Cruzeiro, em 1976, na vitória por 3 x 2 sobre o River Plate, em jogo disputado no Chile. Depois, Sasso trabalhou na TV Alterosa, mas só ganhou exposição nacional a partir de 1982, pela Rede Globo, narrando disputas regionais, mas ainda em coberturas dos Jogos Olímpicos e da Copa do Mundo de 1986.

Lançada em 1968, a TV Globo Minas teve como primeiro profissional de grande destaque Carlos Valadares, seu repórter em rede nacional e também narrador de eventos esportivos para todo o país, como corridas de Fórmula 1 e do Mundial de 1982. Após deixá-la, trilhou caminhada de sucesso por emissoras como SBT e Record. Lincoln Gomide e Rogério Corrêa foram outros narradores que despontaram na televisão de Minas Gerais.

A pioneira no campo esportivo do Rio Grande do Sul foi a TV Piratini, inaugurada em 1959, integrante da Rede Tupi até a sua extinção, em 1980. Durante todo esse período, o seu principal nome esportivo foi Batista Filho, narrador que transmitiu grandes jogos para todo o país – o mais célebre deles o inesquecível Cruzeiro 5 x 4 Internacional, pela Libertadores de 1976. Nos anos 1960, passou a comandar o programa *Conversa de Arquibancada*, que inicialmente contou com a presença dos jornalistas Renato Cardoso e Guilherme Sibemberg, mas que se eternizou quando colocou frente a frente um torcedor de cada time – pelo Grêmio, o inspetor de polícia Paulo Sant'Ana, que começava ali uma longa carreira no jornalismo, e pelo Internacional o jornalista Hugo Amorim. O programa ia ao ar depois das 23h e se estendia pelo começo da madrugada. Fundada nos últimos dias de 1962, a TV Gaúcha foi afiliada da Rede Excelsior até 1967, quando passou a transmitir a Rede Globo, da qual se tornaria uma das principais afiliadas no Brasil. De 1964 a 1969, o programa de luta livre *Ringue Doze* marcou época. A partir dos anos 1970, quem se consagrou foi o narrador Celestino Valenzuela, que já tinha trabalhado na TV Piratini, mas entrou para sempre na memória dos torcedores sul-rio-grandenses ao documentar os passos do futebol local e narrar várias das suas principais conquistas, como o tricampeonato nacional do Inter e os títulos sul-americano e mundial do Grêmio.

Chamada Bandeirantes a partir de 1980, a TV Difusora estreou em 1969 e entrou para a história da televisão esportiva gaúcha na transmissão do primeiro jogo de futebol em cores: Caxias e Grêmio, como parte da programação da Festa da Uva de Caxias do Sul em 1972, fato anteriormente citado. Um comentarista muito atuante nos programas regionais foi o ex-jogador Larry Pinto de Faria, que inclusive participou da equipe nacional da Band nas transmissões da Copa do Mundo de 1978, trabalhando com Fernando Solera, Paulo Stein, Galvão Bueno e outros. Em 1975, como grande atração do seu departamento de esportes, a Difusora contratou o nacionalmente conhecido Geraldo José de Almeida. A TV2, Guaíba, estreou em 1979 e nunca se afiliou a nenhuma rede, até dar lugar à Rede Record Rio Grande do Sul, em 2007. Com a equipe comandada por Milton Ferretti Jung, mostrou o título brasileiro do Internacional sobre o Vasco, no Beira-Rio, em 1979, e o da Libertadores pelo Grêmio sobre o Peñarol, no Olímpico, em 1983.

A televisão em Pernambuco existe desde 1960, quando começaram a TV Jornal, ainda hoje no ar, e a TV Rádio Clube, que terminou em 1980, com a Tupi. Mas só a partir de 2000, por iniciativa da TV Pernambuco, a Globo Nordeste decidiu começar a transmitir as partidas do campeonato pernambucano de futebol todas as semanas. Rembrandt Jr. foi contratado para ser seu locutor principal. Natan Oliveira foi outro nome que marcou história na televisão do Recife.

As programações e transmissões esportivas sempre ocuparam e continuam ocupando papel importante em praticamente todas as capitais brasileiras, mas o trabalho passou a ser mais centralizado após o nascimento e crescimento das grandes redes. O esporte na Globo era uma divisão da Central Globo de Jornalismo – CGJ –, com a direção de Armando Nogueira. Por convite dele, Júlio Delamare, que já trabalhava nas Organizações Globo, foi o primeiro diretor da Divisão de Esportes, depois de fazer com Léo Batista o Pan-Americano de 1971 e os Jogos Olímpicos de Munique. Num voo para transmitir o GP da Inglaterra, com escala em Paris, Delamare veio a falecer na queda do Boeing 707 da Varig, no aeroporto de Orly. Ciro José conta que um problema no financiamento de um apartamento que ele havia acabado de comprar em São Paulo acabou salvando a sua vida. "Eu também deveria viajar naquele avião. A gente ia embarcar na quarta-feira à noite e eu ia assinar a escritura naquele mesmo dia, de manhã. Só que a procuradora da Caixa Econômica acabou transferindo a assinatura para dois dias depois e eu não viajei", relata. Rui Viotti, em curta gestão, assumiu no lugar de Delamare, e um dos seus grandes trabalhos foi a criação do programa *Esporte Espetacular*, num momento em que as prioridades na grade da Globo eram outras.

Os programas esportivos na televisão, especialmente na TV Globo, sempre adotaram um ar de seriedade, em um modelo semelhante ao dos seus telejornais. Só em 1986, durante as transmissões do mundial de futebol do México, isso começou a mudar, graças à improvisação – até então proibida – de Fernando Vannucci. "O esporte era tratado como, por exemplo, o *Jornal Nacional*, cheio de seriedade e com aquele chamado padrão Globo de qualidade. Um dia, durante a Copa do México, resolvi chutar o pau da barraca. Disse pra mim mesmo: vou me soltar. Vou ser aquele cara que era no rádio", diz Vannucci. Quando a direção da Globo pensou em adverti-lo, já tinha dado certo e o público aceitou muito bem aquela nova forma de apresentar, completamente descontraída. "Cheguei até a chorar no ar, lendo uma poesia de Affonso Romano de Sant'Anna, no dia que o Brasil foi eliminado pela França. Algo impensável naquela época, especialmente na Rede Globo. O resultado foi tão positivo que, no meio da Copa do Mundo, recebi um cartão do diretor-geral José Bonifácio de Oliveira Sobrinho, o Boni", completa.

Vannucci,

**O Brasil pode até perder essa Copa, mas você já ganhou. Parabéns.**

**Boni**

As transmissões do futebol ao vivo só aconteciam em momentos de grande importância, e de outros esportes, como vôlei, basquete e tênis, não eram permitidas, porque dos seus jogos só se sabia quando começavam. Como não tinham hora para terminar, acabavam comprometendo toda a grade de programa. Pedro Luiz, um dos maiores narradores esportivos do rádio de todos os tempos, assumiu a direção da Divisão de Esportes da Globo depois da Copa de 74 e foi até 78, na Argentina. Encerrado o Mundial, ele e Armando Nogueira acabaram se desentendendo e Ciro José foi chamado para substituí-lo, ficando no posto até o ano 2000. E foi durante a sua gestão que a TV Globo chegou a grandes conquistas no esporte, inclusive revelando alguns dos maiores narradores da nossa história.

Luciano do Valle, por todos os merecimentos e uma carreira repleta de grandes desafios, tem de ser colocado entre as principais personalidades da TV de todos os tempos. Ele veio a falecer aos 66 anos, em Uberlândia, no dia 19 de abril de 2014, um sábado, véspera do jogo Atlético Mineiro e Corinthians, que iria transmitir na Bandeirantes. Luciano marcou época também com passagem importante pelo rádio, desde o início em Campinas, depois na Gazeta, em São Paulo, e finalmente na Nacional, também paulista, emissora do sistema Globo. Daí para a Rede Globo de Televisão, em 1970, foi só uma questão de tempo. De um curto espaço de tempo. Acompanhado de Juarez Soares e Ciro José, Luciano foi um dos integrantes do primeiro grupo que começou com a Divisão de Esportes da Rede Globo, na época dirigida por Júlio Delamare. "Um ano antes da Copa de 74, na Alemanha, o Boni demitiu o Geraldo José de Almeida e o João Saldanha. Então mandou que o Luciano e eu deixássemos imediatamente a Rádio Nacional, em São Paulo, para trabalhar na televisão", lembra Ciro José. Além do futebol, diversos mundiais e Olimpíadas, Luciano passou a fazer Fórmula 1 e só tomou a decisão de enfrentar novos desafios depois da Copa da Espanha, em 1982.

Saiu da Globo, passou rapidamente pela Record e, já associado a José Francisco Coelho Leal, o Kiko, em julho de 1983, idealizou e transmitiu o Grande Desafio de Vôlei internacional, entre as seleções masculinas do Brasil e da União Soviética, para um público de mais de 90 mil pessoas, no estádio do Maracanã. Alessandra, filha de Luciano, revela que a realização desse jogo foi uma emoção que marcou a vida dele. "Até então o Brasil era tido como o país do futebol, e continua até hoje. Mas a ascensão do vôlei, sem sombra de dúvida, começou naquela época, na década de 80, com a geração de prata: Renan, Xandó, Montanaro, William, Bernard. Bernardinho era o segundo levantador. Eles eram imbatíveis. Então você imagina assim que o *boom* do vôlei começou na década de 80, justamente com essa geração de prata e esse grande evento. Era inimaginável na cabeça de qualquer um pegar o maior estádio de futebol do mundo, o Maracanã, a céu aberto, e transformá-lo numa quadra de vôlei. Foi maravilhoso. O Bernard, com aquele famoso saque 'jornada nas estrelas', levava o público ao delírio e deixava os russos completamente desorientados. Tinha também o 'viagem ao fundo do mar', saque do Montanaro, forte e próximo da rede. Foram quase 100 mil pessoas no Maracanã, e o público foi à loucura naquele jogo. Gozado é que antes do jogo, por ter chovido, todos os jogadores, brasileiros e russos, ajudaram com rodos a tirar as poças d'água do carpete improvisado. Foi um verdadeiro show".

Na Bandeirantes, em seguida, Luciano foi criador do *Show do Esporte*, uma programação que ia desde o final da manhã até o começo da noite, com espaço disponível para as mais diversas modalidades, inclusive algumas que eram novidade na televisão, como a sinuca. "O desafio da Copa de 86, num México traumatizado por um terremoto, exigiu muito, assim como produzir na Bandeirantes, com ineditismo, produtos como NFL, NBA e fazer parte da equipe que montou a Copa Pelé, *Verão Vivo*, além das coberturas internacionais de Boxe, Indy, Olimpíada. Mas produzir o maior fenômeno de audiência da televisão do Brasil, fora o futebol, foi único! A luta do Maguila contra James 'Quebra-Ossos' Smith marcou 50 pontos de média de audiência", conta Eduardo Zebini, hoje diretor do Fox Sports, mas que também integrou aquele momento único na Band.

Uma das iniciativas de Luciano do Valle durante esse período na Bandeirantes foi criar uma seleção brasileira de másters, reunindo alguns dos principais jogadores que fizeram sucesso nos campos, mas que já não atuavam mais, em competições internacionais, e tendo como técnico, sem nenhuma modéstia, ele próprio. Sem nenhum acanhamento, ele se dispôs a treinar Pelé, Gérson, Rivellino, Jairzinho, Zico, Luís Pereira, Vladimir, Batista, Mário Sérgio, Júnior, Zenon, Roberto Dinamite, Jayme de Almeida, entre muitos outros. Em 1987, foi realizado o Mundialito de Seniors em São Paulo, com participação do Brasil, da Argentina, Uruguai, Alemanha Ocidental e Itália. Craques reconhecidos mundialmente, como Uwe Seeler,

Luciano do Valle em maio de 2011

Paul Breitner, Gerd Müller, Babington, Brindisi e Oscar Más, Giacinto Facchetti e Roberto Boninsegna estiveram entre os convidados. E, o mais importante, as arquibancadas ficavam lotadas para ver aquele livro aberto da história do futebol. Na decisão realizada no Pacaembu, porém, o Brasil perdeu da Argentina. Gol de Darío Felman, lembrando o que tinha acontecido em 1950, no Maracanã, frente ao Uruguai. Mas a Seleção Brasileira continuou sendo formada e chegou a excursionar pela Europa para a disputa de outros torneios.

São muitos os casos em torno dessa seleção de másters, mas um dos principais aconteceu em Trieste, uma cidade ao nordeste da Itália, no mar Adriático. Usando o preparador físico Júlio Mazzei como juiz, o técnico Luciano do Valle observava ao lado do campo um treinamento coletivo titular contra reservas, quando acontece uma falta para o time principal, na meia-lua da grande área. Rivellino foi encarregado da cobrança e a bola acabou subindo quase dois metros acima do travessão. O narrador não pensou duas vezes e interrompeu o treino imediatamente, para se dirigir ao exato local onde tinha acontecido a infração. Do lado de fora, Juarez Soares resmungava aos que estavam ao lado:

– Companheiro, só falta o Luciano querer ensinar o Rivellino a bater falta.

E foi exatamente isso que aconteceu. Luciano interrompeu o treinamento e durante quase cinco minutos, com a bola na mão, ficou conversando a sós com aquele que ficou conhecido por Patada Atômica no Mundial do México em 1970. Não satisfeito, o treinador resolveu mostrar na prática o que tinha acabado de colocar na teoria. Bola no chão, ele toma distância, olha a colocação da barreira e o canto do goleiro. Dava para ouvir os passarinhos, tamanho era o silêncio naquele momento. Júlio Mazzei apita; Luciano corre para a bola como quem busca um prato de comida e, ao bater nela, vai ao chão. E não levanta. São quase desesperados os seus gritos de dor.

Assustado com aquilo e ainda do lado de fora, Juarez apenas balançava a cabeça, e, com as mãos em cima dela, quase sussurrava: "Eu não falei?". Diante do corre-corre, o único médico presente era o Dr. Sócrates, o jogador, que naquele dia fora afastado das atividades porque tinha exagerado no uso do bom vinho italiano. Luciano não aceitou, de maneira nenhuma, ser atendido por ele, mesmo numa situação de emergência. Foi levado para um hospital e ficou quase uma semana com a perna, também vítima de erisipela, recebendo o devido tratamento.

Luciano do Valle, sem dúvida, escreveu uma das páginas mais bonitas da televisão esportiva de todos os tempos. E foi também na Bandeirantes, curiosamente, que Galvão Bueno começou a narrar futebol e outros esportes, já se vendo à frente de grandes desafios. "Eu já tinha feito alguns comentários para a televisão quando trabalhei nas rádios Gazeta e Record, antes de ir para a TV Bandeirantes. Só me tornei narrador em 1977, convencido por meus diretores de São Paulo. Eles precisavam de um narrador no Rio de Janeiro e eu resisti, argumentando, entre outras coisas, que não sabia e nunca aprenderia a gritar 'gol!'. Não teve outro jeito e eu estreei num Flamengo x Vasco com Maracanã lotado", recorda. "E dei sorte: mesmo com Zico em campo, a partida foi zero a zero e eu pude adiar o primeiro grito de gol", ri Galvão. Seu início profissional foi a partir de um concurso. "Estava duro para arrumar um comentarista, um narrador e um repórter para a equipe da Gazeta, por vários motivos, incluindo resistências à proposta e valores salariais. Então, resolvi fazer um concurso. Por que um concurso? Eu entrei no rádio, na Bandeirantes, em 1953, ganhando um concurso com 400 candidatos. Resolvi fazer isso e apareceu o Galvão Bueno como comentarista. Narrador, fui obrigado a buscar o Jota Júnior, porque não houve nenhuma inscrição para essa função", relembra Roberto Petri. Até hoje, uma das formas de encontrar bons profissionais para narrar futebol é ouvir as rádios de cidades do interior, de onde surgiram excelentes locutores. "Também foi por uma contingência que se deu o início do Galvão na transmissão da Fórmula 1 na Globo. O escalado para fazer as corridas era sempre Luciano do Valle, como narrador número 1, mas num domingo de Grande Prêmio Brasil, no Autódromo de Jacarepaguá, e de um amistoso entre as seleções do Brasil e Alemanha no Maracanã, não havia como ele fazer as duas coisas. Boni até cogitou alugar um helicóptero para isso, mas acabou prevalecendo a escala do departamento de esportes, feita pelo Ciro José: Galvão na corrida, Luciano no futebol", recorda Roberto Petri.

Galvão Bueno ao lado de Washington Bezerra, chefe de equipe da Stock Car

Aliás, curiosamente, é nesses dois esportes, futebol e Fórmula 1, que Galvão Bueno revê as suas maiores emoções profissionais. "Minha primeira grande emoção como narrador foi logo no comecinho da carreira, na TV Globo, transmitindo o Mundial de Clubes de 1981, vencido pelo Flamengo, em Tóquio, 3 a 0 em cima do Liverpool. Foi emocionante porque era de novo o futebol brasileiro dando show, porque aquele time era de sonho e porque – hoje eu posso confessar – eu torcia pelo Flamengo desde menino", conta. E vai além: "Meu primeiro choro de emoção ao microfone veio dois anos depois, em 1983, num Grande Prêmio da África do Sul, quando Nelson Piquet se sagrou bicampeão. O Reginaldo Leme ao meu lado também chorou, foi uma cena emocionante demais. Depois, Ayrton Senna ganhou 41 grandes prêmios, se sagrou tricampeão, e eu me emocionei toda vez que gritei 'Ayrton Senna do Brasil', não tem como negar isso. Em 1994, o grito de 'é tetra!' também foi emocionante, especialmente porque estávamos cansados, extenuados, o sol do meio-dia na Califórnia era inclemente, nossa 'cabine' ali ao ar livre e as emoções correram soltas, com direito até a uma imagem que entrou no telão do estádio e correu o mundo, o "é tetra, é tetra" abraçado ao Pelé", recorda. O homem que lidera as audiências esportivas na TV aberta conta que tem uma narração em especial que o deixa emocionado toda vez que ouve, porque a considera a mais próxima da perfeição: medalha de prata do revezamento 4 x 100 nos jogos de Sydney. "Aquela que termina com 'é prata, é prata, é prata, é prata'. Me arrepio até hoje quando ouço essas quatro pratas", pontua. "E, como diz o rei Roberto Carlos, foram muitas emoções, a mais recente na Copa de 2014, e foi uma emoção de repórter, não de narrador. Eu conto essa passagem no meu livro *Fala, Galvão!*. No final do jogo Brasil x Colômbia, o Neymar se machucou e foi levado a um hospital. Eu me preparava para fazer o *Jornal Nacional* e, trinta segundos antes de entrar no ar, me deu um estalo e liguei para o Rodrigo Paiva, na época diretor de comunicação da CBF. Ele atendeu na hora e, sem que eu dissesse nada, me falou: 'Galvão, nosso menino está fora da Copa, teve uma fratura na vértebra'. Imediatamente liguei para o Dr. José Luiz Runco, médico da seleção. Ele também me atendeu – serei eternamente grato aos dois, que infelizmente não estão mais com a seleção. O Dr. Runco começou a me dizer o que tinha acontecido com o Neymar. O *JN* entrou no ar, eu joguei meu celular para a Ana Paula, minha produtora e fiel escudeira, e fiz um gesto para que ela o entregasse ao João Pedro Paes Leme. Pelo ponto eletrônico, ele foi me passando as palavras do médico, que eu reproduzia no ar, na primeira 'fala' do Jornal, informando a extensão da contusão, qual vértebra quebrou, quanto tempo de recuperação", conclui.

Galvão Bueno só chegou a uma dessas grandes emoções, no caso a primeira, com o título do Flamengo em Tóquio, por causa de um desentendimento logístico de Luciano do Valle com a TV Globo. Como Luciano colocara como condição fazer o jogo no Japão só se a passagem de avião fosse de primeira classe, a direção da Globo optou por mandar outro narrador. Durante muitos anos, as principais competições esportivas da TV Globo, a partir da saída de Luciano, passaram a ser feitas por Galvão, Oliveira Andrade e Cléber Machado.

Oliveira Andrade começou a sua carreira em Campinas, chegando a dirigir o jornalismo da EPTV, afiliada da Globo em Campinas e Ribeirão Preto. Foi responsável, inclusive, pelo lançamento de alguns valores que passaram a brilhar na televisão brasileira, casos de José Luiz Datena, Heraldo Pereira e José Roberto Burnier. Aliás, o próprio Datena faz questão de reconhecer e assegurar que ele, Oliveira, "foi o culpado de tudo". Transformado em segundo de Galvão, participou das maiores transmissões da Globo, inclusive a Copa de 90, com sua cobertura economizada por causa do Plano Collor. Só Galvão viajou para fazer os jogos do Brasil. Todos os demais jogos foram narrados dos estúdios no Rio de Janeiro, entre eles Áustria x EUA, pela primeira fase. "A Zélia Cardoso de Mello, com aquele plano econômico, tirou a gente da escada do avião. Finalzinho do jogo, a câmera fechou no árbitro, ao mesmo tempo que ouvi no meu fone de áudio ambiente o barulho de um apito. Achei que era o final do jogo e encerrei a transmissão. Havia uma pressão terrível pra passar imediatamente para o Faustão, pois tinha aquela promoção que sorteava carro e um monte de prêmios", recorda Oliveira Andrade, que, durante boa parte do segundo tempo, ouviu muitas vezes a mesma orientação para passar imediatamente para o programa e não pedir comentários para ninguém. "Foi o que eu fiz. Só que o jogo não tinha terminado", ri. Para piorar a situação, não havia como avisar o apresentador para devolver a transmissão, porque Fausto Silva nunca trabalhou com ponto eletrônico. "Ficou aquela situação. Olhei pro Raul e falei: 'tô ferrado se sair um gol'. Estava 2 x 0 pra Áustria. Adivinha o que aconteceu? Ataque dos Estados Unidos e... gol. Fim de jogo: 2 x 1 Áustria. Aí, sim, avisaram o Fausto e ele devolveu pra este tonto, que, com cara de besta, contou uma história, tentando justificar. Saí do estúdio pronto pra ouvir que estava demitido. Abri a porta e o Marco Mora, que coordenava as transmissões, já estava lá, com cara de poucos amigos, dizendo que o Boni tinha ligado pedindo pra ele subir. Pensei: 'tô na rua'. Mas o Marquinho era safo, conhecia bem o homem. Quando ele começou a falar do jogo, o Mora mudou de assunto, lembrou que o cenário da mesa-redonda lá na Itália tinha ficado muito bonito. Aliás, como ele, Boni, tinha sugerido. E não se falou mais na besteira que eu tinha feito. Meu pescoço foi salvo no último minuto da prorrogação pelo Marquinho", ri Oliveira da história trágica que virou cômica.

Cléber Machado, assim como tantos outros, fez do rádio a sua escola. Começou como estagiário na Tupi, levado por Luiz Aguiar, depois esteve na Bandeirantes e, a convite de Gualberto Curado – "uma das pessoas mais importantes da minha história. Cara de uma alma e de um coração enormes. Quase pai" – foi trabalhar na coordenação das rádios Globo e Excelsior, junto com Humberto Marçal, Fausto Canova e um pessoal de produção. "Quem me incentivou a fazer boletim esportivo foi o jornalista

Edson Scatamachia, que depois trabalhou muitos anos com o Fausto Silva. Dali fui para a TV Gazeta fazer reportagem, mas sem sair da programação da Rádio Globo. Só me decidi pelo esporte em 1986, quando Ciro José me mandou para São José dos Campos", recorda. A primeira imagem do esporte que Cléber tem da televisão, ainda com 8 anos de vida, é da Copa do Mundo de 70, mas não como um cara que entendia de futebol. Foram cenas que ficaram na memória, como o gol de falta do Rivellino contra a Tchecoslováquia e aquele de Pelé, lançamento de Gérson, que ele matou bonito no peito e fez. O pai de Cléber, o radialista Clodoaldo José, assistindo com ele, disse:

– Se é o Jairzinho, mete a cabeça na bola e perde.

Depois do jogo, o garoto de 8 anos tirou sua conclusão: "Esse Jairzinho deve ser uma porcaria". Terceiro ou quarto gol do Brasil na mesma Copa, Gérson lança, Jairzinho dá um chapéu no goleiro e marca. "Olhei pro meu pai e ele não falou nada. No jogo final, antes de começar, lembro bem, passa na Rua Mateus Grou, onde eu morava, o Otelo Zeloni com um carro branco, bandeira da Itália, e os caras sacaneando. São as primeiras imagens que eu tenho", revela. "E o meu começo, recordo bem, foi transmitindo jogo de botão, imitando Fiori Giglioti, Ênio Rodrigues e Alexandre Santos, narradores da época, mais de rádio que da televisão", ri ao recordar a brincadeira de menino. "Quando virei profissional de esporte, em 86, comecei a acompanhar trabalhos de pessoas como Silvio Luiz, por exemplo. O cara era e é até hoje um grande comunicador. No ano que eu comecei, o Galvão Bueno fez uma Copa do Mundo extraordinária. Narrou muito, embora o titular fosse Osmar Santos.

Luiz Roberto, que depois se juntou a Galvão e Cléber, após a saída de Oliveira, também teve uma trajetória muito parecida com a de tantos outros. Começou no rádio, Gazeta e Globo, para depois ser chamado pela televisão.

Em 1989, mas ainda em UHF, entrou em operação no Brasil o Canal +, do Grupo Machline, que transmitia a programação ESPN americana e que acabou dando origem à TVA Esportes, do Grupo Abril. Ela funcionou por cerca de seis anos e em seu lugar foi criada a ESPN Brasil, sob a direção de Júlio Bartolo, Wilma Maciel, José Trajano e Laércio Roma. A sociedade da ESPN com a Editora Abril teve um começo arrojado, adquirindo os direitos dos principais campeonatos de futebol do Brasil. Só que não havia critério nenhum na sua linha de programação. Em várias oportunidades, uma partida de beisebol ou de futebol americano foi interrompida para entrar um jogo do Brasil. O próprio Trajano admite que "era um forrobodó danado". Isso só deixou de existir a partir da criação da ESPN Brasil, dividindo de maneira melhor esses produtos com a ESPN. Foi algo que se acertou com o tempo, ainda sob a direção de Trajano, que mais recentemente passou essa incumbência para João Palomino. Hoje, já contando com outros canais, a ESPN tem grades bem definidas para todas as suas emissoras no Brasil, controladas diretamente pela The Walt Disney Company por meio da American Broadcasting Company. Foi um começo, segundo Trajano, bastante complicado, porque não havia por aqui nenhuma referência para a implantação de um canal de televisão esportivo. "Como a gente era um grupo de pessoas que gostava de esportes, que já tinha trabalhado com isso, muita coisa passou a funcionar na base da intuição. Quase que ao mesmo tempo que a ESPN, em 19 de outubro de 1991, entrou em operação no Brasil o Canal Top Sport, que teve sua designação alterada em 1995 para o atual SporTV, gerado pela Globosat. Na ocasião, veio se juntar ao Multishow, ao GNT e ao Telecine, aliás, com particularidades das mais interessantes, como conta Alberto Pecegueiro, seu diretor-geral desde 1994. "O primeiro grande desafio da Globosat foi começar com quatro canais em outubro de 1991 para nenhum assinante. No dia que foi lançada não havia assinantes e já largou com esses quatro canais." Entretanto, os objetivos estavam muito bem definidos. "Quando começamos a estudar o negócio de TV paga em outros países, a gente diagnosticou que, nas experiências bem-sucedidas de outros lugares, o sucesso dela tinha dois retornos principais: os canais de esporte e de filmes. Então, essa noção já estava sedimentada quando definimos a orientação estratégica da Globosat. A gente tinha que investir mais nessas duas frentes, levando em conta que no ano seguinte, em 1992, com o Top Sports recém-nascido, foi feita a transmissão dos Jogos Olímpicos de Barcelona. De uma maneira quase amadora, de uma maneira bastante precária, mas já se mostrava ali a vocação do que um canal de esporte pode fazer. A gente tinha essa noção, a gente podia usar, de certa maneira, a referência de como iam evoluindo os canais de esportes em outros países. E, obviamente, em um país como o Brasil, a gente tinha que entender que o grande público, ao qual a gente deveria dedicar boa parte da programação, queria futebol. Então, foi esse o foco, como é que a gente poderia implantar, desenvolver, amadurecer uma relação entre a TV paga e o futebol", explica. "A primeira transmissão dos Jogos Olímpicos que eu vi foi dos Jogos de Atlanta. Aí, percebendo que a coisa estava complicada nos primeiros Jogos Olímpicos na Globosat, resolvi ficar no Brasil.

E foi ótimo, porque ao ficar pude acompanhar a cobertura", conta. Naqueles Jogos Olímpicos, três redes abertas transmitiram os jogos, o que aumentava a disputa de público. "No primeiro dia, tinha um jogo de futebol do Brasil e simultaneamente estava jogando no basquete o time americano, o Dream Team. Eu tinha várias televisões, vários monitores na minha sala, e eu olhei na parede e vi quatro sinais iguais transmitindo o mesmo jogo", recorda. Alberto Pecegueiro pegou o telefone e ligou no ramal do coordenador da equipe do SporTV.

– Vem cá, essa é a única coisa que está acontecendo? Nós temos que dar alternativa para o público.

– Não, tem outras modalidades – respondeu o coordenador do outro lado da linha.

– Por que a gente não vai para o jogo do basquete americano?

Alberto Pecegueiro mandou chamarem no ar imediatamente o jogo de basquete e, em questão de minutos, trocou a modalidade. "A partir dali, do primeiro até o décimo quarto dia das competições, o SporTV se contraprogramou em relação ao que as emissoras abertas estavam fazendo. Às vezes, era mais importante um esporte de ponta, de nível, com grandes nomes do esporte mundial, ainda que o Brasil não estivesse competindo, do que assistir a um esporte em que o Brasil estivesse competindo, mas coberto pelas outras redes", conta. Ali, segundo ele, foi a grande virada no conceito do SporTV de cobrir grandes eventos.

Pesquisas realizadas pelas principais operadoras da televisão por assinatura, como foi chamada no começo, ou TV paga, como veio a se denominar a partir de 2012, sempre indicaram os canais esportivos como principal fator de venda para os seus pacotes. Esse passou a ser um mercado altamente competitivo no Brasil. À ESPN e ao SporTV, outros canais esportivos foram somados com o decorrer do tempo, como o Bandsports, do Grupo Bandeirantes, e mais recentemente o Esporte Interativo e o Fox Sports. "Foi o maior desafio da minha carreira. Em três meses, lançamos um canal que aumentou a concorrência e a qualidade de produção esportiva pela própria disputa de mercado. Com as experiências dos nossos canais em todo o mundo, desenvolvemos o modelo de muita aceitação pelos brasileiros, um mix de esporte e entretenimento, sem perder o foco jornalístico, que permitiu à nossa plataforma liderar a preferência do público recorrentemente. Um trabalho de equipe abnegado, sem o qual as 24 horas dos dias em que trabalhamos ininterruptamente várias vezes, na ocasião, não se explicariam", diz Edu Zebini.

O número de emissoras esportivas na TV fechada fez acentuar, às vezes de maneira ruidosa, a disputa entre elas pelos direitos de transmissão das grandes competições. É um mercado que não para de crescer e que já coloca o Brasil como um dos modelos mais importantes de todo o mundo. Por outro lado, constituíram-se também num importante campo de trabalho, reunindo mais de uma centena de profissionais de grande valor.

# A TV da boa conversa

Em definição resumida, no dicionário *Michaelis*, talk show aparece como um "programa de entrevistas e/ou debates, frequentemente intercalados com apresentações artísticas de diversos gêneros". No rádio ou na televisão, para muitos é considerado existente a partir de Larry King, David Letterman, Jimmy Fallon, Jay Leno, Ellen DeGeneres e Oprah Winfrey, na televisão dos Estados Unidos. Se de um lado, como justo e até necessário reconhecimento, todos os acima citados serviram de modelo a muito daquilo que a TV brasileira passou a fazer mais intensamente nos anos 1980, não podemos negar nossa própria história ou deixar esquecido o nome de Silveira Sampaio.

Muito antes de todos, esse pediatra por formação, nascido no Rio de Janeiro, alcançou grande sucesso ainda no início da TV Paulista apresentando o *Bate-Papo com Silveira Sampaio*. Uma escrivaninha e sua presença foi o que bastou para uma das maiores marcas da televisão em seu começo. No tempo da TV ao vivo, sua capacidade de ficar trinta minutos no ar, muitas vezes sem nenhum convidado, mas sempre em completa sintonia com o telespectador, era o que mais impressionava. A sua conversa com o ex-colega de faculdade, o então governador do Rio de Janeiro, Carlos Lacerda, chamado apenas de Carlos, era um dos momentos mais esperados pelo público. "Era uma ficção, uma crônica, mas de uma capacidade incrível. O tempo da resposta das perguntas que ele fazia você acompanhava atentamente, porque tinha certeza de que ele ouvia algo bombástico", relembra Nilton Travesso. Esse diálogo imaginário era sempre pautado no principal assunto do dia, o que gerava uma incrível repercussão no dia seguinte. "Foi aí que a Record começou a avançar a grade na madrugada, porque às vezes o *SS Show* terminava perto das 4h30 da madrugada", completa o diretor.

Jô Soares, que tem uma trajetória brilhante em talk show no Brasil, com atrações no SBT e na Globo, foi um dos colaboradores de Silveirinha, principalmente na Record. Recém-chegado da Europa, onde estudou em colégio interno, Jô e sua família moraram por seis meses no famoso hotel carioca. Silveira Sampaio era médico e exerceu a profissão até chegar aos 40 anos de idade. "Aí, ele fechou o livro de apontamentos e disse: 'Agora eu vou fazer o que eu gosto'. E foi fazer teatro. Isso é uma coisa bem curiosa, uma coisa que estava guardada. E eu fui fazer o programa dele, tempos depois, na Record", reflete Jô Soares. Além da televisão, o primeiro apresentador de talk show no Brasil já era conhecido como jornalista, ator, diretor e autor de vários espetáculos teatrais, entre eles, *A Necessidade de Ser Bígamo*, encenada nos Estados Unidos. Não por acaso, e mesmo diante de outras tantas experiências maravilhosas, Jô considera que esses momentos de convivência com Silveira Sampaio estão entre os mais importantes para a sua vida. "Eu fui casado com a Teresa Austregésilo, que era a atriz favorita do Silveira, considerada por ele a sua versão feminina. A Teresa fez todos os seus espetáculos, não só shows, mas peças dele. Então, eram muito amigos, e eu também passei a ser. A primeira coisa que eu fiz em São Paulo foi dar uma entrevista ao Silveira Sampaio na TV Paulista. Aí, depois, eu acompanhava o programa e pensava que já podia fazer, era o meu caminho. Quando ele foi para a Record, eu comecei a trabalhar junto com ele, a fazer as entrevistas externas e as internacionais do programa, já achando que esse era o negócio que, futuramente, queria fazer", revela.

Seguindo a mesma linha de Silveira Sampaio, em 1978 a Record estreou o *Programa Ferreira Netto*, que recebia convidados de diferentes atividades. O momento difícil que a emissora atravessava exigia exibições ao vivo e não permitia a presença fixa de uma banda. Os cantores que lá se apresentavam apenas conversavam e no fim dublavam seus discos. O programa, que entrava a madrugada, não tinha hora certa para começar, muito menos para terminar. Como não havia condição de pagar uma equipe de produção, o horário pertencia à Fábrica de Móveis Brasil, que na mesma época custeava, também na Record, o *Programa Raul Gil*. Assim como Silveira Sampaio, Ferreira Netto tinha sobre a sua mesa um telefone vermelho, que usava para conversar em todo início do programa com o "Léo". Embora ele nunca tenha revelado nada sobre isso, o Léo em questão era o irmão de Silvio Santos, que todos os domingos era acionado pelo apresentador para premiar os compradores do "Baú da Felicidade". Com o mesmo programa, Ferreira Netto depois passou por praticamente todas as emissoras, inclusive pelo SBT, em 1986, em que voltou a acertar com Silvio Santos. Ele iria se apresentar em todos os finais de noite e chegou a ter a sua contratação anunciada no programa de Flávio Cavalcanti, mas as condições apresentadas levaram o negócio a ser desfeito. Ele não queria gravar e também se recusava a aceitar o formato de três convidados por noite, cujos nomes teriam de ser aprovados pela direção da emissora.

Um dos desafios mais frequentes com a produção, em todo o tempo que esteve no ar, era contar com entrevistas e participações importantes no programa. De um determinado momento em diante ele se especializou em realizar debates. Dizia ao seu pessoal que num país como o Brasil, com tanta gente e tanta coisa acontecendo o tempo todo, não faltavam bons entrevistados e debatedores. Também são muitas as suas histórias de bastidores. Houve um momento, quando deixou de ser patrocinado pela Fábrica de Móveis Brasil na Record, que existiu a necessidade de fazer dinheiro para atender os custos. Uma das ideias foi colocar uma foto noturna e ampliada de São Paulo no fundo do cenário, com "luminosos" sobre os seus prédios. Cada "plaquinha" era de um anunciante, e, entre imobiliárias, fábrica de cuecas e pão de fôrma, existia uma marca de uísque, que, além de aparecer no cenário, era servido e saboreado, muitas vezes com algum exagero, pelos participantes. Mário Pereira, o Azulão, contrarregra, devidamente vestido para a ocasião, era quem aparecia de garçom para servir generosas doses aos ilustres convidados e deixá-los o mais à vontade possível. Houve quem dormisse no programa durante a entrevista, como registro menos grave, a até quem capotasse com a poltrona ao vivo, como foi o caso de uma deputada federal. Em seu livro *Folclore Político – 1950 Histórias*, Sebastião Nery relembra outra passagem do mesmo programa, na época, na Bandeirantes:

> Aquela noite, no segundo semestre de 1984, cinco deputados federais participavam do "Programa Ferreira Netto", em São Paulo: Fernando Collor (PDS-AL), Airton Soares (PT-SP),

Mendes Botelho (PTB-SP), Domingos Leonelli (PMDB-BA) e eu, (PMDB-Rio). A disputa à Presidência, entre Tancredo e Maluf, estava queimando. De repente, Mendes Botelho e Domingos Leonelli começam a divergir, falar mais alto, gritar, levantaram-se, atracaram-se aos murros e pontapés. Os dois estavam encarnados de Mike Tyson. Ferreira, maliciosamente, chama atenção para o decoro, mas deixou a câmera filmando tudo, ao vivo. O programa acabou reproduzido no mundo inteiro.

Durante toda a briga, que durou minutos, Fernando Collor ficou na sua cadeira, perplexo, mas impassível. Na saída, me disse:

— Não sei por que brigar por essa eleição que vai ser decidida no tapetão do Colégio Eleitoral. O Brasil só terá realmente um presidente quando o povo escolher no voto.

Falava como se falasse dele.

Jô Soares, contratado por sugestão de Carlos Alberto de Nóbrega em 1986 pelo SBT para apresentar o *Veja o Gordo*, só foi estrear o *Jô Soares Onze e Meia* dois anos depois. O título sugeria o início da sua exibição, pontualmente às 23h30, de segunda a sexta, o que nunca chegou a acontecer, até valendo muitas piadas do próprio Jô enquanto esteve lá, ou até 1998, quando resolveu se transferir para a TV Globo. O apresentador sempre assistiu aos *tonight shows* americanos e viu que eram feitos por comediantes que paravam o projeto quando queriam, um após o outro. Depois de Jack Paar, entrou Johnny Carson, que ficou 35 anos, e assim por diante. "Na Globo, na minha primeira passagem lá, não tinha esse espaço. Eu cheguei a apresentar o *Globo Gente*, mas era um outro perfil, na época da ditadura, sem plateia. E esse programa, para o comediante, tem que ter plateia, mas nem por isso não foi legal. Foi uma experiência interessante, com produção do Manoel Carlos e do Haroldo Costa. No SBT, quando o Silvio me propôs, senti que seria diferente e com todas as possibilidades de dar certo", revela o humorista. "E logo que o *Jô Soares Onze e Meia* estreou e começou a fazer um tremendo barulho, a Globo já me queria de volta. Mas ainda não era a hora", completa. O próprio Silvio Santos, em vários desses acenos da concorrente, aconselhou Jô a ficar, mostrando que o programa tinha dado certo e aquela não era a melhor ocasião para sair. Ao todo, foram 11 anos de *Jô Soares Onze e Meia* no SBT, com sua última edição levada ao ar em 30 de dezembro de 1999. "A Globo já vinha insistindo comigo, e eu, depois de um certo tempo, pensei: 'Tá na hora de voltar. O bom filho a casa torna'", revela. Para ele, o talk show ganharia muito com a estrutura que a Globo tinha com o jornalismo. "A televisão é feita em um tripé que é dramaturgia, shows e jornalismo. E o jornalismo do SBT começou a não me acompanhar", conclui o humorista.

Marluce Dias da Silva, diretora-geral da Rede Globo entre 1998 e 2002, foi quem negociou essa volta de Jô Soares, por intermédio de Evandro Carlos de Andrade e Roberto Irineu. Não havia como não aceitar. A ele foram oferecidas todas as condições e a liberdade de fazer o que bem entendesse. "Foi minha volta a uma casa onde só tinha deixado amigos. Fiquei comovido com a recepção. O reencontro com pessoas como Érico Magalhães, eletricistas, iluminadores, enfim, todo o pessoal do Projac. Foi aquela festa. O Edson Pimentel montou um vídeo lindo sobre essa minha volta", recorda, com emoção. O programa, do SBT para a Globo, sofreu poucas alterações, mas cresceu do ponto de vista de convidados, dada a facilidade de contar com o pessoal da casa e do interesse de todos em participar. "O Roberto Carlos era um deles, mas na semana que ele ia, que já estava tudo acertado, como não tinha uma autorização escrita, ele achou que não poderia ir. Falei que tudo bem, mas liguei e pedi ao Roberto um grande favor: 'Todo dia, quando você acordar, vá para a frente do espelho e diga: 'Eu sou o Roberto Carlos', até você se convencer de que você é o Roberto Carlos'. Passaram dez minutos e ele me ligou: 'Jô, estou indo, porque eu sou o Roberto Carlos'", conta o humorista, com orgulho pela conquista do entrevistado.

O *Programa do Jô* estreou em 3 de abril de 2000, apresentando uma entrevista especial com Roberto Marinho, gravada dias antes nos jardins da residência do jornalista. Na mesma noite, o programa ainda teve como convidados o ator Tarcísio Meira, o goleiro Dida e a cantora Marisa Monte, acompanhada da Velha Guarda da Portela. Durante muito tempo, contando a sua época no SBT e depois na Globo, ficou conhecida a frase "não vá para a cama sem ele", em alusão ao fato de que passou a ser essencial a qualquer telespectador ou cidadão assistir ao programa. Sem querer, querendo, com ele a faixa nobre da televisão se esticou até o começo da madrugada. A decisão de parar no final de 2016 foi tomada em comum acordo com a direção da TV Globo. "Em 2014, quando fui renovar meu contrato, conversando com o Schroder [Carlos Henrique], ele me propôs continuar com o programa e entendemos que o fim de 2016 seria o tempo certo. A minha intenção sempre foi parar com dignidade e nunca de uma forma melancólica. Foram mais de 15 mil entrevistados. É uma marca fantástica, mas não deixa de ser uma decisão difícil, porque, quando você pensa que não dá mais, sempre acaba dando", diz Jô Soares. Sobre a dimensão e importância que o seu programa representou, tanto nos tempos do SBT como na Globo, ele só começou a perceber melhor ao se aproximar o momento de parar. "Se eu soubesse antes, seria insuportável para mim. Não me levaria a sério. Ficaria chato", conclui.

Jô Soares em seu programa, em 2016

\*\*\*

Um ano depois de ser aprovado no *CQC*, em 2009, Danilo Gentili já tinha na cabeça a ideia de desenvolver um "late night" na Band, que foi amadurecendo com o decorrer do tempo, até ser uma das condições de assinar contrato, quando foi efetivado como repórter. Até então, de toda a equipe do programa, ele era o único que tinha compromisso temporário com a Band. As reportagens em Brasília e as matérias do *Proteste Já* sempre foram suas pautas preferidas. Apanhar na Secretaria Especial de Comunicação Social (Secom) e ser expulso do Congresso Nacional por Arlindo Chinaglia, na época presidente da Câmara, foram algumas das consequências. "A pergunta ao Chinaglia, do PT, não tinha nada de mais. Eu só queria saber de caixa 2. Em outra ocasião, a pauta era "leis idiotas" e a cidade de Aguaí, no interior de São Paulo, que baixou uma contra a vadiagem. Ninguém podia ficar na rua depois das 10 da noite. Eu, disfarçado, fui preso. Pior é que na hora que o policial estava me algemando, e eu sem cinto, minha calça começou a cair...

e caiu. Não foi de sacanagem. Eram as coisas que eu mais gostava de fazer, mesmo sendo muito desgastantes. Durante minha fase de *CQC* engordei uns dez quilos. Não tinha hora para dormir, comer, pra nada", revela o atual apresentador do *The Noite*.

Na Band, surgiram resistências por parte de alguns diretores, entendendo que Danilo era muito ácido e que poucos aceitariam o seu convite para entrevistas. Além disso, diziam que ele não teria um elenco tão bom como o de Jô Soares à disposição e que isso limitaria bastante a sua capacidade de receber bons convidados.

Ainda assim, mesmo diante de tanta gente votando contra, achou que o desafio ia valer muito a pena. E, como a negociação com a Bandeirantes estava demorando e sempre esbarrava em algum detalhe para sair do papel, ele resolveu levar o projeto para a produtora argentina de TV Cuatro Cabezas. E deu certo. Era a mesma produtora do *CQC*, com uma história dentro da emissora e que permitiu a ele gravar dois programas como teste. Um com Marcelo Adnet e outro com Marília Gabriela.

Em 2012, teve um primeiro flerte com a emissora de Silvio Santos, mas em maio de 2013, como a situação na Band estava começando a ficar difícil, o SBT voltou a procurá-lo oferecendo um programa diário, a princípio o *Programa Livre*, já apresentado por Serginho Groisman na emissora e uma das grandes marcas da grade, e um talk show. Gentili disse que aceitaria conversar, desde que toda a sua equipe entrasse na negociação. Sozinho, não iria de jeito nenhum, e o SBT acabou topando. Em dezembro, foi embora com a tropa toda preparar a sua estreia na TV do artista que sempre admirou. Nas voltas que a vida dá, em 2014 a direção da Band optou por escolher Rafinha Bastos para substituir Danilo Gentili à frente do *Agora é Tarde*. O seu retorno à emissora – esquecido o episódio do *CQC* com uma piada envolvendo a cantora Wanessa Camargo, questão resolvida na justiça – já estava acertado e Rafinha foi o primeiro nome lembrado para assumir o programa. "Eu sempre tive um relacionamento muito bom com a Bandeirantes, mesmo no momento que saí de lá. Sinto que eles têm uma relação de confiança muito legal comigo e gostam do trabalho que eu faço. E eu sempre senti que o talk show seria um caminho natural pra mim. Acabou acontecendo. De uma maneira um pouco atrapalhada, mas aconteceu", explica o humorista. A ele foi oferecida apenas a cadeira de apresentador, porque todas as outras decisões, entre elas a escolha dos demais participantes do programa, foram tomadas pela Bandeirantes. "Isso pra mim não foi nada fácil. O *Agora é Tarde* tinha uma assinatura muito forte do antigo apresentador e levei um ano para começar a colocar o programa do jeito que eu gostaria. Foi duro", conta. O pior é que, quando houve a possibilidade de o programa tomar o seu jeito, vinte dias após a direção da Band confirmar, em festa oferecida ao mercado, que o *Agora é Tarde* seria um dos principais produtos da sua programação de 2015, veio a decisão de tirá-lo do ar. Ao longo dos tempos, nas diferentes emissoras, existiram programas de entrevistas que entraram para a história, a grande maioria deles criados por Fernando Barbosa Lima – desde o seu começo, com o *Preto no Branco*, em 1957, na TV Rio, apresentado por Oswaldo Sargentelli, até o *Canal Livre*, ainda em cartaz na Band todos os domingos, sob os cuidados do jornalismo dirigido por Fernando Mitre.

Barbosa Lima idealizou muitos outros programas, como o *Abertura*, na TV Tupi, com as participações de Glauber Rocha, João Saldanha, Norma Bengell, Antonio Callado, Fausto Wolff e Fernando Sabino, assim como *Aquarela do Brasil, Ponto e Contraponto, Encontro Marcado, Frente a Frente, Persona, Conexão Internacional, Bandeira 2, Jornal de Vanguarda*, comandados por nomes como Ary Barroso, Jacinto de Thormes, Salomão Schvartzman, Roberto D'Avila, Paulo Markun e Dóris Giesse. Foram mais de cem programas com a sua assinatura, em emissoras como Record, TV Continental, TV Itacolomi, Globo, Manchete, SBT e TVE.

Marília Gabriela é um nome importante nesse segmento de programas de entrevistas e é considerada por críticos, público e profissionais da área a melhor entrevistadora do país. Essa história começou quando ela retornou ao Brasil após trabalhar como correspondente da Globo na Inglaterra. Assim que pisou em solo brasileiro, foi apresentar o *Marília Gabi Gabriela* na Band, a convite de Roberto de Oliveira. "O cenário era imenso e redondo, tinha uma sala de visitas para receber as pessoas mais inacreditáveis e incríveis, como Cazuza, Raul Seixas, Armando Manzanero, entre tantos outros. Certa noite, foi a vez do Jânio Quadros. Os meninos do Titãs, depois de se apresentarem, deram de presente um disco ao ex-presidente, que ele, todo satisfeito, recebeu e disse: 'Eloá vai ficar muito feliz. Ela adora rock'. No dia seguinte, Jânio foi considerado por Millôr Fernandes 'o único punk deste país'", recorda Gabi, com orgulho. No mesmo ano, 1985, foi convidada por ele para apresentar o *Cara a Cara*, outra criação do jornalista Fernando Barbosa Lima com o propósito de colocar em destaque a conversa de duas pessoas, entrevistadora e entrevistado, somente com cadeiras no cenário, um fundo neutro e mais nada. Por mais que puxe pela memória, Gabi não consegue dizer qual, entre tantos programas, foi aquele que mais se destacou. Isso porque, segundo ela, qualquer pessoa é um grande entrevistado. "Basta ser bem perguntado", afirma ela, com sabedoria. No final de seu contrato, saiu da Bandeirantes e ficou um tempo fora da televisão. Foi quando surgiu a CNT.

Marília Gabriela e Zélia Cardoso de Mello no Cara a Cara, Bandeirantes, em 1990

A sua estreia foi no dia 30 de março de 1995, e, como experiência nova, num programa de auditório. Jô Soares foi seu primeiro convidado. O ex-ministro Paulo Renato e dona Ruth Cardoso também deram ótimas entrevistas, mas o fato de a plateia não prestar atenção e ficar conversando o tempo todo fez com que todos os envolvidos no projeto desistissem das pessoas no estúdio. "Fiquei até o fim do contrato e saí. Aí veio o querido Luciano Callegari com o convite do SBT, dizendo que eu iria trabalhar numa casa onde poderia arriscar. Para quem já tinha feito reportagens no *Fantástico*, cantado no *Fantástico*, achei que seria o caminho ideal. E foi. O SBT é maravilhoso para trabalhar", conta. Começou, em 1996, apresentando o *First Class* nas noites de sábado, com direção de Nilton Travesso e participação de Augusto Nunes e José Simão. Depois é que vieram o *SBT Repórter* e *De Frente com Gabi*, em duas fases. Também no ano de 1996, a convite de Antonio Athayde e Letícia Muhana, Marília Gabriela aceitou o desafio de apresentar inicialmente *Aquela Mulher* e depois *Marília Gabriela Entrevista*, que ficou no ar até 2 de dezembro de 2015.

A Danilo e Porchat, mais recentemente, vieram se juntar Tatá Werneck e Pedro Bial. Ela no Multishow, com um programa de temporada, o *Lady Night*, sempre com 25 edições em cada uma, que recebe convidados como os outros, mas os recepciona de uma maneira diferente e quase que obrigatoriamente fazendo todos entrarem numa brincadeira. O descompromisso com a conversa séria é absoluto.

Coube a Bial, por sua vez, a complicada missão de substituir Jô Soares e desconstruir aquilo que a Globo teve como marca durante 16 anos no seu fim de noite. Desafio natural para qualquer um, inclusive para ele, Bial, jornalista com quase quarenta anos de estrada e experiências como, em seu período como correspondente internacional, cobrir a queda do Muro de Berlim, a Guerra do Golfo e entrevistar algumas das mais importantes personalidades do mundo. O *Programa com Bial*, durante quase um ano no GNT, serviu como ensaio geral para o lançamento do *Conversa com Bial*, no dia 2 de maio de 2017, recebendo como convidadas a presidente do Supremo Tribunal Federal, ministra Cármen Lúcia, e a atriz Fernanda Torres.

Não há como não reconhecer que as exibições desses diferentes programas, cada qual com identidade muito própria, só vieram a valorizar o fim de noite das suas emissoras.

As boas conversas sempre terão um espaço reservado na televisão brasileira, seja através dos talk shows, programas de entrevistas ou até mesmo nos dominicais que buscam no bate-papo com famosos ou desconhecidos o ponto inicial para seu conteúdo. O fato é que o ser humano sempre foi seduzido por histórias interessantes, e elas geralmente aparecem a partir de uma questão. E a TV, desde que surgiu, é a melhor tela para encantar a todos.

# Do rádio para a televisão: programas de auditório se transformam na cara brasileira da TV

O rádio foi o grande referencial da televisão brasileira e o maior fornecedor de mão de obra, conteúdos e formatos para as diversas emissoras espalhadas pelo país. Sempre foi e continuará sendo assim, visto que é uma plataforma em que os profissionais desenvolvem a habilidade do improviso, raciocínio rápido e a comunicação espontânea e direta com o público. Na década de 1950, quando o maior veículo de comunicação do Brasil virou realidade, a solução foi buscar nas rádios Tupi, Record, São Paulo, Nacional e outras tudo que poderia se transformar em atrativo para o telespectador. Novelas, humorísticos, shows musicais, jornais e programas de auditório ganharam suas versões em imagem. Todos esses gêneros permanecem até os dias atuais no ar, claro que adaptados às novas necessidades do mercado e à própria evolução dos costumes.

Os programas de auditório são uma das marcas da televisão brasileira e por aqui ganharam uma importância muito maior do que em outros países, pois somos um povo que dá valor aos comunicadores, que naturalmente manifesta suas emoções e que não se intimida diante dos quadros, provas, desafios e surpresas que esse gênero produz há mais de 65 anos. Além disso, o brasileiro gosta de estar próximo de quem admira e pouco importa se perde praticamente um dia inteiro para ir até uma plateia na televisão, numa jornada cansativa até o local, além da espera e das longas horas de gravação ou transmissão ao vivo. Segundo os estudiosos em comunicação de massa, esse tipo de produto tem como característica principal a presença no estúdio das mais diferentes pessoas, que acompanham tudo o que é exibido e reagem com aplausos, gritos e coro, além de integrar algumas brincadeiras propostas pelo apresentador, o profissional responsável por animar a todos que estão ali e em casa e, por isso mesmo, a figura mais forte e onipresente. Não é por menos que atualmente é comum associar o nome do âncora ao título.

Os primeiros programas de auditório da televisão brasileira surgiram na década de 1950, depois que as emissoras conseguiram vencer as restrições dos pequenos estúdios improvisados em edifícios comerciais e começaram a investir em melhores instalações físicas ou na locação de teatros, onde era possível receber o público e deixar tudo mais quente e próximo de quem estava em casa. "É o único lugar que tem calor humano na televisão. É o momento do fã e do ídolo e da convivência entre o anônimo e o famoso. É o grupo mais heterogêneo em todos os sentidos, intelectualmente, financeiramente e sexualmente. E tudo isso no mesmo lugar", diz Fausto Silva, um dos principais apresentadores do Brasil.

As condições socioeconômicas do país, com baixa escolaridade, falta de acesso a produções culturais, pouca leitura e orçamento doméstico apertado, também contribuíram para a televisão brasileira em pouco tempo conquistar uma plateia grande, principalmente nos fins de semana, desenvolvendo nas pessoas o hábito de assistir aos programas de auditório. "Em mercados mais maduros, como o francês, o americano e o britânico, a oferta de conteúdo é infinitamente maior, mas num conceito de nicho. São poucos os países, como o Brasil, que continuam com a TV aberta voltada à massa. Essa é uma característica nossa", explica José Roberto Maciel, vice--presidente do SBT, rede conhecida por desenvolver a maior quantidade de programas de auditório, entre eles o de Silvio Santos, proprietário da emissora e apontado por muitos como o melhor apresentador do gênero. Por isso, a pauta dessas atrações é a mais variada possível, para atender um público bem amplo e prender diante da televisão gerações diferentes e, portanto, com expectativas diversas. "Por isso, você tem que trabalhar com informação, curiosidades, emoção, famoso ou anônimo, alegria, música e dramaturgia. Tudo convergindo para um propósito", completa Faustão.

Em 1955, a TV Rio colocou no ar o *Noite de Gala*, uma atração pela qual passavam vários artistas em diferentes quadros, todos acompanhados por uma plateia presente no estúdio. A direção era de Geraldo Casé e Carlos Thiré, os dois com atuação no rádio. Moacyr Franco foi outro artista que brilhou no Canal 13 do Rio de Janeiro com seu programa, um grande show acompanhado pelo auditório. "Naquela época, tudo era escrito, havia um roteiro e script. As pessoas decoravam, tinham responsabilidade e ninguém entrava em cena sem saber exatamente o que faria. Surgiram, então, fenômenos espetaculares de comunicação que eram livres disso. Hebe Camargo e Blota Júnior, por exemplo, improvisavam assustadoramente", recorda o *showman*, que há anos está no elenco de *A Praça é Nossa*. Dois anos depois, em 1957, a TV Tupi do Rio de Janeiro colocou no ar *Um Instante, Maestro*, com Flávio Cavalcanti, um dos grandes sucessos da Rádio Nacional e que fez história na televisão brasileira, sempre com programas realizados em auditório, mesmo quando incluía pautas mais jornalísticas, como reportagens e entrevistas. Ou seja, os grandes comunicadores sempre foram o diferencial desse gênero de produção e os responsáveis pelo sucesso, faturamento e audiência, os verdadeiros condutores de horas da programação da televisão.

Se a TV Rio chamava atenção por seu elenco, a TV Tupi fluminense não deixou por menos e contratou Abelardo Barbosa para conduzir, a partir de 1956, o *Rancho Alegre* e, depois, a *Discoteca do Chacrinha*. A aposta também era na força do fenômeno do rádio, a grande audiência popular no mercado carioca. "Noventa por cento da comunicação na televisão não está na imagem, mas no gogó que vem do rádio. Por isso os comunicadores são bons. Silvio, Faustão, Raul Gil, Chacrinha e Bolinha são só alguns que começaram nas ondas sonoras", destaca Celso Portiolli, que também iniciou sua carreira em pequenas rádios do interior do Paraná. Em 1967, a Globo contratou o comunicador a peso de ouro para comandar a *Buzina do Chacrinha*, um show de calouros em que ficaram famosos o Troféu Abacaxi e o bacalhau atirado na plateia, e a *Discoteca do Chacrinha*. Tudo muito espontâneo, até o arremesso do peixe. "Uma vez, bateu no olho de uma garota que estava no auditório, causando um ferimento. Ele parou a gravação, levou a menina aos bastidores, fez um curativo e pagou todo o tratamento para ela", recorda Cláudio Lopes, o Geleia, diretor de palco. Depois de alguns desentendimentos com o Boni, diretor artístico da Rede Globo, Chacrinha voltou para a TV Tupi e, com o fim da emissora, se transferiu para a Bandeirantes, sempre com sua irreverência, o que irritava muito os censores e militares que governavam o país naqueles anos de chumbo. "Um dia, ainda na Globo, assim que o programa terminou, chegaram os federais e levaram o Abelardo Barbosa preso. Eles só esperaram o programa terminar", lembra o diretor. Questionados pela crítica, mas aplaudidos e venerados pelo público, sempre com excelentes resultados de audiência, os programas do Chacrinha eram disputados pelas caravanas de público. Muita gente queria participar daquele auditório e o clima nas gravações era sempre o mais agitado, com a plateia enlouquecida com os artistas que passavam pelo palco e com as provocações do apresentador. "E a equipe ficava ligada o tempo todo. Barulho, movimentação, animação e todo mundo querendo participar. O sangue fervia", lembra Geleia. Depois de quatro anos na Band, o *Cassino do Chacrinha* retornou para a Globo, onde foi exibido até a morte do apresentador, sempre com resultados positivos.

Chacrinha e sua buzina

Se por um lado, já na década de 1960, a chegada do videoteipe possibilitou que as emissoras investissem pesado em telenovelas e conquistassem um público cativo, por outro houve uma expansão significativa dos programas de auditório, com a entrada de novos comunicadores, entre eles Silvio

Santos, que em 1963 estreou na TV Paulista o *Vamos Brincar de Forca*, apresentado no rádio e em seus espetáculos no circo. O programa fez muito sucesso, e três anos depois, quando Roberto Marinho comprou o Canal 5 de São Paulo, Silvio Santos assumiu quatro horas do domingo da Globo como concessionário, permanecendo por lá até 1976, quando Boni implantou o padrão Globo de qualidade e determinou que toda a grade fosse produzida pela emissora, inviabilizando as terceirizações. Com isso, Senor Abravanel transferiu-se para a TV Tupi, onde chegou a ocupar 10 horas do domingo, além de mais um semanal às quintas-feiras. "Era uma equipe relativamente pequena, com profissionais como Luciano Callegari, Neimar de Barros, Beto Costa, Silvia Donato e Roberto Costa", relembra Roberto Manzoni, o Magrão, que também estava nesse time. Não havia contratos de exclusividade para quem se apresentava no programa, mas todos os artistas recebiam cachês, inclusive o pessoal de circo, para os diversos números ao vivo. "Como o programa era longo, foram criados vários quadros, como o *Show da Loteria, Cidade contra Cidade, Porta da Esperança* e o *Boa Noite, Cinderela*, um fenômeno absoluto de audiência", destaca o diretor. Magrão, além de ser responsável por encontrar atrações diferentes, também realizava algumas das externas junto com o apresentador e redigia uma parte do roteiro. Depois, quando Silvio Santos comprou parte da Record, o dominical também passou a ser exibido no Canal 7 de São Paulo e no 11 do Rio de Janeiro, a TVS. Com a implementação do SBT, o *Programa Silvio Santos* se transformou naturalmente no principal produto da rede e ganhou novos investimentos, como os quadros *Show de Calouros, Qual é a Música?* e *Namoro na TV*.

O *Topa Tudo Por Dinheiro* é uma das marcas dos anos 1980 e 1990 na televisão brasileira e fez parte do *Programa Silvio Santos*, antes de virar atração própria. É na verdade uma adaptação feita por Ricky Medeiros, norte-americano que atuou muitos anos como braço direito do dono do SBT, de *Truth or Consequences*, um show exibido por muitos anos pela NBC, inicialmente em sua emissora de rádio e depois na TV. Foram basicamente quatro grandes temporadas, comandadas por Ralph Edwards (1950-1954), Jack Bailey (1954-1955), Bob Barker (1956-1975) e Bob Hilton (1977-1978). Em 1987, houve mais um ano de exibição, sob o comando de Larry Anderson. Um dia, Silvio entregou a Ricky algumas fitas que havia gravado nos Estados Unidos e pediu-lhe que desenvolvesse uma versão para o nosso país. "Virou o 'Topa Tudo Por Dinheiro', com direito a câmera indiscreta e vários desafios para anônimos", revela o executivo. "Todos os games do mundo são derivados daquilo. Eu não inventei nada, porque minha especialidade é adaptar programas para o Brasil", conclui Ricky, com humor. O fato é que, numa época em que a comunicação não era global, ficava muito mais fácil copiar formatos consagrados em outros países e adaptá-los ao nosso país. Nos dias de hoje, isso é impossível, porque há um respeito maior pelos direitos autorais, propriedade intelectual e de formatos, vendidos para o mundo inteiro nas feiras de audiovisual. "É menos trabalhoso comprar programas no exterior, porque é cansativo todo o processo de discussão jurídica se aquilo que foi apresentado é uma ideia original. Às vezes, não tem nada de novidade, porque são muitas as variáveis enquanto você está fazendo um programa", explica José Roberto Maciel. Há atrações que são universais, como shows de calouros, entrevistas, documentários, mas um detalhe registrado num dos órgãos competentes garante a propriedade a uma pessoa.

Assim como Silvio Santos, Raul Gil é um dos apresentadores de programa de auditório com mais tempo no ar e que assumiu a responsabilidade de viabilizar comercialmente sua permanência nas emissoras de televisão. Na TV Excelsior, ele concorria diretamente com Hebe Camargo e oferecia ao público um show de variedades com nomes consagrados e novatos como Vanusa e Demônios da Garoa. "Lá lancei um monte de talento, só gente nova cantando bem. Não eram calouros; eram artistas em início de carreira", diz, com orgulho, o apresentador. Demitido da Band, passou rapidamente pela TV Tupi e regressou para a Excelsior, que já estava em sua fase mais complicada e às vésperas de ser cassada pelos militares. Os bons resultados chamaram a atenção de Silvio Santos, que designou o produtor Nelson Soares para pesquisar tudo sobre o concorrente. Ele ficou impressionado com a sua versatilidade para imitações e o poder de improviso demonstrado durante o tempo em que ficou no ar. Assim que o Canal 9 deixou de operar, Luciano Callegari, o braço direito de Silvio Santos, propôs que ele participasse de um quadro de disputa de piadas com Berta Loran e Arthur Miranda. O salário era de apenas Cr$ 200 mil, bem menos que os Cr$ 4 milhões que recebia. Foi apenas uma fase, porque o objetivo era ter uma atração própria. "Fiquei um ano e meio ali e aprendi a melhor das lições: pagar rigorosamente em dia os impostos", conta Raul. Silvio sempre foi muito rigoroso com o controle financeiro de sua produtora e, anos depois, de suas emissoras, e jamais correu o risco de ter uma cobrança do governo. Naquela época, era comum os artistas cuidarem de suas próprias finanças e contabilidade e, com mais atenção na agenda de shows, se esqueciam dos compromissos fiscais.

– Raul, tem que pagar os impostos, porque, se isso não acontecer, o governo tira tudo de você – disse Silvio Santos num dos primeiros encontros nos bastidores.

Raul Gil nunca mais esqueceu a lição e, assim como o professor, passou a cuidar de todos os detalhes de seus programas. Na década de 1960 e início dos anos 1970, especialmente, as TVs eram muito mal administradas e poucos diretores sabiam realmente o que representava custo ou quanto faturava cada momento da grade. A sonegação era comum. Essa falta de organização levou algumas empresas a fechar e colocou muitas outras, como é o caso da Record, na marca do pênalti por muitos anos. O Canal 7 da família Machado de Carvalho esteve à beira da falência por diversas vezes e, numa delas, foi salva por Raul. "Em 1973, eu e Amílcar Vidal resolvemos propor a Paulinho Machado de Carvalho um programa gerado do Teatro Brigadeiro, no centro de São Paulo", recorda. A reunião começou sem muitas esperanças, e, depois de ouvir o que os dois tinham a dizer, o dono da emissora jogou um balde de água fria na conversa.

– Raul, a Record vai fechar porque estamos devendo muito. Já vendemos a torre da Anchieta, mas a situação não melhora.

– Mas, Paulinho, não dá tempo de colocar um programa no ar e tentar vender? – retrucou Raul.

– Não sei dizer se vamos fechar em dois ou cinco meses, mas é irreversível. São 11 milhões só em dívidas.

Raul Gil e Amílcar Vidal resolveram apostar no risco, insistiram com Paulo Machado de Carvalho Filho e acabaram forçando uma parceria. A Record entrou com o cenário e a dupla com toda a parte de produção, incluindo a equipe de profissionais. O acordo previa a divisão por igual de todo o dinheiro que entrasse. "O começo foi muito difícil, porque não tínhamos estrutura e nem como pagar cachês aos convidados", recorda o apresentador. Após quatro meses no ar, a direção comercial mandou o recado de que não havia viabilidade financeira e que o programa sairia imediatamente do ar. "Foi aí que surgiu a oportunidade de fazer um show para o filho do dono da Fábrica de Móveis Brasil no lugar de Chico Anysio, que cobrou muito caro. Fiz a proposta do espetáculo sair de graça, mas em troca patrocinariam mais dois meses de meu programa na Record", completa. Negócio fechado. O merchandising foi tão bom que as vendas explodiram inicialmente em 40% e, animados com os resultados, os diretores da empresa resolveram anunciar em toda a grade da emissora, tirando-a da beira da falência. Anos depois, a parceria com a Tapeçaria Chic funcionou da mesma forma.

O *Programa Raul Gil* atravessou cinco décadas, com várias trocas de emissoras, mas sempre entre as principais audiências e com bom faturamento. Seus principais quadros ainda estão no ar, entre eles "Homenagem ao Artista", "Banquinho" e "Pra Quem Você Tira o Chapéu?". "Todo mundo me copia, mesmo mudando uma ou outra coisa. O fato é que eu levei muita gente importante lá. O Lula tirou o chapéu e eu disse que ele seria presidente do Brasil", recorda Raul Gil.

Considerada a maior apresentadora da televisão brasileira, Hebe Camargo é outro nome forte dos programas de auditório, e, ao longo de sua carreira, estabeleceu uma relação única com sua plateia, sempre muito participativa em suas atrações ao vivo. Após participações em musicais e na linha de variedades, em 1955 ela passou a comandar *O Mundo é das Mulheres*, um fenômeno de audiência. Em 1966, após dois anos distante da televisão para cuidar de seu filho pequeno e dedicar-se exclusivamente à família, regressou à Record com o programa dominical *Hebe Camargo*, líder absoluto em seu horário. Diferentemente do que era realizado à época na presença do auditório, a apresentadora reunia uma pauta com números musicais, entrevistas com personalidades e reportagens externas, passando longe dos games e disputas entre as caravanas. "O teatro lotava porque havia uma magia que ninguém explicava, mas todos queriam estar perto dela", recorda Nilton Travesso, diretor do programa por muitos anos. "Ela era uma estrela que atraía todas as atenções e fazia daquele momento algo único", completa. E assim foi por onde passou, sempre com seu sofá para receber amigos e pessoas que eram notícia, além das companheiras na plateia que a visitaram durante muitos anos. Foi no SBT que o programa ficou mais tempo em exibição, e, apesar das mudanças de horário, sempre entre os principais faturamentos e, na maioria das vezes, ao vivo, com os comentários verdadeiros e diretos da apresentadora.

A influência do rádio nos programas de auditório não aconteceu apenas nas primeiras décadas de operação da televisão no Brasil. Produtos que surgiram nos anos 1980, fase em que as emissoras começaram a investir numa renovação, também recorreram a formatos dessa plataforma e, principalmente, a profissionais. A ideia era buscar elementos novos que atendessem ao telespectador e que somassem à primeira geração de comunicadores, todos acima dos 50 anos de idade. Um jovem repórter de campo que apresentava o *Balancê*, todas as noites na Rádio Excelsior, chamou a atenção do jornalista Goulart de Andrade. "Era um programa de rádio feito num teatro perto da Rua das Palmeiras, no centro de São Paulo, em que tudo acontecia, como imitações, humor, entrevistas e música ao vivo", relembra Fausto Silva. "Uma vez, fomos processados por um homem que bateu o carro porque eu falei 'olha aqui para a cartola' e ele deixou de prestar atenção no trânsito, procurando a maldita cartola em algum lugar de seu carro", diz o apresentador, rindo.

O *Perdidos na Noite* estreou em 1984 na TV Gazeta, inicialmente como quadro do *Programa Goulart de Andrade*. A estreia já exigiu muito improviso e foi o melhor exemplo do que aconteceria nos meses seguintes. "O Johnny Black, que era o sonoplasta, esqueceu os discos e a gravação atrasou muito. A plateia começou a ir embora e, quando iniciou o programa, só tinha duas fileiras do teatro ocupadas", conta Faustão. Após alguns meses no ar, surgiu o convite da TV Record, emissora que possibilitava uma projeção maior. Em pouco tempo, uma grande repercussão, e a atração, que não seguia nenhum dos padrões estabelecidos na época, passou a atrair uma multidão ao Teatro Zaccaro, região central de São Paulo, onde aconteciam as gravações. "No auge, pelo menos umas duzentas pessoas por noite ficavam do lado de fora porque o teatro estava lotado. Era uma grande confusão, porque chegava o artista e era obrigado a descer no meio da multidão", diz Geleia, que, como diretor de palco, foi obrigado a administrar o corre-corre nos bastidores para não prejudicar o andamento do programa. "Era uma loucura. Misturávamos tudo e aquilo funcionava bem. Uma noite eu tinha a Legião Urbana, Marinalva – a Rainha do Forró –, Arthur Moreira Lima e a Nora Ney, que cantou 'New York' e foi aplaudida em pé pela turma do rock", relembra, com orgulho, Fausto Silva. Os lugares no auditório eram disputadíssimos e o público gostava de levar faixas com dizeres para provocar o apresentador e marcar presença. "Alegria do começo ao fim para quem não aguenta o Delfim" e "Fausto, sai da frente que eu quero ver o programa" foram algumas que ganharam destaque nas reportagens realizadas em jornais e revistas.

Apesar de ter um pequeno roteiro, o *Perdidos na Noite* era feito basicamente do improviso de Fausto Silva e de sua equipe. Como havia repercussão sobre o público, mais do que audiência, era importante para os artistas passarem pelo palco do programa que era o transgressor das normas. O problema é que nem sempre a produção recebia a confirmação do convidado, que simplesmente aparecia na hora da gravação. As surpresas eram bem-vindas, é claro, mas muitas vezes restavam buracos entre um quadro e outro. "Uma noite eu entrevistei um cachorro, porque o homem que deveria contar sua história estava bêbado e sem condições de falar. Fiquei enrolando, até um momento em que a produção pediu para chamar o Ray Conniff, que havia acabado de chegar ao Brasil e resolveu passar com o divulgador no Zaccaro", lembra o apresentador. Atração internacional é sempre um sinal de prestígio, mas o maestro estava sozinho, porque a orquestra só desembarcaria dois dias depois. "Pensei rapidamente e pedi para a produção pegar um piano para ele tocar. Ele ficou vermelho, porque não dominava o instrumento, mas executou uma música, depois de muita insistência, porque pensei que nunca mais iria vê-lo", conta. Muitos anos depois, já na Globo, e lá está Conniff com toda a sua orquestra. Assim que ele pisa no palco do *Domingão do Faustão*, o olhar espantado:

– Você? Não acredito. De novo? Você foi a única pessoa que me fez tocar piano, o que eu jamais havia feito em sessenta anos de carreira.

Em 1986, Fausto Silva e toda a sua equipe se transferiram para a TV Bandeirantes, em que permaneceu até 1988, quando foi contratado pela Globo para brigar pela liderança com Silvio Santos, até então imbatível nas tardes de domingo com seu tradicional programa de auditório. "Depois de várias tentativas, o Boni queria um programa ao vivo que misturasse jornalismo, esporte e variedades", conta o apresentador. "Depois, ajustamos o projeto, porque era necessário preservar o *Fantástico* e adquirir mais eventos esportivos, porque não era todo domingo que havia futebol", completa. Antes da estreia, Faustão ouviu e leu muitas críticas garantindo que ele seria pasteurizado pelo padrão Globo e que perderia todas as suas características profissionais. Não foi o que aconteceu. Já na abertura, uma brincadeira bem no seu estilo deixou claro que não tinha chegado até ali para perder sua essência. "Na estreia, antes do boa-tarde, disse que a escada que tinham colocado ali não aguentaria meu peso", diz ele.

O *Domingão do Faustão* estreou em 26 de março de 1989, ocupando a faixa das 15h às 19h, antes da entrada no ar de *Os Trapalhões*. Em pouco tempo atingiu sua meta e colocou a Globo à frente do SBT, principalmente em São Paulo, praça onde esse gênero de programa sempre garantiu bons resultados. Alguns meses depois da estreia, num famoso restaurante de São Paulo, um inusitado encontro entre os rivais dominicais. Silvio Santos levantou-se para cumprimentar o concorrente e disse estar surpreso com a desenvoltura dele nesse segmento. "Respondi que eu também não tinha certeza que sabia fazer esse tipo de programa, muito mais convencional e para um outro tipo de público, mas que desejava não ficar marcado como um apresentador alternativo. Eu queria me desafiar", conta Faustão.

O *Domingão do Faustão*, que inicialmente surgiu como uma atração vespertina, com games, brincadeiras, quadros com famosos e as videocassetadas, agora é produto para o horário noturno, quando as preocupações do público são outras e, portanto, o conteúdo é totalmente diferente. "O grande segredo é se adequar aos novos tempos, não ficar preso ao passado. Tudo funciona enquanto tiver sinceridade, credibilidade, criatividade e diálogo com o público", diz Fausto Silva, explicando o sucesso de seu dominical e, principalmente, do formato programa de auditório na televisão brasileira. Entre 1997 e 2001, o *Domingão do Faustão* passou por um período de intensa concorrência com o *Domingo Legal*, programa comandado por Gugu Liberato no SBT que chegou a abrir importante vantagem na audiência em praças como São Paulo e Rio de Janeiro. Vários ajustes foram realizados e, aos poucos, o *Domingão do Faustão* reconquistou a posição de liderança.

O *Domingo Legal* foi um dos programas de auditório marcantes do SBT na década de 1990. Ele estreou em 17 de janeiro de 1993 e, na verdade, foi derivado do *Viva a Noite*, fenômeno desse gênero nos anos 1980 e criado a partir da mistura de elementos internacionais, entre eles os mexicanos "Sábado Fiebre" e "Hoy Quem Dança es Usted" e o filme americano *Os Embalos de Sábado à Noite*. Ademar Dutra, Paulo Lopes, Paulo Barbosa, Jair de Ogum e o iniciante Augusto Liberato se revezavam no comando dos diversos quadros, a maioria competições entre anônimos ou celebridades. "A audiência começou a cair e mudanças drásticas aconteceram para salvar o que estava no ar. Dos apresentadores, só o Gugu ficou", conta Roberto Manzoni, que assumiu a direção do projeto. Aos poucos, ele introduziu novos quadros, retirou o que não funcionava, apostou no ao vivo e realizou muitas coisas ousadas, como uma competição em que os convidados precisavam descobrir senhas pintadas nos seios de belas mulheres e que só apareciam depois que suas camisetas brancas eram molhadas. Havia também muitos personagens, convidados especiais e até atrações voltadas ao público infantojuvenil, uma parcela importante da audiência, além do desafio a artistas e ao próprio apresentador, o emblemático "Sonho Maluco". Tudo ao vivo, cheio de imprevistos.

Numa das noites, foi proposto a Agnaldo Rayol que fosse como passageiro em um carro que saltaria numa rampa em alta velocidade. Tudo ensaiado, motorista profissional e, na hora em que o veículo entrou no equipamento, a potência do motor diminuiu. Resultado: uma queda de bico fora do local planejado causou graves ferimentos no cantor, que chegou a ser internado num hospital em São Paulo. Outro sufoco, literalmente, aconteceu com Gugu Liberato durante a travessia de um túnel de fogo. Ele usava uma roupa de amianto, igual à de astronautas. "Apesar de um dublê no local, ele preferiu fazer o desafio", recorda Magrão. "Foi traumático. Oxigênio zero. Foi um negócio horrível", diz Gugu. "Colocaram muita gasolina e, de repente, ele sumiu no meio do fogo. Quando saiu, começou a se debater e caiu", completa o diretor. Imediatamente, um carro de pequeno porte foi acionado para levá-lo até o pronto-socorro e o programa foi interrompido. A equipe de produção só descobriu depois que faltava uma parte importante do equipamento que garantia o oxigênio para quem usava a vestimenta, e que um pouco de fumaça havia entrado pela parte inferior da roupa. Dessa experiência, Magrão lembra a bronca que levou de dona Maria do Céu, mãe do apresentador:

– Senhor Roberto, segura meu filho. Não deixa ele fazer coisas perigosas – recomendou ela, com a austeridade materna.

Passarinho quer dançar
O rabicho balançar
Porque acaba de nascer
Tchu, tchu, tchu, tchu...

Gugu e Magrão

Durante quase dez anos, Gugu Liberato encerrou o *Viva a Noite* com o "Baile dos Passarinhos", música de letra fácil e que caiu no gosto dos apreciadores de um programa de auditório. Os bons resultados em audiência levaram a concorrência a tentar contratá-lo para comandar uma atração do gênero e reforçar seu time nos fins de semana. Com a morte de Chacrinha, a Globo precisava de um novo comunicador, alguém mais jovem e com uma carreira promissora pela frente. "Fizemos um contrato que valeria a partir do ano seguinte e avisei ao Silvio Santos, que eu acho que não acreditou muito porque demonstrou não ter ligado para o convite", recorda Gugu. O tempo foi passando e os preparativos para a implantação do projeto iniciados. Em uma das reuniões com Boni, Gugu foi informado de que passaria algumas semanas na Alemanha para conhecer de perto o Getan Das, um programa da ZDF, uma das maiores emissoras públicas da Europa. Nesse programa a plateia aposta com o apresentador o que acontecerá em imagens exibidas em telões. Depois, junto com Deto Costa, convidado para ser seu diretor, Gugu passou um período em Nova York analisando formatos da televisão norte-americana. As primeiras chamadas foram gravadas, e, praticamente um mês antes da estreia, Silvio Santos chama Gugu para uma conversa em seu escritório.

– Gugu, eu passei minhas férias nos Estados Unidos e voltei muito ruim da garganta. Pode ser um nódulo. Eu quero que você continue aqui conosco – disse o dono do SBT.

– Mas, Silvio, eu assinei um contrato na Globo. Se quiser eu trago aqui para você ver – respondeu Gugu.

– Eu não preciso ver. Você começou aqui, então permaneça – Silvio foi enfático.

– A Globo já fez cenários, gravamos vinhetas para um programa aos domingos e tem uma multa enorme – contou Gugu.

– A multa eu acerto com a Globo.

– Mas eu não tenho coragem de falar com o Boni nessa altura do campeonato. Até filme dos Trapalhões eu fiz lá – argumentou Gugu.

Convincente, Silvio Santos propôs ir pessoalmente ao Rio de Janeiro falar com Roberto Marinho para desfazer o negócio. Com o sinal positivo de Augusto Liberato, o empresário chamou o motorista e pediu que levasse os dois imediatamente ao aeroporto de Congonhas. Passagens compradas na hora, embarque na primeira ponte aérea disponível e, em pouco tempo, desembarque no Santos Dumont. Sem cerimônias, Silvio Santos parou um táxi e pediu que os levasse até a sede da Globo, no Jardim Botânico, aonde chegaram alguns minutos após as 13h. "A secretária do Boni ficou espantada ao ver o Silvio ali e nos avisou que ele estava almoçando com outros executivos da emissora e, provavelmente, demoraria", lembra Gugu. Confiante em seu plano e, principalmente, na habilidade que tem de seduzir as pessoas, o dono da concorrente disse que não se incomodava de esperar e sentou-se numa das poltronas da pequena antessala. É claro que se transformou no assunto de todo mundo que passava pelo local e sua presença foi noticiada em todos os departamentos da empresa nas conversas mais discretas. Duas horas e meia depois, o todo-poderoso da Globo retornou e os convidou a entrar.

– Bom... eu vim dizer para você, Boni, que o Gugu não vai trabalhar na Globo e ele vai desfazer o contrato.

Boni pediu um minuto, saiu da sala e, ao retornar, disparou:

– Olha, Silvio, a única pessoa que pode resolver isso é o Dr. Roberto.

– Ok, eu falo com ele. Espero o tempo necessário – disse Silvio.

– Só que ele vai recebê-lo sozinho. Será uma conversa só entre você e ele – advertiu José Bonifácio de Oliveira Sobrinho.

Todos saíram da sala e Boni até tentou fazer companhia para Gugu Liberato enquanto acontecia a conversa entre os donos da Globo e do SBT, porém Silvio Santos obrigou o apresentador a ir para o aeroporto esperá-lo no embarque. Depois de horas e de muitos aviões subirem e descerem, o anúncio de que estava tudo resolvido e de que a multa, as despesas com cenário e todos os custos das viagens internacionais para o estudo de conteúdo seriam pagos pelo empresário. No voo de volta, entre uma e outra conversa, a sensação de que essa história ainda estava muito longe de terminar. Ao chegar em casa, Gugu recebe a proposta de um último encontro com Boni. No dia seguinte, desembarcou novamente no Rio de Janeiro e, entre os mimos recebidos, estavam passagens para viajar a Portugal com seus pais para descansar um pouco e sair da pressão de dois empresários da comunicação. O jovem apresentador resolveu ligar para comunicar a Silvio que realmente trocaria de empresa. Dessa vez, ouviu um pedido diferente:

– Então, venha se despedir pessoalmente.

Gugu Liberato pegou o carro, seguiu para o aeroporto Santos Dumont, enfrentou um voo cheio de turbulências porque chovia muito forte e, ao desembarcar em São Paulo, pegou um táxi direto para a casa de Silvio Santos. Ao chegar, nem deu tempo de explicar a história.

– Gugu, pense bem. Isso que eu tenho pode ser um câncer e você será meu substituto.

– Tá bom, Silvio. Então vamos fazer o seguinte: coloque tudo no papel e eu assino o contrato agora – disse Gugu, já cansado do bate e volta entre São Paulo e Rio de Janeiro.

Silvio Santos falou com sua secretária pelo telefone e, em questão de minutos, entrou um verdadeiro batalhão de advogados para elaborar ali mesmo o contrato. Um deles já carregava a máquina de escrever para não perder tempo nem, principalmente, um profissional para a concorrente. Anos depois, Gugu Liberato encontrou José Bonifácio de Oliveira Sobrinho e os dois conversaram sobre a longa negociação. "Eu fui mexer no vespeiro do Silvio Santos. Não comi o mel e saí picado", concluiu o poderoso executivo da Globo.

Com vários programas aos domingos e firme nas noites de sábado, em janeiro de 1993 Augusto Liberato recebeu a missão de conduzir uma atração ao vivo para melhorar o desempenho do SBT em um dia em que tradicionalmente os programas de auditório colocavam a emissora numa posição vantajosa. O *Domingão do Faustão* havia se tornado líder na Globo, o que dificultava o fim da tarde do SBT, prejudicando a entrega para o *Programa Silvio Santos*. A guerra estava declarada. Surgiu o *Domingo Legal*. "Ele chegou à minha sala às 16h de uma quarta-feira e disse que estrearíamos já no fim de semana", lembra Magrão. "Eu peguei o *Viva a Noite* e adaptei para o dia, com todas aquelas provas", completa. Foi nessa época que a "Banheira do Gugu" ganhou projeção, porque a plateia masculina aguardava para ver a modelo Luiza Ambiel e mulheres bonitas e famosas na disputa para pegar o maior número de sabonetes.

Na guerra pela audiência, valia absolutamente tudo por números, até mesmo reportagens internacionais. Certa vez, Magrão e Gugu desembarcaram em Las Vegas para mostrar a verdadeira identidade de Mister M, mágico mascarado que fazia muito sucesso no *Fantástico*, da Rede Globo. "Alugamos um teatro por 150 dólares, uma limusine e um equipamento barato. Falamos no vídeo que havia um esquema especial para chegar até ele", recorda o diretor. Gugu apareceu na reportagem vendado e só teve os olhos descobertos no local que seria o esconderijo do artista. Tudo muito bem roteirizado. No final da entrevista, o pedido para a retirada da máscara. "Mostramos o rosto dele primeiro. O *Fantástico*, que pagou uma grana alta para a Fox pelo quadro, só tirou a fantasia à noite, mesmo com um monte de chamadas durante a programação. O brasileiro já sabia", fala, com orgulho, Roberto Manzoni.

O jornalismo de entretenimento e as entradas com informações factuais passaram a ser os diferenciais do *Domingo Legal*, que viu nessa fórmula resultados positivos e negativos. No dia 2 de março de 1996, o avião com os integrantes do grupo Mamonas Assassinas caiu na Serra da Cantareira, matando todos os tripulantes e passageiros. Na manhã seguinte, esse era o assunto em todo o país. "Acordei às 4 da manhã e fui para o SBT. Acionei o comandante Hamilton e passamos a gravar muita coisa lá do alto. Várias cenas não foram para o ar porque eram chocantes", lembra Magrão. O programa foi inteiro sobre o grupo, inclusive com trechos de antigas participações e muitas homenagens dos fãs. Foi o recorde absoluto de audiência, com picos impressionantes de 40 pontos.

O lado negativo dessa mistura de jornalismo e programa de auditório foi revelado em 7 de setembro de 2003, durante uma falsa entrevista com integrantes do PCC, organização criminosa que começava a ganhar força nos presídios de São Paulo e já assustava as pessoas. No vídeo, ameaças a apresentadores de telejornais, comentaristas esportivos e informações sobre uma tentativa de sequestro do padre Marcelo Rossi. No dia seguinte, Marcelo Rezende, então no comando do *Repórter Cidadão*, na Rede TV, desmentiu a história e colocou no ar um dos líderes da facção que entregou a armação. No dia 17 daquele mesmo mês, a polícia concluiu que o vídeo era falso e identificou os homens que se passavam por bandidos. Demissões aconteceram na produção, mas a maior consequência foi a queda brutal de audiência do programa.

Desde que Gugu Liberato foi para a Rede Record, o *Domingo Legal* é comandado por Celso Portiolli. Transferido para as 11h, o programa deixou de lado o jornalismo e investiu em games e brincadeiras e manteve alguns quadros consagrados com o tempo, entre eles o "Construindo um Sonho", em que a casa de um telespectador é reformada e sua história de dificuldades ou superação é revelada ao público. Aliás, esse é um formato que também contribuiu muito para Luciano Huck se firmar no segmento de programas de auditório, mas aos sábados, na Globo. "Ao longo do tempo, percebemos que o que menos importava era a reforma. O importante era a história de quem escreveu pra gente", revela Huck.

O *Caldeirão do Huck* está no ar há 17 anos, e, para manter os bons resultados no Ibope e em faturamento, busca sempre novidades, sem abandonar o que funcionou no decorrer desse tempo. "O segredo nesse tipo de programa é você se reinventar sem o público perceber que estão mexendo no que ele gosta, no que ele tem o hábito de assistir", analisa o apresentador, que tem optado por temporadas em seus quadros e investido em parcerias comerciais, entre as quais muitas que viabilizam pautas diferentes, como viagens ao Japão atrás de histórias de brasileiros que trocaram de país. Tudo foi bancado por uma montadora, que apareceu durante a reportagem como uma das locações. Aliás, garantir a entrada de recursos é um ponto importante para quem trabalha na equipe de um programa desse gênero. O pessoal responsável pela criação já desenvolve os roteiros e pautas pensando no que é interessante também para o anunciante.

"É uma equação muito difícil, porque às vezes você tem muito conteúdo, mas não audiência. Você pode ter muito Ibope, mas não entrar dinheiro. É essa a matemática mais difícil", avalia Adriane Galisteu, que durante muitos anos comandou atrações de auditório na RedeTV!, na Record, no SBT e na Band.

O Brasil é um dos poucos países que ainda possui no ar um formato tão clássico como o programa de auditório e com apresentadores de diferentes gerações. Uma das explicações para esse gênero durar tanto tempo é a versatilidade dos profissionais envolvidos, principalmente os que atuam nos bastidores, que sempre buscam alguma novidade ou a reciclagem do que já fez sucesso no passado. "Somos inquietos", diz Luciano Huck ao explicar por que está tanto tempo no ar. E essa frase revela um pouco da realidade das atrações mais recentes, como é o caso de *Caldeirão do Huck*, *Hora do Faro*, *Legendários* e *Eliana*. "Sempre temos coisas inusitadas, como a entrevista da Madonna que aconteceu no chão do banheiro. Ela que pediu para sentar ali", revela o apresentador.

Leonor Corrêa, que já atuou como repórter e apresentadora, contribuiu na implantação de vários projetos, entre eles Sem Limites para Sonhar, de Fábio Júnior, *É Show*, *Domingo da Gente*, *O Melhor do Brasil*, além de formar muitos profissionais que atualmente estão na direção ou produção dos programas que disputam audiência nos fins de semana. "Às vezes, você acha que pensou em tudo, mas escapa algum detalhe", revela ao comentar sobre o processo de criação de um bom programa de auditório. Nesses casos, a solução é assumir o esquecimento e brincar com o público. Foi o que aconteceu na estreia de Netinho de Paula no comando do *Domingo da Gente*, na Record. "A única coisa com que eu não me preocupei foi com o ponto eletrônico", desabafa. O equipamento foi feito na cor padrão e no vídeo ficou uma pelota branca. "Quando ele abriu o programa, ressaltou que na televisão brasileira a presença do negro entre os apresentadores era algo novo e o exemplo estava em seu ouvido", recorda.

Na era do conteúdo em múltiplas plataformas e de meios digitais cada vez mais atraentes, o grande desafio para quem produz programa de auditório é cativar o jovem, sem deixar de lado o público mais velho. Nesse sentido, Serginho Groisman ainda aparece como o melhor exemplo. Apesar de ter atuado como repórter no programa *Variety - 90 Minutos*, na TV Bandeirantes, iniciou a trajetória na televisão como apresentador quando Fernando Meirelles o convidou para ser um dos integrantes do *TV Mix*, um projeto revolucionário da TV Gazeta. Alguns meses depois foi para a TV Cultura, em que adaptou o *Matéria Prima*, atração diária que conduzia no rádio. Com uma abordagem mais educativa e com microfone na mão de quem estava na plateia, rapidamente conquistou os telespectadores. Apesar da repercussão, sua contratação pelo SBT só aconteceu depois de uma participação no semanal de Hebe Camargo. "Naquela noite, Hebe me permitiu e eu fiz o meu programa e o Silvio assistiu", recorda. Dias depois, o primeiro convite e uma longa negociação que será revelada no próximo capítulo deste livro. O fato é que o *Programa Livre* entrou no ar reunindo os elementos tradicionais dos auditórios, com uma plateia só de adolescentes e as pautas mais inovadoras para a época, além de entrevistas que são lembradas até hoje. "Eu tive liberdade total, e isso é uma coisa que levo para a vida. Não abro mão disso, o que significa também poder criar a equipe, a pauta e dirigir o programa", diz o apresentador. Foi com esse pensamento, por exemplo, que Serginho gerou da Casa de Detenção de São Paulo uma edição ao vivo, com direito a críticas dos presos ao sistema e perguntas diretas ao diretor do estabelecimento.

Além de dar voz ao seu auditório e, portanto, atribuindo-lhe função além da figuração para aplausos, Serginho Groisman buscou outro equilíbrio entre plateia e convidados. "É a mesma luz em todo o estúdio e os artistas estão sempre muito próximos de quem foi ali participar do programa. Não tem diferença, porque o público é tão importante quanto o famoso", afirma. "Eu faço o programa para quem assiste em casa, é óbvio, mas também para quem foi até a TV. Tem que ser sempre uma boa experiência", completa. Como o *Altas Horas* é gravado, o apresentador sabe que muitas informações que poderiam gerar impacto somente na hora da exibição acabam reveladas antes por meio das redes sociais. É que todo mundo deseja compartilhar algo e também gerar seu próprio conteúdo.

Nos dias atuais, os programas de auditório estão concentrados nos fins de semana, em que as emissoras investem pesado para atrair anunciantes que buscam o público mais amplo da televisão, já que as pesquisas indicam a presença de telespectadores de diferentes faixas etárias, a chamada "plateia familiar". De olho nesse *target* e ciente de que a grade infantil perdia espaço na TV aberta, em 2005 a direção artística da Record resolveu transferir Eliana da linha voltada às crianças para o segmento adulto, planejando inicialmente uma atração em horário nobre. A apresentadora saiu do ar e por alguns meses se dedicou exclusivamente à criação de um novo formato e à adaptação para a nova fase em sua carreira. "Eu tive muita dificuldade para colocar meu lado mulher nos pilotos que realizamos, porque automaticamente minha voz mudava e ficava mais infantil", recorda. Houve uma preocupação especial com o figurino e também com o conteúdo que seria levado ao ar, para mostrar a mudança e deixar bem claro a quem o semanal seria direcionado. "Eu tive que reaprender a me colocar no palco e me posicionar como apresentadora e contei com a ajuda da sexóloga Maria Helena Matarazzo.

Eliana

Ela foi contratada para elaborar alguns quadros sobre comportamento e para ensinar a me comportar em cena", completa Eliana.

A ideia de uma atração semanal em horário nobre foi abortada quando uma pesquisa realizada com telespectadores e especialistas em comunicação apontou que o público acreditava que Eliana tinha postura para o domingo e que aquele formato era leve e atraente, para um momento mais descontraído. "Foi quase unânime, porque identificaram que o conteúdo poderia ser assistido por toda a família sem nenhum constrangimento", diz a apresentadora. Apesar de todo o respaldo dos estudos encomendados pela Record, antes de dar seu primeiro boa-tarde aos domingos, Eliana precisou vencer o preconceito de alguns diretores e de parte da imprensa. "Dava para perceber que pensavam que, como mulher, não teria condições de concorrer com Gugu Liberato, Silvio Santos ou Faustão. Sofri pressão, ouvi dúvidas e lidei com a minha transição interna, mas sem deixar de lado a preocupação e o respeito com as crianças e a qualidade no que oferecia ao público", ressalta Eliana. O *Tudo é Possível* estreou no dia 7 de agosto de 2005 já na vice-liderança e permaneceu com bons índices sob seu comando por quatro anos, quando a apresentadora foi contratada pelo SBT. Ana Hickmann entrou em seu lugar e seguiu com o dominical até dezembro de 2012.

Ator com importantes papéis em novelas da Globo, Rodrigo Faro trocou a carreira relativamente estabilizada na emissora líder para realizar o sonho de apresentar seu próprio programa. Sua chegada à Record aconteceu em agosto de 2008, para comandar o reality *Ídolos*. Alguns meses depois, assumiu *O Melhor do Brasil*, quando Márcio Garcia deixou a emissora. A repercussão foi imediata e os números do programa exibido aos sábados ultrapassaram todas as expectativas. As pesquisas apontavam que o novo apresentador era muito bem aceito pelo público familiar e sua imagem limpa e de um homem estabilizado emocionalmente atraiu inúmeros anunciantes, tornando-o um dos maiores faturamentos da rede. Na última semana de junho de 2009, o jovem apresentador chegou aos estúdios para mais uma tarde de gravação, chateado com a morte de Michael Jackson. Fã do rei do pop, ele fez um pedido à sua diretora, Rita Fonseca:

– Rita, posso fazer uns passinhos para falar sobre o Michael? Eu sei dançar como ele.

– Mas como incluir isso do nada? – indagou a diretora, já pensando em algum conteúdo para atender o desejo do apresentador.

– Na hora em que um casal der o beijo no quadro de namoro, eu começo a dança – disse Faro, num tom mais animado.

– Rodrigo, o que tem a ver você dançar depois de um beijo? – questionou a diretora, para cortar a ideia.

– Eu sei que é ridículo, mas é só para homenagear o meu ídolo.

Rita Fonseca aceitou a proposta e pediu à produção que encontrasse um figurino que lembrasse Michael Jackson e organizasse uma forma de a transformação ocorrer no palco. "Depois desse dia, começou a chegar uma carta atrás da outra pedindo novas imitações", diz, com orgulho, Rodrigo Faro. A homenagem a seu ídolo foi transformada no quadro "Dança, Gatinho" após uma reunião com toda a diretoria da Record, incluindo profissionais ligados às áreas artística e comercial. Durante uma discussão com os executivos sobre os novos rumos de *O Melhor do Brasil*, o apresentador pediu a palavra para comunicar algo que, para ele, já estava muito bem resolvido.

– Olha, gente! Eu quero contar uma coisa para vocês. Sabe a Beyoncé, aquela cantora que está fazendo sucesso no mundo inteiro? Eu vou dançar como ela!

– Sim, mas e daí? – questionou um dos diretores presentes, sem entender aonde Faro pretendia chegar.

– Eu vou me transformar nela. Vou usar um *collant* da cor da pele dela, pintar meu rosto e fazer a coreografia perfeitamente – explicou.

Todos permaneceram em silêncio por alguns segundos, um tempo que parecia ser uma eternidade. Rodrigo Faro ainda se lembra do som do ar-condicionado dominando a sala, porque todos ficaram absolutamente calados. De repente, um dos diretores se levantou, deu alguns passos e olhou atentamente para o apresentador.

– Você tem certeza? É por sua conta e risco?

– A emissora é de vocês, mas a carreira é minha e eu pretendo ir bem longe – respondeu Faro.

– E se o público não entender o que é um apresentador enfiar um *collant* na bunda e dançar? Faro... você vai se travestir na televisão!

O silêncio tomou conta novamente da sala e a razão mandava ninguém mais entrar na conversa, porque seria uma das decisões mais difíceis na carreira de Rodrigo Faro.

– Gente, eu tenho certeza do sucesso desse quadro. Nós vamos bater a novela da Globo. Nós vamos parar o Brasil.

– Ok, garoto! Vá em frente, mas o risco é seu – disse o diretor.

Rodrigo Faro imitando Lady Gaga

O "Dança, Gatinho" se transformou num dos maiores sucessos da Record e no momento mais aguardado pelo telespectador de *O Melhor do Brasil*. No dia 25 de outubro de 2010, Rodrigo Faro entrou no ar novamente vestido de

Michael Jackson e ficou dois pontos à frente de *Passione*, o sucesso da Globo em horário nobre. "Eu nunca mais esqueço. Em casa, eu pulava de alegria com a minha mulher", diz o apresentador. Em junho de 2013, com a saída de Gugu Liberato, o programa foi transferido para as tardes de domingo e, em alguns meses, transformado no *Hora do Faro*, que entrou definitivamente na briga com Eliana e Fausto Silva. "É o dia mais importante da TV, o verdadeiro *prime time*. É o momento que a família inteira está sentada na frente da televisão. É a hora mais cara para os anunciantes", explica Faro, que nunca escondeu de ninguém que sua meta era chegar nesse horário e disputar o espaço com os grandes comunicadores. "Essa guerra pela audiência não é para criança. Não dá para brincar. Você está lá dando 17 pontos, erra um quadro e acaba com todo o trabalho de uma equipe", completa.

A entrada de novos apresentadores e atrações, a disputa mais acirrada pela audiência e até mesmo as condições econômicas do país, com a expansão da classe C e – logo depois – a crise, foram transformando aos poucos o perfil dos programas de auditório transmitidos pelas três principais redes. Silvio Santos e Rodrigo Faro continuam sendo gravados, mas Geraldo Luís, Celso Portiolli, Eliana e Fausto Silva trabalham ao vivo, com a reação imediata do telespectador ao que é oferecido.

O fato é que, pressionados para entregar audiência, os produtores dos programas de auditório, principalmente os que abrem a grade, vão em busca de histórias fortes e conteúdos que prendam o público sem gerar gastos elevados. E, de olho na medição *real time* do Kantar Ibope[1], alteram o roteiro, cancelam atrações ou simplesmente mudam o foco se houver queda imediata de índices. Fausto Silva e Celso Portiolli são exceções, porque comandam seus dominicais sem olhar para nenhum monitor com os números do minuto a minuto. As avaliações são sempre feitas após a exibição e levam em consideração muitos dados, como o que estava no ar na concorrência quando houve um pico positivo ou negativo. Mas a maioria dos profissionais gosta de saber no exato momento como está o placar, e muitos até alimentam o que for necessário para a média subir.

Certa vez, durante o *É Show*, programa apresentado ao vivo por Adriane Galisteu na Record, Sérgio Mallandro ficou irritado com alguém que estava no auditório e iniciou uma discussão com direito a palavrões e ameaças físicas, uma saia justa que precisava ser controlada. A diretora Rita Fonseca determinou que o programa fosse para o intervalo para que a produção pudesse entrar em ação e acalmar os ânimos. "Rita gritava no ponto

---

[1] Nome adotado pela Ibope Media após ser comprada por um braço do grupo WPP em 2014.

eletrônico para eu chamar o break, mas cheguei à conclusão de que não poderia perder aquilo porque os números estavam altos e continuavam a subir", relembra a apresentadora. "Não fui para o comercial e tive um *insight* de interromper o Mallandro, oferecer uma água e colocá-lo numa cadeira para baixar um pouco a poeira, sem perder a confusão", completa. Galisteu levou em consideração que a curiosidade das pessoas aumenta com o caos, o desespero, choro e gritaria.

De uma forma geral, para os comunicadores o programa de auditório ao vivo tem um gosto especial, porque trabalha-se com o imponderável, que não está no roteiro. "O nível de atenção é maior e você está sempre preparado para o imprevisto", diz Fausto Silva, um dos poucos a não utilizar ponto eletrônico enquanto está no palco. Todas as orientações são passadas por um diretor que fica atrás das câmeras e controla o andamento do programa. No mais, algumas anotações em suas fichas e o calor da reação da plateia.

Os programas de auditório estão presentes em praticamente todas as emissoras de televisão, mesmo que somente em ocasiões especiais, uma vez que exigem teatros ou estúdios maiores. Entretanto, o formato é muito associado ao SBT, que, desde a sua origem, sempre apostou em atrações comandadas por comunicadores diante de arquibancadas. "A gente tem o mestre desse gênero, que é o Silvio Santos, e uma equipe acostumada a produzir isso. A emissora tem know-how e, por isso, é uma verdadeira escola de programa de auditório", destaca Celso Portiolli.

Assim como as novelas, atrações como *Programa Silvio Santos, Domingão do Faustão, Hora do Faro, Legendários, Caldeirão do Huck, Altas Horas* e muitos outros dividem opiniões e constantemente são alvo de críticas que apontam para o desgaste do gênero. Entretanto, de tempo em tempo se renovam, reciclam formatos do passado e permanecem no ar porque, de certa forma, atendem às necessidades do público e cativam o telespectador com a variedade de conteúdo e emoções. "Enquanto a gente conseguir manter essa magia e tentar levar para a tela o que é real para a vida das pessoas, a televisão vai continuar sendo um veículo fabuloso", finaliza José Roberto Maciel, vice-presidente do SBT.

# Os grandes comunicadores que nos fazem assistir à TV

O trabalho na televisão é coletivo, e o sucesso de um programa depende de muitos fatores, inclusive o que é oferecido pela concorrente no exato momento em que uma emissora coloca no ar o que acredita ser o melhor para aquele horário. Mas não há como negar que boa parte do público é atraída pelo comunicador que está na frente das câmeras, seja num game, programa de auditório, revista de variedades, entretenimento, talk show, reality e até mesmo humor. Não é por menos que, nos dias atuais, esses profissionais são disputados pelas TVs, recebem salários elevados, possuem participações nas ações comerciais e têm contratos de exclusividade. Circulam pelos sites especializados listas com a relação da retirada mensal de nomes como Fausto Silva, Silvio Santos, Eliana, Carlos Massa, Luciano Huck, Marcos Mion e Rodrigo Faro. Há valores muito além da realidade, porque a imaginação corre solta quando o tema é remuneração de famosos. Todos os atrativos citados colocam essa posição como a mais disputada no maior veículo de comunicação do Brasil. "Entretanto, todo mundo acha que pode ser, mas não é uma tarefa tão simples assim", diz Adriane Galisteu, que, apesar de toda a experiência, há alguns anos não tem uma atração própria na TV aberta.

Quando o *TV na Taba* entrou no ar, no dia 18 de setembro de 1950, provavelmente Homero Silva nem imaginava que o seu papel de apresentador seria o mais disputado no decorrer dos quase setenta anos de televisão no Brasil. Naquela noite, uma nova forma de comunicação chegava ao país, e poucos tinham a certeza de que aquilo ganharia uma importância única, ampliando em muito a admiração pelas estrelas, até então sem rosto, porque só atuavam no rádio. Apesar da novidade, aquele era apenas um ofício e uma forma de um profissional ganhar seu salário e pagar as contas, como qualquer cidadão brasileiro. Com o avanço da televisão, o aumento da plateia e a ampliação da indústria da informação sobre as celebridades, houve uma natural glamorização de todos que apareciam e trabalhavam na TV.

Com poucas emissoras no eixo Rio-São Paulo, nos primeiros anos da década de 1950 o público acompanhava muitos programas musicais, em que o próprio cantor funcionava como condutor, chamando seus convidados, amigos e parceiros para mais um quadro. Homero Silva e Lolita Rodrigues estavam à frente do *Clube dos Artistas* e podem ser considerados entre os primeiros apresentadores de televisão da forma como conhecemos nos dias atuais. Dessa mesma época são J. Silvestre, Hebe Camargo, Geraldo José de Almeida, Blota Júnior, Sandra Amaral, Flávio Cavalcanti e Chacrinha, este último considerado por muitos a maior referência nessa área, justamente por dominar a comunicação de massa de uma forma única, portanto, sem comparativos.

Foi em 1956, depois de uma bem-sucedida carreira no rádio, que Abelardo Barbosa iniciou sua história na televisão, com o *Rancho Alegre*, na TV Tupi do Rio de Janeiro. Autor da frase "quem não se comunica se trumbica", o "Velho Guerreiro" influenciou muitas gerações de apresentadores de televisão. "Quando eu assistia ao *Cassino do Chacrinha*, ficava fascinado pelo colorido, muito barulho, gente dançando e aquele cara irreverente com um abacaxi na cabeça, uma cartola, telefone na frente do corpo e tocando uma buzina. E, para completar, ele jogava bacalhau para o público. Era maluco", recorda Rodrigo Faro, atualmente um dos líderes de programas de auditório do domingo e que não nega buscar nos grandes ícones da comunicação as referências para seu trabalho. Serginho Groisman é outro que não esconde a admiração pelo mestre, e, em muitas ocasiões, leva para seu cenário uma buzina que comprou na Índia muito parecida com a que Chacrinha usava em seus programas. "É quase um amuleto, uma forma de homenageá-lo, mesmo sem falar para ninguém", diz. Em sua sala na TV Globo há um boneco do Chacrinha, estrategicamente disposto numa das prateleiras com os prêmios e presentes que ganhou.

A maior lição de Chacrinha é a ausência de pudores enquanto um comunicador está no palco, o que resulta numa entrega intensa de um artista para seu público, a falta total de vergonha para avançar limites e impactar o telespectador. "Ficarei realizado quando eu estiver velhinho e algum jovem falar que lá em 2010 um doido se vestiu de mulher para brincar com as pessoas, assim como um vovô maluco no início da história da televisão", diz Rodrigo Faro. Muitas das estratégias do Velho Guerreiro ainda estão presentes nos programas de auditório, principalmente a interação dos apresentadores com as pessoas da plateia. Conhecido pelo seu bom humor à frente das câmeras, nos bastidores Chacrinha era de temperamento difícil. Em 1957, outro grande comunicador estreou na TV Tupi do Rio de Janeiro. Flávio Cavalcanti levou para a televisão toda a sua versatilidade desenvolvida no rádio, o jogo de cintura para tratar de temas polêmicos e jornalísticos, a credibilidade no lançamento de jovens cantores. Por isso, era temido por compositores e intérpretes, porque, quando não gostava de uma música, quebrava o disco em pleno palco. Centralizador, sempre cuidou de tudo nos seus programas e sabia como chamar a atenção do telespectador. Fazia no palco um pouco de teatro, o que impressionava o público em casa.

No dia 22 de maio de 1986, pelo SBT, o apresentador fez uma rápida entrevista em seu programa e imediatamente chamou o intervalo, com o dedo indicador para o alto: "Nossos comerciais, por favor!". Todos foram pegos de surpresa e o diretor Carlos Franco, irmão de Moacyr Franco, sentiu que algo não estava normal. Embora se queixasse sempre de alguma coisa, dessa vez parecia algo mais sério, e Wagner Montes foi acionado para substituí-lo. O intervalo acabou e, quando o programa voltou, o público viu que o apresentador não estava mais lá. Ele havia sofrido uma isquemia miocárdica aguda assim que a vinheta fora exibida. A correria nos bastidores foi grande, a equipe cuidou para que os próximos blocos entrassem no ar e imediatamente Flávio Cavalcanti foi levado para o Unicor, onde faleceu quatro dias depois. No dia 26 de maio, assim que recebeu a triste notícia, Silvio Santos ligou para Roberto Manzoni com a orientação de tirar toda a grade do ar e deixar a emissora com um *slide* negro em respeito ao luto.

**"Estamos tristes com a morte do nosso colega Flávio Cavalcanti. Ele será sepultado em Petrópolis, às 16 horas, quando então voltaremos com a programação normal."**

Foram 24 horas fora do ar em respeito a um dos maiores comunicadores brasileiros, um verdadeiro professor na arte de apresentar um programa de televisão, fosse ele de auditório, jornalístico ou de entretenimento.

\*\*\*

Em 1953, ao lado de sua esposa, Sonia Ribeiro, Blota Júnior, um dos nomes mais populares do rádio paulistano e um orador impecável, fez sua estreia na televisão ao comandar a cerimônia de inauguração do Canal 7. Na emissora de Paulo Machado de Carvalho, fez uma brilhante trajetória, com passagens pelos mais importantes programas, incluindo o Prêmio Roquette Pinto e *Show do Dia 7*. "O seu grande diferencial era a capacidade de improvisar.

O apresentador Blota Júnior

Dono de uma cultura e vocabulário invejáveis, conseguia falar por minutos, ou mesmo horas, sem cansar o público, passando de um tema para o outro com enorme desenvoltura", destaca o professor e escritor Fernando Morgado. Segundo o biógrafo de Blota Júnior, essa característica foi fundamental em dois momentos específicos: nos primeiros dez anos, em que tudo era ao vivo, e na fase após os incêndios da Record, já que a emissora permaneceu no ar sem nenhum recurso tecnológico, apenas com a capacidade artística de seu elenco, de técnicos, produtores e diretores. "Ele sabia lidar com vários perfis de plateia, desde as mulheres que lotavam os auditórios das rádios até os jovens que vaiavam nos festivais da MPB, passando pelos comícios políticos em praça pública. Essa experiência diversificada fazia com que ele soubesse o tom e o momento certos para lançar frases irônicas, engraçadas ou emotivas, conforme o clima ou a necessidade do programa", completa.

O avanço da indústria no final da década de 1950 possibilitou o aumento da produção nacional de televisores, derrubando de forma considerável o preço dos aparelhos e ampliando a quantidade de telespectadores. Finalmente, a TV brasileira conquistava a massa, e, com uma quantidade maior de emissoras disputando o público, houve um investimento considerável na programação, com oferta maior de salários e mais possibilidades para os profissionais. Mais um grupo de grandes nomes do rádio migrou para o veículo de comunicação que ganhava espaço nas grandes cidades. Em 1962, Silvio Santos, um jovem que atuava na Rádio Nacional e nas caravanas de artistas que se apresentavam em circos, estreou na TV Paulista com o *Vamos Brincar de Forca*, um game em que a plateia era desafiada a descobrir palavras e enigmas. O horário era comprado, sistema que manteve na Globo, Tupi e Record, até comprar metade das ações do Canal 7 de São Paulo e depois montar sua própria rede nacional, o SBT. Com o tempo, seu espaço foi crescendo e o programa ganhou outros quadros. "Naquele começo, ele não tinha muitas regalias. Silvio gravava muitas externas e no estúdio não tinha essa história de camarim exclusivo. Ele ficava no cantinho, muitas vezes em pé, acompanhando todos os preparativos. De tempo em tempo, tomava um pingado e conversava com a equipe", recorda Magrão, que atuou muitos anos na produção do apresentador.

Depois da compra da TV Paulista pela Globo, Silvio Santos percebeu que seria questão de tempo para José Bonifácio de Oliveira Sobrinho impor regras e criar um padrão de produção. Em 1972, ao renovar com Roberto Marinho, foi obrigado a assinar um documento em que abria mão de ser acionista ou dono de emissora. Durante um período, foi o único apresentador a comandar atrações em canais concorrentes. "Às quintas, as gincanas na Tupi, e aos domingos o programa da Globo", ressalta Gugu Liberato, que, nessa época, já participava das brincadeiras da televisão. "Eu nunca vi isso na minha vida", exclama Magrão. O impedimento de avançar como empresário da comunicação foi o motivo que o levou a deixar a empresa. E foi a partir dali que dominou os domingos na TV Tupi e, depois, na Record.

A trajetória de Silvio Santos na televisão mistura suas atividades como executivo e artista e, por isso mesmo, sua presença é notada em quase todo o processo de produção de uma TV. "No início da TVS no Rio de Janeiro, ele ligava o tempo todo para alterar a grade, mudar atrações ou aprovar compras. Uma vez contamos 24 telefonemas num dia, isso das 9 da manhã às 6 da tarde", ri Magrão, durante muitos anos diretor artístico do Canal 11 do Rio.

Detalhista, conhecedor de todas as etapas necessárias para produzir um programa de televisão e extremamente criativo, o apresentador sempre foi muito presente em suas atrações e na própria rede, chegando a escrever vinhetas, textos especiais e a construir quadros. Às vésperas da estreia do *Show do Milhão*, Silvio Santos ligou nas primeiras horas da manhã para Mauro Lissoni, então gerente de programação, e encomendou uma chamada com destaque para o prêmio de R$ 500 mil. Algumas horas depois, novo telefonema:

– Mauro, vamos ver como ficou a chamada. Deu os trinta segundos?

– Sim. Ouça: "Você participa e vai ganhar 500 mil reais".

– Para, para! Troque por "meio milhão". Está errado. Meio milhão é mais forte – explicou o mestre.

Como bom comunicador e dominador de plateias, Silvio Santos sabia exatamente como mexer com a imaginação das pessoas por meio das palavras. "E faz uma grande diferença a forma como você vende seu programa", completa Mauro Lissoni, atualmente diretor de programação da Rede Massa, no Paraná. "O Silvio é um tremendo vendedor, porque consegue passar a mensagem na linguagem que a pessoa entende", diz José Roberto Maciel, vice-presidente do SBT. E foi nos bastidores que o apresentador mostrou à sua equipe a arte de entreter a plateia, mesmo que seja pequena e formada apenas por investidores. Certa tarde, executivos da montadora GM foram à sede da emissora negociar a renovação do patrocínio do *Roda a Roda*. "Foi uma campanha excelente, com ótimos resultados para os dois lados", explica Maciel. Depois da conversa, enquanto todos se dirigiam para a saída, houve um encontro fortuito no corredor com Silvio Santos, que retornava de mais uma gravação. Imediatamente, ele convidou todos à sua sala e ficou pelo menos uma hora conversando sobre os assuntos mais diversos, matando todas as curiosidades daqueles homens que ali já não eram mais os representantes do anunciante, mas fãs de um dos maiores comunicadores da televisão brasileira. Não é preciso dizer que o contrato foi renovado. "Eles não estavam comprando apenas um índice de audiência, mas a certeza de que aquele programa venderia a marca deles através de um apresentador que fala a linguagem de sua plateia", completa Maciel. É por isso que muitos afirmam ser impossível criar um roteiro com o texto que deve ser dito ou colocar anotações em uma ficha. O apresentador só precisa saber o que é necessário chegar a seu público. As palavras ele escolhe baseado na emoção que sentir de quem está à sua frente.

De uns tempos para cá, Silvio Santos alterou um pouco o seu esquema de trabalho, preferindo gravar um dia sim e outro não. É uma escala que prevalece mesmo no caso dos sábados ou domingos, interrompida somente durante suas férias e em feriados. Os seus hábitos ou rituais também tiveram poucas mudanças em toda a sua longa carreira na televisão. Ao chegar aos estúdios da Vila Guilherme ou, mais recentemente, na Anhanguera, estaciona seu carro sempre de frente na sua vaga, atualmente marcada na entrada principal do Estúdio 3, prioritariamente utilizado para seus programas. Silvio deixa para Palito, seu motorista, como única função, apenas desvirar o veículo – menos às segundas-feiras, quando outro trabalho sempre foi reservado a ele e à fiel camareira Raimunda. Juntos, sempre foram incumbidos de providenciar as compras do patrão: filé--mignon, ovos e queijo em fatias. No camarim, o próprio Silvio sempre se encarregou de pilotar o fogão e preparar o seu sanduíche. O que sobra, na sexta-feira, manda colocar numa sacolinha e leva para casa.

Ainda na época da Ataliba Leonel, num dos muitos pacotes de demissão promovidos pela TVS/SBT, o nome de Palito foi incluído, sem que Silvio tivesse conhecimento. Ao chegar para a gravação, como sempre fazia, solicitou os serviços do seu fiel escudeiro, e alguém o informou da dispensa realizada conforme a decisão dos diretores de sua emissora. "Tudo bem, quando recontratarem o Palito, eu volto", disse o apresentador a um dos integrantes da produção do programa que deveria ser gravado nas próximas horas. O ilustre funcionário, claro, foi recontratado minutos depois.

Assim como Silvio Santos, Hebe Camargo foi outra grande comunicadora que sabia como poucos entreter o público e comandar um programa ao vivo apenas com algumas anotações e muito jogo de cintura e improviso. "Ela era a rainha da televisão e odiava gravar", diz Hélio Vargas, seu diretor no SBT entre 1986 e 1992, época em que, sempre após mais um dia de trabalho, levava sua equipe para o Gigetto, tradicional restaurante de São Paulo onde, durante o jantar, todos avaliavam o que havia entrado no ar. A carreira da primeira-dama da TV, como carinhosamente era chamada por seus admiradores, se misturou à própria história da televisão brasileira. Ela fez parte da equipe que inaugurou a TV Tupi e esteve diante das câmeras até as vésperas de sua morte, em setembro de 2012.

Hebe Camargo em 1986

Seu retorno à televisão aconteceu logo após um dos incêndios da Record e o seu programa contribuiu significativamente para que a emissora permanecesse no ar, pois era líder absoluta em audiência e representava um dos maiores faturamentos da época. No palco a estrela brilhava, encantava a todos e era referência em moda e de uma mulher ativa na sociedade. Nos bastidores, deixava transparecer a pressão que sofria de seu marido, na época o empresário Décio Capuano, para abandonar a profissão. "Todas as quartas-feiras, durante alguns anos, ela chegava arrasada porque os dois discutiam na porta do teatro quando ele a deixava lá", recorda Nilton Travesso. A arrancada do carro em alta velocidade era percebida por todos e denunciava a intensidade da briga. "Num dos dias, Hebe subiu a pequena escada que dava acesso à coxia com cara de poucas palavras e, ao chegar à entrada de seu camarim, deu um tremendo soco no batente da porta. E ficou presa ali. A violência foi tão grande que o solitário de brilhante entrou na madeira", diz o diretor. Foi necessário chamar um bombeiro para, com uma chave de fenda e vaselina, tirá-la dali sem machucar o dedo. E, minutos depois, lá estava ela na frente das câmeras e do auditório, radiante, conversando com todos sobre absolutamente tudo. "A Hebe costumava dizer que o telespectador gosta de ver em sua tela pessoas bonitas e, por isso, não dispensava joias e roupas marcantes. Para ela, a televisão era a oportunidade de muita gente ter amigos e sonhar com coisas melhores", destaca Adriane Galisteu.

Certa vez, ainda na época da TV Record, no auge do rock no Brasil, Hebe Camargo recebeu em seu programa a cantora Celly Campello, sucesso entre os jovens e um dos símbolos desse movimento musical. A apresentadora resolveu fazer uma homenagem à sua convidada e chegou com um vestido curto e babado, como os fãs da música costumavam usar, destoando totalmente de sua imagem glamorosa. Como fazia todas as semanas, subiu ao palco para fazer marcações de enquadramento e ensaiar alguns números. No final, já na escada para retornar para o camarim, foi chamada pelo diretor:

– Hebe, é melhor você trocar de roupa logo, porque hoje está tudo muito corrido – disse Nilton Travesso.

– Eu já estou pronta! – exclamou a apresentadora.

– Como? Você não vai entrar no palco com essa roupa, não é a sua cara, não está à sua altura.

– Mas é especial – respondeu Hebe.

– Eu não vou abrir a cortina para você. Peça para outro fazer isso. Eu vou embora, porque não concordo com esse figurino – retrucou, bravo, Nilton Travesso.

Hebe Camargo ficou furiosa e caiu no choro com a negativa do diretor.

– Você quer que eu vá para casa me trocar? Que absurdo!

A apresentadora pegou suas coisas e saiu do estúdio da Record. Nilton Travesso avisou à plateia que a gravação estava atrasada em função de problemas técnicos e que tudo voltaria ao normal assim que a equipe solucionasse o imprevisto. Quase uma hora depois, Hebe entra no teatro e, ainda atrás da cortina, diz para o diretor, com olhar fulminante:

– Está feliz agora?

– Sim, a grande estrela está entre nós. Vá brilhar!

Hebe Camargo entrou no palco e, assim como em muitas outras semanas durante cinco décadas, encantou a todos com sua comunicação verdadeira, falou o que seu coração mandou, brincou com sua plateia, distribuiu flores e foi amiga de milhões de pessoas espalhadas pelo país. "Ela faz parte de uma geração de grandes comunicadores, de verdadeiros monstros sagrados. Hebe, Silvio, Flávio Cavalcanti, Blota Júnior e Paulo Planet Buarque possuem personalidade artística marcante e diferenciada. O Chacrinha, você podia gostar ou não, mas de alguma forma era tocado por ele", explica Fausto Silva, que, assim como suas referências, dispensa os roteiros amarrados, textos no teleprompter e ponto eletrônico para comandar um programa prioritariamente ao vivo. "E você edita no ar, determina o ritmo e intervém no convidado. Ali é um lugar único, porque ninguém está protegido por personagem, muito menos pela solidão do estúdio", completa Faustão.

A televisão moderna a que assistimos nos dias atuais parece voltar ao passado para se reinventar e conquistar novos telespectadores. O padrão excessivo de qualidade imposto pela Globo durante muitos anos garantiu programas mais bem finalizados, sem erros ou improvisos, e milimetricamente pensados para a engrenagem de uma transmissão em rede nacional funcionar perfeitamente. Esse formato mais engessado contribuiu para a formação de uma geração de apresentadores e profissionais de televisão com menos capacidade de improvisos, com algumas exceções que se tornaram referências. Agora, o desafio é soltar todo mundo e encontrar quem comande programas sem a leitura do teleprompter. "A comunicação hoje em dia é cada vez mais transparente e, por isso, tem que ser muito verdadeira. A quantidade e os jeitos de ver a informação, como redes sociais e blogs, nos obriga a ser naturais", diz Luciano Huck, apresentador que há muitos anos está na Globo, mas iniciou sua carreira na TV Gazeta, com uma produção independente, e depois passou pela Band, onde, até mesmo pelas limitações de estrutura, desenvolveu jogo de cintura para as diferentes situações que podem acontecer na televisão.

Luciano Huck talvez seja uma exceção de sua geração, porque a televisão surgiu como consequência de sua carreira na comunicação, iniciada na mídia impressa por meio de uma coluna. "Eu gosto muito de redação, da criação coletiva de um jornal diário. Você tem informação chegando o tempo todo e precisa checar cada detalhe", diz. Desde jovem sempre muito influente, em pouco tempo foi atraído para o rádio, em que comandou, entre outros, o *Torpedo*, na Jovem Pan FM. "Sem o recurso de imagem, precisava falar direito para levar a informação clara até o ouvinte. O rádio é um veículo fundamental para quem deseja fazer um programa de auditório, porque dá uma velocidade de raciocínio", completa o apresentador. Por isso, desde que passou a atuar na TV, faz questão de participar de todo o processo de produção, incluindo a reunião de pauta, os encontros criativos, redação e até mesmo a finalização de cada bloco que leva ao ar.

Fausto Silva, que também iniciou sua jornada no rádio e passou por jornais, é atualmente uma das maiores referências entre os apresentadores de televisão, principalmente de programas de auditório voltados ao entretenimento. Em agosto de 2016, completou cinquenta anos de carreira, sendo trinta deles à frente do *Domingão do Faustão*, um dos maiores faturamentos da Globo e que tem entre suas responsabilidades fazer uma ponte entre o futebol e o *Fantástico*, levando a plateia da tarde para o *prime time* noturno, reunindo diante da tela o público mais amplo possível. A versatilidade para administrar os diferentes imprevistos e tratar de assuntos bem variados foi lapidada durante seu trabalho como repórter de campo

Domingão do Faustão – na Globo desde março de 1989

no rádio, tanto na capital paulista quanto no interior, e em seu período no jornalismo da Record. "Logo cedo, eu saía da redação naquele velho ônibus de externas, o Enterprise, para fazer três pautas. O pessoal passava os assuntos pelo radiocomunicador à medida que os fatos aconteciam. Era assassinato no parque Edu Chaves, chá beneficente da mulher do governador e acidente no mesmo dia", recorda ele, com humor. E, em cada local, era necessário armar e desmontar os equipamentos, entre pesadas câmeras, iluminação e cabos, bem diferente dos links atuais, que recorrem, inclusive, à internet.

No dia 24 de fevereiro de 1972, Fausto Silva iniciava mais um dia de trabalho no departamento de esportes. Como rotina, treinamento do Corinthians. Já no veículo da emissora de rádio, uma moderna Rural Willys, o repórter e sua equipe foram informados de que um incêndio de grandes proporções acontecia na Avenida São João com a Rua Pedro Américo, no centro de São Paulo. O Edifício Andraus foi rapidamente consumido pelas chamas, provocando a morte de 16 pessoas. "Assim que soubemos, desviamos o caminho e corremos para lá. Fui o primeiro a chegar e comecei a narrar. Lembro que vi os corpos caindo e fui obrigado a engolir em seco para manter a informação no ar", diz Faustão. Sem dúvida, a pauta que não estava prevista foi mais um elemento que o levou a desenvolver uma habilidade única para sair de saias justas e manter o foco na condução de um programa, mesmo quando tudo a sua volta parece não dar certo.

Fausto Silva não precisou de muito tempo para conquistar o público e a crítica com seu estilo irreverente no *Perdidos na Noite*, o que incluía muita sátira com a Rede Globo, já naquela época com um padrão de qualidade superior ao das concorrentes. "Certa vez, num dos intervalos do *Balancê*, na Rádio Excelsior, o Paulo Autran disse que minha maior virtude era a naturalidade e a intimidade que construía em pouco tempo com as pessoas. Nunca esquecerei o conselho que ele me deu para não perder isso", conta o apresentador. Assim que Faustão estreou na TV dos Marinho, Lima Duarte fez questão de ligar para parabenizá-lo e disse uma frase que jamais será esquecida: "Você fez um programa adequado ao horário e ao dia e num estilo diferente do que estava acostumado". Essa é, na verdade, a essência do bom comunicador, ou seja, colocar-se da melhor forma em todos os locais, sempre de acordo com a plateia que está ali para aplaudi-lo ou criticá-lo.

Pouco antes de sua estreia aos domingos, já com o contrato assinado, Roberto Marinho fez questão de conhecer sua nova estrela, e, para isso, agendou um almoço. Para os dois, tudo aquilo era novidade. Fausto Silva sabia o tamanho de sua responsabilidade e estava seguro de que não poderia mudar a sua essência, inclusive quanto às brincadeiras. O dono da TV Globo desejava algo novo e apostava no talento que ingressava na empresa. Durante a conversa, o apresentador foi direto ao tema.

– Olha, doutor Roberto, o senhor tem que entender que eu falo uma linguagem popular, com gírias e às vezes com umas palavras que algumas pessoas consideram chulas.

Roberto Marinho fixou os olhos, atento, e Faustão continuou:

– Eu já escrevi no *Estadão*, mas televisão é para todas as classes e idades. Então, quero que o senhor entenda que quando falo "pentelho" estou usando o adjetivo, e não o substantivo.

– Ah... então, você é o pentelho – interrompeu Roberto Marinho, com tom de brincadeira.

– Não, é o senhor! – Faustão devolveu a piada.

Os dois, assim como os demais executivos e assessores que estavam à mesa, caíram na risada e perceberam que não havia mais dúvidas sobre a liberdade de expressão durante a trajetória do *Domingão do Faustão*. "Eu estava começando um processo novo, que era a primeira atração ao vivo de entretenimento da emissora, e para a Globo eu era o novato com microfone na mão bem no final de uma ditadura", revela o apresentador. O respeito estava ali estabelecido, assim como o papel de cada um na realização do programa, com suas devidas cobranças, mas com os limites de áreas e departamentos. "A maior pressão que você sente é a sua", conclui. Por isso, Fausto Silva se diz um eterno insatisfeito, sempre procurando o melhor, apesar de reconhecer os acertos de todos os que trabalham com ele.

Mesmo com status de grande estrela da Globo, Faustão deixa de lado algumas regalias comuns aos apresentadores de programas de auditório, independentemente da emissora. Ele não tem figurinista, por isso, escolhe as próprias roupas, que, às vezes, se tornam assunto nas redes sociais. Também não tem cabeleireiro, maquiador ou firulas no camarim. "Não quero ninguém lá dentro", fala, enfático. Entram no local somente o diretor-geral, Jayme Praça, e os responsáveis pelos quadros que serão exibidos no dia. Nico é a exceção. Funcionário da Globo há muitos anos, estimulado pelo apresentador, fez cursos de figurino e moda e ficou responsável por parte da organização. "Sou o cara mais barato daquela emissora, porque sou avesso a tudo isso", completa.

Augusto Liberato, atualmente dono de sua própria produtora, é outro apresentador que tem o costume de participar de todo o processo de seu programa, desde as pautas até a avaliação do resultado final. "Ele tem uma vantagem sobre os demais, porque foi produtor e sabe como tudo funciona, inclusive as desculpas que arrumam para o que não dá certo", diz Ricky Medeiros, durante muitos anos diretor do conselho de programação do SBT. Gugu é um especialista em números e compreende como poucos o que as medições de audiência apontam nos dados *real time* e nos consolidados². Também é craque no desenvolvimento de quadros e em encontrar formatos nas feiras internacionais do setor. Isso foi desenvolvido na adolescência, quando mandava sugestões de brincadeiras para Silvio Santos e participava de algumas das gincanas. Certo dia, após a gravação, foi chamado pelo comunicador.

– Garoto, vejo que você está competindo toda semana e sempre manda sugestões para nós. Você faz o quê?

– Sou office boy – respondeu o menino de 12 anos de idade.

– E ganha quanto?

– 156 cruzeiros – disse Gugu, com orgulho de seu salário.

Silvio Santos parou, pensou, olhou para os diretores que estavam ao lado e emendou:

– Você quer trabalhar comigo na Vila Guilherme? Pago 450 cruzeiros por mês.

Gugu Liberato não pensou duas vezes e alguns dias depois já estava na produção do *Programa Silvio Santos*, datilografando os roteiros, auxiliando os diretores e observando tudo. "Mas nunca pensei em ser apresentador, tanto que prestei para Pedagogia em São Paulo e Odontologia em Marília", recorda. Os dois cursos não deram em nada, ele acabou no jornalismo e voltou a trabalhar na televisão, só que no *Caravana da Saudade*, comandado por Júlio Andrade na TV Tupi. Algum tempo depois, foi chamado novamente por Silvio Santos e só saiu de sua empresa quando aceitou o convite da Record.

Já com a TVS no ar no Rio de Janeiro, Gugu Liberato foi escalado para produzir o *Semana do Presidente*, um quadro semanal em tom de reportagem que mostrava a agenda do presidente, uma forma que Silvio Santos encontrou para conseguir atenção para seu pedido de concessão de um canal na capital paulista. Ao mesmo tempo, só para São Paulo, apresentava o *Sessão Premiada*. A dinâmica era bem simples: nos intervalos de filmes, ligava para a casa de telespectadores para dar prêmios em dinheiro a quem atendesse a chamada com a palavra certa e estivesse assistindo ao Canal 4.

Um dia, em Brasília, após um show de Raul Gil na Casa do Candango organizada pela então primeira-dama Dulce Figueiredo, o jovem Augusto Liberato aceitou o convite de Nanci Gil, filha do apresentador Raul Gil, para jantar com sua família no restaurante do hotel onde toda a equipe da TVS estava hospedada no Distrito Federal. Entre um assunto e outro, ela resolveu contar ao pai que o sonho do amigo era ser jurado de seu programa.

---

2  N. do E.: *Real time* refere-se a uma prévia da audiência, servindo como referência, ou seja, não é número oficial, enquanto o consolidado é o resultado definitivo.

Participação agendada, foi dado ali um passo importante na carreira de Gugu. "Só que, com o tempo, ele me pediu para não ser chamado pelo apelido, porque não gostava muito da forma diminutiva e à qual Silvio tinha certa restrição. Mantive o tratamento e aumentei a quantidade que falava", diz Raul, rindo.

Gugu Liberato também integrou o *Programa Flávio Cavalcanti* antes de assumir o *Viva a Noite* e, anos mais tarde, o *Domingo Legal*. O convívio só com os grandes comunicadores dos anos 1960 e 1970 é outro forte elemento em sua formação profissional. "Conheci o Flávio, o Raul e o Silvio. Só não trabalhei com o Chacrinha, não tive a oportunidade de conhecê-lo pessoalmente, mas o mestre esteve ao meu lado. Sou muito grato porque ele deu a oportunidade da minha vida", conclui.

Serginho Groisman é outro jornalista que enveredou pelo mundo dos programas de auditório e marcou sua trajetória profissional com a qualidade do que oferece a seu público e por atender a uma faixa formada por jovens. Assim como outros nomes desse gênero de programação, seu início foi no rádio, do qual até hoje sofre influência. Passou pelas TVs Bandeirantes, Gazeta, Cultura e explodiu em popularidade no SBT, de onde saiu direto para a Globo. Por onde passou, sempre trabalhou com o pé no chão, sem estrelismo ou vaidades exageradas e com a certeza de que continuaria ali por muito tempo. "Eu estava feliz no SBT e de dois em dois anos discutia com Silvio Santos a renovação de contrato, quando pedia algumas coisas. Eu queria ter jornalismo e reportagens externas, inclusive com links ao vivo, mas ele sempre respondia não", recorda o apresentador. Em 1999, depois da tradicional conversa com o dono da emissora e obtendo as mesmas negativas, pediu um dia para assinar o contrato.

– Vá amanhã e assine com minha secretária – orientou Silvio Santos.

Pensativo, Serginho foi para casa e, como de costume, ao chegar, acionou a secretária eletrônica.

– Serginho, aqui é o André Dias. Eu sou da Globo e gostaria de falar com você. Me ligue assim que puder.

Naquela época, André Dias era o executivo responsável pelo elenco da Globo e cuidava pessoalmente das principais contratações. Serginho retornou a ligação naquela noite mesmo, e, apesar de avisar que assinaria a renovação do contrato no dia seguinte, ouviu o pedido para que pelo menos ouvisse a proposta da emissora. Encontro marcado, era hora de avisar Silvio Santos de que precisava de mais um tempo. "Pode ser semana que vem?", perguntou.

Alguns dias depois, como combinado, Serginho Groisman pegou a ponte aérea rumo ao Rio de Janeiro para conversar com os executivos da Globo. "Ao desembarcar, veio um cara e pediu para que o seguisse. Entrei num carro para um trajeto relativamente pequeno e na mesma área do aeroporto entramos num hangar. Me senti num filme de espionagem", relembra. Assim que a porta do local foi fechada, avisaram que Marluce Dias, a todo-poderosa da empresa, havia viajado às pressas, mas que precisava muito apresentar sua proposta. "Por favor, converse com ela", pediram. E lá foi ele falar novamente a Silvio Santos que precisava de mais alguns dias para assinar o documento, que já estava com a secretária do dono do SBT.

Alguns dias depois, o mesmo ritual. Embarque em Congonhas, desembarque no Santos Dumont, pedido para seguir um emissário da Globo, entrar no carro – mas, dessa vez, ninguém parou no hangar. Prosseguiram até um hotel luxuoso em que uma sala havia sido reservada para a importante conversa. Logo após as apresentações formais, a primeira palavra de Marluce Dias:

– Eu gostaria muito que você viesse pra cá.

– Que bom! Mas pra fazer o quê?

– Eu não sei, Serginho. Vamos construir juntos.

O voo de volta foi rápido, porque em seu pensamento estavam muitas questões sobre a renovação de contrato com o SBT, o desafio de desenvolver um novo formato na Globo, as inúmeras possibilidades de conteúdo e a realização do sonho de entradas ao vivo de qualquer parte do país. Muitas perguntas. Poucas respostas. E a necessidade de contar tudo isso a Silvio Santos. "Aí começou uma crise em minha cabeça e a pressão do SBT para renovar o contrato", diz Groisman. No dia seguinte, o outro lado.

– Silvio, eu ainda não assinei porque tenho um convite. Não tem nada a ver com valores!

– Quem será? A Globo não pode ser, porque não tem a cara do que você faz.

Serginho Groisman até tentou responder, mas foi imediatamente cortado pelo dono do SBT.

– Tá bom! O que você quer para ficar? Quanto?

– Eu quero tudo o que pedi. Quero jornalismo, mais entradas ao vivo, um horário fixo.

– Vou dar uma pensada. Até lá, não assina nada sem antes falar comigo – concluiu Silvio Santos.

Os dias passaram e nada da resposta. Para piorar a situação e embaralhar os pensamentos de Serginho Groisman, a Globo anunciou a contratação de Jô Soares, que, depois de muitos anos, retornava à emissora. A conversa com André Dias esfriou e o apresentador já havia planejado seu novo momento no SBT. "Propus fazer o *Programa Livre* de segunda a quinta no lugar aberto com a saída do Jô e às sextas um talk show", relembra. Valores acertados, prazos estipulados, garantias previstas e, na hora de assinar, um pedido:

– Silvio, posso assinar amanhã?

– Pode, tudo bem. Você e essa mania do amanhã – disse Silvio Santos.

Como numa volta ao tempo, assim que chegou em casa, Serginho atendeu o telefone e, do outro lado, Marluce Dias cobrando uma posição. "Imediatamente pedi 15 dias de férias, porque não queria tocar no assunto. Só desejava me afastar da pressão. Liguei para o Silvio e disse a mesma coisa", conta. Ao retornar da viagem, na sala do empresário comunicou que aceitaria a proposta da concorrente. "Ele ofereceu um salário irrecusável, uma quantia mensal de dinheiro que talvez nunca mais recebesse, mas cheguei à conclusão de que não poderia perder a oportunidade artística que se abria", revela Groisman.

– Vou manter o cenário intacto porque, se não der certo lá, você volta a fazer o *Programa Livre* – disse Silvio Santos, que até tentou manter o projeto com outros apresentadores, mas acabou convencido de que aquilo dependia da essência de Serginho, um dos poucos a ter credibilidade junto aos jovens sem deixar de falar com os telespectadores mais velhos.

Nos mais de 65 anos de história da televisão brasileira, os grandes apresentadores não ficaram restritos somente à função de comandar um programa ou de ser a primeira imagem do que se oferece num determinado horário. Num meio extremamente competitivo e em que no primeiro sinal de queda de audiência ou faturamento tudo pode ser cancelado, muitos foram obrigados a aprender a negociar e, fundamentalmente, gerenciar a carreira, inclusive os licenciamentos de produtos e ações comerciais. É claro que existem escritórios especializados, empresários, agências de comunicação, assessorias de imprensa, agentes e advogados para os contratos, mas os profissionais que não puxaram para si a responsabilidade das decisões acabaram com problemas ou perderam oportunidades e dinheiro. Saber o momento exato para agir pode ser a grande diferença.

Antes de ser descoberta por Silvio Santos durante uma participação do grupo Banana Split no "Qual é a Música?", Eliana atuou em comerciais, entre eles o emblemático "Meu primeiro sutiã", aparecendo alguns segundos como uma das meninas no vestiário após a aula de Educação Física. "Outra vez, eu cheguei para gravar já aprovada, sem a necessidade de teste. Observei que o perfil das pessoas era bem diferente. Fomos chamados para o estúdio, mandaram a gente ficar em fila, nos deram sacos de estopa e nos orientaram para mexer os braços para os dois lados. Horas depois, terminou o trabalho, sem nenhuma fala para a propaganda", diverte-se. No vídeo, todos os figurantes foram transformados, por meio de efeitos de computação, em trigo para uma campanha da indústria de panificação. "E o mais engraçado era, depois em casa, eu tentando achar minha mãozinha", ri. Atualmente, Eliana tem inúmeros licenciamentos, entre brinquedos, material escolar e linha de cosméticos.

A carreira de apresentadora de televisão de Eliana começou em 1991, quando Silvio Santos resolveu contratá-la para comandar uma das atrações infantis do SBT. "Assim que terminou a gravação do 'Qual é a Música?', ele pediu para que eu fosse ao camarim dele para conversar. A princípio, fiquei pensando o porquê do convite, mas percebi que ele queria me ver fora da personagem do grupo musical", diz. Sempre direto em suas propostas, o dono da emissora perguntou quanto ela ganhava da Promoart, empresa de Gugu Liberato, e, imediatamente, telefonou para ele comunicando que acabara de contratar uma das integrantes do Banana Split. Em seguida, avisou Luciano Callegari, seu braço direito, e ordenou-lhe que fossem executadas todas as providências administrativas, como a elaboração de um contrato. "Imagina, eu ia ganhar três vezes mais", conta Eliana. Quatro meses depois, lá estava ela no ar com o infantil *Festolândia*, um projeto ousado com direito a elenco, cenários e uma produção impecável. O alto custo, associado à falta de patrocínio, levou ao seu cancelamento. "Eu ganhei o mundo em meses e ele caiu em segundos", diz a apresentadora.

Mesmo com choro e a possibilidade de ver sua carreira televisiva terminar ali, Eliana não desistiu, e, convencida pela mãe, resolveu ir até a sede do SBT para tentar uma última conversa com Silvio Santos, afinal, ele poderia mudar de ideia e voltar com o *Festolândia*. Ao chegar à emissora, foi chamada por Carlos Alberto de Nóbrega, o então diretor artístico, para um bate-papo em sua sala. "Ele conseguiu me tirar do corredor para o Silvio passar sossegado", explica a apresentadora, que, ao ouvir a voz do empresário, não pensou duas vezes em tentar alguns minutos com ele. Abriu a porta e deu de cara com Silvio e vários executivos saindo de uma reunião. Com lágrimas nos olhos, conseguiu chamar a atenção.

– O que está acontecendo? – indagou Silvio Santos.

– Você acabou com meu programa. Eu só quero saber se você não gosta de mim. Não vai com a minha cara? – perguntou ela, sem argumento e com a falta de experiência de uma menina.

– Não, menina! Eu gosto de você, não tem nada a ver. Mas são números, e o seu programa é muito caro – respondeu Silvio.

Eliana voltou a insistir no raciocínio da afinidade artística, mas foi interrompida com um seco e direto "deixa eu ir embora".

– Vá para casa. Seu contrato ainda tem um ano pela frente e você vai receber tudo certinho – completou o dono do SBT.

Foi aí que ela se lembrou da conversa que teve com sua mãe em casa e de uma ideia que parecia simples, porém, eficiente.

– Silvio, só uma ideia. Deixa eu apresentar os desenhos como a Vovó Mafalda! Isso não é caro!

– Mas você faria?

Eliana balançou a cabeça em concordância e, antes que dissesse mais alguma coisa, ouviu:

– Vá conversar com o Luciano.

Alguns dias depois, sem recursos e muito menos elenco, personagens, cenário e palco, Eliana estava à frente da sessão de desenhos. Não havia privilégios, e até o tratamento da equipe mudou. O diretor, que até algumas semanas antes era todo delicado em suas orientações, não usou de tato no primeiro choro da menina, que perdeu um castelo para ficar sentada num banquinho diante de uma parede branca.

Assim como Eliana, Celso Portiolli é outro profissional que aprendeu no dia a dia a explorar da melhor forma as oportunidades que aparecem e a administrar de perto os passos mais importantes de sua carreira. Certa vez, veio a São Paulo para receber mais um cachê pelas ideias que enviara para o quadro "Câmera Escondida", do *Programa Silvio Santos*, e, por meio de um amigo, conseguiu alguns minutos de conversa com o dono do SBT. "Ele me fez várias perguntas, entre elas quanto eu recebia como vereador em minha cidade. Contei que o salário era de R$ 2.500 e ouvi que televisão não tem dinheiro e que só poderiam me pagar R$ 500 por mês", recorda o apresentador. Imediatamente, disse que aceitava, porque seu sonho era atuar naquela empresa. Portiolli foi contratado para fazer a produção das pegadinhas dentro do *Topa Tudo Por Dinheiro*. Aprendeu a montar quadros, a editar, finalizar, e viu de perto o mestre dos animadores de palco. "Um dia, fiquei sabendo que a Angélica sairia do *Passa ou Repassa* e fui até ele pedir uma oportunidade", recorda. Cheio de coragem para vencer sua timidez, Portiolli entrou no camarim de Silvio Santos e disparou a falar. No final, depois de algumas perguntas, o balde d'água:

– Aqui, você nunca será apresentador!

O silêncio tomou conta da pequena sala e os segundos pareceram uma eternidade.

– Por que você quer ser apresentador?

– Silvio, sabe esse sangue que corre na sua veia e ferve quando você está na frente do auditório, quando ouve os aplausos, quando faz uma graça? Sabe essa vontade de animar as pessoas e deixá-las felizes? Esse sangue que ferve aí também corre nas minhas veias. Minha vida é o palco, o microfone, e você pode escrever que eu vou chegar lá, nem que seja aos 80 anos.

– Então, fique tranquilo, que seu dia chegará – disse Silvio Santos, num tom mais sereno.

Celso Portiolli voltou ao seu trabalho na produção do *Topa Tudo Por Dinheiro* e com o tempo percebeu que estava sendo observado pelo patrão. "Ele começou a me lapidar, a me ensinar, dar alguns castigos, me tirar do ar aqui, me dar um programa ali, mas sempre foi para o meu bem", analisa. "Um dia, ele olhou e disse que eu não tinha ideia de onde chegaria, mas que era bem longe", completa, emocionado. Atualmente, Portiolli tem um contrato que prevê o *Domingo Legal* e o *Sabadão com Celso Portiolli* e é dono de uma rede de rádios no interior de São Paulo. As conquistas na tela do SBT e como empresário de comunicação exemplificam muito bem o seu perfil de não perder oportunidades nem de desistir diante das variadas pressões, até mesmo do público. No dia em que gravou o piloto para o *Passa ou Repassa*, errou a marcação de câmeras e teve que voltar a gravação, sem antes ouvir uma sonora vaia dos estudantes que estavam no auditório para ver de perto a estrela Angélica.

Luciano Huck, um dos principais nomes do elenco da Globo, também soube aproveitar todas as oportunidades que apareceram no decorrer de sua carreira e realizou as mudanças nas horas certas, sempre agregando valor a seu trabalho na televisão. Hoje, é considerado no mercado um dos profissionais mais versáteis e excelente negociador, tanto que sua presença na TV vai bem além dos programas de auditório, para as inúmeras campanhas de grandes marcas, entre bancos, indústria automobilística, empresas de produtos pessoais, alimentação e até instituição de ensino. Segundo alguns publicitários, a imagem de um jovem bem-sucedido e sem grandes escândalos ajuda a vender os mais diversos produtos.

No início de 1999, aos 28 anos de idade, Luciano estava no auge do *Programa H*, uma atração de auditório voltada ao público jovem que era exibida de segunda a sexta no confronto com o *Jornal Nacional* e a terceira novela da Globo, os dois principais produtos da líder em audiência. "Ninguém entendia o tamanho daquele sucesso. Bons anunciantes e índices interessantes. Aí começamos a viajar pelo Brasil no verão. Montamos nosso circo na Barra da Tijuca, em Salvador e Florianópolis", recorda o apresentador. No elenco fixo estavam duas personagens que fascinavam os meninos: as sensuais Tiazinha e Feiticeira. "Elas tiveram um papel importante, porque na hora em que os caras procuravam as duas, encontravam outras coisas na tela", diz Huck. O fato é que o programa conseguia diariamente trazer grandes nomes da música brasileira, artistas e anônimos que faziam os assuntos do dia. Era, sem dúvida, um programa que incomodava todos que estavam no ar naquele horário, muitos com verbas de produção bem superiores.

No primeiro semestre de 1999, o telefone de Luciano Huck toca. Do outro lado, o diretor Maurício de Souza, por incrível que pareça, pergunta se há interesse em conversar com a Globo. "É lógico", respondeu ele imediatamente, para deixar claro que pretendia ir bem longe. Em seguida, uma reunião com André Dias e algum tempo depois com Érico Magalhães. Em julho, bateu o martelo com Marluce Dias e em poucos dias começou a desenvolver com sua equipe um programa para as tardes de sábado. O *Caldeirão do Huck* entrou numa batalha com o *Programa Raul Gil*, líder no horário pela TV Record, mas em questão de tempo assumiu a primeira colocação, atingindo a meta estabelecida quando foi contratado. "Hoje tenho condições de fazer uma televisão de alta performance", completa.

Rodrigo Faro, outro profissional muito requisitado pelo mercado publicitário por ter uma imagem limpa e de um homem realizado, fez o caminho inverso ao de Huck, ao deixar uma promissora carreira de ator na Globo para se arriscar como animador na Record. "Foram 11 novelas e minisséries, mas eu tinha esse sonho dentro de mim", diz. Quando resolveu aceitar a proposta de Paulo Franco, um dos responsáveis pela programação da Record, Faro já recebia muito mais que os R$ 2.500 de seu início na dramaturgia e havia construído um patrimônio, graças ao trabalho como garoto-propaganda de uma loja de móveis planejados e de uma operadora de TV por assinatura, mas continuava com o sexto sentido afinado. Diz ele que, nos momentos mais importantes de sua vida, sempre ouve um "vai, vai" do outro lado. "Eu sempre tive sinais de Deus em minha vida que me ajudam nas decisões". O apresentador deveria ter embarcado no voo da TAM que caiu no aeroporto de Congonhas no dia 30 de outubro de 1996. "Fiquei preso no trânsito e peguei o avião seguinte. Eram poucas pessoas a bordo e o piloto mudou a trajetória do voo assim que decolou para que a gente não visse aquela cena", revela. Apesar de acreditar muito em sua intuição, sabe que em televisão o profissionalismo está acima de tudo, uma lição que aprendeu com Augusto César Vannucci, seu diretor em *ZYB Bom*, infantil da TV Bandeirantes. Com apenas 12 anos de idade, numa das primeiras gravações, chegou com o texto totalmente decorado. "Ele pegou a minha mão, me levou até o centro do estúdio, pediu para ligarem um holofote e disse que aquilo era muito raro e demonstrava que eu teria uma longa e bem-sucedida carreira", recorda o apresentador, com lágrimas nos olhos. É por isso que Rodrigo Faro, um comunicador nato e que explora muito bem o improviso, defende que televisão é feita com muito estudo e dedicação aliados ao talento de cada um. "Eu não acredito em improvisação sem segurança. Não adianta você achar que é bom e não ler o roteiro, não saber aonde terá que chegar. Eu estudo o programa, sei o que fazer e na hora deixo a emoção comandar", ensina Faro.

Uma das características fundamentais de um apresentador de programas, principalmente os de auditório, é a capacidade de mudanças diante das necessidades do público e do mercado, mas sem deixar de lado a essência que o levou até a frente das câmeras. São ajustes que não serão obrigatoriamente percebidos pelos telespectadores, mas que farão a diferença para uma comunicação melhor. Carlos Massa, o Ratinho, é um bom exemplo disso. Se no começo de sua trajetória na televisão ficou marcado pela polêmica e sensacionalismo dos programas policialescos ou pelos testes de DNA, atualmente aposta num ar mais bem-humorado, aceito pelo telespectador. "Com o tempo, fui vendo que aquela coisa engraçada que eu sempre gostei de fazer estava reacendendo. Como fui um cara que gostou muito de circo, comecei a brincar com o auditório e achei que não precisaria mais fazer aquele tipo de programa", explica. "Quando ele entrou no SBT, chegou a dar 28 pontos, a bater o *Jornal Nacional*. Toda vez que ultrapassava, tocávamos o tema do *JN*. Só que o mercado publicitário achava que ele só conversava com as faixas C e D, que consumiam menos", revela José Roberto Maciel.

Parceiro do SBT na produção do *Programa do Ratinho*, dividindo despesas e lucros, o dono da Rede Massa no Paraná viu sua publicidade se ampliar, e, como consequência, seu faturamento, tornando-se referência de um novo formato de negócios, em que a sociedade pode render muito mais do que um contrato exclusivo como artista. Para ele, o segredo está em sua química com aqueles que foram até o SBT participar da gravação. "O auditório não está lá só para bater palma, aplaudir, gritar. Não! Tem que haver uma interação entre a plateia e o apresentador do programa. Então eu brinco muito com meu auditório, e eu aprendi isso com o Silvio Santos. Ele faz isso muito bem, com muita naturalidade", diz.

O fato é que, nos dias atuais, com uma competição cada vez mais acirrada, metas de audiência e faturamento, trabalho em campanhas publicitárias e um novo mundo digital, a ordem é ganhar dinheiro em menos tempo e fazer a indústria da televisão girar com um custo menor. Foi-se a época dos estrelismos e manias, como existiam no passado. Não há mais frescuras ou bajulações, porque é tempo de atender ao mercado.

*\*\*\**

Clodovil, que além de um grande representante da alta costura sempre foi um homem de televisão, proporcionou memoráveis histórias nas emissoras em que trabalhou. A TV Manchete, por exemplo, uma vez atrasou por mais de três horas o início das gravações porque o apresentador precisava fazer as unhas antes de começar. Várias unhas postiças foram providenciadas ao longo desse tempo, mas ele não aceitou nenhuma. "Eu quero a minha! Não abro mão!", esbravejava no camarim. E não houve outra saída senão mandar um carro da emissora da Ponte do Limão, zona norte de São Paulo, ao Jardim Paulista, na zona sul, num fim de tarde em São Paulo para buscar sua manicure particular.

O apresentador Silvio Santos também tem suas manias. Um grande brincalhão, nem sempre é possível saber o que é verdade quando ele quer fugir do assunto. Uma das lendas que circulam é a de que uma vidente americana o proibiu de dar entrevistas sobre sua vida e carreira. Caso o faça, o castigo é a morte. Essa história já foi contada várias vezes nos bastidores, sempre com um tom de deboche, porque poucos acreditam que um homem tão bem-sucedido, tanto como artista quanto como empresário, possa nutrir esse tipo de superstição. E é fato constatado pelos autores deste livro. Convidado para ser entrevistado e contribuir com o resgate da história da televisão brasileira, ele nos enviou um e-mail com a resposta e a autorização para sua publicação, para ninguém dizer que estávamos mentindo ou que deixamos de lado personagem tão importante.

**Resposta do Sr. Silvio Santos em relação ao pedido de depoimentos ao livro:**

**De:** Maisa Alves

**Para:** flavioricco@uol.com.br, jarmando@uol.com.br

**Assunto:** Resposta do Sr. Silvio Santos em relação ao pedido de depoimentos ao livro.

Numa das minhas viagens na cidade de Nova Jersey, entrei na loja de uma famosa vidente que previu a derrota do Brasil por 7 a 1 contra a Alemanha. Essa mesma vidente, conhecida internacionalmente pelos acertos que tem, me disse que no dia em que eu fizer um filme, entrevista ou livro contando minha biografia, no dia seguinte infelizmente não acordarei, estarei morto. Por acreditar nessa famosa vidente e por ser supersticioso, cumpro integralmente essa previsão. Não pretendo amanhecer defunto.

*Silvio Santos*

\*\*\*

Ferreira Netto se notabilizou por ser um jornalista combativo por meio da sua coluna diária no jornal *Folha da Tarde* e, a partir de 1978, ainda em plena ditadura, com um programa político de entrevistas e debates na TV Record, só criado porque a emissora, numa situação difícil, não tinha mais como comprar filmes e resolveu investir num programa ao vivo.

Numa dessas entrevistas, antes mesmo de algumas autoridades, Ferreira teve acesso à informação de que João Paulo II, na primeira visita de um papa ao Brasil, iria celebrar uma missa no Campo de Marte. Graças ao seu bom contato com autoridades da Aeronáutica na época, Ferreira conseguiu arrendar o Campo de Marte justamente para aquele dia. O problema estava criado. Numa tarde, Reynaldo de Barros, o então prefeito de São Paulo, telefonou pessoalmente ao apresentador, que na época dava expediente no escritório de Marcos Lázaro, para passar a história a limpo. Reynaldo de Barros, desconfiando de alguma coisa, logo quis saber o que ele estava programando para aquele dia, naquele local, no ano de 1980. A resposta veio de bate-pronto:

– Um grande show musical, prefeito. Teremos a participação de grandes cantores e cantoras. Faço questão da sua presença!

– Não vai ter show nenhum – respondeu Reynaldo de Barros. – Venha imediatamente para o meu gabinete!

Acompanhado por um dos autores deste livro, Flávio Ricco, Ferreira Netto foi ao encontro do prefeito. E foi uma entrada sem escala na sala da secretária. Nem haviam ainda se acomodado nas cadeiras oferecidas, para vir novamente a pergunta:

– Ferreira, o que você está querendo com o Campo de Marte?

– Já disse, prefeito, vou promover um grande show musical. Aliás, seria importante contarmos com o apoio da prefeitura.

– Show nenhum, Ferreira. O papa vai rezar a missa lá e você tem que abrir mão da sua concessão.

– Infelizmente, não posso. Já está tudo ajeitado e artistas contratados. É uma pena, mas não posso fazer nada pelo senhor.

– Pode e vai fazer. Não existe outro local para o papa – determinou o prefeito.

– Então seremos obrigados a chegar num acordo – respondeu rapidamente Ferreira Netto. – Eu cedo o local, mas toda a parte comercial do evento é minha. Vendedores de santinhos, refrigerantes, sanduíches e outros terão que se acertar comigo.

E assim foi feito. As empresas interessadas tiveram que se sujeitar às condições comerciais impostas por ele, mas com a ressalva de que não haveria concorrência. Até que, na véspera da missa, um vendedor de relógios foi ao encontro de Ferreira Netto querendo montar uma banca para vender um despertador que tinha no centro a fotografia de Sua Santidade. Ferreira, fiel ao regulamento que ele mesmo criara, não aceitou, mas não deixou de aconselhar o interessado, que tinha investido uma pequena fortuna na produção dos despertadores.

– Tem uma saída. Esquece o despertador, que não dá. Já tem outro relógio sendo vendido lá. Vai na 25 de Março, compra um monte de garrafinhas e enche de água. Durante a missa, no momento do "Em nome do Pai", o próprio papa vai benzer as suas garrafinhas.

O homem fez exatamente isso e vendeu tudo. Não sobrou nem uma embalagem como recordação.

## Não maltrate os animais

Uma das histórias mais folclóricas dos tempos de antigamente na televisão era sempre contada por Max Nunes, médico que se tornou um dos maiores autores humorísticos da nossa televisão. Ele começou no rádio carioca e depois acompanhou toda a carreira de Jô Soares, na primeira e segunda fases na Globo e também em sua passagem no SBT. Max lembrava-se de um episódio que aconteceu no programa do Chacrinha. O apresentador decidiu exibir um mágico amigo dele. E, na entrada no palco, o artista recebeu um abraço tão apertado de Chacrinha que só teve tempo de sussurrar no ouvido dele: "Mataste a pombinha". A apresentação do mágico ficou prejudicada.

# A primeira em seu coração – surge a TVS e depois o SBT

Em 1962, quando decidiu apresentar o programa *Vamos Brincar de Forca*, na TV Paulista, à noite, em sua primeira experiência na televisão, Silvio Santos já trabalhava com a ideia de fazer daquilo a sua vida. Antes, enquanto ainda morava no Rio, entre se formar em contabilidade e servir como paraquedista no Exército, sabia como usar bem a sua voz para vender porta-títulos, canetas e até bonecas, entre outros artigos, nas ruas do centro da cidade, ou até animar o bingo e comercializar bebidas da Antarctica na barca que ligava Niterói à capital do estado. Em algumas ocasiões, acabou sendo vítima do rapa, perdendo algumas das suas mercadorias, mas na maioria das vezes conseguiu escapar, já contando com o auxílio de uma fiel freguesia ou dos próprios companheiros de calçada.

As experiências em rádios do Rio de Janeiro foram algumas. Ao frequentar os auditórios das emissoras e acompanhar os trabalhos de consagrados comunicadores da época, como César de Alencar e Heber de Bôscoli, Silvio acabou se entusiasmando com aquilo. Como sempre se inscrevia e acabava vencendo todos os concursos de locutores que existiam, num determinado momento a sua participação não foi mais aceita, o que o levou a buscar um nome diferente de Senor Abravanel, que usava até então. "Silvio" foi escolhido, porque era assim que sua mãe, dona Rebeca, o chamava na intimidade, e "Santos" nem ele sabe muito bem por quê. Só aos 20 anos de idade, depois de esporádicos trabalhos em rádios cariocas, se transferiu para São Paulo, e, já adotando "Silvio Santos" como definitivo, foi aprovado por Dermival Costa Lima para locutor de horário na Rádio Nacional. Era assim que se chamava, naquele tempo, quem trabalhava durante todo um período, o da manhã ou da tarde, fazendo os comerciais do intervalo, anunciando a hora certa ou substituindo o titular de algum programa. E, como o acaso sempre jogou a seu favor, no horário em que trabalhava ia ao ar o *Cadeira de Barbeiro*, de Manoel de Nóbrega, o que fez nascer uma grande amizade entre os dois.

Mas, como o salário da rádio mal cobria as suas despesas, Silvio resolveu criar uma revista, "Brincando com Você", com palavras cruzadas, sete erros e outros passatempos. Sentindo também que outros companheiros passavam pelas mesmas necessidades que ele, inventou a "Caravana do Peru que Fala", um show com comediantes e cantores que se apresentavam nos fins de semana. Existem controvérsias sobre o verdadeiro autor do apelido, se Golias ou Manoel de Nóbrega, mas "peru" é porque Silvio sempre ficava vermelho na hora de falar ao microfone.

Daí para a televisão foi só uma questão de tempo. Muito pouco tempo. Dois anos depois de lançar o *Vamos Brincar de Forca*, ele passou a apresentar o *Programa Silvio Santos*, do meio-dia às duas da tarde, que depois passaria a ter oito horas de duração, mesmo com a passagem da TV Paulista para a TV Globo. O "PSS", com vários quadros, concursos e participação de cantoras, cantores e artistas de forma geral, já podia ser visto como uma miniTV dentro de uma emissora de televisão. Toda a sua produção era feita fora, sob os cuidados de Luciano Callegari e Neimar de Barros.

Antes de falar da TVS ou do SBT de hoje, é impossível não passar por um histórico, ainda que breve, do seu fundador. De todos os donos de televisão, ele foi o único até aqui que se criou e fez toda a sua vida no próprio meio. No início da década de 1970, com a Globo se fortalecendo e já se colocando à frente das outras emissoras, Silvio Santos sabia que, mais dia, menos dia, teria problemas para manter seu programa, com duração de sete ou oito horas, aos domingos. Como na oportunidade já tinha se transformado numa das figuras mais populares da televisão e a venda de carnês do Baú da Felicidade lhe oferecia importante amparo financeiro, a ideia de ter a sua própria emissora começou a bater mais forte. Não bastasse isso, ele havia se tornado um empresário de sucesso, como dono de uma rede de lojas, uma revendedora de automóveis, uma seguradora, entre outros negócios.

No final de 1975, convencido por Manoel de Nóbrega, Silvio se habilitou na concorrência do Canal 11 do Rio de Janeiro, propondo-se a colocar a emissora no ar imediatamente após a licitação. Isso aconteceu em 14 de maio do ano seguinte. Mas foi uma vitória que dividiu opiniões. Enquanto alguns setores entenderam como das mais corretas a iniciativa do governo federal em entregar a alguém da área a exploração desse canal, outros viram de maneira diferente. Na revista *Veja* de 11 de agosto de 1976, em uma entrevista, Boni revelou sua contrariedade. "Em vez de estimular a programação alternativa das minorias, concedeu-se um canal ao empresário Silvio Santos, homem que por interesses comerciais e que nada tem a ver com televisão, corteja ostensivamente as camadas mais populares. Pela luta de Silvio Santos, fica-se até feliz, mas pela grande luta da televisão brasileira é decepcionante." Também houve quem entendesse, na ocasião, que a outorga desse canal fora uma retribuição ao quadro *Semana do Presidente*, que Silvio Santos mantinha no seu programa dominical, exaltando as atividades governamentais. O presidente da República de então era Ernesto Geisel, e Euclides Quandt de Oliveira o seu ministro das Comunicações.

Imediatamente após receber essa concessão, Silvio investiu pouco mais de 50 milhões de cruzeiros, moeda da época, na compra de novos equipamentos – que não chegaram na data combinada, embora ele tivesse, no tempo ajustado, conseguido todas as guias de importação. Como cumprir a promessa de colocar a emissora no ar, no dia da escolha da concessão, era uma questão de honra, a alternativa foi se habilitar no leilão do que tinha sobrado da antiga TV Continental. Não havia muita coisa que servisse, mas a torre no alto do Sumaré e o transmissor eram essenciais. Com a sorte a favor, os técnicos do SBT, imediatamente após o leilão, descobriram que o transmissor já tinha capacidade para gerar em cores.

O primeiro programa levado ao ar na TVS-RJ foi *Silvio Santos Diferente*, em que ele conversava com personalidades de diversas áreas. O programa em nada fazia lembrar o alegre comunicador dos domingos. Em sua maior parte, a programação era composta por filmes e seriados americanos, reprises de antigas novelas e desenhos animados. O slogan escolhido para essa fase inicial é o que dá título a este capítulo: "A primeira em seu coração".

Manoel de Nóbrega havia sido escolhido para ser o diretor da TVS no Rio de Janeiro, mas dois meses antes da inauguração, em 17 de março daquele mesmo ano de 1977, ele veio a falecer. Seu filho, Carlos Alberto, tem essa passagem como a mais triste de sua vida. "Eu fiz 40 anos no dia 12 de março e meu pai morreu cinco dias depois. O Silvio estava no auge do seu sucesso financeiro e ele não teve a humanidade de conversar comigo, nem eu tive cabeça para entender a posição dele. Brigamos. Ficamos onze anos sem conversar. Na minha casa, TVS não entrava. Silvio deu 10% da empresa para o meu pai e depois comprou de volta. Não concordei com aquilo, porque entendi que ele estava se aproveitando e o chamei de ladrão e ficamos muito tempo sem conversar. Foi uma coisa gozada, porque depois vim trabalhar aqui e nunca toquei no assunto com o Silvio."

No ano de 1987, depois de passar pela Tupi, em que chegou a diretor artístico, e pela Globo, como um dos principais redatores de *Os Trapalhões*, Carlos Alberto acertou com a Bandeirantes para apresentar o *Praça Brasil*. Mas por muito pouco tempo. Chamado para conversar com Silvio Santos, colocou uma pedra nas diferenças do passado, foi para o SBT e criou *A Praça é Nossa*, até hoje em cartaz, sempre entre as principais audiências da semana e com faturamento expressivo.

Naquela segunda metade da década de 1970, Silvio Santos assumiu os estúdios da Vila Guilherme que haviam pertencido à TV Excelsior, em São Paulo, o que aos poucos foi possibilitando ampliar o volume de suas produções. *O Espantalho*, de Ivani Ribeiro, com direção de José Miziara e David Grinberg, foi uma das suas primeiras novelas, na oportunidade considerada a sua mais arrojada produção, com quase todas as suas externas realizadas no litoral sul de São Paulo. Roberto Manzoni, o Magrão, naquele tempo já trabalhava no programa de domingo e um dia foi chamado ao camarim de Silvio Santos:

– Magrão, você podia mudar para o Rio de Janeiro? Estou sem ninguém lá para tomar conta. Preciso de você. Acerta com o Luciano Callegari e vai – disse o apresentador, sem dar muito espaço para Magrão pensar em algo diferente.

Nos dias seguintes, Callegari começou a negociar com Magrão sua transferência para a emissora carioca, o que não lhe traria muitas vantagens econômicas, mas ampliaria suas possibilidades profissionais. "Naquela época, nem lembro qual era o dinheiro, eu ganhava 14 e alguma coisa e a minha mulher, 15. Juntando os dois, dava uns 30, que o Luciano se propunha a pagar. Mas, como me deram o aluguel e carro, resolvi aceitar", conta. Roberto Manzoni ficou por lá quase três anos, período em que foi obrigado a se envolver com diferentes problemas e vencer muitas dificuldades. "Quase não existiam recursos para nada. O equipamento estava sucateado e apenas uma câmera preto e branco podia ser usada nos jornais locais, montados à base do *gillette press*"[3], recorda. Os investimentos, que não foram tantos, só vieram muito tempo depois, e já eram equipamentos próprios para cor. Magrão conta que a mesma mesa de corte também era do máster[4], com um operador trabalhando ao lado do outro. "Quando o diretor de TV ia para o intervalo, era a vez do máster trabalhar. E assim ia", Magrão ri com as recordações.

Em 1976, quando não foi mais possível continuar na TV Globo, Silvio Santos passou a apresentar seu programa na TV Tupi e na TV Record, valendo-se das emissoras que as duas possuíam, e pela TVS do Rio de Janeiro, um conjunto que acabou recebendo o nome de Rede de Emissoras Independentes – REI. Artisticamente, pouca coisa se alterou no *Programa Silvio Santos,* e no aspecto comercial tudo continuou como era na Globo, com os sorteios e demais promoções para os compradores do carnê do Baú da Felicidade.

Em uma matéria paga no *Jornal do Brasil*, do Rio de Janeiro, em novembro de 1980, quatro meses depois de o governo federal ter cassado as concessões da Tupi, o Grupo Silvio Santos expôs os vários motivos que o levavam a pleitear aquela rede de emissoras. Nesse artigo, já existia a proposta da construção de um grande centro de produção no km 14 da Via Anhanguera. A área de 250 mil metros quadrados já pertencia ao seu sócio majoritário e até então estava servindo de sede para algumas das suas empresas. Em meados do ano seguinte, quando estava em Nova York, mais exatamente na sede da World Vision, Silvio recebeu, pelo bipe, a mensagem de que deveria retornar urgentemente ao Brasil, porque o presidente João Figueiredo havia decidido dar a ele a concessão da antiga Tupi. Ricky Medeiros, na ocasião seu representante nos Estados Unidos e que o acompanhava no momento de comprar filmes e seriados, conta que o apresentador ficou, ao mesmo tempo, feliz e preocupado: "Foi a primeira e talvez única vez que vi expressão de preocupação no rosto dele".

De fato, no dia 19 de março de 1981, o Grupo Silvio Santos foi anunciado pelo ministro das Comunicações, Haroldo Corrêa de Mattos, vencedor das concessões de TV que antes pertenciam à extinta Rede Tupi, nas cidades de São Paulo, Porto Alegre e Belém.

---

3  Termo usado nas redações para indicar que as notícias separadas para o telejornal não são produção própria, mas extraídas na íntegra dos jornais impressos. É a gilete que corta o papel.
4  Termo usado para se referir à mesa de som.

Em um trabalho todo planejado pelo seu diretor de jornalismo, Arlindo Silva, a TVS São Paulo, movimentando os repórteres Humberto Mesquita, Magdalena Bonfiglioli, Almir Guimarães e Zildetti Montiel, transmitiu de Brasília a assinatura do contrato de concessão. As emissoras de Belém e Porto Alegre só entraram no ar em 26 de agosto do mesmo ano. A programação tinha Bozo como grande destaque da grade infantil e nomes como Moacyr Franco, J. Silvestre, Murilo Nery e o casal Lolita e Airton Rodrigues. Todas as noites, no intervalo de um filme, Gugu Liberato em São Paulo e Paulo Barbosa no Rio, ao vivo dos estúdios, apresentavam a *Sessão Premiada*, versão brasileira do americano *Dialing for Dollars*. Os telespectadores que respondiam acertadamente às perguntas relativas ao filme em exibição ganhavam prêmios. Paulo Barbosa, no Rio, já era um nome bastante conhecido do rádio.

Paulo Barbosa na TVS Rio, anos 1980

Informado por Magrão do sucesso que *O Povo na TV* havia conquistado no Rio de Janeiro nos últimos anos da TV Tupi, Silvio Santos mandou contratar todos os seus participantes, a começar pelo diretor e apresentador Wilton Franco. Chegaram à emissora Christina Rocha, Wagner Montes, Sérgio Mallandro, Ana Davis e o advogado Roberto Jefferson. A negociação foi conduzida por Moysés Weltman, à época diretor da TVS Rio de Janeiro, jornalista que tinha dedicado muitos anos de trabalho à Bloch Editores e foi responsável pelo lançamento da revista *Amiga*, publicação sobre TV de grande sucesso nos anos 1970 e 1980.

Diário, em todo fim de tarde, *O Povo na TV* se destacou pelo sensacionalismo. "A audiência era uma coisa maluca. O programa tinha auditório cheio todos os dias e o povo se misturava com governadores, ministros e outros políticos. A televisão nunca mais viveu nada parecido", recorda Christina Rocha. "Quando você chegava na emissora, precisava tirar o crachá para não te identificarem, porque aquelas pessoas se jogavam no pescoço da gente porque queriam ser curadas naquele pátio dos milagres, como chamávamos internamente. Era algo mágico, louco", conta Mauro Lissoni, durante muitos anos responsável pela grade do SBT e hoje diretor de programação da Rede Massa. Depois de dois anos de exibição no Rio, o programa passou a ser apresentado pela TVS São Paulo, imediatamente após a sua inauguração.

Silvio Santos sempre teve grande preocupação com a audiência, e, em muitas ocasiões, sem a menor cerimônia, trocou os nomes de filmes por outros que poderiam causar maior impacto junto aos telespectadores. *Madame X*, clássico com Lana Turner, John Forsythe e Ricardo Montalbán, por exemplo, foi exibido com o título de "Odeio Minha Mãe". Por pouco, como brincadeira que existe até hoje, *Ben Hur* não virou "O Charreteiro do Rei". Ainda no que diz respeito aos filmes, depois de passar muitos anos comprando pacotes de diferentes distribuidoras e se sujeitar a produtos já com segunda ou terceira exibição, o apresentador teve sucesso em seus esforços de fechar contratos com a Warner e a Disney, em abril de 2000.

Até conseguir primazia para as suas exibições na televisão do Brasil, foram intensas as disputas com outras emissoras, especialmente a Globo. As condições de entrega propostas acabaram fazendo a diferença. "Todos os anos, a gente ia nas feiras em Las Vegas, Nova Orleans e NATPE e sempre parávamos no estande da ABC, a dona dos direitos do Oscar. E sempre provocava os diretores, falando que eles venderiam os filminhos feitos para a TV para o SBT e os grandes sucessos para a Globo", conta Ricky Medeiros, que ouviu atentamente a nova proposta com um pacote bem interessante e regressou ao hotel com Silvio Santos. Os dois começaram a fazer alguns cálculos e a consultar os responsáveis pelo departamento comercial. "Voltamos vários dias ao estande para ter a certeza do negócio e só nos últimos minutos Silvio bateu o martelo", completa.

Durante anos, Ricky Medeiros telefonava para o presidente da Warner sempre com a mesma reclamação, de que o representante da empresa no Brasil dava preferência para a Globo. "O Silvio vivia dizendo que eu não conseguiria o pacote, porque sempre ficaríamos com os 50 piores filmes e a concorrente com o melhor", conta o conselheiro do dono do SBT. Houve esse mesmo empenho também nos diversos contratos fechados com a mexicana Televisa para exclusividade na exibição e produção das suas novelas e dos seriados *Chaves* e *Chapolin* no Brasil. Como negócio, sempre foi algo que interessou às duas partes. Se receber um pacote de programação com boas produções e baixo custo resolveria boa parte dos problemas do SBT, também para a Televisa era importante ter um parceiro como Silvio Santos no Brasil. "Quando as novelas chegavam, pegávamos dois ou três capítulos e exibíamos para as pessoas das caravanas que toda semana estavam no auditório de Silvio Santos. E elas avaliavam como bom, ótimo ou regular", conta Mauro Lissoni. A partir dessas sondagens era possível identificar quais tramas poderiam entrar no ar ou o estilo de atração que os telespectadores prefeririam. "Um dia, veio uma chamada *A Usurpadora*, que recebeu a melhor nota", completa. Empolgado com o resultado, Silvio determinou que fosse imediatamente dublada para entrar no ar e chamou o pessoal para discutir qual o melhor título. Mesmo parecendo estranho para o nosso idioma, ele resolveu manter o original.

*El Chavo del Ocho*, incluído no pacote da emissora mexicana, só foi ao ar a partir dos programas do "Bozo", em 1984, porque o próprio Silvio Santos bancou a sua exibição, apoiado no sucesso que o seriado fazia em outras TVs da América Latina. Mal imaginava ele a importância que *Chaves*, ao longo de anos, viria a ter em diferentes momentos da sua emissora. A compra dos direitos do Bozo também se tornou para a TVS, ao longo de onze anos, um investimento dos mais interessantes, pelos resultados que sempre ofereceu. "O Silvio gostava do *Clube do Mickey*, que a Tupi exibia e eu odiava. Falei, então, que ele teria algo melhor. Lembrei do palhaço com cabelo vermelho que assistia na TV na minha infância, mas ele já não era mais produzido. Fucei, procurei e cheguei até o Larry Harmon, que nos vendeu os direitos", recorda Ricky Medeiros. O comediante Wandeko Pipoca foi o primeiro "Bozo" brasileiro, sucedido por Arlindo Barreto, Luís Ricardo, entre outros. Com o decorrer do tempo, alguns personagens passaram a fazer parte do programa. Entre os de maior sucesso, o Papai Papudo e a Vovó Mafalda, vividos por Gibe e Valentino Guzzo, respectivamente.

Bozo em 1981

O SBT, como faz até hoje, sempre deu importante espaço para a programação infantil, e dela despontaram alguns nomes consagrados da TV atual, como Mara Maravilha, Angélica e Eliana.

Hebe Camargo foi outro nome importante na programação da TVS antes e SBT depois[5] ao longo de anos, mas a sua contratação só aconteceu em 1985. Descontente na Bandeirantes, a ponto de jogar o microfone no chão durante o programa e exigir mais respeito por parte da emissora, ela resolveu atender ao chamado de Silvio Santos. Estreou em 1986 e teve o último programa levado ao ar em 27 de dezembro de 2010, quando houve a decisão de que seu contrato não seria renovado. Uma história de 24 anos e que seria reiniciada em 2012, inclusive com direito a um anúncio oficial:

**"Diretores e colaboradores do SBT comemoram a volta da artista que sempre foi uma das mais queridas da casa".**

---

5  A decisão de mudança de nome de TVS para SBT – Sistema Brasileiro de Televisão – aconteceu em 1º de janeiro de 1990.

Lamentavelmente, na prática, isso não veio a acontecer. Hebe faleceu no dia 29 de setembro daquele mesmo 2012.

\*\*\*

A TVS, desde o seu começo, foi obrigada a conviver com o problemático drama das enchentes em seus estúdios e demais instalações da Vila Guilherme. Os transtornos sempre foram muitos, com prejuízos em seu mobiliário, cenários e equipamentos. Todos conviveram com esse problema muito de perto, inclusive o próprio dono, que um belo dia resolveu dar expediente até mais tarde e quando resolveu ir embora a água já tinha tomado conta de tudo. Situação que lembrou cena de filme. Silvio numa poltrona, sendo carregado por três seguranças. Depois de colocado na boleia de um caminhão, ele foi levado para casa. "Quando começava a chover, o pessoal já separava as galochas, porque a qualquer momento podia alagar", recorda Eliana, que também enfrentou algumas situações bem inusitadas. "Um dia, a gente já estava gravando os blocos finais quando um dos produtores começou a gritar que estava entrando água no estúdio, e todo mundo correu para tirar equipamentos e cenário", recorda a apresentadora. A água foi subindo e alguém lembrou que ela havia estacionado o carro bem na porta da recepção e que poderia tirá-lo de lá. "Foi o primeiro carro chiquérrimo que comprei, um Mazda branco. Quando cheguei na porta, só deu tempo de ver um ônibus passar, a lama toda subir e encobri-lo", diz Eliana, rindo ao lembrar-se da cena. O veículo só foi retirado quando a água baixou e foi levado imediatamente para uma lavagem completa. Por sorte, não danificou o motor. O fato é que os profissionais da TVS já preparavam os ambientes pensando nas possíveis enchentes. Assim, armários e prateleiras ficavam mais altos que o costume, mas isso nem sempre garantia proteção total. "Numa manhã, quando cheguei, a equipe de limpeza estava em meu camarim jogando praticamente tudo fora. Maquiagem, roupa e acessórios foram para o lixo", conta Eliana. Os alagamentos na Vila Guilherme, sempre com enormes prejuízos, apressaram a construção da nova sede na Via Anhanguera, conforme o prometido em artigo publicado no *JB* em 1980. Outro fator determinante foi o custo que a emissora tinha para manter cinco centros de produção, distribuídos para auditórios, jornalismo, teledramaturgia e entretenimento, além da fábrica de cenários. "Chegou uma hora em que o SBT tinha Ataliba Leonel, Vila Guilherme, Sumaré, Camarés, e já alguma coisa lá na Anhanguera. Foi feito um estudo para mostrar a viabilidade de somar tudo aquilo numa única área", diz Alfonso Aurin, um dos responsáveis pelo projeto do complexo na Anhanguera e diretor de engenharia do SBT por muitos anos.

O Centro de Televisão – CDT, construído no km 18 da Via Anhanguera, tem propositadamente como endereço a Avenida das Comunicações nº 4, em Osasco. O nome foi definido pela prefeitura numa homenagem à emissora de Silvio Santos. É considerado o terceiro maior complexo de estúdios da América Latina, ocupando uma área total de 290 mil metros quadrados, após a ampliação realizada em 2011.

Foram dois anos inteiros de construção, entre 1994 e 1995. Como no local já havia um grande galpão que servia de estoque para as Lojas Macavi, uma das empresas do Grupo Silvio Santos, praticamente todas as etapas foram realizadas sem interferência da chuva. Os seus oito estúdios têm capacidade técnica de operar individualmente, sendo que dois deles, os maiores, de números 7 e 8, são destinados à teledramaturgia. O projeto, desenvolvido pelo arquiteto Joel Abrão, teve a supervisão técnica do engenheiro Alfonso Aurin. "Eu trabalhava quase que umas 14 horas por dia, desenhando em planta todos os estúdios e salas", ressalta. Toda a obra ficou sob responsabilidade da Zappi Construtora e o seu custo total passou de cem milhões de dólares.

A teledramaturgia foi a primeira a chegar à Anhanguera. Na época, estava em gravação a novela *Éramos Seis*, que necessitava de uma cidade cenográfica, erguida num espaço logo atrás da construção principal. Aos poucos, toda a produção do SBT foi transferida para a Anhanguera, e o último programa a se mudar para lá foi o do próprio dono. Silvio continuou gravando por mais alguns meses no teatro da Ataliba Leonel até se mudar definitivamente para a Anhanguera. Quando isso aconteceu, pelo simples fato de o CDT reunir todos os departamentos de uma emissora de televisão, incluindo central de criação, geração, tráfego de fitas, administrativo, comercial e artístico, ele se tornou mais presente no dia a dia da emissora. Além de ter a sua sala no primeiro andar do prédio dos estúdios, inclusive com elevador privativo – que ele nunca usou –, montou um escritório completo no Estúdio 3, onde realiza reuniões de rotina com seus executivos e prepara seus lanches ou até mesmo refeições. Com o tempo, abandonou uma antiga casa na Rua Leiria, no bairro do Ibirapuera – onde contratava artistas –, para ter em Osasco sua principal base de operações.

O engenheiro Alfonso Aurin, que começou a trabalhar com Silvio Santos durante um período em que seu programa dominical teve de ser gerado do Palácio das Convenções do Anhembi, em função de um incêndio no

Cine Sol, foi um dos responsáveis pela manutenção de um dos maiores símbolos do apresentador: o microfone prateado preso a seu colarinho para garantir a mobilidade necessária no palco, numa época em que não existiam equipamentos sem fio. "Nós mesmos desenvolvemos o projeto, com base em modelos da Alemanha. E aquela asinha de metal que ficava perto do nó da gravata era artesanal, cortada na fábrica de cenários da Rua dos Camarés", revela o engenheiro. Eram quatro microfones Sennheiser, alemães, muito bem cuidados para que não se danificassem. "E o Silvio sempre fazia o teste no camarim antes da gravação. Ele sabia até a altura certa para a melhor captação", completa. O fato é que o dono do SBT sempre teve uma preocupação maior com a qualidade do som de sua emissora de TV.

\*\*\*

Em 1998, incomodado com o sucesso que Ratinho fazia na Record, Silvio Santos se empenhou pessoalmente em sua contratação e deu a ele um programa diário na faixa da noite. "Todo mundo era contra. A área comercial dizia que ele era popularesco demais e que, por isso, não venderia, porque só tinha aberração", recorda Mauro Lissoni. "Silvio foi contra toda a diretoria e acertou", afirma. O caso foi parar na justiça, que condenou Ratinho a pagar R$ 14 milhões por ter rescindido unilateralmente o contrato. Coube ao SBT quitar a dívida e, que no entender de alguns, nunca foi feito. Alguns anos depois, numa manhã de domingo, Silvio deixou sua casa no Morumbi e foi sozinho à sede da Igreja Universal, na Avenida João Dias, zona sul de São Paulo. Depois de acompanhar todo o culto, procurou Edir Macedo, que, surpreso com a inesperada visita, recebeu o apresentador. Foi a primeira vez que os dois estiveram frente a frente. O que se tem de informação é que Silvio saiu, por um lado, impressionado com a facilidade de Edir Macedo se colocar diante dos seus fiéis, e, por outro, aliviado, porque os dois resolveram deixar pra lá a questão da multa.

\*\*\*

Certa vez, Dercy Gonçalves foi convidada para fazer o *Fala Dercy*, no SBT, com direção de Adriano Stuart. A conversa foi com o próprio dono da emissora, porque era preciso combinar salário e decidir como seria o programa. Na hora de ler, antes de assinar, Dercy percebeu que não havia nenhuma cláusula estabelecendo a duração do contrato e perguntou:

– Silvio, até quando vai isso?
– Até a morte. Fique tranquila, fique tranquila. Vai até a morte – respondeu ele. Dercy, ainda insatisfeita e cismada, de bate-pronto fez outra pergunta:
– A minha ou a sua?

Dercy Gonçalves em Fala Dercy

Assim como sempre chamou para si a responsabilidade de negociar contratações, também partiram de Silvio Santos as decisões mais importantes tomadas pelo SBT, e até as mais inesperadas. Entre tantas, aquela que deu maior falatório foi em 1985, quando decidiu exibir *Pássaros Feridos*. Entendendo que brigar com a Globo naquilo que ela tinha de melhor e mais forte era jogar dinheiro fora, ele resolveu colocar no ar a série americana depois da novela da concorrente. E não fez a menor cerimônia em anunciar a sua ideia no programa de domingo, véspera da estreia: "Logo depois da novela da Globo, vocês poderão assistir a um filme sensacional. Não precisa deixar de assistir à novela. Assistam à novela e depois vejam o filme", disse, de uma forma que só ele consegue convencer o telespectador. A espera era feita com desenhos animados, até que o capítulo de *Roque Santeiro* terminasse. Essa foi uma das tramas de maior audiência, com elevada participação do público, portanto, a lógica mandava nem perder tempo em tentar achar algo para competir com ela.

Um episódio que sempre será lembrado na trajetória do SBT é a história da *Casa dos Artistas*. A origem do programa, e nunca houve interesse de ninguém em contestar, foi um formato da holandesa Endemol, o *Big Brother*, sucesso em vários países, como Espanha, Inglaterra, Portugal e Grécia. Criado em 1999, é um reality de confinamento que dura por volta de três meses, com cerca de quinze participantes que não têm contato nenhum com o mundo exterior durante esse período. O grande desafio, que dá direito ao prêmio máximo, é permanecer na casa até o último dia, quando o público escolhe por meio de voto na internet, mensagem de texto ou telefone quem merece ser o grande vencedor. O programa, antes de se transformar num grande sucesso da Rede Globo, inclusive antecipando o calendário de atrações da televisão brasileira já para os primeiros dias do ano, esteve em vias de ser comprado pelo SBT. E só não foi porque Silvio Santos desistiu na última hora.

Tudo começou durante a viagem de férias de José Roberto Maluf, vice-presidente do SBT na época, pela Europa, na companhia dos amigos Wilson Thomas e Amaury Júnior, todos com suas respectivas esposas. Na Holanda, assistindo televisão à noite, Maluf vê um negócio chamado *Big Brother*. Assistiu àquilo e imediatamente concluiu que tinha a cara do SBT. "Tenho que levar esse negócio para o Silvio", comentou com sua mulher. No dia seguinte, perguntou ao *concierge* sobre o programa, procurou informações pela internet e viu que era de uma empresa chamada Endemol, com sede em Hilversum, uma cidade a mais ou menos uma hora de carro de Amsterdã. Maluf não pensou duas vezes, e, apresentando-se como representante de uma televisão brasileira, imediatamente ligou para lá querendo falar com alguém. Quem o atendeu foi Peter Landenberg, superintendente-geral da produtora. Ele explicou que era do Brasil, que tinha gostado do programa e queria mais detalhes. O convite "venha aqui para conversar comigo" foi aceito imediatamente. Os amigos e a mulher ficaram no hotel, ele pegou um táxi e foi até Hilversum para só voltar de lá, bem entusiasmado, tarde da noite. "Vi tudo. Fui até a casa do *Big Brother* e recebi todas as explicações de como funcionava, inclusive alguns *demos* para trazer ao Silvio, para mostrar como era", recorda o executivo. Presentinho especial na mala, desembarcou alguns dias depois no Brasil muito animado com o que assistira por lá. Para sua surpresa, Alfonso Aurin, engenheiro do SBT que estava na Espanha na mesma ocasião, tinha visto a estreia do *Gran Hermano* e também queria falar com Silvio sobre o assunto. O que se sabe é que ele, ao receber todo o material e as informações de dois dos seus diretores da mais absoluta confiança, também se entusiasmou com o projeto. "Vamos fazer, é uma boa. Pede mais detalhes de como funciona", disse ele, com a certeza de ter um grande atrativo em mãos.

Os contatos com Peter Landenberg se estreitaram e ele não parou mais de mandar todas as informações necessárias. A Endemol, que era controlada na época pela Telefónica, enviou dois dos seus consultores ao SBT, Antonio Athayde e Antonio Barreto, para se colocarem à disposição no que fosse necessário. E até o próprio superintendente veio ao Brasil para entregar pessoalmente todas as bíblias de produção, ou seja, os manuais que indicavam desde os equipamentos necessários, o tipo de imóvel para o confinamento, o perfil dos concorrentes, até as provas e dinâmicas em grupo. Na oportunidade, foi assinado um pré-contrato, uma carta de intenções, assegurando a prioridade de entregar ao SBT a produção do programa. Algo que também implicaria a criação de uma produtora, a SBT-Endemol, assegurando a propriedade de outros oitenta formatos.

Imediatamente foi cogitada a possibilidade da compra de um imóvel ao lado do SBT, em Osasco, para construir a casa do *Big Brother*.

Até que chegou o momento de assinar o contrato definitivo, com a presença dos diretores do SBT, Maluf, Alfonso e um advogado em Hilversum. Na Holanda, foram discutidas as últimas vírgulas do documento, os detalhes finais de como iria funcionar o aporte de cada parte e os termos de implantação da empresa a ser constituída no Brasil. Era o fecho de três ou quatro meses de um grande trabalho em cima desse assunto. Não se fazia outra coisa a não ser negociar no maior sigilo, porque era absolutamente necessário, por questões de estratégia, manter o segredo. Até que chegou o grande dia. Estava tudo pronto, e o próprio John de Mol, dono da Endemol, iria assinar representando a sua empresa, quando toca o telefone. Era Silvio Santos, do Brasil, querendo falar com José Roberto Maluf.

– Maluf, eu não quero mais – disse ele, de forma categórica.

– Não estou acreditando no que você está me falando, não é possível. Eu já assinei.

– Então, rasga – respondeu, como se fosse simples voltar atrás.

– Como, "rasga", Silvio? – indagou Maluf, sem acreditar muito no que estava ouvindo.

– Já disse, rasga! Não quero mais! – respondeu Silvio, sem mudar o tom de voz.

– Não vou rasgar nada. Você não combinou comigo que estava tudo ok?
– Combinei, mas eu pensei bem e não quero mais. Não é o nosso público.
– Como não é nosso público, Silvio? Claro que é o nosso público, está na cara que é grupo B2, C1, C2[6]. Está na cara! – respondeu Maluf, já meio desesperado com o que estava para acontecer.
– Não quero mais. Eu tenho medo, é muito dinheiro.
– Mas, Silvio, é uma alavancagem inacreditável.

Uma hora depois do telefonema, José Roberto Maluf voltou para a reunião dizendo que, por determinação do dono, teria que regressar ao Brasil para rever o contrato. Foi uma desculpa, evidentemente. John de Mol, que já estava no corredor, a caminho para assinar o documento, avisado por Peter, deu meia-volta e regressou para a sala dele. O jantar comemorativo agendado para aquela noite, consequentemente, também foi desmarcado. Os três representantes do SBT voltaram para o Brasil com o pedido de entregar as bíblias, que já haviam sido copiadas, evidentemente, aqui no país. As originais foram devolvidas, assim como o destrato, com o comprometimento e a responsabilidade civil e criminal de não produzir nada parecido.

Passados três meses, o mercado é informado de que a Globo tinha se associado à Endemol para criar a Globo-Endemol e que ia produzir o *Big Brother Brasil*. Silvio Santos, ao tomar conhecimento disso, imediatamente chamou seu pessoal para distribuir a ordem de que "era preciso fazer alguma coisa para combater isso", e disse que tinha decidido produzir a *Casa dos Artistas*. "É parecido com o BBB, mas com muitas coisas diferentes. Não vai caracterizar nada, porque ideia e formato, no Brasil, a lei não protege", teria dito aos executivos que estavam em sua sala.

Silvio Santos, no meio disso, ao ser informado pelo seu segurança de que a casa ao lado da dele, no Morumbi, estava à venda e Otávio Mesquita seria um dos interessados em comprá-la, imediatamente decidiu adquirir o imóvel. Entre outras coisas, porque a casa seria transformada na locação ideal para o programa. A reforma, sob grande segredo, começou imediatamente e só foi interrompida por ocasião do sequestro de Patrícia, sua filha. Com a imprensa inteira por ali dando plantão dia e noite, entendeu-se como conveniente parar tudo, sob o risco de alguém acabar descobrindo o que estava sendo feito lá dentro. A Globo, por sua vez, planejava estrear o *BBB* no início do ano com um casal de apresentadores. Patrícia voltou e depois o

---

6 Classificação social baseada na renda de todos os membros de uma família – a mais alta é A1 e a mais baixa é E.

sequestrador invadiu a residência de Silvio Santos, com ele dentro. Só após tudo isso a reforma prosseguiu e foi concluída.

E assim foi. No sábado, 28 de outubro de 2001, véspera da estreia da *Casa dos Artistas*, ainda durante o Teleton, Silvio Santos se limitou a pedir que todos se preparassem para uma grande surpresa que o SBT iria oferecer na noite do dia seguinte, domingo. No meio da tarde, um vídeo curto foi exibido para aguçar a curiosidade. Na tela apareceu uma fechadura com a sugestão para que cada um espionasse o que acontecia do outro lado da porta. E sem nenhuma outra informação prévia, chamadas ou propaganda em jornais, o reality estreou pontualmente às 20h, imprimindo ao *Fantástico* uma grande derrota no Ibope. A primeira temporada foi um fenômeno de audiência e incomodou muito a Globo, que viu o *Jornal Nacional* ficar em segundo lugar durante os boletins diários do programa, sempre com provas, eliminações, brigas e romances. Diante dos resultados a favor do SBT, a estratégia adotada foi esticar o *JN* para colocá-lo no sacrifício e poupar a novela. Mexer nos horários fixos para correr da concorrente era algo jamais imaginado por quem fez a história da TV de Roberto Marinho.

A estreia do *Big Brother Brasil*, com Pedro Bial e Marisa Orth no comando, ficou meio abafada diante da grande repercussão do reality que tinha Silvio Santos no comando e Alexandre Frota entre os participantes, sempre disposto a polemizar. Para completar, a ainda desconhecida Bárbara Paz se apaixonou por Supla, levando o telespectador a acompanhar o relacionamento todas as noites, como que em capítulos de uma novela.

Já na segunda edição, exibida logo na sequência, a Globo entrou com uma liminar para tirar a *Casa dos Artistas* do ar, alegando que os direitos eram dela. Mas o SBT, por intermédio de seus advogados, conseguiu derrubá-la no tribunal.

E assim foi durante o tempo em que a *Casa dos Artistas* existiu, entre 2001 e 2004. As intimações só eram propositadamente recebidas às 21h30, depois que o programa era levado ao ar. Em várias ocasiões, quando os representantes da justiça chegavam à portaria da emissora na Anhanguera, os executivos partiam em helicópteros ou deixavam o local por uma saída lateral.

\*\*\*

Como ação social, desde 16 de maio de 1998, o SBT é o organizador da maratona Teleton, que destina integralmente os resultados da campanha para as obras assistenciais da AACD. É realizada todos os anos, inclusive com a presença de contratados de outras emissoras. Hebe Camargo, conhecendo a obra que a AACD realizava, estimulou Silvio Santos a desenvolver esse projeto no Brasil. "Convencido por ela, pediu que três funcionários fossem para o México conhecer todo o processo de produção e exibição da maratona, que era comandada por Don Francisco, um dos principais apresentadores da Televisa", recorda Mauro Lissoni, que fez parte dessa equipe que passou vinte dias na capital mexicana e, depois, mais um período em Santiago. "A grande frustração do Silvio foi não conseguir fazer o *pool* das emissoras, porque na cabeça dele aquilo não é um programa, mas uma forma de ajudar o próximo", completa. Durante o estágio nos dois países, os funcionários do SBT constataram que o grande segredo do Teleton é prestar contas ao doador, mostrando onde o dinheiro foi investido, incluindo as ações feitas em bastidores. É uma prática adotada até os dias atuais pela versão brasileira.

\*\*\*

José Bonifácio de Oliveira Sobrinho, o Boni, afastado da direção da TV Globo em 1997, ficou durante cinco anos recebendo salário mensal de R$ 1 milhão como "consultor estratégico", cargo criado para que não pudesse prestar serviços a nenhuma concorrente. Em 2001, quase ao final desse período, o também ex-Globo Luiz Eduardo Borgerth, na oportunidade trabalhando no SBT, informou à direção da emissora que a carência de Boni estava no fim e que, numa conversa informal, teria dito que seria um prazer trabalhar na emissora de Silvio Santos.

Borgerth, imediatamente, foi encarregado de marcar uma conversa entre ele e o vice José Roberto Maluf, que aconteceu durante um jantar, no restaurante Jardim de Napoli, centro de São Paulo, a uma mesa repleta de vinhos cuidadosamente escolhidos.

– Não temos dinheiro para te pagar. Você está acima dos padrões normais da televisão brasileira, exceção da própria Globo. Mas queremos você trabalhando conosco – disse Maluf.

Boni, para surpresa dos dois executivos, falou que topava por zero de receita e que queria ganhar apenas sobre aquilo que o SBT passaria a faturar a mais com o resultado do seu trabalho. Caminho aberto, faltava o principal: convencer Silvio, tarefa marcada para o dia seguinte. Mesmo achando que seria muito bom, ele demonstrou preocupação com o seu programa. Tinha medo de que Boni quisesse mexer nele e só se tranquilizou quando ouviu que nada mudaria com seu semanal.

– Ninguém vai mexer no seu programa. Você continua dono da empresa. Boni virá como contratado por meio da empresa dele e vai mexer de segunda a sábado no que for necessário. O domingo é seu, como sempre foi e continuará sendo – disse o vice-presidente do SBT.

– Então está ótimo. Podem trazer o Boni e tocar o assunto. Vai ser muito bom – respondeu Silvio, rapidamente convencido.

Imediatamente, José Bonifácio de Oliveira Sobrinho foi chamado e, na tarde daquele mesmo dia, desembarcou de helicóptero no SBT para receber a informação de que estava tudo certo com Silvio e que a ordem era fazer o contrato imediatamente. Edson Kawano, diretor jurídico da emissora, agiu rapidamente e, depois de várias trocas de minutas por fax com o advogado de Boni, no Rio de Janeiro, apresentou o documento final. Tudo estava conforme o estabelecido, com zero de salário e remuneração baseada no aumento do faturamento. Ele deveria começar imediatamente após o vencimento do prazo em que não podia trabalhar em televisão. O vice-presidente, num estalo, resolveu levar o contrato até Silvio, que nem queria ver, mas no fim acabou assinando o documento como testemunha. Festa na Anhanguera. Boni foi embora e outro jantar, marcado horas depois, com todo mundo feliz, comemorando a assinatura.

Existem, para o desfecho, duas versões diferentes, mas ambas com o mesmo resultado. A primeira é que, ainda durante a madrugada, sem conseguir dormir, o próprio Silvio teria telefonado para Boni dizendo que não conseguiria cumprir aquele contrato. Não iria suportar não mexer nem mandar na programação do SBT, como sempre aconteceu, e que os dois acabariam brigando. A outra é que, na manhã do dia seguinte, por volta das sete da manhã, tocou o telefone na casa de José Roberto Maluf. Era Silvio dizendo para cancelar o contrato porque ele não estava feliz, muito menos satisfeito, e que não iria conseguir conviver com uma situação daquela. Para todos os argumentos utilizados, a resposta foi sempre a mesma: "Não quero".

Por volta das 10 horas, o VP ligou para Boni, que atendeu dizendo: "Já sei o que você quer: rasgar o contrato. Mas eu não quero rasgar, vamos rescindir". E assim foi feito. E assim o SBT ficou sem o homem que transformou a Globo no maior império da comunicação brasileira.

\*\*\*

Não só o começo dos anos 2000, mas toda aquela década foi especialmente difícil para o SBT, que extinguiu praticamente todos os seus núcleos de produção e promoveu drástica redução no seu número de funcionários e colaboradores. Silvio Santos foi convencido de que estava gastando demais para fazer televisão e que os mesmos resultados poderiam ser alcançados se enxugasse os seus custos de produção. As consequências não demoraram a vir. Ao mesmo tempo que a sua principal concorrente apresentava sinais de fragilidade, a Record passou a investir em setores importantes da sua produção, especialmente na teledramaturgia, dentro do projeto "A Caminho da Liderança". A emissora de SS sentiu e não assimilou esse golpe. E, se todos os problemas dessa má fase já não fossem suficientes, em 2003, durante suas férias em Orlando, por telefone e provavelmente sem medir as consequências, Silvio disse à revista *Contigo* que estava muito doente, nos últimos dias de vida, e que estaria vendendo o SBT para o Boni e para a Televisa. Foi outro terrível golpe contra o próprio patrimônio – principalmente contra o seu departamento comercial, obrigado a explicar a clientes e anunciantes que não era nada daquilo, que tudo não passava de mais uma piada do patrão. Convencido do estrago que tinha feito e para provar que tudo não passava de brincadeira, Silvio Santos entrou por telefone no programa *Domingo Legal* e desmentiu tudo. Disse que diante da pergunta da jornalista, querendo saber quando ele ia se aposentar, falou aquilo, mas que admitia ser de mau gosto e estava arrependido de ter feito a brincadeira.

A colocação do mexicano Eugenio Lopez Negrete como vice-presidente, cargo vago desde a saída de José Roberto Maluf, acabou sendo outra medida infeliz. Silvio o conhecia como vendedor de novelas da Televisa e alguém que encontrou por acaso numa feira de programação em Miami. Como na ocasião o SBT tinha o executivo Jean Teppet como superintendente, com seu jeito duro de administrar – e por causa dele colecionando inimigos –, o dono da TV entendeu que o cargo de vice-presidente poderia ser preenchido por Negrete. O total desconhecimento da televisão brasileira e do próprio SBT o levaram a tomar uma série de decisões equivocadas. Ficou apenas dois anos no cargo.

No final de 2009, descontente com a forma como o SBT era dirigido, Gugu Liberato assinou contrato com a Record por oito anos. Sabendo quanto ele iria ganhar – oficiosamente, falou-se em R$ 4 milhões por mês, em um encontro no salão do cabeleireiro Jassa –, Silvio admitiu que não tinha como cobrir a proposta e que o apresentador tinha de aceitar, porque era um contrato milionário. "Que seja feliz", disse ele no final da conversa. Mas também foi uma passagem que fez ressurgir sua mania de nunca desistir. A cada golpe, um contragolpe. E, como troco à concorrente, acertou as contratações de Eliana e Roberto Justus, dando-lhes, inclusive, o direito de escolherem aqueles que seriam importantes para a composição de suas equipes. Curiosamente, o executivo Paulo Franco foi incluído entre esse pessoal. Alguns meses antes, ele havia trabalhado intensamente para a contratação de Gugu e posou para fotos no ato da assinatura.

\*\*\*

Em sua história interna de teledramaturgia, foram várias as experiências do SBT ao longo de toda a década de 2000. Até a chegada de Tiago Santiago, autor de inúmeros sucessos na Record, pouca coisa importante aconteceu nesse setor, já que muitos títulos passaram despercebidos pela crítica. "*Uma Rosa com Amor* deu um retorno interessante e *Amor e Revolução* foi um tema difícil e polêmico, porque tocou em muitas feridas do país", diz o autor, que durante a realização da novela sofreu pressão dos conservadores e dos progressistas. Santiago saiu do SBT e, por força do contrato, deixou duas sinopses à disposição da emissora. "O Silvio tem a obrigação de produzir, mas o documento não estipula um prazo", completa. O autor tenta garantir na justiça que as histórias fiquem livres.

O retorno, diante de custos de produção elevados, era próximo de zero, e nem mesmo a reprise de *Pantanal*, da Manchete, despertou o interesse que se imaginava no público. Eis que, em 2012, entra em cena Íris Abravanel, mulher de Silvio Santos, que assumiu a condição de autora principal do SBT. *Corações Feridos* foi o primeiro trabalho desenvolvido por ela à frente de um grupo de roteiristas que trabalham no seu "QG", como ela mesma afirma, em uma casa ao lado da sua, a mesma que serviu de locação para o reality *Casa dos Artistas*. Durante uma reunião do comitê artístico, a filha de SS Daniela Beyruti propôs que um novo caminho fosse buscado e, em vez de concorrer na mesma linha de Globo e Record, achar um espaço na teledramaturgia. A opção encontrada foi o público infantil, baseada no sucesso que *Chiquititas*, como exemplo, tinha alcançado no passado.

A primeira produção dessa fase foi *Carrossel*, que estreou em 21 de maio de 2012, registrando números na casa dos dois dígitos, algo que havia muito tempo o SBT não conquistava. O sucesso levou a centenas de licenciamentos e originou uma série, *Patrulha Salvadora*. Na sequência, uma nova versão de *Chiquititas*, que deu espaço para *Cúmplices de um Resgate* e, depois, *Carinha de Anjo*.

Nos últimos anos, o SBT diminuiu de maneira bem importante a sua carga de produção, mas ainda assim os resultados de audiência conquistados atendem à expectativa da sua direção. Há sempre uma disputa muito igual com a Rede Record, sua principal concorrente, pela vice-liderança.

### Quem quer dinheiro?

Silvio Santos sempre desprezou propostas milionárias para fazer comerciais de empresas que não fossem as suas, resistindo bravamente mesmo diante de convites tentadores em condições de virar a cabeça de qualquer mortal. Mas nem sempre foi assim. O seu primeiro trabalho na televisão, antes mesmo de lançar um programa próprio em horário comprado na TV Paulista, foi como garoto-propaganda das Lojas Clipper e já com alguma experiência para isso. Afinal, Silvio era o locutor de intervalo dos programas de Manoel de Nóbrega na Rádio Nacional.

# Manchete, uma TV de primeira classe

"A Manchete foi uma empresa, talvez a única, que permitiu ao profissional da televisão exercer toda a sua criatividade."
(Nilton Travesso)

Os fechamentos das TVs Tupi, Excelsior e Manchete até hoje são lamentados por tudo que cada uma representou na vida de quem passou por elas. A televisão do Brasil, com toda a certeza, não estaria no estágio em que está, reconhecida por seus trabalhos em diferentes pontos do mundo, se ao menos uma, entre as três, não tivesse existido. Todas, isoladamente, prestaram a sua contribuição de forma decisiva.

A Manchete, de forma bem particular, desde o seu primeiro dia, 5 de junho de 1983, um domingo, se propôs a realizar uma televisão diferente, com o comprometimento da sua direção em fazer uma TV de primeira classe. Assim como Silvio Santos, Bloch foi alvo de ataques de alguns setores da sociedade e mesmo da imprensa sob a suspeita de que a sua emissora seria mais uma em condição de subserviência ao governo da ditadura da época. Ao mesmo tempo, nos bastidores, falou-se em certa hesitação do presidente Figueiredo no momento de assinar a concessão, porque entendia que a televisão nas mãos dos Bloch poderia ser uma continuidade da revista *Manchete*, "com mulheres peladas" no Carnaval.

Como modelo de negócio, nenhuma outra teve um início igual. Cerca de US$ 50 milhões foram investidos em instalações e compra de equipamentos, entre o que existia de mais avançado na época. Em uma reunião na Argentina, em um hotel em Buenos Aires, com a presença de importantes empresários, realizada imediatamente após o anúncio da concessão, decidiu-se que a colônia judaica iria contribuir com boa parte dessa quantia. O que, de fato, aconteceu. De todas as TVs, a Manchete foi aquela que mais se aparelhou para iniciar as suas operações. Tinha o que de melhor existia na época.

O escritor e pesquisador Elmo Francfort entende que a Manchete não se vendia simplesmente como uma emissora de TV, mas como uma grife. Nas suas boas e melhores fases, sempre procurou se colocar com classe e elegância. "Como tratamento de imagem, foi aquela que mais se aproximou da Globo", diz o autor do livro sobre a rede comandada por Adolpho Bloch. Além do Rio de Janeiro, sede da sua principal geradora, como restante do pacote da concessão, o empresário ficou com São Paulo, Belo Horizonte, Recife e Fortaleza. A promessa de fazer uma televisão de qualidade teve início no próprio domingo da sua inauguração, imediatamente após os discursos do dono da emissora e do então presidente da República, João Figueiredo.

Em todo esse trabalho, o de implantação da emissora e a montagem da sua grade de programação, a participação de Rubens Furtado foi fundamental. A experiência que acumulou em muitos anos de TV Tupi foi colocada em prática na Manchete. Furtado acabou sendo aquele que conseguiu traduzir para a linguagem da televisão muito daquilo que a empresa já tinha como marca e conquista na imprensa escrita. Antecedendo o show que marcou o início das operações, uma vinheta com o "M" em forma de nave espacial aterrissou no alto do prédio da empresa, na Rua do Russel, Praia do Flamengo, anunciando a exibição do programa especial sob o título *O Mundo Mágico*, com direção de Nelson Pereira dos Santos. Entre os participantes, nomes consagrados da música brasileira, como Ney Matogrosso, Luiza Possi, Sérgio Mendes, Alceu Valença, Paulinho da Viola, Lucinha Lins, Cláudio Tovar, Erasmo Carlos, Elba Ramalho, Watusi, Kleiton & Kledir, Marina, Dona Ivone Lara com as baianas da Portela, Joanna, além das bandas Blitz, A Cor do Som, Roupa Nova e números especiais de Arthur Moreira Lima, Ana Botafogo e Fernando Bujones e do Ballet da Manchete. O espetáculo ficou a dois pontos do *Fantástico*, que naquela ocasião perdeu boa parte de sua audiência. Na sequência, o filme *Contatos Imediatos de Terceiro Grau*, inédito na televisão e uma das grandes sensações da época, deu o primeiro susto nos executivos da Globo. A TV estreante estava à frente no Rio e em São Paulo.

A programação apresentada na segunda-feira, dia subsequente ao da inauguração, comprovou na prática o desejo de fazer uma televisão diferente da que já existia – uma "Televisão de Primeira Classe". Qual outra teria a ousadia de inserir em sua grade fixa algo parecido com *Um Toque de Classe*, em que o pianista Arthur Moreira Lima conversava com grandes nomes da música erudita? Até então, só a educativa TV Cultura, em São Paulo, tinha chegado a tanto. Ou de colocar no ar, como carro-chefe, um informativo como o *Jornal da Manchete*, em seu início com duas horas de duração? Ao mesmo tempo também houve a aposta numa jovem modelo para conduzir o *Clube da Criança*. Maria da Graça Meneghel, que alguns anos depois se transformaria em Rainha dos Baixinhos, como experiência em televisão tinha feito apenas uma rápida participação no *Essas Mulheres Maravilhosas*, apresentado por J. Silvestre na Bandeirantes. Ela admite que a sua sensação foi de insegurança e medo ao ser chamada para assumir um programa infantil. "Só tinha 20 anos, e tudo era muito mágico pra mim. Assinei contrato por apenas um mês, pois não sabia o que ia rolar. O tempo passou rápido e assinei por mais três meses. Tive receio de me arrepender, assinar um contrato e ficar presa a algo que eu não sabia fazer. E aí fui ficando", recorda Xuxa.

Xuxa no comando do Clube da Criança - TV Manchete

Marlene Mattos, ao sair da Bandeirantes e se mudar para a Manchete, entre outros trabalhos, recebeu de Maurício Sherman a incumbência de acompanhar o *Clube da Criança*, mas como compromisso principal dar todo o suporte à apresentadora do programa, que, mesmo sendo nova e ainda sem quase nenhuma história na televisão, era uma grande aposta da casa. Uma missão, segundo a diretora, que ela conseguiu cumprir com muita facilidade, especialmente pela vontade de aprender que encontrou naquela moça. "O que pensava, dizia. E fiquei impressionada com sua disposição para o trabalho e a vontade de vencer", diz.

Entusiasmado com o sucesso da sua apresentadora infantil, entre elogios e outras manifestações de carinho, Adolpho Bloch deu a Xuxa um cachorrinho de presente, o que deixou dona Ana Bentes, sua mulher, extremamente enciumada. Se uma coisa teve a ver com a outra, ninguém sabe dizer, nem se atreve a assegurar, mas o fato é que Adolpho ficou dois meses morando sozinho na Casa da Manchete, na Avenida Europa, em São Paulo. Ele, na verdade, tinha por Xuxa o carinho de um pai. No dia em que ela fez 21 anos, sabendo que uma das grandes frustrações de sua vida era não ter dançado a valsa com seu próprio pai, Adolpho Bloch foi ao estúdio, mandou que o sonoplasta tocasse "Danúbio Azul" e dançou com ela. Xuxa se recorda dessa passagem até hoje. A apresentadora e Marlene Mattos continuaram na Manchete até 1986, quando se transferiram para a Globo.

Para buscar outra pessoa que pudesse comandar a programação infantil, a direção da emissora decidiu apostar novamente em alguém que ainda não tivesse história na televisão, e a selecionada foi uma menina de 12 anos, loirinha, de nome Angélica. Sua participação nos programas *Nave da Fantasia* e *Shock* garantiu que fosse escolhida para ser a nova apresentadora do *Clube da Criança*. Bastaram apenas alguns meses para que ela viesse a ser a mais nova grande estrela da casa, inclusive com a música "Vou de Táxi" nas paradas de sucesso. Lá, ela ainda apresentou *Milk Shake*, levado ao ar aos sábados, e atuou como atriz na minissérie *O Guarani*, até se transferir para o SBT, em 1993.

Fiel às tradições, o jornalismo ocupou espaços em todo o tempo de existência da Manchete, sempre com o diário *Jornal da Manchete* e o semanal *Programa de Domingo* como carros-chefe da sua programação. O *Jornal da Manchete*, como produto de grade, foi o que ficou no ar do primeiro ao último dia da emissora, de 6 de junho de 1983 até 8 de maio de 1999. Todos os convidados para a apresentação do telejornal, mesmo nomes já conhecidos da televisão, foram obrigados a se submeter a testes e passar pelo crivo dos principais diretores da empresa, entre eles Adolpho Bloch, seu irmão Oscar, Pedro Jack Kapeller, Arnaldo Niskier e Zevi Ghivelder. Luiz Santoro, por acaso, foi o primeiro a passar pela avaliação. "Eu nunca tinha usado teleprompter. No dia do teste foi a primeira vez. O Zevi Ghivelder, entendendo que aquilo poderia me prejudicar, permitiu que treinasse um pouco antes. Fui aprovado e trabalhei ao lado de pessoas maravilhosas, como Carlos Bianchini, Ronaldo Rosas, Roberto Maya, Claudia Ribeiro, Íris Lettieri, Leila Cordeiro, Eliakim Araújo e Márcia Peltier", recorda. "A experiência na Manchete foi maravilhosa, pois estávamos saindo de uma emissora já consagrada em termos de audiência para uma que estava praticamente começando. Tínhamos total liberdade de criar e nos expressar. Na época, 1989, não existia ainda a força da internet e muito menos escrevíamos texto em computadores. Era nas velhas máquinas de datilografia. Mas assim mesmo, todo o nosso trabalho era feito com muito carinho. Desde o telejornal, às matérias na rua e a cobertura do Carnaval na avenida. Tudo parecia novo para nós", diz Leila Cordeiro, contratada junto com seu marido para ancorar os telejornais da Manchete. "Foi uma experiência inesquecível. Afinal, tivemos a certeza de que existia 'vida depois da Globo'", completa.

Já o *Programa de Domingo*, entre 20h e 22h, foi criado por Fernando Barbosa Lima para fazer frente ao *Fantástico* e se apresentava como "uma revista em movimento". Além de permitir a abordagem mais ampla dos principais acontecimentos da semana, o programa também tinha espaços para música, teatro, cinema, comportamento e esporte. Carolina Ferraz, Lúcia Veríssimo, Kátia Maranhão, Geórgia Wortmann, Leila Richers, Ronaldo Rosas, Maitê Proença, Fábio Pannunzio, Augusto Xavier e Carlos Bianchini foram alguns dos seus apresentadores, contando ainda com participações especiais, como de Osmar Santos, Paulo Stein, Rubens Ewald Filho, Carlos Chagas, Sérgio Britto, entre outros.

Ainda no jornalismo, como um grande avanço para as reportagens da época, em 1989 estreou o *Documento Especial*, criação de Nelson Hoineff, com apresentação de Roberto Maya. Antes da sua exibição, um letreiro desaconselhava a que menores de idade assistissem, porque o programa ia fundo nos mais diversos assuntos, como violência, sexualidade e exploração da boa-fé. Foi o primeiro que denunciou as práticas da Igreja Universal. Em uma segunda fase, já com o nome de *Manchete Especial: Documento Verdade*, o programa teve a apresentação do também ator Henrique Martins.

A aposta na qualidade foi uma constante nos primeiros dias de existência da Manchete, tanto na elaboração de programas como nos cuidados da sua imagem e avanços técnicos. Em 15 de abril de 1987, foi a primeira televisão do Brasil a transmitir com som estéreo, graças a um acordo firmado com a Philips. O programa *Um Toque de Classe*, no momento em que César Camargo Mariano foi substituído por Isaac Karabtchevsky, foi um dos primeiros a se valer dessa tecnologia.

*Antônio Maria*, escrita e dirigida por Geraldo Vietri em 1985, exibida em 126 capítulos na faixa das 18h30, marcou o início de trabalhos da Manchete no campo da teledramaturgia. Elaine Cristina, Cláudio Marzo, Jorge Cherques, Jacqueline Lawrence, Guilherme Corrêa, Myriam Pérsia e, no papel-título, Sinde Filipe, foram alguns dos que integraram o elenco. Depois dela vieram *Dona Beija* (Wilson Aguiar Filho), *Novo Amor* (Manoel Carlos), *Tudo ou Nada* (José Antônio de Souza), *Mania de Querer* (Sylvan Paezzo), *Corpo Santo* (José Louzeiro, Cláudio MacDowell e Wilson Aguiar Filho), *Helena* (Mario Prata), *Carmem* (Gloria Perez), *Olho por Olho* (José Louzeiro, Wilson Aguiar Filho e Geraldo Carneiro) e *Kananga do Japão* (Wilson Aguiar Filho), após a qual, em 27 de março de 1990, se inicia a exibição de *Pantanal*, de Benedito Ruy Barbosa, seu maior sucesso, com direção de Jayme Monjardim. "A sinopse estava na gaveta da Globo e uma das coisas que eu falei pro Benedito na época foi: 'Vem para a Manchete e eu realizo o teu grande sonho, que é fazer essa novela'. A gente estava aberto para fazer grandes loucuras, para fazer coisas novas. A gente tinha essa liberdade do Sr. Adolpho para ousar. Então foi incrível fazer uma novela como *Pantanal* naquela época. Foi muito ousado para os atores e toda a equipe. Todos se sujeitaram a trabalhar em condições sem qualquer conforto. Ficavam dez atores no mesmo quarto, porque não tinha como dar uma suíte para cada um", diz Monjardim. Foram 216 capítulos de plena aventura para quem assistia e muito mais aventura para quem fazia.

Depois vieram *A História de Ana Raio e Zé Trovão* (Marcos Caruso e Rita Buzzar), *Amazônia* (Jorge Durán e Denise Bandeira), *Guerra Sem Fim* (José Louzeiro e Alexandre Lydia), *Uma Onda no Mar* (Chico de Assis e Domingos de Oliveira), *Tocaia Grande* (Walter George Durst, Duca Rachid, Marcos Lazarini e Mário Teixeira), *Xica da Silva* (Walcyr Carrasco), *Mandacaru* (Dias Gomes) e *Brida* (Jayme Camargo).

A ousadia, aliás, também foi uma marca da Manchete e prevaleceu em todos os seus setores, mais visivelmente no jornalismo e na teledramaturgia.

TV Manchete SP - Estúdio de jornalismo (1990)

"Aconteceu, virou Manchete" é uma frase que, mesmo depois de muitos anos, permaneceu viva na lembrança das pessoas, particularmente daqueles que participaram mais diretamente da existência da emissora.

As coisas começaram a se complicar no começo dos anos 1990, no momento em que Adolpho Bloch passou a admitir a alguns empresários, entre eles Paulo Octávio, João Carlos Di Genio e Orestes Quércia, a sua preocupação com uma dívida em torno de US$ 20 milhões acumulada nos cinco anos anteriores. Entre os seus diretores, no entanto, fala-se em um valor bem superior, quase o dobro disso, a maior parte já vencida, no Banco do Brasil. Mesmo com todas as dificuldades, os trabalhos na produção da TV ainda continuaram com certa normalidade. O *Almanaque*, com apresentação de Tânia Rodrigues e César Filho, roteiro de Rosana Hermann e direção de Nilton Travesso, foi uma dessas boas novidades. Em formato de revista, procurou se aproximar do extinto *TV Mulher*, da Globo, mas ia ao ar todas as tardes, de segunda a sexta, contando também com as participações fixas da atriz Jussara Freire, de Ala Szerman como consultora de moda e de Wilson Cunha falando de cinema.

A crise, no entanto, começou a se fazer mais presente no dia a dia da emissora, e Adolpho Bloch, mesmo resistindo até o fim, em julho de 1992, chorando, entregou para o empresário Hamilton Lucas de Oliveira, dono da Indústria Brasileira de Formulários – IBF –, a direção da TV Manchete. Na ocasião se suspeitou que HLO, como era conhecido, tinha como principal patrono da negociação o presidente Fernando Collor, algo que nunca se confirmou e que, na prática, verificou-se que não era verdade. Por 49% do capital acionário da Rede Manchete de Rádio e Televisão, Hamilton Lucas de Oliveira pagou o valor equivalente a US$ 25 milhões e assumiu outros US$ 100 milhões em dívidas, inclusive trabalhistas.

A chegada do novo dono e a colocação de David Raw, ex-Tupi e alguém com bom trânsito no mercado, não serviram para resolver praticamente nenhum dos muitos problemas que existiam ou diminuir os movimentos de greve. Ao contrário. A programação de qualidade de outrora aos poucos foi se deteriorando e dando lugar a produtos de gosto duvidoso, que em nada faziam lembrar a Manchete dos primeiros dias. Também se acentuaram as paralisações dos funcionários, em todas as emissoras da rede, em protesto aos atrasos de pagamento, tornando a situação insustentável, a ponto de, em 15 de março de 1993, a própria televisão do Rio de Janeiro, por força da invasão de funcionários, em um slide anunciar a sua greve:

**"Estamos fora do ar por falta de pagamento dos meses de dezembro, janeiro, fevereiro e parte do décimo terceiro de 1992".**

Numa das greves, a apresentadora Xênia Bier largou o programa ao vivo e foi se juntar aos funcionários que estavam com os braços cruzados. "Ela tirou o paletó e contou tudo ao telespectador. Imediatamente, a direção do Rio de Janeiro ligou, determinando sua demissão", conta Luiz Francfort, um dos gerentes da emissora na época. "A pressão era enorme. Os diretores mandavam ligar na casa dos grevistas para falar com as mulheres e tentar convencê-las a mudar a ideia dos maridos. O discurso era sempre o mesmo: volta ou perde o emprego", recorda Alzira Francfort. De nada adiantaram as interferências de políticos, como o ministro do Trabalho da época, Walter Barelli, ou da Justiça, Maurício Corrêa, e até do próprio presidente da República, Itamar Franco. Uma situação que só piorou, mesmo com o Grupo Bloch retomando o controle da emissora em 23 de abril de 1993, por meio de uma medida cautelar expedida pela Justiça do Rio de Janeiro. Foi alegado que Hamilton Lucas de Oliveira não tinha completado o pagamento dos valores ajustados na venda, embora o empresário tivesse comprovações de que as dívidas da emissora superavam em quase o dobro o que foi informado pelo Grupo Bloch. Como outro grande golpe contra a emissora, em meados de novembro de 1995, Adolpho Bloch, hospitalizado na Beneficência Portuguesa, em São Paulo, com quadro de embolia pulmonar e disfunção da prótese da válvula mitral do coração, veio a falecer no dia 19, aos 87 anos, sem deixar filhos.

Ainda assim, houve esforços na Manchete, por parte da direção, de tentar reerguer a empresa. Impulso que acabou tornando possíveis a transmissão da Olimpíada de Atlanta em 1996, a estreia de *Xica da Silva* e lançamentos de programas com Raul Gil, Sula Miranda e até com o treinador de futebol Zagallo. Mas já era o começo do fim. Mesmo de volta às mãos dos seus criadores, e ainda que existissem esforços para reerguer a programação, a Rede Manchete continuou se deteriorando e perdendo emissoras e afiliadas importantes de diversos pontos do país. E, com a carga de produção debilitada, os responsáveis não conseguiram criar meios que pudessem ser mais saudáveis para a recuperação. Aos poucos, embora existisse o esforço de apresentar coisas novas, os diversos buracos abertos na grade passaram a ser ocupados por igrejas, programas de televendas ou qualquer outro concessionário que aparecesse com dinheiro na mão. Entre esses compradores de horários, a TV Ômega, dos sócios Amilcare Dallevo e Marcelo de Carvalho, que locou uma faixa dos domingos para levar ao ar o *Domingo Milionário*. Apresentação de J. Silvestre, com as participações de Marcelo Augusto, Thunderbird e um menino chamado Luiz Fernando, que anos depois ficaria conhecido como Luiz Bacci. Por trás de tudo existia algo chamado "0900", com farta distribuição de automóveis e prêmios em dinheiro, e que em outras TVs também serviu para reforçar de maneira bem importante as contas bancárias de vários apresentadores.

No dia 10 de maio de 1999, a Manchete saiu definitivamente do ar, da mesma maneira que entrou, exibindo o passeio do seu "M" metálico por diferentes pontos do país, até pousar no prédio da Rua do Russel, na Praia do Flamengo. Só que dessa vez para nunca mais alçar voo.

# A teledramaturgia na década de 1980

Se na década de 1970 Janete Clair e Ivani Ribeiro determinaram as características da teledramaturgia brasileira, desenvolvendo os ganchos, a narrativa folhetinesca na televisão e um jeito todo nosso de contar histórias em capítulos, nos anos 1980 a indústria das novelas se estabeleceu definitivamente no país, inclusive com a exportação de vários títulos. Como produto, os compradores já não tinham mais dúvidas sobre sua qualidade e retorno em audiência e faturamento comercial.

Uma nova geração de autores, sem nenhuma influência do rádio, mas observadores do estilo de Janete e Ivani, assumiu a criação de muitas tramas. "Já não eram mais aqueles textos fantasiosos da Glória Magadan, com diálogos poetizados herdados das radionovelas. A televisão tinha adquirido finalmente uma linguagem própria", destaca Marieta Severo. A atriz voltou a atuar em novelas brasileiras em 1985, depois de um longo período de exílio com seu marido, o cantor e compositor Chico Buarque, perseguido pelos censores.

Ao mesmo tempo, escritores com uma bagagem maior na carreira conseguiram mais liberdade para contar suas histórias, algumas adormecidas pela pressão do regime militar. "Nos anos 80, a dramaturgia conquistou um sucesso estrondoso, o que também contribuiu para o crescimento de muitos profissionais e a entrada dos colaboradores", diz Silvio de Abreu, o atual responsável pela dramaturgia diária da Globo. A responsabilidade também ganhou outra dimensão, visto que não havia mais dúvidas quanto ao papel da teledramaturgia na grade das emissoras, principalmente a Globo, que, naquela época, havia conquistado a liderança absoluta, com mais de 60% do público. "Ficou estabelecido que o horário nobre começava com uma novela, depois um jornal local, seguido por outra produção de dramaturgia. Na sequência, o *Jornal Nacional* e depois a novela mais forte", explica o autor. "É um esquema vitorioso que vem até hoje e segura toda a estratégia da Globo", completa Silvio de Abreu.

Com o avanço dos anos 1980, a teledramaturgia ganha novos contornos. As histórias não são mais narradas com longos diálogos e há um número maior de cenas para prender o telespectador. "Antes, um bate-papo no mesmo cenário chegava facilmente a dez minutos e, com isso, o capítulo contava com quatro ou cinco sequências. A gravação era relativamente rápida. Depois, diminuíram as conversas e aumentaram as cenas e o monta e desmonta de cenários", destaca Antônio Fagundes, um dos raros atores que dificilmente errava suas falas ou marcações, tamanha sua capacidade de concentração e absorção do texto. "Ao ficar mais industrial, a novela obrigou o ator brasileiro a desenvolver técnicas para memorizar o roteiro, algo bem diferente de outros países, como o México, onde o uso do ponto eletrônico é muito comum", ressalta Bárbara Bruno. Na Televisa, por exemplo, em que são produzidos simultaneamente vários títulos, o uso de um equipamento que possibilite que alguém nos bastidores leia o texto para os intérpretes é encarado de forma natural, porque isso evita atrasos e maiores problemas. Já no Brasil, essa questão é encarada por outro ângulo. "O tempo traz experiência e, com isso, você aprimora a sua técnica para decorar e levar da melhor maneira o trabalho em estúdio", diz Cássio Gabus Mendes.

Essa forma de enxergar o trabalho de interpretação na televisão com mais responsabilidade se deve em parte à origem dos atores. Na década de 1980, poucos eram os profissionais que não haviam passado pelo teatro, portanto, construir um personagem na TV exigia a mesma dedicação, apesar de toda a pressão da indústria. "É tão grande o volume que você produz num dia que, no final do expediente, estou botando a língua pra fora", conta Fernanda Montenegro, a maior referência entre as atrizes brasileiras. "E, apesar de tudo, o resultado é sempre de primeiríssima qualidade, porque sempre nos permitem entrar numa zona de improvisação para nos socorrer em determinadas cenas", completa a atriz.

Como todo produto industrial, é fundamental sua aceitação pelo consumidor; nesse caso, o telespectador, que, de certa forma, sempre contribuiu para o andamento das histórias. Nos anos 1980, era muito comum ler nas entrevistas dos autores e diretores que a novela era uma obra aberta e que o público funcionava como uma espécie de colaborador, apontando o que deveria ser mudado com base no que aceitava assistir. Não era bem assim que funcionava, porque os escritores usavam essas opiniões apenas para melhorar o que não estava bem compreendido. E para o ator a questão é ainda mais delicada. "Quem faz a personagem sou eu, quem estuda sou eu, quem passa as noites em claro sou eu. Por isso, tem que ter uma espinha dorsal e insistir em mostrar para quem está em casa", diz Laura Cardoso, outro importante nome da teledramaturgia brasileira. "Não me peça para mudar sem uma boa justificativa. Eu não faço. Se quiser, me tire do trabalho", completa. O fato é que muitas vezes o profissional tem à sua disposição uma pequena sinopse que indica alguns momentos da trama e detalhes dos protagonistas, antagonistas e coadjuvantes para construir o que apresentará no decorrer dos capítulos, e alterações bruscas na história podem colocar em risco tudo o que foi feito até ali, pois quem aparece na tela é o primeiro a ser julgado pelo público.

Ao estabelecer um esquema industrial para a produção de novelas, nos anos 1980 as emissoras começaram a diminuir de forma significativa a exibição de enlatados, principalmente os norte-americanos, no horário nobre. O dramaturgo Dias Gomes, que foi casado com Janete Clair e assinou algumas novelas e minisséries na televisão, costumava dizer a seus alunos na oficina de autores que coordenava na Globo que a teledramaturgia era um ato de resistência do trabalhador brasileiro. "Ele contava que os executivos de TVs internacionais, quando visitavam o país, ficavam impressionados porque aqui havia produto nacional na faixa mais importante da programação", diz Renata Dias Gomes. Naquela década, era muito comum na América Latina e até em alguns países da Europa a exibição de séries da ABC, NBC e CBS, impérios da comunicação dos Estados Unidos que vendiam a preços relativamente baixos seus títulos mais populares. Ao fechar a conta no fim do mês, não compensava gastar tanto dinheiro para um retorno pequeno. Atualmente, deixar de investir das 18h às 24h é assumir que não tem capacidade para produzir conteúdo próprio.

Durante a década de 1980, das grandes redes em operação no país, somente a TV Record não produziu novelas. A emissora abandonou o gênero porque atravessava um dos momentos mais graves de sua má administração. Mesmo com o aporte de Silvio Santos, a família Machado de Carvalho não conseguiu transformar a empresa em algo realmente rentável, culminando em sua venda para Edir Macedo. Entre 1980 e 1989, a Globo colocou no ar 57 títulos diferentes. A TVS/SBT produziu 17 folhetins, a Band, 16, e a Manchete, 10. Os números deixam bem claro a aposta de Boni no produto e a sua transformação no carro-chefe da grade da TV de Roberto Marinho.

Depois do sucesso de *Cabocla*, a faixa das 18h da Globo começou 1980 com *Olhai os Lírios do Campo*, texto de Geraldo Vietri baseado no romance de Erico Verissimo. A produção foi elogiada pela crítica, mas não atraiu a mesma audiência de outras tramas exibidas até então nesse horário. No dia 4 de fevereiro, já consagrado pelo sucesso de *Dancin' Days*, *Escrava Isaura* e *Dona Xepa*, Gilberto Braga estreou, às 20h, *Água Viva*, com foco na classe alta do Rio de Janeiro e que abordava a luta de uma mulher para crescer socialmente. "Como cronista, ele fez um excelente retrato dos costumes da época e começou a dar mais espaço para núcleos que até então não tinham tanto destaque", avalia o professor de comunicação Claudino Mayer. O autor levou para a tela muitos temas, entre eles o consumo de maconha pelos jovens. Num período ainda com a mão pesada dos militares e com público mais conservador, ele escreveu uma cena em que Alfredo enrolava o cigarro em sua casa, sem a preocupação de ser flagrado por alguém. Alguns capítulos adiante, de uma forma mais discreta, mostrou os jovens fumando o baseado numa conversa entre amigos, o que gerou protestos e muita discussão.

No elenco de *Água Viva* estavam nomes importantes, como Betty Faria, Reginaldo Faria, Raul Cortez, Tônia Carrero, Lucélia Santos, Fábio Júnior e Beatriz Segall, que interpretava a promotora de eventos Lourdes Mesquita, sua primeira megera na televisão e uma das personagens mais marcantes da história. O público tinha ódio daquela mulher e chegou a ameaçar a atriz nas ruas. Esse contato com o telespectador sempre garante momentos únicos, que, quando relembrados, são divertidos.

Já na reta final da novela, amigos de Beatriz Segall pediram que ela levasse um envelope com documentos para o Rio de Janeiro depois de um fim de semana de folga em São Paulo. Como chegou cedo à cidade, resolveu ir pessoalmente à residência de quem receberia a papelada. Na casa, foi muito bem recepcionada, e, durante uma conversa rápida, a anfitriã pediu que a empregada servisse um café à visita. A jovem entrou na sala com uma sofisticada bandeja e com três xícaras com água quente, uma tática para manter a temperatura da bebida. Ao ver a atriz sentada no sofá, começou a tremer e, num primeiro momento, evitou contato visual, como se estivesse com medo. Sua intenção era sair dali o mais rápido possível, e, por isso, esqueceu de esvaziar a xícara, derramando todo o café na mesa de centro. "Dias depois, contaram que ela ficou desesperada com a presença da Lourdes Mesquita na casa e que foi correndo contar para a copeira que a vilã estava lá e que era para tomar muito cuidado", conta a atriz, rindo.

O papel de megera foi escrito por Gilberto Braga especialmente para Beatriz Segall, como uma forma de compensar sua retirada de *Dancin' Days*. Como sua personagem perdeu a função, o autor resolveu matá-la para poupá-la de cenas pequenas. Um ano depois, retribuiu sua compreensão. "Na televisão, o ator não escolhe muito, mas eu tive sorte porque fiz coisas que ficaram na história da TV", diz a atriz. "O único problema é que sempre me deram o papel de rica, poderosa e má. Por isso, as coisas sempre foram mais caras pra mim, porque achavam que eu tinha tanto dinheiro quanto as mulheres que vivia nas novelas", completa. Mal sabia ela, em 1980, que sua grande personagem ainda estava por vir e não sairia jamais da memória do telespectador.

Com uma quantidade maior de cenas externas, *Água Viva* explorou as belezas do Rio de Janeiro e já na sua abertura estampava uma das características da cidade: a prática de esportes aquáticos, como o windsurfe. "Poderia ter ficado muito melhor, porque no dia em que gravamos não fazia sol e fomos obrigados a usar planos mais fechados", lembra Hans Donner, o homem que criou as mais impressionantes vinhetas da televisão brasileira. "Mas a música 'Menino do Rio', do Caetano Veloso, era maravilhosa e escondeu essa imperfeição. O sucesso de um trabalho como esse é metade do áudio e metade da imagem", destaca. Com o avanço da tecnologia, definitivamente, os capítulos não começavam mais com um logotipo com pouco movimento e o nome dos artistas. Verdadeiras histórias passaram a ser produzidas para impressionar o telespectador desde o primeiro segundo. Esses clipes de até 60 segundos consumiam praticamente três meses de trabalho de uma equipe dedicada exclusivamente à sua criação.

Hans Donner entrou na Globo em 1974 com a responsabilidade de montar um departamento de arte para cuidar de toda a imagem da emissora. Sua primeira criação foi o logotipo tridimensional e seus derivados para serem aplicados em correspondências oficiais, material de escritório, contratos, selos para discos e outras necessidades. "Boni e Walter Clark compreenderam rapidamente a importância da embalagem para um produto de televisão. Fizemos uma caixa para cada programa", diz o designer. Entretanto, o salto em qualidade visual aconteceu no início dos anos 1980, quando a computação gráfica chegou ao Brasil. "A tecnologia veio ao encontro do volume que adotava nos desenhos. O resultado foi tão impressionante que até as TVs dos Estados Unidos mandaram profissionais ao Brasil para conhecer o que estávamos fazendo", completa Donner, com orgulho. O fato é que, dessa forma, estavam reunidos na teledramaturgia todos os elementos para reforçar sua importância na grade das emissoras. Não bastava ter uma história forte e atores populares. Era necessário garantir ritmo à narrativa e imagens bonitas desde o segundo inicial. "Como a abertura é repetida todos os dias, se bem realizada não sai fácil da cabeça das pessoas", afirma Donner.

Foi no início dos anos 1980 que Sônia Braga, um dos nomes mais populares da televisão durante a década anterior, resolveu parar de atuar em novelas para se dedicar à carreira internacional. Seu último trabalho no gênero foi em *Chega Mais*, de Carlos Eduardo Novaes, com supervisão de Walther Negrão. Os dois resolveram eliminar a figura clássica do vilão e desenvolveram personagens mais humanos, com oscilações entre o bem e o mal, nos deslizes de comportamento comuns a qualquer um. Apesar da abertura marcante, a trama terminou sem grandes repercussões. Sua substituta foi *Plumas e Paetês*, de Cassiano Gabus Mendes, autor que já havia se transformado numa das marcas desse horário da dramaturgia, com sua proposta de histórias mais leves e bem-humoradas. Com 102 capítulos entregues à produção e com apenas 12 editados e gravados para serem exibidos, uma margem apertada, mas administrável, o autor sofreu um infarto e foi obrigado pelos médicos a se afastar para cuidar da saúde. Assim, indicou Silvio de Abreu para dar continuidade ao projeto, mesmo sem conhecê-lo pessoalmente. "Como estava terminando de fazer o filme *Mulher Objeto*, não havia assistido à novela", conta Silvio. A solução foi ler tudo o que estava escrito em apenas um fim de semana. Mas como dar conta de tanta informação? "Minha mulher leu a metade e me contou o que acontecia", responde. Pressão administrada, na segunda-feira, dois dias após entrar em contato com os originais, Silvio começou a escrever o primeiro bloco de texto e o entregou na quinta-feira, um dia antes do prazo estabelecido pelos diretores.

O telespectador não percebeu muitas mudanças em *Plumas e Paetês* porque a história seguiu como previsto na sinopse, mas os especialistas e a produção perceberam que já existia outra mão na criação do texto. "Nos primeiros capítulos, eu colocava os personagens falando de si mesmos porque precisava entender. Então, era muito comum um entrar na sala e dizer que tomou determinada atitude porque havia nascido em tal cidade", explica Silvio de Abreu, que também incluiu no roteiro muitas marcações de ação para deixar os diálogos mais soltos. A novela, prevista para ter 120 episódios, chegou a 191 capítulos, com audiência alta e muita repercussão na imprensa.

*Plumas e Paetês* marcou a estreia de Eva Wilma na teledramaturgia da Globo. A atriz era uma das estrelas da Tupi, emissora que, até o ano anterior, era a grande concorrente da Globo e havia produzido novelas de muito sucesso, principalmente em São Paulo. Por pouco, não fez parte dessa novela. Assim que a TV de Assis Chateaubriand saiu do ar, Eva iniciou a temporada paulistana da peça *Pato com Laranja*, da companhia teatral de Paulo Autran. Assim que assinou com Boni, convocaram-na para integrar *Coração Alado*, de Janete Clair. "Pedi alguns dias para preparar alguém para entrar em meu lugar no teatro e, enquanto isso, falamos com Irene Ravache. Descobrimos que o nome dela estava reservado para a nova história do Cassiano Gabus Mendes, mas que daria tempo dela ensaiar e participar do espetáculo", recorda. Nesse meio-tempo, os diretores ligaram para a atriz e avisaram-na de que, como não poderia gravar às sextas-feiras, estava fora da produção das 20h, mas que entraria na próxima das 19h. "Irene seguiu na peça, fez muito sucesso e eu fui para *Plumas*", diverte-se Eva Wilma.

Em setembro de 1981, quando entrou no ar o último capítulo de *Plumas e Paetês*, Silvio de Abreu foi chamado pelo alto comando da Globo para discutir seu próximo trabalho. Na primeira reunião, apresentou a sinopse de uma novela que mostrava a disputa entre homens e mulheres na redação de uma revista, uma comédia para discutir as mudanças de comportamento e as diferenças nos universos masculino e feminino. Era o embrião de *Guerra dos Sexos*, imediatamente recusado por Régis Cardoso, que havia voltado para a emissora com mais poderes na dramaturgia. Os dois, amigos no passado, haviam se desentendido durante a realização de *Pecado Rasgado*. A ideia ficou alguns anos na gaveta.

A década de 1980 também chegou com bons sinais na TV Bandeirantes. A emissora investia em programação e contratava bons profissionais, que haviam atuado na Tupi e estavam soltos no mercado. Eram sinais bem claros de que a empresa ultrapassara as dificuldades que surgiram após o incêndio criminoso que destruiu boa parte de suas instalações. No dia 1º de janeiro, às 19h, estreou *Pé de Vento*. Como toda boa novela de Benedito Ruy Barbosa, havia ali uma história forte de um homem do interior de Minas Gerais que chega a São Paulo para tentar melhorar de vida e realizar seu grande sonho: participar da São Silvestre, corrida de rua realizada na capital paulista no último dia do ano. Esse herói se vê no meio de um triângulo amoroso, com direito a disputas entre uma mulher rica e uma jovem humilde e trabalhadora.

"E naquele ano um corredor brasileiro ganhou a prova. Eu acho que previ", ri o autor. O fato é que quando José João da Silva ultrapassou a linha de chegada, muitos o associaram ao protagonista do folhetim do Canal 13 de São Paulo, inclusive os jornais esportivos em suas manchetes.

Benedito Ruy Barbosa, sempre atento às questões políticas e estruturais do Brasil, colocou em discussão as angústias dos trabalhadores e as diferenças entre ricos e pobres pelo olhar do governo. O ator Dionísio de Azevedo interpretou Mestre André, um torneiro mecânico altamente capacitado, mas que, por problemas financeiros inerentes a uma época conturbada, se vê obrigado a vender seu material de trabalho e lutar por sua aposentadoria. Era uma crítica feroz ao sistema adotado no país, em que políticos e funcionários públicos de alto escalão aposentavam-se em apenas oito anos e o cidadão era obrigado a enfrentar muita burocracia para garantir o mínimo para seu sustento. "Ele colocou no ar a realidade de muitos brasileiros e no último capítulo emocionou a todos, levando a uma grande reflexão", diz a atriz Suzy Camacho, que viveu a vilã Gina, uma garota oportunista.

*Pé de Vento* terminou no dia 21 de junho e uma das expectativas geradas era em relação ao final de Mestre André, que passou a novela inteira lutando por sua aposentadoria. A cena foi forte e até hoje é lembrada por aqueles que acompanharam a trama. De repente, toca a campainha da casa e Maria Luiza vai ao encontro do homem que está no portão. Gentilmente, ele pergunta se o personagem de Dionísio Azevedo está e entrega um envelope à mulher. Ela abre a correspondência e vê que o benefício federal finalmente foi aprovado, porque reconheceram que ele trabalhou o tempo suficiente. Maria volta o olhar para a porta da residência e a câmera entra no ambiente. Amigos e familiares velam o corpo do torneiro mecânico. "Foi impressionante. O Benedito deixou claro que a morosidade do governo matou mais um", afirma a atriz.

Ivani Ribeiro foi outra aposta da TV Bandeirantes e chegou à emissora fiel a seu estilo de produzir histórias sem parar. No dia 2 de junho de 1980 estreou, na faixa das 18h, o remake de *A Deusa Vencida*, que contou com a supervisão de Walter Avancini, com Elaine Cristina, Roberto Pirillo e Agnaldo Rayol nos papéis principais. Três semanas depois, em 23 de junho, colocou no ar o primeiro capítulo de *Cavalo Amarelo*, que tinha como protagonista a humorista Dercy Gonçalves na pele de Dulcinéa, uma irreverente mulher que fazia de tudo para manter seu teatro de revista. Aliás, essa foi a estreia da humorista em teledramaturgia. A personagem fez tanto sucesso que a ex-vedete ganhou uma novela para chamar só de sua: *Dulcinéa Vai à Guerra*. Só que dessa vez o texto foi assinado por Sérgio Jockyman, que resgatou alguns núcleos da trama original. Ivani seguiu com o remake de *Meu Pé de Laranja Lima*, que também conquistou boa aceitação junto ao telespectador. No ano seguinte, assinou *Os Adolescentes* e deixou a emissora.

No dia 21 de julho de 1980, uma estreia diferente na TV Bandeirantes. *Um Homem Muito Especial* entrou no ar para dar continuidade a *Drácula, Uma História de Amor*, de Rubens Ewald Filho, que exibiu seu primeiro capítulo no dia 28 de janeiro de 1980, na TV Tupi. Como a emissora fechou no dia 18 de julho e a novela ainda estava em andamento, a solução foi encerrar a trama em outro canal.

Em 1981, a TV Bandeirantes produziu *Os Imigrantes*, de Benedito Ruy Barbosa, novela que se tornou a grande marca da teledramaturgia da emissora, garantiu excelente audiência, faturamento elevado e muitos prêmios. "É um dos nossos orgulhos", diz Johnny Saad, atual presidente da empresa. Com 459 capítulos, a trama foi exibida de 27 de abril a 1º de novembro do ano seguinte e narrou a trajetória de famílias que atravessaram o Atlântico para viver e trabalhar no Brasil. Italianos, judeus, espanhóis e portugueses foram retratados brilhantemente na história, provocando uma grande identificação com o telespectador, principalmente de regiões que receberam tais imigrantes. "Estava tudo muito bem amarrado e todos os atores sabiam as origens de seus personagens e os caminhos que seriam adotados", explica o autor. A saga exigia a troca de gerações e, por isso, o elenco sabia que, em algum momento, o telespectador acompanharia as mortes, até de quem era considerado protagonista. Herson Capri, Norma Bengell, Solange Couto, Jussara Freire, Paulo Betti, Denise Del Vecchio, Yoná Magalhães, Miriam Mehler e Lília Cabral são alguns dos atores que passaram por uma das seis fases da novela. Agnaldo Rayol, que havia acabado de participar de *Dulcinéa Vai à Guerra*, também atuou no folhetim. Aliás, um ano antes, o cantor foi um dos protagonistas em *Maria Bueno*, uma novela escrita por Paulo Avelar para a TV Paraná, Canal 6, que contava a história de Maria Alípia Bueno, uma santa popular que viveu em Curitiba e, em 1883, foi assassinada pelo namorado. Depois de sua morte, muitos milagres foram atribuídos a ela. Apesar de ser curta, a produção fez muito sucesso na capital paranaense.

Também em 1981, Lauro César Muniz assinou *Rosa Baiana* para a TV Bandeirantes, que teve a ousadia de gravar todos os capítulos da novela em externas em diversas regiões da Bahia. A ideia era ter como pano de fundo os campos petrolíferos do estado, uma forma de inserir o patrocínio da Petrobras. Apesar da garantia de entrada de dinheiro, não houve grande repercussão entre o público. Essa boa fase da dramaturgia seguiu com outros títulos, entre eles *Ninho da Serpente*, exibida às 20h, que chegou a ameaçar a liderança da Globo, principalmente nos episódios finais, quando a atriz Márcia de Windsor faleceu. O telespectador queria acompanhar suas últimas cenas. *O Campeão* substituiu *Os Imigrantes*, mas sem o mesmo fôlego. Em 1983, *Sabor de Mel* estreou com todos os sinais de que faria uma temporada de sucesso, mas perdeu público quando a Globo colocou no ar *Louco Amor*. No dia 9 de maio, a Bandeirantes estreou duas novelas: *Maçã do Amor* entrou às 19h e, mais cedo, às 17h30, a infantojuvenil *Braço de Ferro*, que teve Jayme Monjardim como um dos assistentes de direção.

Jayme Monjardim foi parar na televisão por meio de um convite de Roberto Talma, na época supervisor de novelas e diretor artístico da TV Bandeirantes. Como o filho da cantora Maysa estava envolvido com cinema, principalmente documentários, a ideia inicial era que ele fizesse somente um especial sobre sua mãe, *Simplesmente Maysa*. O bom resultado em audiência desse projeto e as críticas positivas à qualidade artística o colocaram na equipe de *Braço de Ferro*. "E a partir dessa novela, Mário Lúcio e Paulo Ubiratan, na época os principais nomes da dramaturgia da Globo, viram meu trabalho e me chamaram para *Amor com Amor se Paga*", recorda Monjardim.

*Maçã do Amor* e *Braço de Ferro* encerraram a fase de ouro da teledramaturgia da TV Bandeirantes, que só voltou a investir em novelas em 1995, com *A Idade da Loba*. Já na Globo, o formato estava absolutamente consolidado, e, com a desistência da concorrente, ela reinava praticamente absoluta nesse segmento. "Durante os anos 80, se percebeu que o mais importante era o conteúdo. Era a história que determinava o sucesso, aliada ao elenco e à capacidade de produção", ressalta Monjardim. Naquela década, as tramas eram mais autorais, porque não havia tantos colaboradores, e era possível identificar facilmente as características de quem escrevia. "O trabalho de redação do roteiro era solitário, mas não se perdia a essência do que se contava diariamente em nossas telas", diz a atriz Suzy Camacho.

Em 1981, Manoel Carlos trouxe uma contribuição fundamental para o folhetim brasileiro. O autor assinou *Baila Comigo* e colocou em destaque em sua história personagens que até então entravam mudos e saíam calados. "Ele deu voz a todos. A empregada, a ascensorista e o porteiro passaram a ser interessantes para o público e a gerar uma boa identificação com quem assistia", analisa o professor Claudino Mayer. Estava no ar uma crônica da sociedade em todos os seus níveis e os relacionamentos amorosos dos mais pobres também eram cheios de paixão, reviravoltas e tensão. "Enquanto houver gente no mundo, as histórias de gente sempre terão força. Ainda que você embrulhe com uma estética revolucionária ou tempere com temas polêmicos, o que prende mesmo o público é uma história contada dentro daquelas mesmas regras do século passado: o apelo às emoções, o sensacionalismo em sacrifício da coerência e os ganchos para voltar no dia seguinte", explica Gloria Perez, outra escritora que tem como costume levar ao telespectador um retrato amplo das comunidades, mesmo que tenha como ponto de partida uma região da cidade ou um país específico.

Manoel Carlos sempre trabalhou com muitos núcleos paralelos e, por isso, o elenco de suas produções era numeroso. Em *Baila Comigo* surgiu a grande marca de Maneco. A atriz Lilian Lemmertz interpretou a primeira Helena, nome adotado para as protagonistas de mais sete novelas: *Felicidade* (1991), *História de Amor* (1995), *Por Amor* (1997), *Laços de Família* (2000), *Mulheres Apaixonadas* (2003), *Páginas da Vida* (2006) e *Viver a Vida* (2009).

*Baila Comigo* foi um momento importante também para a Globo, que passou a contar em seu *casting* com Lilian Lemmertz, Fernanda Montenegro e Fernando Torres, artistas consagrados na TV Tupi e nos palcos e que representaram importante reforço para as novelas da emissora. Tony Ramos recebeu prêmios por sua atuação no papel dos gêmeos João Victor e Quinzinho, separados logo após o nascimento porque o primeiro marido de Helena a abandonou e foi morar no exterior.

A novela *Baila Comigo* por muito pouco, mas muito pouco mesmo, não estreou no dia combinado, 16 de março de 1981, apesar das chamadas no ar. Na noite anterior, como habitualmente acontecia em todos os lançamentos, Boni foi assistir ao primeiro capítulo editado e finalizado. Era o que ia ao ar. Tinha ao lado, na mesma ilha de edição, Mário Lúcio Vaz e os diretores Paulo Ubiratan e Roberto Talma. Logo ao apertar o play, Boni foi se transformando. Ficou em silêncio, sem nenhuma reação, até o momento em que explodiu:

– Isso aqui está uma merda. Sem ritmo nenhum. Tem que editar tudo de novo.

Mário Lúcio Vaz ainda tentou argumentar, mas não houve jeito. Talma e Ubiratan se trancaram na ilha de edição, viraram a noite e só no fim da tarde conseguiram ir embora. No dia seguinte ao da estreia, os dois receberam em casa flores, vinhos da melhor qualidade e bombons. E um bilhetinho curto e objetivo.

*Obrigado.*

*Boni.*

Páginas atrás foi dito que Régis Cardoso havia engavetado uma sinopse de Silvio de Abreu para a faixa das 19h. Com o veto do diretor, coube ao autor desenvolver uma novela baseada no argumento de Janete Clair, profissional respeitada por Boni. Surgiu *Jogo da Vida*, uma comédia rasgada que conseguiu deixar em segundo plano o dramalhão idealizado inicialmente. "O título original era 'Os Santos do Pau Oco', porque o dinheiro ficaria escondido nas estátuas, mas Boni preferiu evitar polêmicas com a Igreja. Depois, surgiu 'As Quatro Marquesas', porque as notas estariam nos móveis da sala", relembra o novelista. Ao ser escolhido por Janete, sugeriu algumas mudanças e ganhou sinal verde para promover alterações na sinopse. "Começou como uma trama séria. Era uma mulher abandonada pelo marido, mas, aos poucos, coloquei mais humor", completa. A fórmula foi aceita pelo telespectador, que aprovou um recurso proposto por Jorge Fernando: cada vez que a doméstica Mariúcha conseguia fazer algo para chamar a atenção de seu patrão, ela olhava para a câmera e dava uma piscada. No vídeo, funcionou perfeitamente a intimidade com o público.

O avanço da tecnologia possibilitou um importante incremento na arte de fazer novelas. A qualidade da imagem já era bem melhor do que a da década passada e surpreendia a todos, a computação gráfica permitia algumas provocações e a realização de cenas diferentes. "A teledramaturgia soube aproveitar tudo o que estava à disposição e incorporou em sua narrativa o discurso das novas gerações. Um certo ranço teatral desapareceu e se optou por uma linguagem mais moderna e ágil", analisa Alcides Nogueira. "O padrão Globo de qualidade já estava estabelecido e se buscava uma televisão genuinamente brasileira, com a nossa realidade, prosódia, jeito de falar e problemas envolvendo o telespectador", ressalta Marieta Severo. "Porque, mesmo que não seja de forma consciente, o público quer se ver, acompanhar a história que interessa a ele e, de certa maneira, que mexe com sua vida e o reflete como ser numa sociedade", completa a atriz. O ator Cássio Gabus Mendes, que teve na década de 1980 suas primeiras oportunidades mais significativas na carreira, também aposta muito na identificação com quem está em casa. "Vendemos sonhos para que as pessoas acreditem ser possível realizá-los", diz.

O filho de Cassiano Gabus Mendes estreou como ator de novelas num dos folhetins de grande sucesso de seu pai. *Elas por Elas* entrou no ar no dia 10 de maio de 1982, com Eva Wilma, Sandra Bréa, Joana Fomm, Aracy Balabanian, Esther Góes, Nathalia Timberg, Mila Moreira e Maria Helena Dias nos papéis principais. Para aquele jovem ator era um grande aprendizado observar em seus intervalos o trabalho de artistas consagrados. "Meu pai dizia para prestar atenção em cada detalhe. Então, ficava atrás das câmeras assistindo às cenas e observando as atuações e as orientações dos diretores", revela. Mesmo com tantas lições de gente tão importante, sua primeira cena mostrou a ansiedade de quem está começando. "Meu personagem era bem pequeno, filho de Carmem, interpretado por Maria Helena Dias. Era um longo diálogo entre ela e Reginaldo Faria. Eu só precisava entrar, interromper a conversa e dizer que estava saindo para o cinema. Eram apenas três falas, que eu disparei numa velocidade incontrolável", recorda. Depois, ao se ver no vídeo, compreendeu que precisava controlar os sentimentos e desenvolver sua própria técnica para administrar cada momento em sua carreira.

Escalado para uma participação nos seis primeiros capítulos de *Elas por Elas*, o ator Luis Gustavo acabou roubando a cena e garantiu sua presença até o final. Coube a ele viver o atrapalhado, mas extremamente carismático, detetive particular Mário Fofoca, um dos personagens que permanecem na memória de quem aprecia a boa teledramaturgia. Esse sucesso casual começou no escritório de Cassiano Gabus Mendes, algumas semanas antes de se iniciarem as gravações.

– Que pena que você não vai fazer essa novela – disse Cassiano, com a sinopse na mão.

– Por quê? – indagou Luis Gustavo.

– É uma história do reencontro de sete amigas. Escalamos todo mundo e só sobrou um papel masculino.

– E quem é esse homem?

– É um detetive sem muita importância, tanto que só ficará no máximo em sete capítulos – completou o autor.

– Então, me dá esse cara para fazer e você me mata logo no começo – propôs imediatamente o ator.

Proposta aceita, Luis Gustavo começou a gravar como Mário Fofoca, e, antes mesmo de a novela estrear, no estúdio a direção já percebeu que aquele detetive atrapalhado renderia muito. Foi o que aconteceu. Ele se transformou num dos principais personagens da trama e ficou no ar até o último capítulo.

O sucesso de um personagem que existiria somente por poucos capítulos evidencia outra característica da teledramaturgia brasileira, que ganhou mais força durante a década de 1980. Os autores começaram a ampliar a quantidade de núcleos paralelos, uma forma de garantir munição para eventual falta de interesse do telespectador com as tramas centrais. Surgiram os protagonistas secundários, como define Mauro Alencar, doutor em teledramaturgia brasileira e latino-americana e membro da Latin American Studies Association. "Numa literatura dramática tão extensa e sujeita às intempéries do gosto popular, é natural que em certos momentos a força dramática recaia sobre um ou outro núcleo, até para o descanso de outros personagens", explica o especialista.

No dia 11 de outubro de 1982, na faixa das 20h, Manoel Carlos estreou outro texto, *Sol de Verão*, ousado para a época. Raquel, muito bem interpretada por Irene Ravache, termina um longo casamento para buscar a felicidade ao lado da filha em outra cidade. No Rio de Janeiro, conhece Heitor, um mecânico que gosta de aproveitar a vida e, por isso mesmo, nunca se casou. Também com destaque, Tony Ramos deu vida a Abel, um jovem surdo e mudo que procura sua mãe. As tramas envolveram o telespectador e a audiência estava dentro dos patamares esperados, até que uma tragédia da vida real alterou a novela. Jardel Filho, o protagonista, morreu vítima de um infarto fulminante ainda na metade da história. Abalado, o autor pediu para ser substituído por Lauro César Muniz, que escreveu mais alguns blocos de capítulos, quando a Globo decidiu antecipar o final.

A morte de Jardel Filho não foi a única durante a exibição de uma novela. Em 1971, a atriz Glauce Rocha enfartou durante *Hospital*, da TV Tupi. Em 1972, Sérgio Cardoso faleceu enquanto *O Primeiro Amor* estava no ar. Em 1989, Lauro Corona não terminou *Vida Nova*. Chiquinho Brandão, em 1991, já havia gravado vinte capítulos de *O Sorriso do Lagarto* quando faleceu. Em 1992, Daniella Perez foi brutalmente assassinada enquanto fazia *De Corpo e Alma*. Em 2004, a atriz Míriam Pires foi afastada de *Senhora do Destino* dias antes de sua morte. Mais recentemente, em 2016, uma mesma produção perdeu dois importantes atores. Logo no começo da segunda fase de *Velho Chico*, Umberto Magnani passou mal durante as gravações e não resistiu a um AVC. Num dos intervalos das externas que registravam as últimas cenas em Sergipe, o protagonista Domingos Montagner se afogou no rio São Francisco, cenário principal da história escrita por Benedito Ruy Barbosa.

***

Quando a TVS entrava em seu segundo ano de operações como rede, em 1982, já com as cinco emissoras próprias e algumas afiliadas pelo Brasil, Silvio Santos deu sinal verde para a produção de novelas em sua televisão. O produto era considerado fundamental para a conquista de telespectadores e de espaço num mercado dominado pela Globo, mas com outras empresas já estabelecidas havia algum tempo, como a TV Bandeirantes e a Record. No dia 5 de abril entraram no ar duas produções. Às 19h, Ana Rosa, Flávio Galvão e Tânia Regina protagonizaram *Destino*, novela baseada no texto da mexicana Marisa Garrido. "Eu fui até lá para comprar os roteiros direto dos autores para serem realizados aqui no Brasil", lembra Ricky Medeiros, consultor do SBT e responsável pelas principais negociações da emissora nas décadas de 1980 e 1990. "Essas novelas se davam bem no mundo inteiro e poderiam funcionar por aqui. O problema é que se cometeu o erro de não as adaptar para a realidade brasileira", completa o executivo. Silvio Santos não permitia que sua equipe mexesse no script original e até conseguiu capítulos gravados em VHS para fazer todas as marcações técnicas igual, incluindo o posicionamento das câmeras e os detalhes nos cenários.

Cena de A Leoa, com Paulo Castelli e Suzy Camacho

Ana Rosa, que logo após o fechamento da TV Tupi descobriu que estava grávida e decidiu não buscar oportunidades na Globo, no Rio de Janeiro, foi uma das primeiras contratadas da TVS quando Silvio Santos conseguiu a concessão do Canal 4 de São Paulo e se comprometeu a absorver boa parte dos funcionários da empresa extinta. "A barriga foi crescendo, assim como as dívidas. Entre julho e agosto já estava na nova casa, onde protagonizei *Destino* e, na sequência, *Conflito*", recorda Ana Rosa. Depois de uma pequena passagem pela Globo, voltou à emissora para *A Justiça de Deus* e *Vida Roubada*. Suzy Camacho, que também foi uma das estrelas da Tupi, participou de cinco adaptações realizadas pelo SBT. Ela esteve em *A Força do Amor, A Leoa, A Justiça de Deus, Vida Roubada e Jerônimo*. "Eu era a estrelinha da TVS", diz a atriz.

Apesar das produções com elenco brasileiro, o maior sucesso da emissora de Silvio Santos em teledramaturgia durante a década de 1980 foi *Os Ricos Também Choram*, primeira novela mexicana exibida no Brasil e que se transformou em fenômeno de audiência. O resultado só reforçou a parceria com a Televisa, que trouxe para o Brasil muitos títulos. A novela, que estreou no mesmo dia que *Destino*, ocupava a faixa das 19h45. Verónica Castro era a protagonista, uma jovem que, depois da morte de seu pai, sofre com sua madrasta e nem sabe a fortuna que tem. Já adulta, com pouca educação, vai para a cidade grande em busca de oportunidades. Como todo dramalhão latino, lágrimas, interpretações exageradas, amores não correspondidos e poucos núcleos.

Até o final dos anos 1980, o SBT produziu e exibiu 17 novelas, algumas com maior repercussão, mas a maioria com índices mais modestos, se comparados com os da concorrente Globo. Em 1989, *Cortina de Vidro* ocupou a faixa das 19h45. Tratava-se de uma produção independente realizada por Guga de Oliveira, que também assinava o argumento. O texto foi escrito por Walcyr Carrasco. No elenco estavam nomes como Herson Capri, Betty Gofman, Antônio Abujamra, Ester Góes, Débora Duarte, Gianfrancesco Guarnieri, John Herbert e Norma Blum, todos atores consagrados com passagem pela Globo. A repercussão foi péssima. A crítica não perdoou, principalmente a cena em que o pai estupra a própria filha, algo considerado abusivo e apelativo. No vídeo, o telespectador acompanhou de tudo. Um incêndio aconteceu para matar alguns personagens e, dessa forma, resolver a insatisfação de parte dos artistas. Ricky Medeiros, conselheiro de Silvio Santos durante muitos anos, sempre foi um defensor de que o SBT só deveria entrar na teledramaturgia quando reunisse condições financeiras para chegar próximo do padrão da Globo. "Caso contrário, pareceria uma cópia barata da concorrente", declara o executivo. O pior ainda estava por vir, no ano seguinte, com *Brasileiros, Brasileiras*. Mas essa história fica para outro capítulo.

Ainda na primeira metade da década de 1980, a teledramaturgia brasileira perdeu seu principal nome. Janete Clair faleceu no dia 16 de novembro de 1983, vítima de um câncer no intestino. A autora lutava contra a doença havia quatro anos e, mesmo assim, escreveu *Eu Prometo*, produção que tinha como objetivo restaurar a faixa das 22h para as novelas. Para não dar errado a estratégia, Boni não pensou duas vezes ao escalar a mulher que estabeleceu as características do folhetim diário no Brasil e que assinou os maiores sucessos produzidos pela emissora. Ao reservar à autora um horário mais avançado, diminuiu a duração e a quantidade de capítulos para poupá-la de um desgaste maior. Entretanto, Janete fez de tudo para que seu último texto ocupasse o horário das 20h.

Com 103 capítulos no ar, Janete Clair só escreveu até o episódio 60, deixando 40% da trama para ser conduzida por Gloria Perez. Os últimos roteiros foram feitos no hospital, durante uma fase intensa e complicada do tratamento. "Ela fez à mão e a letra dela foi ficando cada vez pior, porque estava muito debilitada", revela a neta Renata Dias Gomes, que, em 1996, foi uma das responsáveis por organizar o acervo da avó, incluindo os textos para o rádio, negociados algum tempo depois com o SBT. "Esse material é impressionante e ao mesmo tempo dá um certo desespero, porque você percebe que ela era muito agarrada com a obra. Ela tinha certeza de que iria embora, mas a novela ficaria", completa. "Quando não conseguiu mais escrever, ditou", revela Gloria. O fato é que Janete Clair permanece até hoje como exemplo para as gerações seguintes, inclusive de profissionais que nasceram anos depois de sua morte.

Silvio de Abreu, que também trabalhou baseado em um argumento da autora, contribuiu, em 1983, para firmar a comédia como o principal produto para a faixa das 19h. "Depois que eu fiz *Guerra dos Sexos*, o humor ficou estabelecido. Pode ter romance ou suspense, mas no segundo horário de novelas isso se mistura ao texto divertido", diz o escritor. Esse gênero começou a atrair artistas consagrados que o público estava acostumado a ver em produções mais dramáticas e, ao mesmo tempo, lançou uma nova geração de atores. "Comecei a dar personagens para atores que eram eternos coadjuvantes. Regina Casé, Luiz Fernando Guimarães, Claudia Raia e Regina Tristan se transformaram em estrelas graças às comédias", completa.

*Guerra dos Sexos* estreou no dia 6 de junho de 1983, com Fernanda Montenegro, Paulo Autran, Glória Menezes e Tarcísio Meira nos papéis principais. O elenco ainda contava, entre outros, com Lucélia Santos, Maitê Proença, Mário Gomes, Edson Celulari, Diogo Vilela e Marilu Bueno. O conflito entre os universos masculino e feminino deixou de ser ambientado numa redação de revista para ganhar uma grande loja de departamentos como cenário principal. O sucesso da trama pode ser explicado por meio do somatório de muitos elementos, mas deveu-se principalmente à equipe reunida para o projeto, incluindo os diretores. "Jorginho Fernando e Guel Arraes embarcaram na loucura e todo mundo aceitou as brincadeiras que eram propostas", diz Silvio de Abreu. "Quando acabou, deu uma pena, porque aquilo era uma festa, tão bom era o clima entre todos nós", conta Fernanda Montenegro.

O fato é que, mesmo com a aprovação da alta cúpula e de profissionais respeitados pelo público, havia certa preocupação com a reação do telespectador diante de uma comédia rasgada. "A gente dizia nos bastidores que o cenário do núcleo do Herson Capri não podia ser desmontado, porque, se tudo desse errado, ali havia um pouco de drama para atender os mais conservadores", lembra Fernanda Montenegro. A novela conseguiu um equilíbrio interessante em todos os núcleos, alcançou excelente audiência, faturou bem e levou muitos dos prêmios daquele ano, incluindo o Troféu Imprensa e o Troféu APCA.

Uma das cenas antológicas da novela é a guerra de alimentos entre Charlô e Otávio, brilhantemente interpretada por Fernanda e Paulo Autran, respectivamente. Os dois personagens tomam café quando surge mais uma discussão sobre o papel de homens e mulheres. Entre as falas, suco jogado no rosto do outro e manteiga e creme arremessados, num momento típico dos pastelões do cinema italiano. Essa sequência surgiu de uma conversa entre a protagonista e o autor, algo que só pode acontecer quando existe liberdade, cumplicidade e respeito. "O Silvio é um companheiro de grandes viagens e sentei com ele para lembrá-lo que existia no teatro um texto em que um casal brigava e um jogava coisas no rosto do outro. Joguei a ideia e algum tempo depois veio o texto", conta a atriz.

Silvio de Abreu não esconde de ninguém o agradecimento especial a Glória Menezes. "Ela foi muito importante, porque gostou de fazer *Jogo da Vida* e realizou uma verdadeira campanha para que o Tarcísio também trabalhasse comigo. Como a Fernanda eu já conhecia, fiz o convite. O Paulo estava no teatro e aceitou o desafio. Um foi chamando o outro para esse time campeão", explica. De certa maneira, o sucesso de *Guerra dos Sexos* mostrou a todos que era possível arriscar em todas as faixas, inclusive a das 20h, considerada a mais importante para toda a estratégia da Globo. "Descontraiu o produto de tal maneira que afetou até *Roque Santeiro*, já que na primeira versão os temas eram mais sérios e na segunda havia uma Viúva Porcina com um pé na chanchada, feita com maestria por Regina Duarte", complementa.

*Roque Santeiro* foi outro grande sucesso da década de 1980 e chegou a impressionantes 80% de share, ou seja, de cada 10 televisores ligados, 8 estavam sintonizados na trama de Dias Gomes e Aguinaldo Silva. Os dois chegaram a trocar farpas sobre o papel de cada um na nova versão. O fato é que, sem o regime militar, finalmente o texto censurado às vésperas de entrar no ar pôde ser exibido em todo o Brasil, o que gerou parte desse resultado. Aliada a essa curiosidade, uma história bem narrada com personagens construídos por um elenco de primeira grandeza, muitas referências à política do país e uma boa pitada de humor. A trilha sonora também foi marcante, com música até hoje entre as mais lembradas.

Apesar de toda a sátira que existia à política brasileira e das cores carregadas, o sucesso de Roque Santeiro não ficou restrito à televisão. Viúva Porcina, uma personagem cheia de contradições e longe das virtudes das mocinhas, caiu no gosto popular, estabelecendo a moda daquele ano. Não precisou de muitos capítulos para os seus turbantes coloridos serem oferecidos em shoppings, lojas e no comércio de rua, atraindo mulheres de todas as camadas sociais. As camisas coloridas e com babados e ombreiras também passaram a ser desejadas por quem assistia à novela e até mesmo suas bijuterias chegaram ao mercado consumidor. A química entre Regina Duarte e Lima Duarte foi intensa e perfeita, levando os dois a ganharem um espaço muito maior do que o previsto inicialmente. "Tô certo ou tô errado?", acompanhado de um movimento do pulso, jargão de Sinhozinho Malta, se transformou em gíria de crianças, jovens e adultos.

Roque Santeiro com Lima Duarte e Regina Duarte

Os bastidores de Roque Santeiro também guardam momentos engraçados. Certa vez, Marcílio Moraes, colaborador dos coautores, escreveu uma cena em que o professor Astromar Junqueira, aquele que em noite de lua cheia virava lobisomem e era apaixonado por Mocinha, fazia uma defesa da cultura brasileira, usando como exemplo a broa de milho, na fala dele um produto típico de nosso país. Tudo isso foi inspirado no ministro Aluísio Pimenta, da pasta da Cultura do governo José Sarney, que, em entrevistas, falava sobre a iguaria da gastronomia nordestina como referência à identidade do nosso povo. Chateado com o que classificou como deboche, pediu a Ziraldo que organizasse um almoço com Dias Gomes antes que aquela sequência fosse exibida, afinal, não existia mais censura, mas os capítulos ainda eram enviados a Brasília para liberação da classificação. Foi ali na leitura que se descobriu a brincadeira.

No dia marcado, sem entender muito o porquê do convite do ministro da Cultura, o autor chegou pontualmente ao encontro. Servidos os pratos, a conversa engrenou e Aluísio Pimenta abordou o tema que o incomodava: a sátira com a broa de milho.

– Não se preocupe, na sinopse não tem nada disso. Não vai para o ar – garantiu Dias Gomes.

Quando o autor chegou à Globo, verificou o texto e reparou que era apenas uma citação. Ligou ao ministro e disse para não se preocupar, porque era algo muito sutil. "O problema é que ele não fez a revisão dessa cena e passou daquele jeito mesmo, para deixar muita gente furiosa", ri Marcílio Moraes. No último capítulo de *Roque Santeiro*, depois de muitas referências à política e brigas entre esquerda e direita na ficção, aparece o desejo do telespectador. Viúva Porcina não entra no avião do protagonista e continua em Asa Branca, ao lado de Sinhozinho Malta, afinal, novela precisa atender o que o público determina.

Em agosto de 1985, entrou no ar mais um grande sucesso na faixa das 19h assinado por Cassiano Gabus Mendes. Inspirado nas brigas entre os estilistas Clodovil Hernandes e Dener que havia presenciado nos bastidores da TV Tupi, o autor criou *Ti Ti Ti*, a história da rivalidade entre os costureiros Victor Valentim e Jacques Leclair, interpretados, respectivamente, por Luis Gustavo e Reginaldo Faria. Mais uma vez a comédia corria solta, mas mesclada com alguns dramas. "Essa foi uma novela especial, que trouxe uma repercussão muito grande, principalmente com o público feminino, já que o Victor era um sujeito envolvente", diz o ator.

***

Em 1985, depois de dois anos de operações, a Rede Manchete resolveu se arriscar na teledramaturgia e, para viabilizar o projeto, se associou à Rádio e

Televisão Portuguesa – RTP – e contratou Geraldo Vietri para escrever uma nova versão de *Antônio Maria*[7]. "Foi a inauguração dos estúdios da emissora em Água Grande, mas, no final, não houve continuidade no departamento", lembra a atriz Ana Rosa, que integrou a trama após uma rápida passagem pela Globo.

*Antônio Maria* teve uma produção equivocada, muitos artistas reclamavam das condições de trabalho e da falta de paciência do autor, e a audiência não atingiu a meta estabelecida. Ficou no ar até novembro de 1985. A Manchete só lançou outra novela em abril do ano seguinte. *Dona Beija*, com Maitê Proença no papel principal, rapidamente chamou atenção do telespectador, uma vez que certa ousadia se fez presente na tela, com cenas mais sensuais, banhos de cachoeira e a protagonista nua em cima de um cavalo. Com mais audiência e repercussão, deu lugar a *Novo Amor*, de Manoel Carlos. Em *Mania de Querer*, que veio em seguida, houve a demissão do diretor Herval Rossano e, em solidariedade a ele, o pedido de rescisão de contrato dos protagonistas Nívea Maria e Carlos Augusto Strazzer. De gênio forte, Rossano se desentendeu com o alto comando da emissora, principalmente em função da pressão cada vez maior por audiência. Nívea, sua esposa na época, e Strazzer, levado para a Manchete pelo diretor, saíram com ele. Vanessa e Ângelo, personagens dos dois atores, desapareceram da novela e Aracy Balabanian ganhou mais espaço, transformando-se na protagonista da história. Com as mudanças, os índices subiram e acalmaram os ânimos dos executivos da TV de Adolpho Bloch.

Em 1987, a Rede Manchete continuou com apenas um horário para a teledramaturgia e, em 30 de março, estreou *Corpo Santo*, com vários ex--globais no elenco. Christiane Torloni e Reginaldo Faria eram os protagonistas. Lídia Brondi, Nathalia Timberg, Angela Vieira, Otávio Augusto e Silvia Buarque são outros nomes que naquela época trocaram a líder de audiência nesse segmento pela emissora que sinalizava para uma qualidade maior em sua grade. No fim daquele ano, Gloria Perez assinou *Carmem* e conseguiu reunir Lucélia Santos, que havia dez anos brilhava entre as protagonistas da Globo, Paulo Betti, José Wilker, Paulo Gorgulho, entre outros. Sempre com bons elogios da crítica especializada, a emissora seguiu com *Olho por Olho* e *Kananga do Japão*, uma superprodução que recriou o Rio de Janeiro dos anos 1930 e misturou ficção com realidade, tendo como pano de fundo a intensa manifestação musical da época. Até hoje, é uma das tramas lembradas da

---

7 N. do E.: Exibida originalmente pela Tupi entre julho de 1968 e maio de 1969.

extinta TV de Adolpho Bloch. A grande virada e sua principal realização estava por vir nos anos 1990, que se aproximavam.

A década de 1980 foi muito promissora para a teledramaturgia brasileira. Os investimentos, mesmo que modestos, do SBT, Bandeirantes e Manchete aumentaram a competição nesse segmento e, com isso, contribuíram para o desenvolvimento de nosso estilo folhetinesco. "Houve um aprofundamento na abordagem de muitos temas, uma nova visão para velhos problemas do cotidiano", ressalta Antônio Fagundes. Os amores impossíveis permaneciam em evidência, uma fórmula que não se esgota desde o clássico Romeu e Julieta. "Essas histórias sempre foram e serão os motores que impulsionam as telenovelas. Novela sem amor não existe. É isso que toca o coração do telespectador. O público quer romance, amor, emoção", explica o autor Alcides Nogueira. "E, se tiver uma lágrima em close, duvido que a pessoa atenda o telefone", brinca Fernanda Montenegro ao analisar os elementos que fizeram da novela o produto mais bem-sucedido da televisão brasileira. "É a emoção sem censura, é o seu emocional sem pudor. É o folhetim", completa a atriz.

Enquanto isso, na segunda metade da década de 1980, as novelas da Rede Globo seguiam suas trajetórias, algumas melhores, outras piores, mas quase sempre em primeiro lugar na audiência. A emissora havia conquistado e mantinha o alto padrão de produção para a teledramaturgia por meio de seu processo industrial, com muito planejamento, gravações antecipadas e custos diluídos. "Dentro de um contexto narrativo, o que prevalece, antes de mais nada, é a história que o autor pretende contar e de acordo com o que sua produtora quer exibir no momento", diz o estudioso Mauro Alencar.

Fundada em 1985, a Casa de Criação Janete Clair tinha como objetivo propor novos textos para a teledramaturgia da Globo e formar uma nova geração de autores para a emissora, oferecendo cursos para roteiristas e escritores. Dias Gomes era o diretor desse projeto, auxiliado por Ferreira Gullar, Euclydes Marinho, Luiz Gleiser, Joaquim Assis, Marília Garcia e Antonio Mercado. Desse grupo surgiu a proposta para *Roda de Fogo*. A sinopse foi apresentada por Marcílio Moraes com base na personagem de uma peça do próprio Dias. "Como ficou muito legal, levaram ao Lauro César Muniz, porque aquela era a minha primeira história e eu era novo naquilo", conta Marcílio, que atuou como colaborador. "E, como fez sucesso, nunca mais saí da televisão", completa.

*Roda de Fogo* estreou no dia 25 de agosto de 1986 para contar a história de Renato Villar, um empresário poderoso e capaz de tudo para se manter à frente de suas empresas e ganhar muito dinheiro – inclusive matar um grande amigo que descobre suas falcatruas. A novela dá uma reviravolta quando Villar é diagnosticado com um câncer no cérebro e tem apenas alguns meses de vida. "Ele era um patife. Foi muito aflitivo carregar um personagem que você sabe que terá um final trágico, que vai morrer com muitos pesos na consciência", relembra o protagonista, Tarcísio Meira.

Apesar de um começo com audiência abaixo das expectativas e com críticas do público, principalmente pelo fato de Tarcísio Meira aparecer como vilão, *Roda de Fogo* está entre as novelas que marcaram a década de 1980, por fazer um retrato duro e verdadeiro do capitalismo selvagem que ganhava cada vez mais força no país. Além disso, os autores souberam administrar muito bem a virada do protagonista e o humanizaram a partir da grave doença e da paixão pela juíza Lúcia Brandão, interpretada por Bruna Lombardi.

*Roda de Fogo* deu lugar a *O Outro*, com Francisco Cuoco nos papéis principais. Ele interpretou o milionário Paulo Della Santa e o pobre Denizard de Mattos, que trocam de lugar porque um é dado como desaparecido e o outro sofre de amnésia. Depois, no dia 12 de outubro de 1987, a Globo estreou *Mandala*, novela de Dias Gomes com a colaboração de Marcílio Moraes, baseada na tragédia grega *Édipo Rei*, de Sófocles. Só que dessa vez o mito de Édipo tinha como cenário o Rio de Janeiro e Jocasta era interpretada por Vera Fischer, uma das mulheres mais bonitas e desejadas da televisão brasileira naquela época. "Foi de uma ousadia extraordinária adaptar esse clássico para a TV", afirma o autor.

Pelos planos iniciais, depois de desenvolver toda a sinopse, Dias Gomes ficaria responsável pelo roteiro diário da primeira fase completa e início da segunda, o que daria em torno de 40 capítulos, quando Marcílio Moraes assumiria o trabalho, sob supervisão dele. "Por volta do episódio 26, Dias ficou doente e precisou ser afastado imediatamente", recorda o autor. Esse foi só o primeiro problema a ser administrado, porque outros surgiram no decorrer da novela. "Fomos censurados, e os autores acompanharam de perto todas as dificuldades para adaptar o texto cortado. Para piorar, Felipe Camargo se apaixonou por Vera Fischer, ela por ele. A estrela da novela se separou do marido", completa. Audiência alta e muitas notícias nas revistas especializadas.

As dificuldades com a censura começaram muito antes de *Mandala* estrear, já na reunião com os responsáveis pela classificação em Brasília. "O problema não era o filho matar o pai, mas ele transar com a mãe", diz

Marcílio Moraes. Para que a exibição fosse aprovada, Boni assinou um documento assegurando que não haveria incesto na novela. "Mesmo que os personagens não soubessem do parentesco, era uma informação conhecida do telespectador, que resistiu à temática", explica o autor. O beijo entre Jocasta e Édipo foi liberado pelos censores, mas gerou muita discussão na imprensa especializada, com fortes críticas dos setores mais conservadores.

Apesar de toda a polêmica, além do eixo principal da trama baseada no clássico grego, *Mandala* é lembrada até os dias atuais pela excelente caracterização de Nuno Leal Maia para o bicheiro Tony Carrado, apaixonado pela protagonista. O tema musical, "O Amor e o Poder", versão de "The Power of Love" na voz de Rosana, também atravessou o tempo e imediatamente é associado à trama.

> A música na sombra, o ritmo no ar
> Um animal que ronda no véu do luar
> Eu saio dos seus olhos eu rolo pelo chão
> Feito um amor que queima magia negra sedução
>
> Como uma deusa você me mantém
> E as coisas que você me diz
> Me levam além [...]

O sucesso de "O Amor e o Poder" é exemplo da força que a teledramaturgia tem no país. Entre o final de 1987 e o primeiro semestre de 1988, o tema da novela *Mandala* ficou mais de 10 semanas em primeiro lugar no ranking de execuções nas rádios brasileiras, incluindo as emissoras em AM e FM. Além disso, o álbum da cantora Rosana, *Coração Selvagem*, que incluía a canção, vendeu mais de um milhão de cópias.

A música sempre foi um elemento importante para as telenovelas, porque ajuda no envolvimento do telespectador com os personagens e, de certa forma, contribui para contar a história. Na década de 1980, os altos índices de audiência das tramas, principalmente as da Globo, levaram muitos cantores e compositores a disputar espaço nas trilhas sonoras. Canções foram feitas por encomenda para atender aos núcleos de personagens ou como tema principal. O fato é que a projeção diária do folhetim aumentava as chances de venda de discos dos artistas e bandas, potencializando a venda de shows por todo o Brasil. Ou seja, embalar os casais da dramaturgia representava um retorno financeiro considerável e a garantia de muito trabalho até o último capítulo. Os discos lançados, no mínimo dois por novela (trilhas nacional e internacional), também engordaram os cofres das gravadoras e das próprias emissoras.

Depois da morte de Janete Clair, durante a década de 1980, a Globo organizou sua principal faixa de novelas, às 20h, em um rodízio com quatro autores: Lauro César Muniz, Gilberto Braga, Aguinaldo Silva e Dias Gomes. Já no horário anterior, às 19h, o revezamento incluía Ivani Ribeiro, Silvio de Abreu e Cassiano Gabus Mendes e, eventualmente, Carlos Lombardi, já como titular e não mais colaborador, e Daniel Más. Foi na reta final dessa década que Cassiano colocou no ar *Brega e Chique*, mais uma produção que gerou muita repercussão, a ponto de superar *O Outro* nas capas das revistas especializadas em folhetim.

Fora do ar desde *Ti Ti Ti*, Cassiano foi sondado discretamente sobre a possibilidade de uma nova história. Boni, em respeito ao amigo de longa data, pediu a Roberto Talma que verificasse se havia algo em planejamento. A ordem era clara: a conversa deveria acontecer durante um almoço ou encontro em algum lugar distante da Globo e que não houvesse nenhum tipo de pressão, apenas uma sondagem. Assim foi feito, e o executivo ouviu que Cassiano pensava em algo sobre a mudança de vida de duas mulheres. A rica se tornava pobre e a que vivia numa classe menos favorecida ganhava dinheiro. Cassiano deixou bem claro que era apenas algo embrionário. O título "Brega & Chique" foi proposto pelo todo-poderoso da Globo.

Com a garantia de que teria Marília Pêra e Glória Menezes como protagonistas, Cassiano Gabus Mendes criou sob medida a rica Rafaela Alvaray e a moradora da periferia Rosemere. No vídeo, um retrato delicioso das diferenças de São Paulo e interpretações cheias de improviso e muita cumplicidade. Em vários momentos, por ordem do autor e do diretor, não eram editadas as cenas em que Marília e Marco Nanini caíam na gargalhada, o que fez aumentar ainda mais o sucesso da trama e o envolvimento do público.

*Brega & Chique* gerou algumas polêmicas. Num dos capítulos, a esnobe Rafaela Alvaray, depois de perder dinheiro e não ter mais como manter uma mansão em local nobre, disse que se mudaria para um bairro mais pobre, o Itaim Bibi, de classe média e com imóveis mais baratos. Os moradores não gostaram muito e as associações representativas organizaram protestos. O que poucos sabiam era que a família do autor residia numa das principais vias da região.

A vinheta de abertura também deu o que falar. O modelo Vinícius Manne aparecia nu de costas ao som de "Pelado", da banda Ultraje a Rigor.

> Uau, que legal nós dois pelados aqui
> Que nem me conheceram o dia que eu nasci
> Que nem no banho, por baixo da etiqueta
> É sempre tudo igual, o curioso e a xereta
> Que gostoso
> Sem frescura, sem disfarce, sem fantasia
> Que nem seu pai, sua mãe, seu avô, sua tia!
> Proibido pela censura, o decoro e a moral
> Liberado, praticado pelo gosto geral
> Pelado todo mundo gosta, todo mundo quer
> Ah, é? É!
> Pelado todo mundo fica, todo mundo é!
> Pelado, pelado
> Nu com a mão no bolso
> Pelado, pelado
> Nu com a mão no bolso [...]

A polêmica foi tamanha que, logo nas primeiras semanas, a bunda do modelo foi coberta por uma folha de parreira, uma provocação aos mais conservadores, que não cansavam de afirmar que aquilo era uma falta de respeito aos bons costumes e um sinal de que a televisão tinha perdido o seu caminho. Era apenas mais um passo para a liberdade de pensamento e o avanço em algumas questões.

A seguir, no dia 9 de novembro de 1987, Silvio de Abreu estreou *Sassaricando*, novamente com Paulo Autran como protagonista. No elenco também estavam Tônia Carrero, Eva Wilma, Irene Ravache, Edson Celulari e Claudia Raia, que roubou a cena com a impagável e atrapalhada Tancinha, uma das personagens mais emblemáticas da comédia em telenovelas e que voltou repaginada pela atriz Mariana Ximenes trinta anos depois, em *Haja Coração*.

Com o fim do regime militar e o abrandamento da censura prévia, os autores brasileiros que atuavam na televisão conseguiram mais liberdade para, finalmente, escrever histórias com referências mais diretas à realidade brasileira. Os últimos anos da década de 1980 ainda foram marcados por uma certa pressão com o que era produzido pelo maior e mais popular veículo de comunicação do país, mas mesmo assim, aos poucos, os questionamentos políticos ficaram mais nítidos nas novelas que toda noite entravam na casa dos telespectadores.

*Vale Tudo*, um dos grandes marcos da teledramaturgia brasileira escrito por Gilberto Braga com colaboração de Aguinaldo Silva e Leonor Bassères, estreou no dia 16 de maio de 1988, no principal horário de novelas da Globo, com uma crítica social bem forte e clara que mexeu de imediato com o público. Regina Duarte deu vida a Raquel, uma mulher que chega ao Rio de Janeiro em busca de novas oportunidades e tem na venda de sanduíche na praia o seu sustento e o de sua filha, Maria de Fátima, jovem capaz de tudo para subir na vida, até mesmo renegar e roubar a própria mãe. "Foi uma personagem emblemática, que trouxe cenas muito ricas e densas, com tudo o que uma boa novela pode oferecer", recorda Glória Pires, a intérprete da vilã. Até onde vale a pena manter a dignidade e a ética foi a pergunta que moveu os núcleos principais da trama, incluindo o da empresária Odete Roitman – interpretada por Beatriz Segall –, uma mulher poderosa, sem escrúpulos e que jamais foi esquecida pelos admiradores do bom folhetim. "Eu não calculava o sucesso que estava fazendo porque trabalhava muito diante da quantidade enorme de cenas para gravar, mas era informada que o nome de minha personagem era citado até no noticiário político", lembra a atriz.

Odete Roitman é uma história à parte no sucesso de *Vale Tudo*. Odiada por quem a assistia diariamente, capaz de falar as maiores barbaridades em relação a direitos sociais e mostrando todo o preconceito do brasileiro em relação a sexo, cor de pele e situação financeira, ela era o pior retrato de nossa sociedade, em que os ricos podiam absolutamente tudo e os pobres ficavam nas mãos de dirigentes, políticos, tribunais e empresários corruptos. "Foi uma novela que mostrou para a massa como é que essas coisas aconteciam, como era o caminho para alguém levar vantagem", diz Beatriz Segall. "*Vale Tudo* foi um pouco antes do impeachment do Collor e acredito que tenha contribuído para desencadear todo aquele processo político a que assistimos alguns anos depois em nossa televisão, só que não através da ficção da dramaturgia, mas sim pela realidade retratada pelo jornalismo", completa a atriz.

Na reta final de *Vale Tudo*, num capítulo exibido na véspera do Natal, a empresária Odete Roitman foi assassinada. A audiência disparou, mesmo numa noite com número menor de televisores ligados. A repercussão foi tamanha que uma indústria de produtos alimentícios patrocinou na Globo, em revistas e emissoras de rádio bolões junto ao público para saber quem matou a vilã. A cena que revelava o mistério que monopolizou as atenções do país por treze dias foi gravada horas antes da exibição do capítulo final. No dia 6 de janeiro de 1989, com um esquema especial de segurança, foi registrado o momento do tiro. Leila, a personagem de Cássia Kis, matou a vilã por engano, pensando se tratar da amante de seu marido.

*Vale Tudo* levou ao telespectador personas que fugiam completamente do maniqueísmo tradicional das novelas brasileiras e gerou as mais estranhas reações no público. Ao mesmo tempo que o telespectador odiava Maria de Fátima, aplaudia o trabalho de Glória Pires e entendia as ações daquela jovem disposta a subir na vida. Um dos capítulos de maior audiência mostrou a batalhadora Raquel rasgando o vestido de noiva de sua filha, numa revolta por todas as maldades cometidas por ela. "É uma valiosa contribuição para o desenvolvimento de nosso folhetim", afirma o professor Claudino Mayer, ao explicar a importância da humanização das personagens, que, mesmo consideradas heroínas, não escondem a raiva ou sentimentos negativos diante dos golpes que sofrem. A partir desse momento, muitas outras produções seguiram a mesma linha, aproximando-se mais da realidade.

*Vale Tudo* foi ousada e diferente em seu final. Leila, a assassina de Odete Roitman, viajou para o exterior com seu marido, Marco Aurélio, empresário corrupto que roubou a todos, inclusive a grande vilã. A cena foi emblemática: ele deu uma banana (movimento com os braços) enquanto o jato levantava voo para a fuga, uma referência de como os poderosos enxcrgavam o Brasil, um país com sistemas políticos e de justiça que necessitavam de reformas e melhorias. No bloco seguinte, condenado por um crime fiscal, o honesto Ivan conversa com Raquel sobre sua condenação, um texto forte sobre a realidade política.

**Raquel:** *Prenderam meia dúzia de pobres. Os ricos continuaram impunes. Eu vou acreditar que esse país tem jeito? Por que você tem que ser o bode expiatório por um delito mínimo? Tanta gente por aí, os próprios políticos. Todo mundo, o povo...*

**Ivan:** *O povo votou melhor nessas últimas eleições. Eu acho que este ano vai ser decisivo para nós, Raquel. Eu tenho esperança, sim. Eu vou tentar usar esse tempo para escrever um livrinho sobre essa minha esperança.*

**Raquel:** *Eu não me conformo. Por que você tem que pagar? Por que tem que ser você o único preso? Um delito mínimo.*

**Ivan:** *Eu prefiro pensar que, em vez de eu ser o único, eu vou ser o primeiro. Acho que um crime não é diferente do outro. Tem que acabar com isso. Tem que dar um basta nesse clima. Sabe a palavra que eu mais odeio no mundo? É careta. Porque aqui neste país é careta você ser íntegro. É careta você ser honesto. É careta você não agredir nenhuma lei. É careta não tentar levar vantagem em tudo.*

**Raquel:** *Eu não me conformo. Pra mim você molhou a mão de um guarda de trânsito para não pagar uma multa.*

**Ivan:** *Tô cansado de morar num país onde é natural molhar a mão de um guarda.*

Depois de um clipe com o destino de vários personagens, o tempo passa, Heleninha inicia um tratamento contra o alcoolismo, Ivan deixa o presídio e assume a presidência da companhia aérea que um dia foi de Odete Roitman. Maria de Fátima assume que não consegue ser boa, apesar das tentativas naturais de um último capítulo, e decide entrar num casamento de fachada para ganhar muito dinheiro e viver ao lado de seu amante, César Ribeiro.

\*\*\*

*O Salvador da Pátria*, novela de Lauro César Muniz com mais um retrato da política do país exatamente no ano em que o brasileiro se preparava para ir às urnas votar para presidente depois de trinta anos sem eleições diretas, foi exibida na sequência e também registrou excelentes índices de audiência. Alcides Nogueira, junto com Ana Maria Moretzsohn, foi um dos colaboradores, e, durante alguns capítulos, assumiu a história porque o autor teve problemas de saúde. "Mas, mesmo acamado, ele continuava supervisionando o texto e trocando muitas figurinhas", recorda.

Com o aquecimento da campanha eleitoral e a disputa acirrada no segundo turno entre Fernando Collor de Mello e Luiz Inácio Lula da Silva, muitas pessoas viram nos capítulos de *O Salvador da Pátria* referências aos candidatos. "O PT achava que o personagem favorecia o Collor porque fazia certa chacota com o Lula por não ter ensino superior. E era justamente o contrário. Ele representava a ascensão do povo ao poder", diz Lauro César Muniz. O autor não esconde de ninguém que ficou sob fogo cruzado dos dois partidos e garante que não sofreu pressões da emissora para alterar o que estava previsto na sinopse. "Ele já havia criado o protagonista muitos anos antes e todos nós sabíamos o final. Nada foi mudado", garante Alcides Nogueira.

O fato é que *O Salvador da Pátria* foi mais uma produção a mostrar que, sem a censura e com liberdade maior de pensamento, a nossa teledramaturgia poderia ir muito além das lágrimas do folhetim, abordando temas políticos e encabeçando campanhas sociais importantes, visto que, num país com dimensões continentais e enormes dificuldades para acesso à cultura, a popularidade da novela contribui para a informação chegar ao povo.

Nesse mesmo ano, 1989, só que em fevereiro, Cassiano Gabus Mendes estreou *Que Rei Sou Eu?*, apontada como a obra-prima do autor. "Foi, com certeza, a que ele mais se divertiu", diz o filho Cássio. A história do Reino de Avilan estava engavetada havia doze anos e, sem a censura do regime militar, foi finalmente liberada por José Bonifácio de Oliveira Sobrinho, após o autor bater o pé para colocá-la no ar. A grande dificuldade era a comercial. Nas reuniões, sempre a mesma pergunta: como fazer o merchandising se na Idade Média não havia nenhum produto que se conhece atualmente? A resposta que convenceu foi muito simples.

– Eu faço o mocinho sonhar com o Fusca – disse Cassiano aos diretores da Globo, entre eles Boni.

Todos se olharam e ensaiaram uma resposta negativa, mas foram interrompidos.

– Ele vai achar o carro do futuro muito melhor que as carroças. E faço a lavadeira sonhar com o Omo para facilitar seu trabalho e deixar tudo branco.

Cassiano convenceu a todos e mostrou que a sátira poderia funcionar muito bem para as estratégias comerciais, atraindo os anunciantes. Foi o que se percebeu no decorrer da exibição de *Que Rei Sou Eu?*, que também foi acusada de favorecer Fernando Collor de Mello por meio de seu protagonista, Jean Pierre, interpretado por Edson Celulari. Na trama, o jovem era o verdadeiro herdeiro do trono do reino de Avilan, mas foi isolado da estrutura política pela tramoia arquitetada pela rainha Valentine e o bruxo Ravengar. Quando luta para retomar o poder, torna-se representante do povo e combate as regalias dos monarcas, de seus representantes e de muitos que ganhavam salários sem trabalhar para o castelo. O autor afirmava aos mais próximos que seu herói representava a classe trabalhadora do país, que naquela época não aguentava mais a estrutura de comando do Brasil em todas as suas esferas. Já os movimentos de esquerda garantiam que sobravam referências a Collor, que ganhou notoriedade nacional com o discurso de "caçador de marajás", os políticos e militares com altas retiradas pagas pelo contribuinte.

Apesar das polêmicas e acusações, com muito humor, Cassiano Gabus Mendes fez um verdadeiro retrato do cenário político do Brasil naquele final de governo Sarney. Era muito comum o autor escrever cenas para a rainha Valentine com frases ditas pelo presidente da República, associando José Sarney à personagem de Tereza Rachel. Também muito clara a inspiração no então ministro Antônio Carlos Magalhães para o conselheiro Vanoli, brilhantemente interpretado por Jorge Dória.

É impossível afirmar quem foi o destaque de *Que Rei Sou Eu?*, tamanha a dedicação do elenco na caracterização dos personagens e o mergulho no texto proposto por Cassiano Gabus Mendes, mas não há como negar o sucesso que Tereza Rachel fez na pele de uma rainha má e louca. Mesmo depois do término da novela, a atriz foi muito requisitada para entrevistas e participações em programas, inclusive em atrações locais.

*Que Rei Sou Eu?* entregou o horário para *Top Model*, novela de Walther Negrão e Antônio Calmon que marcou o início da carreira televisiva de muitos atores, como Marcelo Faria, Drica Moraes, Zezé Polessa, Gabriela Duarte, Adriana Esteves e Flávia Alessandra, as três últimas descobertas num concurso promovido no *Domingão do Faustão*.

Depois de uma passagem pela TV Manchete, em que escreveu com sucesso *Carmem*, Gloria Perez retornava à Globo com a promessa de ocupar a faixa das 20h, o ponto alto do horário nobre, em que estavam as obras dos autores mais importantes. A sinopse de *Barriga de Aluguel* estava em discussão, praticamente aprovada para substituir *O Salvador da Pátria*. "Tinha tudo pronto. Elenco contratado e cidade cenográfica erguida. O planejamento era iniciar as gravações dentro de vinte dias, no máximo trinta", revela Reynaldo Boury, o diretor escalado para esse projeto. Depois da reunião da sexta-feira, Boni levou para casa os primeiros capítulos para ler, como costumava fazer com todas as novelas. No domingo à noite, já depois do *Fantástico*, Boury recebeu um telefonema da secretária do todo-poderoso da Globo para informá-lo sobre uma reunião extra às 10h da segunda-feira. Ao chegar à sala, nem precisou sentar para ouvir:

– Está tudo errado. Essa novela não pode entrar no ar às 20h. É uma trama para as 18h – disse Boni, que enumerou os motivos para a troca de horário. Ao terminar, abriu a gaveta e tirou dela um exemplar de *Tieta do Agreste*, um dos clássicos de Jorge Amado.

– Você está louco, Boni! Como vou colocar uma novela no ar em menos de quarenta dias?

– Não quero saber. Você é o diretor, resolva! Mas corre porque a Betty Faria comprou os direitos do livro para produzir uma minissérie e o Doc Comparato já está bem adiantado na adaptação – completou Boni, encerrando a reunião.

Os dias seguintes foram de muita correria com a compra dos direitos e reorganização da equipe. "Pegamos parte do elenco que estava separado para *Barriga de Aluguel* e passamos para *Tieta*. Viajei imediatamente para Mangue Seco para ver as locações externas e a cidade cenográfica foi erguida a toque de caixa", recorda Reynaldo Boury. "Quando começamos a gravar no Rio de Janeiro, só havia o bar e o correio. O restante foi surgindo com o tempo, inclusive a praça redonda e o coreto, fundamentais para muitas ações", completa.

Como a protagonista Betty Faria estava no ar em *O Salvador da Pátria* com a personagem Marina Sintra, a solução encontrada para dar um descanso à imagem da atriz foi contar a história em duas fases, com Claudia Ohana como Tieta. Assim, Betty ficou longe do vídeo até o vigésimo capítulo. Ingra Liberato, que iniciava sua carreira como atriz de televisão, foi selecionada para viver Tonha na adolescência, papel na vida adulta de Yoná Magalhães. "O Luiz Fernando Carvalho ensaiou cada cena com cada ator para que nada desse errado, numa aposta diferente para os padrões da Globo", conta a atriz. O episódio inicial, com uma hora e meia de duração, foi todo rodado em Mangue Seco e gerou muita repercussão na mídia especializada e entre os telespectadores, por mostrar uma paisagem pouco conhecida nas grandes capitais. Assim que terminou o trabalho na emissora, Ingra foi chamada para fazer um teste na TV Manchete e, com contrato assinado para *Pantanal*, voltou para fazer cenas de *flashback* para a fase final de *Tieta*.

*Tieta* fez um sucesso enorme e garantiu boa audiência. Além da trama principal, Aguinaldo Silva, Ana Maria Moretzsohn e Ricardo Linhares criaram personagens secundários fortes que chegaram a protagonizar blocos inteiros de capítulos ou que ganharam a mesma importância que os principais. A hegemonia da Globo com dramaturgia às 21h foi abalada no ano seguinte com a entrada de *Pantanal* na concorrente Manchete. A resposta veio com *Rainha da Sucata*. Uma briga para o próximo capítulo.

## O sheik fake

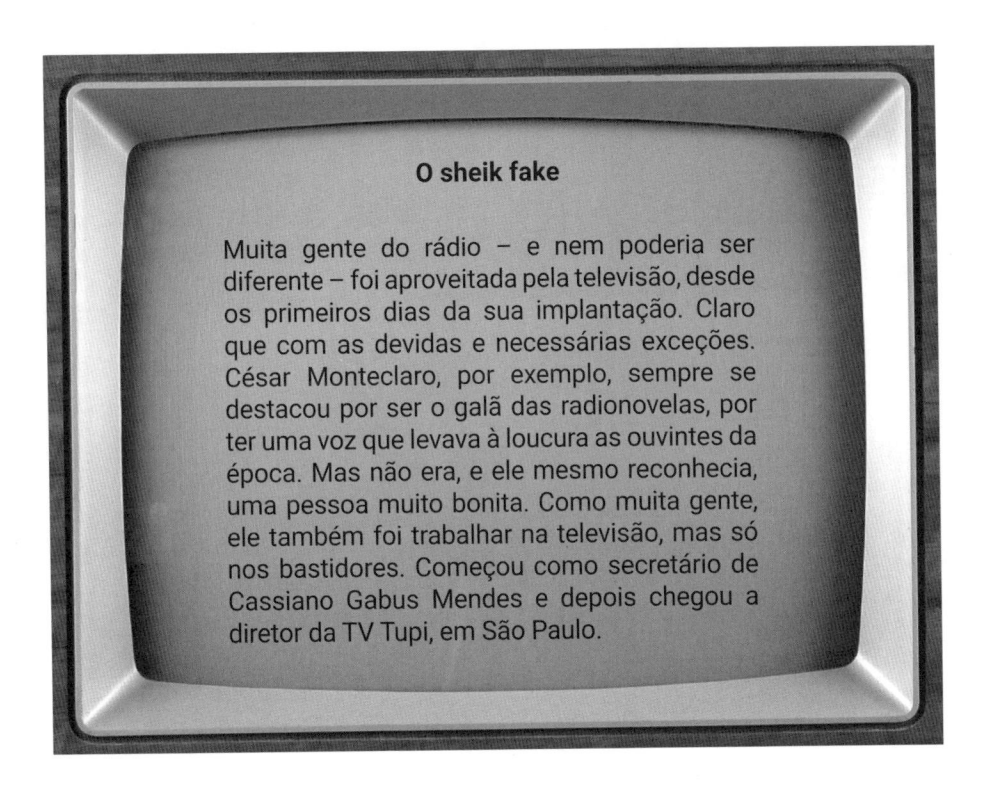

Muita gente do rádio – e nem poderia ser diferente – foi aproveitada pela televisão, desde os primeiros dias da sua implantação. Claro que com as devidas e necessárias exceções. César Monteclaro, por exemplo, sempre se destacou por ser o galã das radionovelas, por ter uma voz que levava à loucura as ouvintes da época. Mas não era, e ele mesmo reconhecia, uma pessoa muito bonita. Como muita gente, ele também foi trabalhar na televisão, mas só nos bastidores. Começou como secretário de Cassiano Gabus Mendes e depois chegou a diretor da TV Tupi, em São Paulo.

# A teledramaturgia nos anos 1990: trilogias, suspenses e o Brasil na TV

O investimento da Manchete em teledramaturgia realizado na segunda metade da década de 1980 contribuiu de forma significativa para o avanço na produção desse gênero, com reflexos importantes nos anos 1990, quando a guerra pela audiência ficou realmente acirrada. De um lado, os folhetins realizados pela TV de Adolpho Bloch; do outro, a linha industrial da Globo, em que qualquer falha era eliminada muito antes de entrar no ar. A disputa de mercado levou os autores a buscarem novos caminhos para narrar as velhas histórias de amor e muitas oportunidades surgiram como esperança de renovação.

No dia 27 de março de 1990, pontualmente às 21h30, a TV Manchete colocou no ar o primeiro capítulo de *Pantanal*, assinada por Benedito Ruy Barbosa. A nova trama acabou se transformando em outra novela nos bastidores, com início ainda na Globo, quando o autor propôs a realização do projeto a Boni. Diante das dificuldades para a produção, que seriam inevitáveis, coube a Herval Rossano, na ocasião o chefe do núcleo das 18h, a realização das pesquisas necessárias para avaliar a viabilidade do projeto, incluindo a logística para as gravações de algumas externas na região e a construção de uma cidade cenográfica. Foi praticamente interminável a sequência de incidentes durante esse processo, inclusive com a quase queda do jatinho fretado para levar a equipe para conhecer as locações. A aeronave perdeu a estabilidade durante uma briga entre o autor e o diretor em seu interior. "Eu queria encher ele de porrada", confirma Benedito. Por muito pouco o resultado desse desentendimento não foi a morte de todos que estavam na aeronave. O fato é que, diante das dificuldades e de uma estimativa de custos muito alta, a Globo preferiu desistir do projeto.

Sem conseguir assimilar essa decepção e inconformado porque tinha certeza de que o seu trabalho poderia mudar a história das novelas do Brasil, Benedito ficou aberto a conversas com as concorrentes. O primeiro a se aproximar foi Carlos Alberto de Nóbrega, em nome do SBT. "Marcamos o almoço no restaurante na torre do Sumaré e até levei o Mário Lúcio Vaz, a pedido deles. A ideia era contratar os dois para conseguir atrair um bom elenco", relembra o autor. Silvio Santos também deveria comparecer à reunião, mas, no dia, alegou problemas na emissora. "Mentira! Ele estava assinando com o Guga de Oliveira para fazer *Cortina de Vidro*", revela o escritor. Essa novela estreou no final de 1989 e foi produzida a toque de caixa, a um custo de US$ 5 mil por capítulo, contra US$ 10 mil para "Amor Pantaneiro", título de *Pantanal* até aquele momento.

Alguns meses depois, foi a vez de a Manchete se aproximar. A proposta inicial era para Edimara Barbosa escrever uma novela com a supervisão de Benedito Ruy Barbosa. A conversa prosseguiu, até que, num belo dia, convidado por Pedro Jack Kapeller, o Jaquito, Benedito foi visitar a sede da emissora na Rua do Russel, no bairro da Glória, Rio de Janeiro. Claro que havia uma segunda intenção – a oferta de um contrato, como antes já tinha acontecido com Manoel Carlos e Gloria Perez, entre outros conhecidos autores. Sem perder tempo, o escritor estabeleceu as regras do jogo:

– O que eu tenho vocês não fariam. Nem a Globo aceitou esse desafio. É uma história feita no Pantanal, diferente de tudo que já se viu.

E Benedito Ruy Barbosa contou um pouco do que pretendia fazer em *Pantanal*. A conversa só foi interrompida por alguns instantes, para que outros diretores pudessem participar da reunião, inclusive o dono da emissora, Adolpho Bloch.

– Agora, vocês me dão 40 minutos sem interrupção e eu conto toda a história.

E a narrativa prosseguiu. Ao fim, depois de um breve silêncio, o próprio Bloch foi direto:

– Não estou perguntando quanto você ganha na Globo. Eu pago três vezes o seu salário.

Benedito Ruy Barbosa confessa que, pela primeira vez, sentiu um frio na barriga. "E agora?" Não bastasse o valor irrecusável, "ele queria que, na mesma hora, levasse uma carta com a liberação da Globo", relembra o autor. O desligamento não foi fácil. Primeiro com Mário Lúcio Vaz, seu amigo, que de jeito nenhum aceitava a sua saída de lá. Depois, com Boni, numa reunião bem delicada.

– Boni, fiz quatro novelas seguidas e tenho um ano de férias para tirar. Quero saber quais são os planos da Globo para mim.

– Outra novela – respondeu Boni, de forma objetiva e com um tom sério na voz.

– Eu não faço nenhuma outra novela aqui se não for *Pantanal*, e a sinopse está lá embaixo, com os 16 primeiros capítulos.

– Lá vem você com *Pantanal* de novo – respondeu o executivo, sem muita paciência.

– Só faço novela se for *Pantanal*. Nem estou discutindo salário. Se vocês não quiserem, vou fazer na Manchete!

Depois de muita discussão, e como na Globo *Pantanal* já era um assunto encerrado, Benedito Ruy Barbosa foi liberado, com a condição de que, se alguma coisa não desse certo, ele voltaria, tiraria um ano de férias e depois faria outra novela. Boni o acompanhou até a porta, apertou-lhe a mão e desejou boa sorte. Ao dar o primeiro passo, o diretor se virou e exclamou:

– Metade da sorte. Se eu der inteira, você me ferra!

Na Manchete, sua equipe imediatamente começou a ser montada, sob a direção de Jayme Monjardim. "A gente tinha uma liberdade total garantida pelo Bloch para ousar", diz o diretor, que, junto com Benedito, decidiu que a fazenda de Sérgio Reis seria a base de todos os trabalhos, e uma casa construída pelo general Rondon, a locação principal. "Eram dez atores dormindo num mesmo quarto, porque não havia estrutura para dar conforto a uma imensa equipe", lembra Monjardim. "A maioria do elenco era de artistas desconhecidos, porque poucos topavam essa aventura, a loucura de gravar no meio do mato", diz Ingra Liberato, uma das artistas de destaque na trama. Antônio Petrin, Jussara Freire, Marcos Caruso e Cláudio Marzo eram os mais consagrados junto ao grande público e contribuíram muito com a preparação dos profissionais mais jovens. A novela revelou muita gente, como Cristiana Oliveira e Paulo Gorgulho, e transformou Marcos Palmeira e Marcos Winter em estrelas.

*Pantanal* teve 90% de suas cenas em rio gravadas no Rio Negro, em Campo Grande. Na fazenda de Sérgio Reis havia a Lagoa das Garças e o outro afluente, onde a maioria tinha o costume de nadar pelada, inclusive o próprio Benedito. "E tinha muita piranha, tanto que, se jogasse um pedaço de carne a cinco metros de onde gravávamos, ele desaparecia imediatamente", recorda Ingra Liberato. A equipe de produção concentrou todo o trabalho no local, montando uma estrutura para fazer cópias dos roteiros que chegavam nos voos diários, uma central de edição de imagens e manutenção dos equipamentos. De tempo em tempo, alguns artistas passavam alguns dias no Rio de Janeiro para registrar cenas que, obrigatoriamente, necessitavam de estúdio. "A gente ia pra lá de monomotor, às vezes um bimotor. Era preciso coragem, porque o pouso à noite, na pista de terra batida, era orientado pelo farol do carro ligado", diz Ingra.

Além da narrativa diferente, história forte e cenário deslumbrante, pouco conhecido do grande público das capitais, uma nova estética chegava ao ar por meio de *Pantanal*. Jayme Monjardim e sua equipe buscaram uma fotografia quase cinematográfica para mostrar imagens de encher os olhos. "Ele alterava os filtros das câmeras para captar algo muito parecido com o que víamos a olho nu", conta Ingra Liberato. "Naquela época, os equipamentos de filmagem tinham poucos recursos e as cenas ficavam lavadas, sem exuberância", completa a atriz.

O ritmo imposto por Benedito Ruy Barbosa ao roteiro também foi outro diferencial. "Ele desacelerou, fez cenas com mais de sete minutos e permitiu que o telespectador acompanhasse, por exemplo, o voo de uma gaivota de um lado ao outro do Pantanal", avalia o professor Claudino Mayer. Essa contemplação à natureza, mesmo que distante e feita no sofá de casa após um dia estressante de trabalho e de preocupação, foi o grande elemento do sucesso estrondoso da novela. A liberdade para a ousadia também contribuiu. Foram muitas as sequências com nus masculinos e femininos durante os oito meses em que esteve no ar. "Foi a estreia de Carolina Ferraz, que vinha de uma experiência como apresentadora do *Programa de Domingo* e, por isso, mais resistente a tirar a roupa", lembra o autor. "Foi duro de convencer, mas aconteceu", completa.

Enquanto *Pantanal* esteve no ar, Benedito Ruy Barbosa teve de lidar com todo tipo de opinião, inclusive dos mais conservadores, que o acusavam de apelar ao mostrar em pleno horário nobre mulheres e homens sem roupa, muitas vezes em cenas românticas, cheias de sensualidade. No entanto, um encontro com algumas fãs, certa vez, o surpreendeu.

A inusitada conversa ocorreu durante um voo entre Campo Grande e São Paulo. Naquele fim de tarde, Benedito Ruy Barbosa pegou um monomotor para sair da fazenda de Sérgio Reis e chegar ao aeroporto de onde partiria o avião da Vasp. Ao perceber que, mesmo com velocidade máxima, não seria favorecido pelo vento, o piloto da aeronave resolveu entrar em contato com a torre de controle na capital do Mato Grosso do Sul para pedir que segurassem a partida para Congonhas.

– Senhores, estou com Benedito Ruy Barbosa aqui. Ele precisa voltar hoje mesmo para São Paulo!

– Só podemos esperar dez minutos – advertiu o controlador.

O piloto pousou o monomotor próximo da pista onde estava o Boeing 727-200 da Vasp. Benedito desceu rapidamente do monomotor, despediu-se com um aceno e subiu as escadas, que imediatamente foram removidas. Sua bagagem acabou acomodada por alguém da tripulação. "Todo mundo ficou me olhando, achando que eu era deputado ou senador", conta o autor. Envergonhado, abaixou a cabeça e se dirigiu às últimas poltronas, bem no fundo, para ninguém ficar olhando. Afivelou o cinto e teve início o voo. Ali, depois daquela verdadeira aventura para chegar a tempo ao aeroporto, resolveu pensar nos próximos capítulos. Então, logo após o jantar, uma das aeromoças se aproximou e falou bem baixo:

– Senhor Benedito, o comandante pediu que vá até a cabine.

Ele se levantou rapidamente e passou pelo corredor em direção à cabine, sem deixar de perceber os olhares e comentários dos demais passageiros. Ao abrir a porta, o copiloto já estava em pé e pediu que ele se acomodasse em sua poltrona. E ali, durante a parte mais tranquila do voo, em que é possível deixar tudo no piloto automático, conversaram sobre a novela. Benedito contou muita coisa do que planejava para os próximos meses, revelou alguns desfechos e matou a curiosidade sobre se os banhos no rio aconteciam mesmo com as atrizes sem roupa ou se aquilo era uma trucagem. Quando faltava praticamente meia hora para o pouso, voltou para o seu lugar. "Ao sair da cabine, fui aplaudido. Gritaram meu nome, me elogiaram e pediram autógrafo", recorda o autor, emocionado. Depois de alguns minutos, já em sua poltrona, atendeu ao pedido de duas religiosas.

– O senhor pode autografar esse santinho para eu levar para as irmãs que estão assistindo *Pantanal*?

– Eu assino, mas preciso perguntar algo: as senhoras assistem àquelas cenas com mulheres nuas no rio com os jacarés?

– Benedito, no começo a madre superiora foi contra e falou para nem chegar perto da novela. E, de repente, como as pessoas diziam que era algo puro, coisa da natureza, ela liberou!

O autógrafo foi dado e a conversa com as religiosas levou Benedito Ruy Barbosa a concluir que em dramaturgia tudo é permitido, desde que seja justificado e registro de um costume.

*Pantanal* não precisou de muito tempo para se transformar em fenômeno. O capítulo começava exatamente no momento em que a Globo encerrava *Rainha da Sucata*, produção com grande elenco e altos investimentos. "Conseguimos entrar na frequência do rádio de comunicação entre a programação e a torre, aqui em São Paulo. E ouvíamos quando eles falavam que faltavam dois minutos para encerrar. O pessoal do *Jornal da Manchete* era avisado para colocar uma notícia com essa duração. Os âncoras davam boa--noite assim que subiam os créditos na concorrente", revela Nilton Travesso, na época diretor artístico e de programação da emissora de Adolpho Bloch.

Durante os vinte primeiros capítulos, ao competir com a linha de shows, *Pantanal* rapidamente atingia picos acima dos 30 pontos, fechando sempre com média superior aos 20 pontos. "A partir da quarta semana, ultrapassamos a Globo e ganhamos uma visibilidade jamais vista na Manchete", diz Jayme Monjardim. Em sua opinião, a própria Globo ajudou nesse processo. "Ela demonstrou publicamente que estava preocupada. Isso virou assunto na imprensa e o telespectador foi conferir. E ficou com a gente", completa o diretor. Ao mesmo tempo, todas as revistas publicadas pela Editora Bloch desenvolviam reportagens e entrevistas especiais sobre a novela, garantindo uma divulgação a mais.

A liderança em audiência garantiu um impressionante retorno comercial, momento em que a Manchete também investiu em outros setores da grade, mas não com o mesmo impacto. Nessa época, era muito comum que algumas transações financeiras não acontecessem por meio de bancos, mas sim com pagamentos em dinheiro vivo. Durante *Pantanal* foram várias as ocasiões em que alguém de São Paulo era escalado para levar uma mala cheia de notas para a sede da emissora, no Rio de Janeiro. Certo dia, sobrou para Luiz Francfort. "Eram dois milhões nas minhas mãos, e eu apavorado que acontecesse alguma coisa. Desci no Santos Dumont, entrei no carro e fui sem escalas para a casa de 'seu' Bloch", conta. Ao chegar, ouviu do empresário que não atenderia ninguém de São Paulo, porque só pediam aumentos e adiantamentos.

– Não! Eu não vim de lá para pedir aumento. Só trouxe os dois milhões do patrocínio de *Pantanal*.

– Ah, filho, por que não falou antes? Senta, toma um café!

O sucesso de *Pantanal* mexeu tanto com a Globo que um dia Mário Lúcio Vaz foi procurar Benedito Ruy Barbosa em casa com o pedido de parar a trama no capítulo 100. "Você está complicando a gente", teria dito ao autor. Mas isso não aconteceu. A novela foi até o fim, com 140 capítulos. Sua primeira exibição garantiu 34 pontos de média final, o maior índice da teledramaturgia da Manchete. O último episódio, no dia 10 de dezembro, conseguiu a proeza de registrar praticamente o dobro do ibope da Globo. Foram 41 pontos para a história ambientada na região Centro-Oeste do país, contra 21 da programação da TV de Roberto Marinho.

Comprada pelo SBT e reapresentada de 9 de junho de 2008 a 13 de janeiro de 2009, às 22h, graças a desdobramentos na edição, *Pantanal* chegou a 187 capítulos. Desde o início da reprise, o autor passou a reclamar ao SBT o pagamento de direitos, dinheiro que demorou a receber porque precisou entrar na justiça. Benedito não perdoa o SBT nem a Silvio Santos, "a quem eu ajudei muito na vida, inclusive a ganhar a televisão", conclui.

A Globo fez de tudo para frear o sucesso de *Pantanal*, mas sua linha de shows não se mostrou eficiente. Até mesmo o badalado e vanguardista *TV Pirata* saiu do ar para abrir espaço para *Araponga*, uma espécie de minissérie, com estrutura de novela e ritmo de seriado. O projeto foi desenvolvido por Dias Gomes e Lauro César Muniz para esticar a dramaturgia da emissora, levando o gênero sem interrupção das 20h30 às 22h30, numa tentativa de neutralizar a Manchete. A trama tinha como ponto de partida as investigações de um detetive bem atrapalhado interpretado por Tarcísio Meira. Ele fora contratado para desvendar a morte de um senador logo após uma entrevista concedida a uma jornalista vivida por Christiane Torloni. A história não empolgou o telespectador e o novo horário de novelas foi cancelado após a exibição do último capítulo de *Araponga*.

Parte da estratégia da Globo para diminuir a audiência de *Pantanal* foi desenvolvida com o aumento gradual da duração dos capítulos de *Rainha da Sucata*, primeira história de Silvio de Abreu para o horário nobre e fora das comédias. "As duas nunca concorreram, mas a imprensa só publicava comparações. Tinha noite que eu chegava a 70 pontos de pico e mais tarde o Benedito atingia 40. Aí, só falavam dele", diverte-se o autor. O fato é que essa novela começou muito antes e todo o processo foi acelerado para a engrenagem industrial do entretenimento não parar.

José Bonifácio de Oliveira Sobrinho já tentava havia algum tempo exibir na faixa das 20h30 uma novela assinada por Silvio de Abreu, que na década anterior fora o responsável por grandes sucessos das 19h, todas comédias. "Em várias reuniões, eu falava que não queria mudar de horário porque não tinha a mesma personalidade de Janete Clair ou Gilberto Braga e que trabalhava sozinho ou com pouquíssimos colaboradores, mas o Boni insistia", relembra. Depois de muita insistência, o autor topou passar primeiro por uma minissérie para depois estrear na faixa mais desejada. O roteiro de *Boca do Lixo* já estava praticamente pronto quando foi convocado para uma nova conversa no Rio de Janeiro.

– Olha, a novela que o Dias Gomes estava preparando não vai entrar agora. E você vai entrar na sequência – disse Boni, já determinando o tom do encontro.

– Mas quanto tempo para a estreia?

– Em março entra o primeiro capítulo. Boa sorte – concluiu Boni.

O mês de novembro de 1989 só estava começando, e, para cumprir o que a direção da Globo determinava, Silvio de Abreu necessitou de muita disciplina e longas jornadas diante da máquina de escrever. "Em um mês a sinopse ficou pronta e entreguei para aprovação", conta. Com o sinal verde do alto comando, o autor fez algumas exigências, entre elas Regina Duarte como protagonista, Glória Menezes como antagonista e Aracy Balabanian num terceiro papel feminino marcante, além de Tony Ramos e Raul Cortez. Estava ali o eixo de sua história. Os primeiros capítulos foram escritos entre as comemorações de fim de ano e a primeira quinzena de janeiro, as gravações começaram pouco antes de fevereiro e no dia 2 de abril entrava no ar o mundo da nova rica Maria do Carmo, da socialite falida Laurinha Albuquerque Figueroa e de Dona Armênia.

Para mostrar os dois mundos tão diferentes, a ascensão por meio do trabalho e especulação no mercado financeiro, Silvio de Abreu preparou muitas passagens em que os principais personagens apareciam negociando em dólar e aplicavam o dinheiro no overnight, uma linha de investimento que tentava ganhar da inflação galopante. Pouco antes da estreia da novela, Fernando Collor de Mello assumiu a presidência e, entre suas primeiras medidas, confiscou as contas bancárias da população. "A mudança na economia quebrou a trama que falava da ciranda financeira. Mesmo com trinta capítulos prontos, fui obrigado a reescrever muitas cenas, para tirar todas essas referências do ar e citar o Plano Collor para deixá-la atual", conta o autor.

Paulistano, Silvio de Abreu ambientou *Rainha da Sucata* em São Paulo, quebrando a exclusividade de cenários cariocas na faixa das 20h30. "Ele foi além das locações em pontos marcantes da capital, porque conseguiu retratar a cultura do povo com toda a sua diversidade", avalia Claudino Mayer. Mesmo com audiência alta, num primeiro momento, a comédia no principal horário de teledramaturgia, sempre marcado por dramas mais carregados, causou certa estranheza ao telespectador e gerou críticas na mídia especializada. O momento não era propício para testes no ar, visto que na concorrência *Pantanal* causava uma repercussão ruidosa. "Eu lia as coisas que escreviam sobre a trama do Benedito e falava para a equipe que ninguém me pegaria", recorda o autor.

Para agravar a situação, o irmão de Silvio de Abreu ficou muito doente, vindo a falecer. O autor se afastou do trabalho por duas semanas para se recuperar do processo desgastante da morte de um familiar e amparar sua mãe. Nesses quinze dias, Gilberto Braga assumiu o texto e fez significativos ajustes na forma de contar a história. "Ele me ajudou a formatar a novela. Como estava assistindo, apontou os erros e o que precisava ser feito. Separamos os núcleos de comédia e drama e conseguimos achar uma comunicação boa com o telespectador", conta Silvio.

Para evitar a fuga de público, principalmente para *Pantanal*, na Rede Manchete, a Globo decidiu acabar com as "cenas do próximo capítulo", unindo *Rainha da Sucata* à linha de shows e, depois, com *Araponga*. O recurso da apresentação de um *trailer* do capítulo posterior foi desenvolvido durante os anos 1970 para levar o telespectador ao episódio da noite seguinte, mas já estava obsoleto diante de uma disputa acirrada por audiência, da facilidade do controle remoto e pessoas menos fiéis às emissoras. Nos dias de hoje, nos momentos mais tensos e estratégicos, até as vinhetas de abertura e encerramento são descartadas, tudo para não perder nem uma fração nos índices do minuto a minuto.

*Rainha da Sucata* é uma das novelas marcantes da história da televisão brasileira por vários motivos. A popularidade de Maria do Carmo transferiu o figurino da ficção para a realidade, e os chapéus, blusas e casacos, mesmo exagerados e considerados cafonas por muitos especialistas, se transformaram na moda do ano. Aracy Balabanian até hoje é lembrada por sua Dona Armênia, uma mãe superprotetora e exageradamente dramática. A frase "as filhinhas da mamãe", dita sempre para Gerson, Geraldo e Gino, personagens de Gerson Brenner, Marcello Novaes e Jandir Ferrari, respectivamente, foi utilizada em muitas conversas de quem assistia à trama. Da mesma forma, "coisas de Laurinha", inúmeras vezes repetida por Betinho, ficou associada a tudo que não tinha uma explicação lógica, por ser referente à teimosia de uma socialite falida. Glória Menezes ficou responsável por dar vida a essa mulher, e o fez de forma brilhante.

Considerada um dos nomes mais importantes da televisão brasileira e protagonista da primeira novela no país, Glória Menezes sempre foi idolatrada pelo público e, por isso mesmo, algumas atitudes de suas personagens, mesmo as vilãs, necessitavam de muita cautela. Na reta final de *Rainha da Sucata*, Laurinha Figueroa se jogou do alto de um prédio na Avenida Paulista. "Foi uma cena dificílima, porque o suicídio é um tabu e o telespectador poderia rejeitar", diz Glória. A sequência ficou marcada na memória, porque a socialite rouba um anel de Maria do Carmo só para incriminá-la por sua morte, um enredo que instigou quem acompanhava a trama.

A gravação dessa sequência exigiu muita habilidade de toda a equipe para mesclar o material captado em estúdio com o realizado em externa, num edifício comercial da Avenida Paulista. Um boneco com peso aproximado da atriz foi utilizado para a queda de vários andares e a gravação aconteceu sob forte esquema de segurança e sigilo, para que nenhum detalhe vazasse para a imprensa. Aliás, provocar e brincar com jornalistas é o esporte preferido de Silvio de Abreu. "Eu gosto de dar capítulo falso só para ver o buchicho nas revistas, jornais e rádios", revela. Essa estratégia é mais trabalhosa, mas, na opinião do autor, deixa tudo vivo, sem tirar a surpresa de quem aguarda ansiosamente os desfechos e viradas mais importantes.

*Rainha da Sucata* não foi importante na carreira de Silvio de Abreu somente por ser um sucesso no período de maior ataque da concorrente da Globo, mas pelas lições que surgiram durante sua realização. A primeira é sobre o planejamento. "Ela deu muito trabalho no começo, porque eu a fiz muito depressa, sem questionar alguns pontos", explica. Atualmente, como diretor de dramaturgia diária da Globo, faz questão de discutir com os autores todos os pontos das sinopses e dos perfis dos personagens e de que eles entreguem com antecedência os primeiros roteiros. O segundo ensinamento veio da separação entre comédia e drama para depois misturá-los. Ou seja, o público aceita todas as propostas, ousadias e avanços, desde que perceba tudo o que está em jogo, como será narrado e que se sinta respeitado e ouvido.

Segundo registros da época, *Rainha da Sucata* fechou com 60 pontos de média, dois a menos que *Tieta* e seis a mais que *Meu Bem, Meu Mal*, que também foi desenvolvida às pressas para atender a estratégia da Globo para frear o crescimento da Manchete. Cassiano Gabus Mendes acabou convocado para a faixa das 20h30, porque a sequência de textos foi antecipada quando Boni resolveu fazer dobradinha com as novelas de Silvio de Abreu e Dias Gomes. Assim, o executivo se viu obrigado a puxar mais uma produção, alterando totalmente o planejamento previsto alguns anos antes.

*Meu Bem, Meu Mal* estreou em outubro de 1990 e enfrentava a expectativa da reta final da trama de Benedito Ruy Barbosa. Nessa fase, a direção da Manchete já havia alterado a forma de agir e não esperava mais terminar a principal trama da concorrência para iniciar *Pantanal*. O capítulo começava antes, justamente para prejudicar a audiência da adversária.

Apesar de nomes consagrados no elenco, como Lima Duarte, José Mayer, Marcos Paulo, Armando Bógus e Nívea Maria, Cassiano se viu obrigado a buscar jovens atores para seu folhetim, e lançou, em papéis de grande destaque, Fábio Assunção, Mylla Christie e Adriana Esteves. A ousadia ficou para a escalação da modelo Silvia Pfeifer como a protagonista Isadora Venturini, o que na época gerou inúmeras críticas, já que, antes disso, Silvia havia feito apenas uma participação na minissérie *Boca do Lixo*. Entretanto, o próprio autor defendia sua presença na trama e garantia a todos que a elegância e a presença daquela linda mulher caíam como uma luva na personagem que havia sido escrita especialmente para ela.

O eixo principal da novela tinha como cenário a Venturini Designers e um enredo que misturava paixão, ódio, adultério e disputa de poder. Por isso, e diante da guerra cada vez mais acirrada com a Manchete, a abertura precisava ser especial, segundo o que Boni, o todo-poderoso da Globo, desejava. "Ele me chamou em sua sala e disse que *Meu Bem, Meu Mal* entraria no ar antes do previsto. Como a protagonista seria uma designer, me deu carta branca para criar o que quisesse, desde que fosse algo impactante", relembra Hans Donner. Apesar do pouco tempo, entregou o que foi solicitado. "E fui desenhando móveis, telefones, canetas, joias, frascos de perfumes. Construindo tudo em tamanho gigante. Essa foi a chance que tive de realizar o sonho de fazer desenho industrial", completa Donner, com humor. Aliás, é importante ressaltar que o designer responsável pelas mais impactantes vinhetas da televisão brasileira sempre soube captar perfeitamente a intenção dos autores para embalar essas produções. Uma delas é a da novela *Pedra sobre Pedra*, de 1992, em que uma mulher se transformava em árvore. "Fui parado nas ruas por pessoas curiosas para saber qual o segredo daquilo", diz ele, com a certeza de quem conseguiu tocar o telespectador com seu mundo de fantasia.

Uma das criações marcantes de Cassiano Gabus Mendes para *Meu Bem, Meu Mal* foi Dom Lázaro Venturini, numa interpretação impecável de Lima Duarte. Depois de sofrer um AVC, o empresário passa boa parte da novela mudo, apenas observando os fatos, falcatruas e traições, sem a mínima chance de ser uma testemunha eficiente, pois não consegue se comunicar mais, nem por meio da escrita. Só que, na reta final, consegue dizer que "prefere melão" como sobremesa ao ser indagado pela enfermeira se gosta de mamão. É uma cena que entrou para a história da teledramaturgia brasileira e até hoje trata-se de uma referência para quem gosta de novelas.

*Meu Bem, Meu Mal* marca a entrada da dramaturga Maria Adelaide Amaral para os folhetins diários. Como Cassiano Gabus Mendes já estava com sua saúde debilitada, pediu à Globo que a contratassem como colaboradora. "Ele me ensinou a gostar de televisão a partir das conversas que tínhamos sobre tudo o que fez, principalmente na época da TV ao vivo", revelou Maria Adelaide Amaral em depoimento que está no livro *Gabus Mendes – Grandes Mestres do Rádio e Televisão*, de Elmo Francfort. Maria Adelaide esteve com ele também em *O Mapa da Mina*, última novela do autor e talvez a de menor repercussão em sua longa lista de obras. Ele faleceu quinze dias antes da exibição do último capítulo.

O ano de 1990 também não foi fácil para a faixa das 19h da Globo, mesmo longe do efeito *Pantanal*. Depois do sucesso de *Top Model*, a emissora apostou na exibição de *Mico Preto*, trama de Marcílio Moraes, Leonor Bassères e Euclydes Marinho, sob a supervisão de Walther Negrão. Luis Gustavo foi o protagonista Firmino do Espírito Santo, um homem muito honesto que recebe a missão de conduzir uma empresa após a morte de sua presidente e driblar todas as ações dos três herdeiros, dispostos a fazer tudo pelo dinheiro deixado pela mãe. "A sinopse era muito engraçada, com referências à vida real. Naquela época, tinha um deputado no Rio de Janeiro que era gay e, para não se prejudicar na carreira política, contratou uma mulher para casar com ele", revela Marcílio. Na ficção surgiam José Maria e Zé Luís, interpretados, respectivamente, por Marcelo Picchi e Miguel Falabella. "E, num determinado momento, o político desfaz o casamento para ficar com seu namorado, que numa noite é obrigado a se vestir de mulher durante um jantar com os correligionários do marido", diverte-se o autor.

Nos bastidores, porém, *Mico Preto* viveu uma grande novela. "Éramos três autores e foi uma relação complicada. A trama se perdeu porque eu havia feito a sinopse e cada um fazia o que dava na veneta. Para complicar, o diretor criou alguns entraves", desabafa Marcílio Moraes. Para piorar, alguns atores não escondiam a insatisfação, como a atriz Louise Cardoso, que, a partir de um determinado momento, contava nos dedos quantos capítulos faltavam para se livrar da boazinha Claudinha. Houve também uma campanha da Sociedade Protetora dos Animais contra a vinheta de abertura, que utilizava um mico-leão-dourado. Para a instituição, a gravação colocou em risco a vida do animal, além de associá-lo a algo pejorativo – como se já não existisse uma gíria nesse sentido.

\*\*\*

Depois de passar alguns anos engavetada e finalmente ser aprovada, inicialmente para as 20h30 e, depois, para as 18h, *Barriga de Aluguel* estreou no dia 20 de agosto de 1990, longe da briga pela audiência travada na principal faixa de teledramaturgia, mas com uma grande reação do telespectador. Gloria Perez, finalmente, provava a todos que sua história, um dia considerada sem lógica e impossível de conquistar o público, tinha todos os apelos necessários para ser um grande sucesso.

Um ano antes, às pressas, a Globo fora obrigada a produzir *Tieta*, porque Boni não via nos primeiros capítulos entregues pela autora a força para o horário nobre. Seria esse um erro de avaliação do maior conhecedor da televisão brasileira? Diante das médias semanais oscilando entre 45 e 53 pontos, muitos afirmavam discretamente que se tratava de um grande equívoco de José Bonifácio de Oliveira Sobrinho diante de um tema desconhecido da massa: a possibilidade de uma gestação no útero de outra mulher por meio das técnicas mais avançadas da ciência. "Queria mostrar como a tecnologia pode interferir na vida cotidiana, criando novas possibilidades para a humanidade", diz a autora.

A novidade da ciência era apenas um dos elementos para levar o telespectador a discutir qual olhar sobre a mesma questão era o mais válido: a mãe que dá o óvulo ou a mulher que empresta a barriga para a gestação? Para apimentar ainda mais a trama, Gloria Perez faz o pai da criança se apaixonar pela jovem que abriga seu filho. O núcleo principal de *Barriga de Aluguel* se transformou em assunto nacional, ganhou destaque nas revistas especializadas e pautou muitos programas da televisão e do rádio. Para não ter dor de cabeça, já que no horário das 18h tudo funcionava melhor do que se imaginava num ano de grande ataque da concorrente Manchete, Boni determinou que a novela fosse esticada até 243 capítulos, 106 episódios a mais que a antecessora *Gente Fina* e 136 a mais que *Salomé*, sua sucessora. "Para evitar que caísse no marasmo, eu tive que levantar uma trama secundária", relembra a autora. Aída, personagem de Renée de Vielmond, tornou-se amante do marido da filha, o jovem médico Tadeu. O que poderia ser um escândalo, e ponto de rejeição do público mais conservador, funcionou muito bem. "É uma prova de que tudo pode ser contado se você encontrar o tom certo", completa a autora.

O fato é que, depois do estrondoso sucesso de *Barriga de Aluguel*, nenhum diretor na Globo ousou duvidar do poder do texto de Gloria Perez e da força de sua narrativa, até mesmo com temas complicados como a clonagem humana, doação de órgãos, tráfico de seres vivos ou diferenças culturais. Os prêmios internacionais, as vendas para o mercado externo e os índices de audiência só reforçaram algo que se iniciava com essa novela.

Ainda em 1990, no dia 12 de dezembro, a Manchete estreou *A História de Ana Raio e Zé Trovão*. Empolgado com o sucesso de *Pantanal*, Jayme Monjardim apresentou ao alto escalão da emissora uma ideia extremamente ousada, que poderia marcar em definitivo a teledramaturgia brasileira. Tratava-se da primeira novela gravada totalmente em externas, com uma grande caravana passando pelas principais cidades do país. "O Bloch era um empresário que tinha uma visão mais avançada do mundo, que acreditava no ser humano e investia no talento de seus profissionais", ressalta Monjardim, para explicar por que o caro projeto foi aprovado. Na verdade, o objetivo inicial era colocar no ar *Amazônia*, para retratar outra região pouco explorada pela televisão e que garantiria excelente fotografia. O plano foi adiado, porque ficava impossível gravar em solo naquela época do ano.

*A História de Ana Raio e Zé Trovão* foi escrita por Marcos Caruso e Rita Buzzar, que, assim como o elenco, viajaram por todas as regiões brasileiras para conhecer bem de perto a cultura de cada local por onde os personagens da ficção passariam. Entre uma cidade e outra, a produção necessitava de pelo menos dez dias para selecionar as locações, contratar figurantes e atores locais e montar toda a estrutura, incluindo a locação de imóveis para acomodar os artistas em seus momentos de descanso e folga. "Muitos moradores saíam de suas casas para que pudéssemos ocupá-las durante as gravações", conta Ingra Liberato, a protagonista da trama. "Lembro de dormir num quarto e no cômodo ao lado ter gente editando os capítulos, separando os roteiros e cuidando do figurino, além das inúmeras reuniões do Jayme", completa a atriz.

A finalização dos capítulos era realizada no Rio de Janeiro, mas as cenas chegavam praticamente tratadas e com todas as recomendações de Jayme

Monjardim, que, mesmo com preocupações administrativas e burocráticas na Manchete, fez questão de permanecer o maior tempo possível junto aos artistas, produtores, técnicos e diretores e estar presente em todas as etapas da novela. Para que tudo funcionasse perfeitamente, foi fundamental o trabalho dos continuístas e responsáveis pelo tráfego das fitas e roteiros.

Se uma novela gravada em estúdio e cidade cenográfica relativamente perto da moradia dos profissionais já exige muito trabalho, planejamento e cuidado com inúmeros detalhes, uma trama itinerante multiplica tudo isso. A produção foi dividida em frentes para que não houvesse interrupções nas gravações e os autores não podiam atrasar os roteiros. Como boa parte da ação acontecia no lombo de cavalos, todos os animais possuíam dublês para evitar o desgaste e atrasos caso eles resolvessem não se movimentar. "A cena inteira era pensada neles. Às vezes, o roteiro indicava um tipo de movimento, mas o bicho fazia outro. A solução era improvisar e ajustar o texto. Ele que mandava", diverte-se Ingra Liberato. O fato é que os animais ficavam muito cansados na viagem entre as cidades, necessitando, na chegada, de um descanso maior.

*A História de Ana Raio e Zé Trovão* mexeu com os telespectadores e era a grande sensação nas cidades pelas quais passou. Como uma caravana de circo, a chegada da equipe nunca passava despercebida e os moradores acompanhavam de perto toda a movimentação dos artistas e profissionais de bastidores. Aquilo mexia com as emoções e sonhos de muita gente. Alguns pediam para fotografar ou trocar algumas palavras, porque se sentiam próximos por acompanhar diariamente aqueles personagens; outros ficavam a distância, com medo de atrapalhar. De tempo em tempo, uma abordagem mais ousada. "Às vezes, apareciam adolescentes fugidos de casa porque estavam apaixonados pela Ana Raio ou pelo Zé Trovão. Muitos queriam fugir com a gente e tentar uma vida melhor na cidade grande ou na televisão", recorda Ingra Liberato. Nessas ocasiões, a solução era chamar os pais dos jovens para evitar problemas.

*A História de Ana Raio e Zé Trovão* era uma novela muito cara. Além dos altos salários da equipe, o custo de externas é bem mais elevado do que em estúdios, e o trabalho, mais demorado, já que diariamente é necessário fazer os ajustes de iluminação, montar e desmontar os detalhes de cenários, mesmo que de ambientes reais, e preparar os figurinos. Essas etapas ficam mais fáceis na estrutura interna das emissoras, já que, feita uma vez a marcação de câmeras e luz, nos demais dias se repete a fórmula. Para viabilizar a novela, todo o departamento comercial atuou intensamente na venda de cotas de patrocínio, a principal delas dentro da vinheta de abertura, como elemento permanente. "Era o merchandising do Posto Ipiranga, realizado num plano sequência gigantesco de dar inveja a qualquer produção cinematográfica", diz Elmo Francfort. Essa ação comercial foi retirada quando o SBT recolocou no ar a novela, em junho de 2010.

A História de Ana Raio e Zé Trovão teve 251 capítulos e fechou com 16 pontos de média, segundo dados da época. Um mês depois estreou Amazônia, o maior fracasso da TV Manchete, e, para quem atuava na emissora, o grande responsável pelo agravamento da crise da TV de Adolpho Bloch.

Marcos Palmeira, José de Abreu, Raul Gazolla, Jussara Freire, Cristiana Oliveira, Júlia Lemmertz e Helena Ranaldi eram alguns dos atores consagrados ou de grande popularidade, principalmente porque tinham passado por Pantanal, escalados para Amazônia, anunciada como uma novela diferente. E realmente foi. A história escrita por Denise Bandeira e Jorge Durán era confusa, assim como seu slogan de divulgação: "Viver em dois tempos ao mesmo tempo... Romper 100 anos em 1 segundo". "Ninguém entendia nada, porque ela não tinha presente, apenas o passado ou o futuro. E, com a rejeição e péssima audiência, mudaram tudo. Foi uma bagunça", relembra Elmo Francfort, autor do livro sobre a TV Manchete.

Numa tentativa de salvar o ambicioso projeto, no capítulo 43 a direção da Manchete determinou que acontecesse um final e surgisse na segunda-feira "Amazônia – Parte 2", já sem nenhuma trama futurista, apenas como uma novela de época, para agradar o telespectador mais conservador. Operação sem efeito. Na vida real, a emissora vivia outra história bem complicada: as dívidas aumentavam e o grupo IBF avançava nas negociações para compra de parte das ações.

Outro grande fiasco em teledramaturgia aconteceu no SBT, entre novembro de 1990 e maio do ano seguinte. Brasileiras e Brasileiros, título baseado na frase que abria os discursos do então presidente José Sarney, foi concebida por Walter Avancini e Carlos Alberto Soffredini e tinha como ponto de partida a vida na periferia de São Paulo, com direito a luta livre de mulheres. Mesmo com nomes de peso, como Edson Celulari, Lucélia Santos, Rubens de Falco, Paulo Autran, Juca de Oliveira, Irene Ravache, Maria Della Costa e Fábio Júnior, a novela não empolgou.

A trama ocupou cinco horários diferentes, numa tentativa desesperada de Silvio Santos recuperar a audiência, sempre na média dos 3 pontos. "Foi dinheiro jogado fora", lembra Ricky Medeiros. A emissora passou por duas grandes crises financeiras, ambas potencializadas por novelas: *O Espantalho*, quando ainda não havia rede para diluir custos, e, depois, *Brasileiras e Brasileiros*, que não teve planejamento. No vídeo, tamanha a rejeição, os núcleos mais pobres perderam espaço e praticamente desapareceram. Os personagens de classe média alta permaneceram e ganharam dramas mais fortes, numa tentativa de atrair os telespectadores acostumados com os dramalhões mexicanos. Alguns dias depois da exibição do último capítulo de *Brasileiras e Brasileiros*, em 20 de maio de 1991, o SBT estreava *Carrossel*, uma produção da Televisa voltada ao público infantojuvenil. Rapidamente, o cotidiano da professora Helena e de seus alunos elevou a audiência da emissora para a faixa dos 20 pontos, incomodando em várias noites o *Jornal Nacional*. A repercussão foi grande na mídia especializada, que tentava entender como uma inocente novela fazia tanto barulho. É que parte de sua plateia era formada por gente que não gostava da trama pesada que a concorrente exibia em horário nobre.

Em maio de 1991, *O Dono do Mundo* entrava no ar para ampliar a discussão sobre a ética do brasileiro. Gilberto Braga iniciou essa temática com *Vale Tudo*, exibida dois anos antes, e a concluiu com *Pátria Minha*, em 1994. A história que entrava no ar era uma das grandes apostas da Globo para recuperar seu prestígio após um ano de forte ataque com *Pantanal* e a diferente *A História de Ana Raio e Zé Trovão*.

*O Dono do Mundo* tinha como protagonista o empresário Felipe Barreto, interpretado por Antônio Fagundes, capaz de tudo para mostrar aos outros o seu poder. Logo nos primeiros capítulos, incendiado pelo desejo de tirar a virgindade de uma mulher, patrocina a lua de mel de seu funcionário, só para tê-la na cama antes do marido. "Foi um dos grandes personagens que fiz, um verdadeiro presente do autor, que não costuma escrever homens com tanta força", afirma Fagundes. Uma das características de Gilberto Braga é ter em evidência em suas histórias as mulheres, com todas as suas nuances e complexidade de comportamento. "Tanto que nas sinopses são poucas as informações dos personagens masculinos", completa o ator.

Para Fagundes, o grande diferencial do empresário mau caráter estava em sua posição na trama. Em *O Dono do Mundo*, Gilberto Braga não fez um vilão tradicional, apenas um antagonista do mocinho ou da mocinha. "Ele não mandava matar ninguém. Você conseguia identificá-lo na vida real a partir de suas ações. Todo mundo conhece alguém parecido", analisa Antônio Fagundes. Apesar da boa construção dos personagens centrais, as pesquisas na época apontaram que o público não aceitou o comportamento da jovem

Márcia, interpretada por Malu Mader. Após resistir a todas as investidas, ela procura o vilão, completamente apaixonada. A traição foi o que levou muita gente a trocar de canal em busca de algo mais leve.

Vinte e quatro anos depois, no dia 16 março de 2015, a reprise da versão brasileira de *Carrossel* enfrentou novamente uma estreia de Gilberto Braga e tirou-lhe parte do público. Isso aconteceu em *Babilônia*. O primeiro capítulo foi considerado ousado demais para o horário nobre, com beijo entre duas mulheres e muita violência. Os índices caíram e a produção infantojuvenil do SBT consolidou-se na vice-liderança.

*O Dono do Mundo* não causou polêmica apenas com sua temática, mas também com sua abertura. A vinheta utilizou uma sequência do filme *O Grande Ditador*, em que Charles Chaplin, numa sátira a Hitler, brincava com o globo terrestre. Na versão para a televisão, foram inseridas imagens de belas mulheres no planeta. "Para usar o filme, descobri quem era o chefão da distribuidora", relembra Hans Donner. "Por sorte, ele viu uma exposição minha em Londres e gostava do meu trabalho", completa. Mesmo com a liberação, a Globo gastou um bom dinheiro com esse direito de uso de imagem.

A contradição do telespectador era evidente nas pesquisas de opinião em relação a alguns personagens. A mocinha foi rejeitada, levando a equipe de colaboradores a alterar o que estava previsto para ela. Em compensação, Fernanda Montenegro foi aceita como a cafetina que ajudava na vingança da mocinha e Ângelo Antônio foi aplaudido como Beija-Flor, um homem de moral inquestionável. Na mesma época, Antônio Fagundes participava da série infantojuvenil *Mundo da Lua*, na TV Cultura, de São Paulo. "Eu usava o mesmo bigode nos dois trabalhos. Na série, era o Papai Silva e Silva, bom caráter. Na novela, o vilão", destaca o ator. Para conciliar a agenda profissional, de segunda a quarta, no Rio de Janeiro, rodava todas as cenas para o folhetim da Globo e, de quinta a sábado, na capital paulista, atuava no seriado.

Nos anos 1990, Gilberto Braga também assinou *Pátria Minha* para a faixa das 20h30 e *Força de um Desejo*, às 18h. No ar a partir de 18 de julho de 1994, *Pátria Minha* mostrou que é possível se manter honesto num país marcado por corrupção. A novela discutiu vários assuntos, como o uso de preservativos, primeira relação sexual, a importância do diálogo entre pais e filhos e racismo, que muitos afirmavam não existir. A trama foi exibida em ano de eleições e Copa do Mundo, o que prejudicou muito seu desempenho. Segundo dados da época, fechou com 45 pontos de média geral, o equivalente a 65% do público, algo dentro do patamar estabelecido pela alta cúpula da Globo.

Já *Força de um Desejo*, uma trama de época com Malu Mader e Fábio Assunção nos papéis principais e com nomes como Cláudia Abreu, Paulo Betti, Marcelo Serrado e Selton Mello, teve 227 capítulos, quase o dobro de muitas produções, e a missão de resgatar o prestígio desse tipo de folhetim. Não foi um grande sucesso, pois fechou com 24,4 pontos de média geral, a menor dos anos 1990 na faixa das 18h. Na verdade, tratava-se de um sinal de uma nova era na televisão brasileira, com uma concorrência maior no fim da tarde com os telejornais popularescos que conquistavam cada vez mais público. Em 1995, nesse horário, a Globo tinha 60% do público. A história de Gilberto Braga atingiu 39,8 de share.

Se *O Dono do Mundo* causou certo estranhamento ao telespectador, *Vamp*, uma das produções de 1991, se transformou em grande sucesso e até os dias de hoje é lembrada pelos fãs do Conde Vlad, da estrela do rock Natasha e da família de vampiros Matoso. A novela misturou humor, música e aventura e agradou em cheio os mais jovens, sem deixar de lado o público mais tradicional. A audiência disparou logo nas primeiras semanas, mantendo-se sempre acima da meta da faixa. Segundo dados daquele período, a média final foi de 50 pontos, algo surpreendente para a época.

*Vamp* foi uma produção trabalhosa, em função da quantidade de efeitos especiais, duelos entre os vampiros, fotografia especial para uma luz mais escura e cenas de ação. Além disso, o elenco precisava chegar com antecedência para fazer a maquiagem que transformava os atores em vampiros. Apesar de haver uma equipe de especialistas, em muitos momentos alguns detalhes não podiam ser disfarçados, como a dentadura utilizada, que atrapalhava a sonoridade durante os diálogos, além de parecer falsa.

O texto de Antônio Calmon foi inovador em vários aspectos, entre eles a exibição de clipes no decorrer dos capítulos para narrar os acontecimentos ou passagens de tempo, sem a necessidade de longos diálogos. Houve também a aposta em alguns musicais, como a noite em que Ney Latorraca protagonizou uma versão mais bem-humorada de "Thriller", o grande sucesso de Michael Jackson.

Na sequência, a partir do dia 10 de fevereiro de 1992, foi exibida *Perigosas Peruas*, de Carlos Lombardi, com supervisão de Lauro César Muniz. O texto apostava na comédia rasgada, estilo que o autor já tinha mostrado ao público quatro anos antes com *Bebê a Bordo*. Dessa vez, sua proposta era contar como as mulheres lidavam com a pressão do dia a dia, incluindo a profissão e a família. Vera Fischer, Silvia Pfeifer e Mário Gomes interpretavam os protagonistas. Entretanto, de acordo com o que foi publicado pela imprensa especializada na época, Nair Bello roubava facilmente a cena, com seu humor muito peculiar e as gargalhadas que dava durante os diálogos.

As revistas da época não perdoaram os problemas causados por Vera Fischer na fase inicial das gravações. Os desentendimentos entre a atriz e a produção foram contornados e a substituição dela, cancelada. No auge do conflito, o alto comando da Globo sondou Natália do Vale, Bruna Lombardi e Maria Zilda Bethlem para o papel de protagonista, mas nenhuma delas aceitou assumir às pressas, já com alguns blocos adiantados.

*Perigosas Peruas* fechou com 38 pontos de média geral, um índice que não colocou em risco o horário das 19h, mas ficou bem abaixo da antecessora. Dois anos depois, Carlos Lombardi assinou *Quatro por Quatro*, apontada por muitos como sua melhor novela. A química entre Babalu e Raí foi tão intensa e envolvente que ultrapassou os limites da ficção. Marcello Novaes e Letícia Spiller começaram a namorar durante esse trabalho e se casaram logo depois. Betty Lago brilhou como Abigail e, definitivamente, entrou para o grupo dos grandes artistas da televisão.

*Quatro por Quatro* também chegou ao mundo real por meio da moda. O figurino de Babalu inspirou as mulheres mais jovens, principalmente as saias e shorts curtos, blusas ciganas, sandálias plataformas com meia e margaridas no cabelo. O vermelho virou cor obrigatória para as unhas e as gírias utilizadas pela personagem foram integradas ao vocabulário dos telespectadores. A novela fechou com 44 pontos de média geral.

Dois anos depois, Carlos Lombardi assinou nova novela para a faixa das 19h. *Vira-Lata* não repetiu o sucesso de *Quatro por Quatro* e fechou com 10 pontos a menos em sua média geral. O autor precisou administrar vários problemas, como o pedido de afastamento de Glória Menezes, que não concordou com a condução de sua personagem, e certa rejeição à personagem de Andréa Beltrão. Para atender às pesquisas de opinião, Lombardi ampliou o espaço de Carolina Dieckmann, colocando-a no foco das tramas românticas. Susana Vieira foi convocada para compensar a saída de Glória e manter o peso de um dos núcleos centrais. Foram muitas as cenas com atores sem camisa para destacar o peitoral masculino e, assim, atrair um público feminino maior para engordar a audiência.

Na década de 1990, Ivani Ribeiro, uma das responsáveis pela formatação da teledramaturgia brasileira ao lado de Janete Clair, levou ao ar mais dois remakes e preparou o argumento de uma novela que foi produzida após sua morte. Essa era uma estratégia de Boni para exibir verdadeiros clássicos criados em outras emissoras e antes de a Globo consolidar a liderança no mercado.

No dia 1º de fevereiro de 1993, às 18h, entrava no ar *Mulheres de Areia*, uma versão atualizada do sucesso realizado pela Tupi em 1973. Vinte anos se passaram, mas a trama das gêmeas Ruth e Raquel permanecia atual e com a mesma força para atrair o telespectador, como demonstram os números da época. A história fechou com 49 de média geral, o maior índice desse horário nos anos 1990. "Sempre existe um risco em fazer remakes. A passagem de tempo e os novos hábitos podem ser fatais, se a obra não for muito bem adaptada", diz Glória Pires.

A Globo foi muito feliz na montagem do elenco que reuniu artistas populares, como Glória Pires, Guilherme Fontes, Raul Cortez, Susana Vieira, Laura Cardoso, Paulo Betti, entre outros. Além da protagonista, é claro, o trabalho de Marcos Frota como Tonho da Lua foi marcante e muito elogiado pelo público e pela crítica.

Sem preocupação com as naturais comparações com Eva Wilma, atriz que viveu Ruth e Raquel na primeira versão, Glória Pires buscou elementos na vida real para montar suas gêmeas, já que boa parte das fitas com os capítulos da Tupi se perdeu num dos incêndios da emissora. "Fiz seis entrevistas com irmãs gêmeas que me ajudaram muito na construção das personagens", ressalta a atriz, observadora atenta dos detalhes que diferenciavam irmãs parecidas fisicamente.

A interpretação das personagens Ruth e Raquel garantiu a Glória Pires o Troféu APCA e o Troféu Imprensa, ambos na categoria melhor atriz, entregues em 1994. "O reconhecimento é sempre bom, mas nunca fiz nenhum trabalho pensando em prêmio", diz. Ela iniciou as gravações logo após o nascimento de sua segunda filha, Antonia. "Foi uma novela megatrabalhosa. Gravávamos no Rio de Janeiro e em Tarituba, a três horas de carro. O volume de texto era imenso e precisava dar atenção também às meninas", completa. No meio disso tudo, outro baque: dona Elza, mãe de Glória, faleceu.

O segundo remake de Ivani Ribeiro para a Globo durante os anos 1990 foi *A Viagem*, uma trama espiritualista de grande repercussão na Tupi e que não faria diferente em sua nova versão. Os dados da época mostram que a média geral foi de 52 pontos, 13 a mais que a da antecessora *Olho no Olho*. O índice ficou bem acima de outras produções que foram exibidas naquela década.

Para a nova versão, Ivani Ribeiro realizou diversas adaptações na trama, atualizou situações e mexeu no comportamento de vários personagens, além de mudar alguns nomes. Manteve, porém, o eixo principal do amor incondicional de Diná e Otávio e o reencontro dos dois no outro plano da vida, assim como o desequilibrado Alexandre, que, depois de um período no Vale dos Suicidas, vaga como obsessor para atrapalhar o cotidiano de amigos e familiares. A autora também fez questão de seguir o mesmo caminho para o Mascarado, personagem de Breno Moroni que escondia o rosto para não mostrar aos outros a sua imperfeição. Certo dia, reencontra sua antiga paixão da juventude e por ela resolve fazer várias plásticas. O público torcia muito pela união do Mascarado com Carmem, mas Ivani resolveu contrariar a opinião da maioria e aconselhou sua colaboradora Solange Castro Neves. "Ela me chamou e contou a história de uma mulher que, no passado, foi prostituta e, mesmo casada com um médico bem-sucedido, com dois filhos e vida confortável, não conseguia ser feliz e sempre estava com os olhos tristes", recorda a roteirista. "Assim, depois de pensar bastante, decidimos que ele seguiria com a máscara e encantaria o público com mensagens de amor, esperança e magia", completa.

A versão de 1994 de *A Viagem* recorreu a uma pedreira desativada para gravar as cenas ambientadas no Vale dos Suicidas e a um campo de golfe para as sequências no céu, o destino dos espíritos que desencarnaram bem. Essa caracterização dividiu opiniões na crítica especializada, mas foi muito bem aceita pelo público.

Diabética, Ivani Ribeiro morreu no dia 17 de julho de 1995, aos 79 anos, com um projeto muito bem encaminhado. Ela escreveu a sinopse detalhada de *Quem é Você?*, exibida entre março e setembro de 1996. Solange Castro Neves finalizou os primeiros 24 capítulos e, após desentendimento com Lauro César Muniz, deixou o texto. "Eu estava acostumada a trabalhar com pessoas que conheciam o meu estilo e o respeitavam, além da grande confiança mútua. Quando comecei a escrever, senti-me de certa forma órfã de pai e mãe. A Globo estava passando por uma enorme mudança com a saída do Boni, e Ivani, Cassiano e o Paulo Ubiratan haviam falecido", explica a autora.

O segundo melhor resultado em audiência na faixa das 18h durante a década de 1990 foi registrado durante *Sonho Meu*, novela de Marcílio Moraes sob supervisão de Lauro César Muniz, que exerceu essa função em vários títulos nesse período. "Só perdi para Ivani, mas ela era imbatível", diz o autor, com orgulho. Um simpático velhinho bondoso que faz de tudo para ajudar a pequena Maria Carolina conquistou o telespectador. No vídeo, uma trama leve, com todos os elementos do folhetim, paixões e a torcida pela menininha, tudo ambientado em Curitiba, local pouco comum na teledramaturgia e, por isso mesmo, um dos atrativos.

Em função do bom resultado, Marcílio Moraes foi convocado para realizar o remake de *Irmãos Coragem*, uma grande homenagem a Janete Clair dentro das comemorações pelos trinta anos da Globo. Sob supervisão de Dias Gomes, ele não teve um longo descanso, praticamente emendando novelas. Só teve o intervalo da muito bem-sucedida *Tropicaliente*, ambientada em Fortaleza.

A versão de 1995 de *Irmãos Coragem* deu muito trabalho à equipe da Globo e se transformou em outra novela nos bastidores. O diretor Luiz Fernando Carvalho foi afastado por volta do 55º capítulo a pedido de Dias Gomes, totalmente insatisfeito com a estética adotada. "Ele não compreendeu a profundidade da dramaticidade de Janete Clair e apostou em imagens escuras. Ficou parecendo uma novelinha água com açúcar e, ao mesmo tempo, arrastada", diz Marcílio Moraes. Reynaldo Boury assumiu a direção e seguiu as orientações de Boni para enaltecer as características originais. Enquanto isso, o escritor reduziu as disputas e investiu numa trama mais romântica.

***

Os anos 1990 foram extremamente produtivos e intensos para Benedito Ruy Barbosa. O escritor cumpriu o combinado com Boni e, depois de *Pantanal*, retornou à Globo para escrever suas melhores histórias, fechando uma espécie de tetralogia iniciada com a novela que preparou para a Manchete. Ainda com suas vitórias na concorrente vivas na memória, o alto comando da emissora não hesitou em aprovar as novas propostas. Surgiram *Renascer, O Rei do Gado e Terra Nostra*, que, juntas, formaram um interessante mosaico sobre a cultura brasileira, focando principalmente a vida longe dos grandes centros.

*Renascer*, que estreou no dia 8 de março de 1993, é considerada por muitos, inclusive por Boni, a obra-prima de Benedito Ruy Barbosa. Ambientada na região de Ilhéus, sul da Bahia, a novela mostrou a cultura de cacau e seu impacto na economia local. O autor impressionou o público com uma amarração perfeita de várias histórias, sem tirar o destaque de Zé Inocêncio, interpretado por Antônio Fagundes. Muitas das tramas e dos personagens que apareceram na televisão por 216 noites foram construídos com base nos relatos de gente do campo, feitos a Benedito em suas viagens com a família pelo Brasil. Ele tinha como costume, em suas férias, colocar no carro os filhos e a esposa e sair pela estrada para conhecer o país. Certa vez, ouviu do ministro Machado de Lemos a lenda de um homem que criava um diabinho numa garrafa de vidro.

Curioso, o autor resolveu obter mais detalhes dessa história com os caboclos que trabalhavam nas fazendas de Ilhéus. Numa noite, aproximou-se dos homens e fez o inusitado para ganhar a confiança deles: andou sem sapatos na estrutura que seca as sementes de cacau. "Embaixo tem fogo e só dá para passar depois de umas três doses de pinga. Virei os copos e fui", recorda o escritor. Depois, sentado em volta da fogueira e com os pés cheios de bolhas causadas pela queimadura, iniciou o bate-papo:

– Olha, o Machado, que sempre me recebe aqui, contou uma história do diabinho na garrafa, mas acho melhor ouvir de vocês.

– Ó, seu Dito, vou falar uma coisa pro senhor, aqui nenhum que fale a verdade vai dizer que viu esse diabo, mas vou contar a que sei sobre meu pai.

– Então conta, não vou usar de jeito nenhum – disse Benedito.

– Ele fez uma viagem e apareceu com esse diabinho na garrafa. A empregada dele, dona Maria, saiu e disse que não trabalhava em casa com essa coisa – disse um dos trabalhadores.

– E ele mostrava a garrafa para alguém?

– Não, mas quando chegava a época de florada, ele mandava a dona Maria passear na casa de uns parentes e soltava o diabinho na varanda. Era um bode gigante com os olhos alumiados. Ele *subia em cima* e mijava em todos os cinco mil pés de cacau.

A conversa continuou, com a revelação de alguns detalhes da lenda do diabinho da garrafa, todos muito bem absorvidos por Benedito Ruy Barbosa para serem incluídos em sua novela. Surgiria o personagem Tião Galinha.

No dia seguinte, durante o café da manhã, o anfitrião orientou o autor a fazer outra visita, dessa vez na cidade. Ele deveria procurar o Seu Visita, um senhor calado, pouco receptivo a estranhos e que era conhecido na cidade por ter matado mais de trinta pessoas. A casa ficava a 60 metros da estrada e, como sempre, o homem estava em sua varanda contemplando a paisagem. Benedito Ruy Barbosa deixou os filhos e a mulher no carro, se aproximou da cerca e bateu palmas para chamar a atenção.

– Se for de paz, se achegue.

Benedito deu alguns passos, subiu a escada para a varanda, pediu licença e seguiu a orientação para sentar num dos bancos de madeira.

– Se acomode! O que faz aqui? O que deseja?

– Desculpe a visita inesperada, mas o Mário Machado de Lemos me aconselhou a vir até aqui falar com o senhor – disse Benedito Ruy Barbosa, escondendo certa preocupação com uma possível negativa.

– O Mário Machado de Lemos é um santo. Se está com ele, tá com Deus. Pode falar!

O velho homem chamou um dos 16 bisnetos e pediu-lhe que trouxesse um coco para a visita. Curioso, pediu ao autor que explicasse como era seu trabalho, se escrevia do mesmo jeito que Jorge Amado, que conheceu quando ainda era criança.

– Queria falar com o senhor para botar algumas coisas a limpo. Ouvi dizer que o senhor já matou mais de trinta.

– Não disse que esse povo mente demais, inventa histórias? De causa minha, de desavença minha, tenho quatro ou cinco mortes. O resto é encomenda. Então, quando chegar lá em cima, só respondo pelas minhas.

E a conversa continuou por mais alguns minutos, tempo suficiente para conseguir os elementos para a construção de mais um personagem. Com carta branca para fazer o que fosse necessário para transformar *Renascer* em outro fenômeno, Benedito conseguiu reunir um elenco com grandes estrelas, como Patricia Pillar, Tarcísio Meira, Osmar Prado, Herson Capri, Regina Duarte e Antônio Fagundes, que, com Zé Inocêncio, iniciava uma produtiva parceria com o autor, sempre com papéis centrais em suas novelas. "É uma das produções mais bonitas da Globo, porque reúne uma história fantástica e um visual maravilhoso", diz Fagundes. Foi também a estreia de Luiz Fernando Carvalho como diretor-geral na emissora.

*Renascer* fechou com média geral de 61 pontos, o maior índice da faixa das 20h durante a década de 1990. Dois anos após o último capítulo da trama de Zé Inocêncio, entrou no ar *O Rei do Gado*, mais uma novela rural, só que agora ambientada no interior de São Paulo. Já nos episódios iniciais, o telespectador se viu absolutamente envolvido com a saga das famílias Mezenga e Berdinazzi. Antônio Fagundes e Raul Cortez estavam absolutamente perfeitos em seus papéis, Bruno Mezenga e Jeremias Berdinazzi, respectivamente. Tarcísio Meira, Eva Wilma, Vera Fischer e Marcello Antony brilharam na primeira fase dessa produção. "Esse foi um texto que nasceu para ser clássico, porque trouxe inúmeras discussões políticas para a tela", avalia Fagundes. "Tinha esse pé no campo, onde todo mundo tem um familiar. Era impossível não se identificar", reflete Walderez de Barros.

Benedito Ruy Barbosa foi muito além da saga familiar em *O Rei do Gado*. Ele aproveitou a novela para discutir a importância da reforma agrária, poucos meses depois da morte de 19 sem-terra em Eldorado dos Carajás, tema que tomou conta do noticiário e gerou muita discussão na época.

Patricia Pillar, após um intenso laboratório de dez dias com cortadores de cana, roubou a cena como Luana, uma das integrantes do MST. "Um dia, o Boni me ligou muito bravo porque eu coloquei os sem-terra na trama. Ele queria saber o porquê de não aparecer essa informação na sinopse", recorda o autor. Depois de uma longa explicação e o compromisso de tratar da temática com cautela, recebeu o sinal verde para continuar o trabalho nesse núcleo. No auge da repercussão sobre o MST em horário nobre da Globo, Benedito recebeu um cartão em casa, sem assinatura, num tom de ameaça:

**"Parabéns pelo que você arranjou. Sou fazendeiro e se aparecer alguém aqui como os de sua novela, aumento o muro três metros para ninguém sair mais".**

Benedito Ruy Barbosa sabia que, ao abordar a questão das grandes propriedades destinadas à criação de gado, não poderia deixar de citar a tão sonhada reforma agrária. O autor recebeu inúmeras críticas de políticos por causa da forma como mostrava ao telespectador o trabalho dos parlamentares. Num dos capítulos, o senador Caxias faz um discurso em plenário sobre os sem-terra para uma plateia de apenas três pessoas, todas totalmente desinteressadas pela apresentação. "Toda semana alguém me xingava na *Voz do Brasil*", observa ele, rindo.

Com uma estrutura bem distante do maniqueísmo tão comum aos folhetins, *O Rei do Gado* não tinha necessariamente vilões ou mocinhos, mas personagens tão bem construídos que ficava impossível para o público não se envolver com todos os ângulos da história proposta por Benedito Ruy Barbosa. "Mezenga e Berdinazzi eram adversários e o telespectador gostava dos dois, nunca deles separados. Então, o segredo do sucesso não era o ruim ou o bom, mas porque eles não se entendiam", analisa Antônio Fagundes.

Benedito Ruy Barbosa é um autor muito atento a seu trabalho, e, quando suas novelas estavam no ar, não perdia um segundo sequer do capítulo. Ao assistir, avaliava as cenas, o texto, a direção e a entrega de cada artista. Por isso, sempre reagindo a uma emoção, ampliava o tamanho de personagens, muitos nem citados na sinopse. Foi o que aconteceu, por exemplo, com Judite, a empregada interpretada por Walderez de Barros. A atriz entrou para o elenco da novela depois de um convite feito por Luiz Fernando Carvalho, que se encantou com sua atuação na peça *A Gaivota*, em cartaz alguns meses antes de *O Rei do Gado* entrar no ar. "Ele disse que não havia papel, mas queria que eu participasse", lembra.

Judite trabalhava na casa da família Berdinazzi e entrava muda e saía calada das cenas. "Ela só ficava observando. Eram diálogos de várias páginas entre o Raul e a Glória Pires, e eu em pé, só acompanhando com o olhar", conta Walderez. "Os câmeras perceberam que eu reagia com a conversa e começaram a me enquadrar para complementar a cena. E ela foi crescendo até ganhar umas falas", completa.

Já Ana Rosa, que interpretou Maria Rosa, a mulher do senador Roberto Caxias, quase não entrou em *O Rei do Gado*. A atriz enfrentava o luto de sua filha. Em novembro de 1995, Ana Luísa faleceu, às vésperas de completar 19 anos de idade. "Meu mundo ruiu. Eu não tinha vontade de trabalhar. Recusei o primeiro convite feito por Luiz Fernando Carvalho, mas a produção me ligou mais duas vezes", conta. Ele insistiu tanto que ficou impossível recusar a proposta. E o tempo mostrou que foi uma sábia decisão de Ana Rosa. "O trabalho, juntamente com a terapia e minha religião, me deram forças para continuar vivendo e, aos poucos, lidar com a dor da perda", completa.

*O Rei do Gado* deu muito orgulho para Benedito Ruy Barbosa. A discussão política foi extremamente eficiente, assim como outras temáticas importantes, entre elas a violência contra a mulher. Um momento, no entanto, foi especial, e o autor só soube da força de seu texto alguns anos depois, quando recebeu em sua casa professores da USP que estudavam sua obra. Eles relataram que, numa cidade no interior do Ceará, a população acompanhava todas as noites a novela na praça principal, onde fora instalado um aparelho televisor. No capítulo em que o senador finalmente reconhece seu neto, já que não aceitava a gravidez da filha, um homem, emocionado, começou a chorar. Ao ser questionado pela estudiosa, abriu o coração:

– Eu tenho uma filha de 15 anos. Ela está embuchada. O maldito fugiu e, para a sorte dele, eu não consegui alcançar. Eu queria matá-lo.

A professora da USP, segundo o que Benedito Ruy Barbosa relata aos amigos, disse algumas palavras para confortar aquele homem, mas foi interrompida:

– Eu falei para minha mulher colocar a menina na rua para ela ser puta de luxo, mas não vou fazer isso, não. Se um homem poderoso como um senador pode reconhecer o neto, com orgulho cuidarei de minha filha e farei o mesmo.

"E valeu a novela inteira", diz Benedito Ruy Barbosa, emocionado, com a certeza de que uma história bem construída pode informar, prestar serviço, quebrar preconceitos e libertar sentimentos num país tão machista. Ele sabe da importância de sua contribuição na formação de muita gente.

*O Rei do Gado* está entre as maiores audiências dos anos 1990, com impressionantes 70% de share. Foi uma liderança absoluta inquestionável durante toda a sua exibição. O sucesso pode ser avaliado com outro número de fazer inveja: a primeira trilha sonora bateu recorde de vendas, com mais de 1,5 milhão de cópias comercializadas. "Foi uma coisa absurda", destaca Agnaldo Rayol, que, junto com a dupla Chrystian e Ralf, interpretou "Minha Gioconda", tema de Jeremias Berdinazzi. Essa canção, obrigatória nos shows do cantor, foi composta por Vicente Celestino na década de 1940 e repaginada para ser inserida na novela.

Aliás, Benedito Ruy Barbosa sempre fez questão de participar da escolha da trilha sonora, selecionando músicas e até dando palpites sobre algumas delas, como "Tormento d' Amore", composta por Luiz Schiavon e Marcelo Barbosa, filho do autor. O tema de *Terra Nostra* se transformou em grande sucesso nas vozes de Agnaldo Rayol e Charlotte Church, na época com apenas 13 anos de idade. "A gravação aconteceu num estúdio em Londres, e, como a menina estava viajando em turnê, colocamos as vozes separadas. Essa foi outra trilha de grande resultado, impulsionada pelo amor dos imigrantes italianos Giuliana e Matteo, que ganharam vida na tela com a interpretação de Ana Paula Arósio e Thiago Lacerda, respectivamente.

No dia 20 de setembro de 1999, o público começava a acompanhar mais uma linda saga criada por Benedito Ruy Barbosa. Mais de R$ 4 milhões, em valores da época, foram investidos nos primeiros capítulos para dar grandiosidade às sequências da travessia dos imigrantes e do desembarque no Porto de Santos. Fazendas de café e a São Paulo do início do século XX eram os cenários para a trama. "Ele já tinha feito um grande sucesso com *Imigrantes* e realizou uma bela compilação de tudo o que sabia sobre a chegada dos europeus. *Terra Nostra* era um sonho dele", diz Jayme Monjardim, o diretor de núcleo dessa produção. "Foi um marco. Uma linda história de amor que dificilmente as pessoas esquecem", completa.

*Terra Nostra* tinha no elenco Antônio Fagundes e Raul Cortez, grandes amigos que o autor gostava que defendessem seus personagens. Débora Duarte, como Maria do Socorro, e Lu Grimaldi, como Leonora, se destacaram na novela e ganharam muito mais espaço que o previsto na sinopse aprovada pelo alto comando da Globo. A novela fechou com 44 pontos de média geral, dentro do patamar estabelecido na época pela direção da emissora.

Silvio de Abreu foi outro autor que, durante os anos 1990, superou as expectativas do alto comando da Globo e apresentou ao público novelas emblemáticas. Depois de *Rainha da Sucata*, quase dois anos depois voltou para a faixa das 19h com uma comédia rasgada. *Deus nos Acuda* usou do humor para abordar os problemas brasileiros e colocou Dercy Gonçalves como o anjo da guarda do país. Segundo dados da época, a novela fechou com 39 pontos de média geral, no limite inferior dos resultados estabelecidos para o horário.

Depois de curtas férias, o autor foi escalado novamente para o principal momento da teledramaturgia da Globo. "O que eu posso fazer que ainda não foi exibido?" Foi com essa pergunta na cabeça que saiu da reunião com os responsáveis pela programação da emissora. "Achei que uma novela totalmente policial seria algo revolucionário", confessa Silvio de Abreu, que imediatamente se debruçou na sinopse de *A Próxima Vítima*, que deveria apresentar dentro de algumas semanas. "Foi muito difícil. Eu tinha dois textos. Um contava a história e terminava sem revelar o assassino. O outro revelava a identidade do criminoso e toda a história pregressa", conta. O material completo ficou guardado em sua gaveta e nem sua esposa ou a filha tinham acesso a ele. "Só no último dia levei a cena para ser gravada no final da tarde, para entrar às 20h30", completa. Como naquela época não havia telefone celular, foi fácil segurar no estúdio todos os atores envolvidos com o mistério.

Para seu plano dar certo, nas últimas semanas de gravação, Silvio de Abreu orientou os diretores e os produtores a não desmontarem o cenário central da família italiana. *A Próxima Vítima* não foi sucesso apenas no Brasil. Em Portugal, registrou altos índices de audiência e, por isso, o departamento internacional da Globo pediu um final diferente. O único escrito, além do original. "Perguntei em qual capítulo estava e, a partir dessa informação, reescrevi para justificar com o que estava no ar", revela Silvio de Abreu.

Mesmo com um enredo policial intrigante capaz de prender o telespectador, *A Próxima Vítima* abordou vários assuntos polêmicos, entre eles o consumo de drogas, amor entre pessoas com grande diferença de idade, a relação homoafetiva e o preconceito racial. "A questão da diversidade sexual ficou muito clara, mas o Silvio foi além, porque um garoto era branco e outro negro", relata Alcides Nogueira, colaborador de Silvio de Abreu ao lado de Maria Adelaide Amaral. "É uma novela que, assistida hoje, continua atual. Às vezes, dolorosamente atual, pois a sociedade não avançou em vários aspectos", completa o escritor.

O romance gay entre Sandrinho e Jeferson foi cuidadosamente planejado, para não haver rejeição do telespectador mais conservador, o grande temor dos diretores da Globo. Num primeiro momento, o autor ouviu dos executivos que seriam dois preconceitos abordados pelos mesmos personagens, um tiro no pé, mas ele convenceu Boni de que sabia o caminho a ser adotado. Considerado assunto tabu na época, as famílias da vida real não gostavam de falar sobre filhos e parentes homossexuais. A insistência de Silvio de Abreu contribuiu para a quebra de certas barreiras. "Eu contei uma história. Só fui dizer que eles eram gays no capítulo 100. Eles eram superamigos, viviam juntos e os demais personagens levantavam suspeitas", recorda.

A cena em que Sandrinho revela para a mãe sua orientação sexual foi decisiva para essa aceitação. Foi uma conversa franca em que o garoto dizia que não podia fugir de seus sentimentos e desejos, e a personagem de Susana Vieira se esforçava para compreender, "desde que não se vista de mulher por aí", disse ela. "Eu expliquei a questão para o público quando os dois já eram muito queridos. Primeiro, bons filhos, alunos estudiosos e pessoas de caráter", revela Silvio de Abreu. A partir desse capítulo, a trama fluiu sem nenhum impedimento e com elogios da crítica especializada.

*A Próxima Vítima* alcançou 47 pontos em sua média geral, o equivalente a 69% do público de seu horário. "Com essa novela, Silvio de Abreu demonstrou que é possível fazer o clichê 'quem matou' para garantir ritmo, trazer o telespectador na noite seguinte e acrescentar muitas temáticas para reflexão", aponta o professor Claudino Mayer. "Aprendi que numa trama policial você tem que ter claramente o assassino e justificar com as pistas. Se isso funcionar, é só brincar", diverte-se o autor.

No dia 25 de maio de 1998, depois de uma intensa campanha de lançamento, entrou no ar *Torre de Babel*, uma novela "forte, verdadeira, emocionante", como destacava o slogan dos vídeos exibidos durante os intervalos da Globo e no material impresso em revistas e jornais. O galã Marcello Antony interpretava o drogado Guilherme, personagem de classe média alta que tinha como função mostrar que o vício não era um problema somente dos pobres, como preconceituosamente a elite costumava afirmar. Tarcísio Meira e Glória Menezes viviam um casal com relacionamento desgastado, e Tony Ramos, um ex-presidiário rancoroso, sombrio e sem vaidades. Silvia Pfeifer e Christiane Torloni faziam o papel de lésbicas, e uma delas, quando viúva, teria um romance com Marta, a matriarca da família principal. Eram muitos elementos que quebravam a forma como o público percebia os artistas mais famosos.

Como a audiência dos primeiros capítulos ficou bem abaixo do esperado e houve uma fuga considerável de público, as pesquisas com grupos de discussão foram antecipadas para que a equipe comandada por Silvio de Abreu pudesse compreender essa rejeição. "Ficou constatado que o telespectador estava preocupado com o que poderia acontecer, principalmente com o romance entre Glória Menezes e Silvia Pfeifer", conta o autor. "Como vou explicar para a minha filha quando duas mulheres aparecerem se beijando em horário nobre?" Esse era um questionamento comum durante os estudos. Como o tema ganhou o noticiário, alas mais radicais da Igreja Católica e a Sociedade Brasileira de Defesa da Tradição, Família e Propriedade (TFP) organizaram passeata para protestar contra a forma como a trama era conduzida. Houve também manifestações contrárias à representação de um jovem da classe média envolvido com drogas. "Foi um escândalo, mas tudo passou, porque resolvi matar as lésbicas, o drogado e acabar com a possibilidade de Marta ficar amiga de Leda", completa.

O cenário principal de *Torre de Babel* era um shopping center em que todos os personagens se cruzavam. O Tropical Tower, nome fictício do lugar, tinha mais de 1.200 metros quadrados e explodiu para sepultar as rejeições do público e criar o mistério sobre a autoria do atentado. A dúvida se arrastou até o último capítulo e contribuiu para a recuperação da audiência. Silvio de Abreu foi extremamente habilidoso nessa operação, ampliando o espaço de alguns personagens, entre eles Sandrinha, muito bem interpretada por Adriana Esteves, que achou o equilíbrio certo entre o humor e o desvio de comportamento, e Jamanta, um brilhante trabalho de construção de personagem do ator Cacá Carvalho.

Para atender os que gostavam dos elementos mais clássicos dos folhetins, Silvio de Abreu armou uma interessante e delicada história de amor entre Adriano e Shirley, garota manca em função de uma diferença de tamanho das pernas. Bem ao estilo dos contos de fadas, aqueles com sapatinhos perdidos ou sofrimento pela impossibilidade de assumir uma relação, esse núcleo foi um dos grandes acertos da novela. O autor garante que, apesar da retirada de alguns personagens, não mudou a sinopse, "simplesmente contei tudo de novo para o povo entender", diz.

*Torre de Babel* fechou com 43 pontos de média geral, o equivalente a 60% de share. O resultado poderia ter sido melhor, mas a fase em que o telespectador não compreendeu algumas propostas do texto registrou índices baixos. Com a revelação do motivo que levou Sandrinha a explodir o Tropical Tower, o último capítulo da novela atingiu 60 de média. Na noite de 16 de janeiro de 1999, 7 televisores de cada 10 estavam sintonizados nas emoções finais da novela.

Durante a década de 1990, Silvio de Abreu também foi um dos responsáveis pela retomada da teledramaturgia no SBT. O fracasso de *Brasileiras e Brasileiros* afastou a emissora desse gênero por três anos. A retomada aconteceu em 1994, com a contratação de Nilton Travesso para a direção artística da rede. Entre suas propostas para a grade, um horário destinado a novelas. Sua larga experiência na Globo e os sucessos da Manchete sob seu comando contribuíram para a aprovação do projeto. Começava, então, uma corrida para atrair gente importante para atuar diante e atrás das câmeras. "Lembrei de *Éramos Seis*, uma história que resgatava uma época romântica de São Paulo e que colocava em primeiro plano os sentimentos de uma mulher e a importância da família", recorda Travesso.

Decidido a fazer mais um remake de *Éramos Seis*, romance de Maria José Dupré, Nilton Travesso não mediu esforços para viabilizar a produção. Rubens Ewald Filho não tinha contrato de exclusividade com nenhuma televisão, portanto estava livre para ingressar na empresa, mas Silvio de Abreu – seu parceiro na versão da TV Tupi – tinha vínculo com a Globo. "Liguei para o Boni e pedi autorização para os dois assinarem como autores", revela o diretor. Com o sinal verde do todo-poderoso da concorrente, foi dado início ao processo de adaptação. "Silvio de Abreu foi importantíssimo nessa etapa, porque fez muitas correções e atualizações", completa Travesso.

Ciente do tamanho de sua responsabilidade na retomada da teledramaturgia no SBT, Nilton Travesso sabia que não poderia errar em nenhuma etapa desse processo, principalmente na escolha do elenco. "Mas muitos artistas estavam receosos com a proposta, porque a emissora havia interrompido há pouco tempo sua produção de novelas", diz o diretor. Como entrar num projeto sem a garantia de continuidade? Essa era a pergunta que mais ouvia nas conversas com quem procurava para trabalhar no novo remake de *Éramos Seis*. Sua presença era uma das garantias, mas ainda faltava algo. "Tudo ficou mais fácil quando Irene Ravache aceitou ser a nossa protagonista. Ela foi uma verdadeira amiga, muito profissional, e abriu as portas para a contratação de muita gente boa e talentosa", recorda com gratidão.

Com direção de Del Rangel e Henrique Martins, *Éramos Seis* começou a ser gravada para estrear com uma frente confortável de capítulos, já que a ordem era levar ao ar um produto com alta qualidade, a fim de impressionar o telespectador e deixar bem claro que começava ali uma nova etapa na teledramaturgia do SBT. "Era um material testado, e isso dava meio caminho andado. O resto foi o talento dos atores e um trabalho incrível nos bastidores", diz Martins. No elenco, além de Irene Ravache, nomes consagrados como Othon

Bastos, Jussara Freire, Osmar Prado, Jandira Martini, Marcos Caruso, Flávia Monteiro, Elizângela, Nathalia Timberg e Antônio Petrin. Havia também os mais jovens, entre eles Tarcísio Filho, Luciana Braga, Leonardo Brício, Denise Fraga. Caio Blat e Wagner Santisteban, ainda crianças, também brilharam.

Para garantir a qualidade em todos os momentos da novela, uma rigorosa reconstituição de época foi realizada, com objetos de decoração e com a criação de uma cidade cenográfica para representar o centro de São Paulo nos anos 1920. Erguida no CDT da Anhanguera, que, naquela época, estava na fase final de construção, ela contava com pequenas casas e estabelecimentos comerciais, uma praça e o bonde elétrico, desenvolvido no Rio de Janeiro por uma equipe especializada para não fazer barulho e, assim, contribuir na sonorização das cenas gravadas no local. Foi um grande investimento, porque só esse equipamento representava quase metade do que foi necessário para essa etapa.

No início dos anos 1990, o SBT ainda era dividido em vários centros de produção, com programas de auditório gravados no teatro da Avenida Ataliba Leonel, atrações de entretenimento e jornalismo na Vila Guilherme e novelas nos pequenos estúdios do Sumaré, local onde também estava a torre de transmissão. "Ocupamos um pouco de cada espaço e, por isso, o planejamento precisava ser muito eficiente", recorda Nilton Travesso. "Essa era uma dificuldade, porque exigia logística para todos os envolvidos nos deslocamentos para regiões tão afastadas", completa Henrique Martins.

Próximo à estreia, chegou a hora de determinar o melhor horário para a exibição de um produto de qualidade e, por consequência, caro. Por isso, sua posição na grade deveria garantir retorno em audiência a fim de atrair os anunciantes mais importantes. Depois de alguns estudos, Nilton Travesso chegou à reunião com Silvio Santos com a certeza de que o capítulo deveria entrar no ar às 20h, para bater de frente com o *Jornal Nacional* e sair do confronto direto com *A Viagem*, trama das 19h da Globo que fazia enorme sucesso. Apresentou todos os seus argumentos e ouviu do dono do SBT que a novela ocuparia a faixa das 22h, assim que terminasse *Fera Ferida* na concorrente. Essa incerteza durou alguns dias, até que Silvio Santos chamou Nilton Travesso em sua sala com a decisão final:

– Vamos atender os dois. *Éramos Seis* será exibida às 20h, como você quer, e às 22h, como eu desejo. O capítulo será repetido na mesma noite.

E assim foi, com ótimos índices de audiência nos dois horários e grande repercussão na mídia especializada. *Éramos Seis* encantou a todos pelo conjunto da obra: um bom texto, ótimas interpretações, direção eficiente, fotografia diferenciada e um padrão de qualidade que não deixava nada a desejar em relação ao da Globo. Segundo dados da época, a novela alcançou em sua primeira faixa 15 de média geral e 13 pontos na reprise do mesmo dia. "Foi muito bem no Ibope, mas empacou na parte comercial. Aí, veio *As Pupilas do Senhor Reitor*, que não foi tão boa e registrou uma perda de audiência", sinaliza Ricky Medeiros.

*As Pupilas do Senhor Reitor*, também um remake para o texto de Lauro César Muniz, estreou no dia 6 de dezembro de 1994 com o mesmo esquema de exibição proposto antes por Silvio Santos: às 20h, episódio inédito, e às 22h, reprise do capítulo. O elenco não deixou a desejar e reuniu nomes importantes, como Juca de Oliveira, Débora Bloch, Elias Gleizer, Claudio Fontana, Ana Lúcia Torre, Roberto Bomtempo, Lucinha Lins e Joana Fomm. "Já tínhamos avançado bastante na produção e toda a equipe estava acostumada com o trabalho. Continuamos com a mesma qualidade", afirma Nilton Travesso. A repercussão na mídia foi interessante e a novela fechou com 11 de média geral no primeiro horário e 9 pontos na reprise, um pouco abaixo de *Éramos Seis*. A audiência e a avaliação da crítica justificavam a continuidade no projeto de teledramaturgia, apesar de o retorno publicitário não garantir altos lucros – mas pagava o investimento.

No dia 11 de julho de 1995, entrou no ar o primeiro capítulo de *Sangue do Meu Sangue*, de Vicente Sesso. O terceiro remake dessa fase da teledramaturgia do SBT foi o mais caro do projeto, com custo de US$ 42 mil por episódio, de acordo com as notícias divulgadas na época. O grande chamariz no lançamento da novela era a presença de Lucélia Santos e Rubens de Falco no elenco, formado por Osmar Prado, Tarcísio Filho, Othon Bastos, Lucinha Lins, Ewerton de Castro, Jussara Freire, Bia Seidl, Jayme Periard, entre outros. Apesar de todo o estardalhaço em torno da alta produção, o resultado ficou bem distante se comparado ao das produções anteriores, tanto em relação à audiência quanto ao faturamento.

A queda dos números já nos primeiros capítulos mostrou que o telespectador do SBT estava cansado de tramas de época e que uma história sobre escravidão não garantia mais o mesmo envolvimento do público. As primeiras pesquisas apontaram para a necessidade de mudanças na vinheta de abertura, considerada sombria. Novas imagens foram inseridas e a corrente que prendia os braços de um negro foi simplesmente eliminada. A ideia era passar a sensação de liberdade.

A grande trama de *Sangue do Meu Sangue* não foi acompanhada pelo público, mas vivida intensamente nos bastidores, com direito a momentos tensos e ameaças de processo por parte de Vicente Sesso, o autor, que havia liberado a adaptação, mas que acabou como interventor diante do que considerou exagero no texto. Ao assumir o roteiro, o autor eliminou personagens e núcleos e incluiu novas situações. O que já era estranho para o público ficou mais difícil de ser compreendido. O resultado foi uma audiência de 5 pontos, índice muito inferior aos registrados com *Éramos Seis* e *As Pupilas do Senhor Reitor*.

Insatisfeito com os resultados da teledramaturgia de sua emissora, mas disposto a se manter nesse segmento de programação, Silvio Santos fez duas importantes parcerias e, no dia 6 de maio de 1996, colocou no ar novas novelas. Às 18h30, uma produção da JPO, entrou no ar *Colégio Brasil*, trama voltada ao público jovem, com Patrícia de Sabrit, Afonso Nigro, Taumaturgo Ferreira, Giuseppe Oristanio, Maria Padilha, entre outros. Os resultados com a audiência foram considerados satisfatórios. Às 20h, numa realização da Ronda Estúdios, de Buenos Aires, *Antônio Alves, o Taxista* tinha Fábio Júnior, Sônia Braga, Guilhermina Guinle nos papéis principais. As dificuldades começaram bem antes dos baixos índices, uma vez que Sônia Braga, já com reconhecimento internacional, abandonou o trabalho assim que surgiram os primeiros problemas de relacionamento com os produtores argentinos e com a baixa qualidade do texto. O final foi antecipado. Na faixa das 21h, *Razão de Viver*, remake de *Meus Filhos, Minha Vida* foi realizado nos estúdios da emissora. Irene Ravache, Marco Ricca, Joana Fomm, Adriana Esteves, Gianfrancesco Guarnieri, Fulvio Stefanini, Raul Gazolla e Gabriel Braga Nunes eram alguns dos artistas desse projeto, que não atendeu às expectativas da direção. "Gastamos muito dinheiro nessa época e acabou dando em nada", revela Ricky Medeiros, que sempre defendeu que o SBT desenvolvesse outros formatos nesse segmento para enfrentar a líder Globo.

A relação com a JPO não foi das mais saudáveis, e a parceria com a Ronda Estúdios deixou bem claro que gravar uma novela em Buenos Aires, ainda que custasse menos que produzir no Brasil, não gerava a identificação necessária com o telespectador. Apesar dos truques para disfarçar um táxi circulando por ruas da Argentina, tudo era muito perceptível no vídeo. Silvio Santos resolveu, então, atacar a Globo e contratar três dos mais produtivos e importantes autores da concorrente. Como sempre fez quando acreditava ser uma decisão estratégica, o apresentador chamou para si a responsabilidade de negociar com os profissionais, dispensando, inclusive, intermediários para os primeiros contatos. O dono do SBT ligou para Walther Negrão, Gloria Perez e

Benedito Ruy Barbosa propondo reuniões individuais, sem que um soubesse da aproximação com os demais. "Eu descobri que era um time porque, quando saí do escritório, vi estacionado um Audi com a placa BRB, as iniciais do Benedito", revela Negrão.

O objetivo de Silvio Santos era contratar os autores para que cada um escrevesse duas novelas no prazo de dois anos, estabelecendo assim três horários diários, um para trama rural, outro para contemporânea e um terceiro com temática mais suave, para atender às necessidades da sua grade de programação e chegar muito próximo ao que a Globo fazia com sua teledramaturgia. "Foi uma proposta astronômica. Ele fez um *Topa Tudo por Dinheiro* com a gente", diz Negrão. Disposto a ouvir respostas positivas dos três autores, o dono do SBT cobriu tudo o que a concorrente costumava pagar e adiantou uma parcela significativa. A participação em merchandising seria bem superior aos 5% praticados na concorrente, para compensar as vendas dos direitos de exibição no exterior, algo que poderia não acontecer, porque o departamento para esse fim precisava ser montado. Também ficou acertado que a emissora contrataria os colaboradores e pesquisadores com quem eles estavam acostumados a trabalhar. "A única coisa que me incomodou muito foi o seu pedido para aumentar a quantidade de capítulos escritos e gravados por mês para dinamizar o processo e dispensar o elenco antes do término da novela, gerando assim economia com salários", lembra Benedito Ruy Barbosa. "Isso já me deixou desanimado", completa.

Com contrato assinado, a ideia de Silvio Santos era divulgar a chegada dos novos autores por meio de uma campanha publicitária em jornais e revistas, bem como no próprio SBT, mas a informação vazou. Ao saber do ataque da concorrente, o alto comando da Globo assumiu a negociação e fez propostas irrecusáveis aos três escritores para que continuassem na emissora, assumindo inclusive o pagamento das multas pela rescisão dos compromissos com Silvio. "A gente ganhava pouco até ali, mas o convite fez a remuneração ser aumentada, assim como as participações", revela Walther Negrão. Na época, para evitar o assédio a outros profissionais, a TV de Roberto Marinho antecipou a renovação de muitos vínculos, reajustou salários e criou enormes barreiras para o rompimento unilateral.

A questão foi parar na justiça e se arrastou por alguns anos. No final, o SBT foi indenizado em R$ 70 milhões, valor pago pela Globo. A rescisão de contrato de Gloria Perez correspondeu a R$ 24,4 milhões e a de Walther Negrão a R$ 17,8 milhões. A briga jurídica com Benedito Ruy Barbosa foi a última a ser resolvida e gerou mais R$ 27,8 milhões.

Quem acompanhou de perto os bastidores da negociação com Gloria Perez garante que Silvio Santos estava impressionado com o sucesso de *Explode Coração*, trama que a autora levou ao ar na faixa das 20h da Globo entre novembro de 1995 e maio de 1996. A novela, a primeira a ser totalmente produzida e gravada no Projac – ou Estúdios Globo, como foi rebatizado mais tarde –, fechou com 47 pontos de média geral, com 77% de share, e mostrou ao público, entre seus temas principais, os costumes do povo cigano. "A emoção iguala níveis culturais diferentes. As novelas de grande sucesso e as séries americanas estão aí para comprovar isso", diz a autora.

O fato é que na época o grupo cigano de *Explode Coração* gerou muitas críticas de especialistas, principalmente em relação ao trabalho de Ricardo Macchi como Igor. A presença de Paulo José, Eliane Giardini, Laura Cardoso, Stênio Garcia e Zezé Polessa equilibrou esse núcleo. Mas a novela não impressionou apenas por esse tema. A autora colocou em discussão a adoção de crianças soropositivas, fez campanha por pessoas desaparecidas e deu destaque a uma *drag queen*. "Tinha ainda o namoro pela internet, algo absolutamente novo e de pouca compreensão do telespectador comum, e um *rocker* que imitava o Elvis Presley", destaca Walther Negrão, autor que foi chamado por Paulo Ubiratan, um dos diretores de núcleo, para ajudá-lo na avaliação do texto e em sua aprovação. "Era muita novidade numa mesma novela", destaca. Esse sucesso só reforçou uma característica marcante de Gloria Perez: tramas com campanhas e um amplo recorte do comportamento humano. Dois anos depois, a autora assinou o remake de *Pecado Capital* e a minissérie *Hilda Furacão*.

\*\*\*

Depois de sua passagem pela TV Manchete, Manoel Carlos voltou para a Globo no início da década de 1990 para escrever novelas para a faixa das 18h. Suas histórias com mulheres marcantes e crônica do cotidiano funcionaram perfeitamente no horário. Primeiro com *Felicidade*, em 1991, com Maitê Proença e Tony Ramos nos papéis principais e a novata Vivianne Pasmanter. Quatro anos depois, no dia 3 de julho de 1995, entrava no ar *História de Amor*, para contar a vida de uma mulher solitária e dedicada à sua filha, que se vê diante de uma nova paixão. Para evitar problemas com classificação, o autor alterou a sinopse e desistiu de colocar mãe e filha apaixonadas pelo mesmo homem. Foi durante essa produção que Ana Rosa entrou para o *Guinness*.

"É que na Tupi elas eram curtas e eu trabalhei muitos anos sem tirar férias", explica ela, com modéstia.

Segundo números da época, *História de Amor* fechou com 34 pontos de média geral, o equivalente a 60% do público de seu horário. Três anos depois, Manoel Carlos foi transferido para a faixa das 20h30, quando escreveu *Por Amor* e pôde avançar em alguns temas, como alcoolismo, preconceito racial e bissexualidade. O ponto de partida da trama era a troca de bebês. *Por Amor* contou com Regina Duarte como protagonista e teve ótimas interpretações de Susana Vieira, Cássia Kis, Antônio Fagundes, Vera Holtz e Ângela Vieira. A novela fechou com 43 pontos de média geral, cinco pontos a menos que *A Indomada*, sua antecessora.

*A Indomada* estreara em fevereiro de 1997, com a mesma abordagem de realidade fantástica já desenvolvida em *Pedra sobre Pedra* e *Fera Ferida*. Ambientada em Greenville, uma cidade em algum lugar do agreste brasileiro, onde as tradições britânicas eram extremamente valorizadas. Com essa mistura inusitada, Aguinaldo Silva e Ricardo Linhares colocaram uma lente de aumento em muitos problemas de nosso país e fizeram excelente crítica à nossa política e à elite econômica. "Ficou clara a intenção dos dois em propor algo novo e deslocar as histórias do eixo Rio-São Paulo", destaca o professor Claudino Mayer.

Aguinaldo Silva e Ricardo Linhares criaram personagens fortes e carismáticas, que rapidamente conquistaram o telespectador. Uma delas está presente na memória do público até os dias atuais: Maria Altiva Pedreira de Mendonça e Albuquerque, mulher capaz de tudo para realizar os seus desejos e que sempre encerrava uma conversa com frases em inglês. "Oxente, my God" foi uma criação dos autores e se transformou em gíria na época, mas Eva Wilma colaborou com muitas outras, contando inclusive com sugestões de quem assistia à novela. "Antes da estreia, durante uma entrevista a uma jornalista pernambucana, ela lembrou que algumas amigas costumavam dizer 'thank you very much, viu, bichinho?' como brincadeira entre elas", relembra a atriz. Quando começou a gravar, não resistiu e incluiu a frase em seu texto. Aguinaldo Silva gostou do improviso e deu liberdade para ela acrescentar o que achasse importante, desde que dentro do perfil da vilã.

Aliás, já nas primeiras gravações, diretores e produtores de *A Indomada* perceberam que Eva Wilma estava se divertindo com a personagem e que não precisaria de muito tempo para que Altiva, sua personagem, ganhasse mais espaço na história. Essa certeza surgiu durante uma cena do bloco inicial em que Altiva descia as escadas de casa e interrompia a conversa entre seu marido e doutor Pitágoras com um "Pedro Afonso, stop!". No roteiro estava a orientação para ela pisar nos degraus apressadamente e, já no térreo, abrir a porta para verificar o sumiço da heroína Helena. O autor deixou bem claro que deveria haver uma ventania do lado de fora do ambiente. Paulo Ubiratan, diretor de núcleo que naquela tarde comandava as gravações, fez as marcações e iniciou o ensaio.

– Atenção! Todos em seus postos! Ação!

Cláudio Marzo e Ary Fontoura começaram o diálogo na sala da casa da vilã e, na deixa, Eva Wilma apareceu no topo da escada para ser enquadrada pela câmera. Ela desceu correndo, quase caiu com um tropeço, interrompeu a fala dos dois atores e foi até a porta. Atrás do cenário, potentes ventiladores para dar o clima de uma grande ventania. Ela virou-se para o cinegrafista e disparou:

– She's gone in the wind!

Imediatamente, alguém desligou o equipamento e o vento cessou.

– The wind is gone! – emendou a atriz.

Todos que estavam no estúdio caíram na gargalhada e Paulo Ubiratan fez questão de dizer à equipe que aquele seria o tom nas cenas com Altiva. O sucesso foi tremendo e a simbiose entre autor e atriz tão perfeita que a personagem ganhou uma dimensão muito maior que a prevista na sinopse. "Essas coisas lúdicas só acontecem quando existe parceria e entrega dos dois lados", explica Eva Wilma.

No último capítulo, Altiva pega fogo, se transforma em fumaça e diz que um dia voltará. *A Indomada* garantiu 48 pontos de média geral, segundo dados da época, com 67% de share. Dois anos depois, Aguinaldo Silva assinou *Suave Veneno*, que derrubou o Ibope do horário para apenas 37,4 pontos, índice praticamente inaceitável pela direção da Globo para os anos 1990. A partir daí, com uma concorrência maior, as novelas da principal faixa da emissora iniciaram uma redução gradual de audiência, atingindo novo patamar de resultados, mas sempre na liderança.

Apesar de ter mantido uma novela por ano no ar após o sucesso de *Pantanal*, a Manchete não conseguiu a mesma repercussão com *Guerra sem Fim*, *74.5 – Uma Onda no Ar* e *Tocaia Grande*, todas boas propostas, bem realizadas, mas com índices modestos. Foi somente no final de 1996 que a emissora voltou a preocupar as concorrentes com sua teledramaturgia. No dia 17 de setembro, às 21h30, entrou no ar *Xica da Silva*, assinada pelo desconhecido Adamo Angel. Assim que a trama começou a crescer em audiência e se transformar em notícia, muito se especulou sobre o autor do texto. Tratava-se na verdade de um pseudônimo de Walcyr Carrasco, que atuava como consultor do SBT. "Tecnicamente, não havia restrição para escrever em outra emissora, pois eu não era autor contratado, mas um assessor", explica o autor. O fato é que sua verdadeira identidade só foi revelada nos últimos capítulos, o que evitou maiores discussões. Ele chegou até a propor um rompimento com a TV de Silvio Santos, que não foi aceito pelos diretores. "Às vezes, a gente tem que arriscar e eu precisava provar a minha vocação, inclusive pra mim mesmo", diz Carrasco.

*Xica da Silva* teve direção de Walter Avancini, profissional com proposta mais ousada, inclusive com a inserção de cenas de sexo e muita nudez. A protagonista Taís Araújo só foi aparecer sem roupa após o capítulo 50, uma semana após completar 18 anos de idade, para não criar problemas com o Juizado de Menores. Quem acompanhou os bastidores lembra que as gravações, principalmente as externas, não tinham toda a estrutura necessária. "Fui assaltada no set e, várias vezes, obrigada a fazer as cenas durante a madrugada", recorda Adriane Galisteu, que interpretava Clara, também conhecida como Mãe d' Água. "Eu fiquei traumatizada. Entrava numa cachoeira em Xerém cheia de cobras e gravei várias vezes no mar com água absurdamente gelada", completa.

Com o avanço das cenas mais ousadas, a direção da Manchete foi obrigada a transferir *Xica da Silva* para a faixa das 22h15, em que o nu era permitido, mesmo com as críticas e protestos dos mais conservadores. A novela terminou, segundo dados da época, com 10 pontos de média geral, o dobro de *Tocaia Grande* e pouco acima de *Mandacaru*. Em 1998, a versão televisiva de *Brida*, best-seller de Paulo Coelho, colocou um ponto final na teledramaturgia da emissora, que deixou de operar, atolada em dívidas e problemas financeiros. Já Walcyr Carrasco escreveu *Fascinação* para o SBT e depois assinou com a Globo.

\*\*\*

Foi na reta final da década de 1990 que a Record resolveu, depois de vinte anos afastada do segmento, voltar a investir em novelas. No dia 14 de abril de 1997, entrou no ar *Direito de Vencer*, texto de Ronaldo Ciambroni com direção de Atílio Riccó, com Sérgio Britto, Edwin Luisi, Tamara Taxman e João Vitti nos papéis principais. Era, na verdade, uma mininovela, um teste para uma eventual retomada. No mesmo formato, seguiram-se *Canoa do*

*Bagre, Janela Para o Céu, Velas de Sangue, A Sétima Bala* e *Do Fundo do Coração*, a maioria realizada em parceria com a produtora VTM.

A volta da teledramaturgia diária convencional aconteceu somente em maio de 1998, com *Estrela de Fogo*, texto de Yves Dumont e, nos papéis principais, Fulvio Stefanini, Cristina Prochaska, Luiz Guilherme, Vera Zimmermann, Jussara Freire, Lolita Rodrigues e Dalton Vigh. Exibida na faixa das 20h, conquistou um bom resultado para uma emissora que abandonara o formato havia vinte anos. Segundo dados da época, sua média final foi de 6 pontos. Na sequência, a Record exibiu *Louca Paixão*, uma interessante adaptação para a primeira novela diária do Brasil: *2-5499 Ocupado*.

Em setembro de 1999, estreou *Tiro e Queda*, de Luís Carlos Fusco e Vivian de Oliveira, uma jovem roteirista que assumia a condição de autora após colaborar com outros títulos produzidos pela JPO. "Foi uma loucura, porque pela manhã trabalhava para o *Fala Brasil* e à tarde e à noite escrevia a novela", relembra a autora de inúmeros sucessos da emissora, principalmente das adaptações bíblicas. "Foi muito puxado, fiquei doente, mas fui até o final", completa. O fato é que logo após essa produção, a Record abriu novamente um intervalo de alguns meses em sua teledramaturgia, ainda sem a identidade que se viu a partir de *A Escrava Isaura*, folhetim que marcou o início da fase de alto investimento nesse segmento de conteúdo.

Um novo século se aproximava e, com ele, uma realidade totalmente diferente para a teledramaturgia brasileira. A Globo, maior produtora do gênero no país, ampliaria muito a oferta de títulos e de formatos com a criação do Projac, o centro industrial de entretenimento. Além disso, com o crescimento da TV por assinatura e, consequentemente, maior acesso às séries americanas, o público mais jovem começou a dar sinais de que desejava mudanças no principal produto da televisão brasileira.

# Projac: o centro de entretenimento do Brasil

Foi durante a década de 1970 que a televisão se estabeleceu definitivamente como o principal veículo de comunicação do Brasil. A chegada da transmissão em cores, os avanços da tecnologia, facilidades para a compra de equipamentos e o crescimento de recursos da publicidade contribuíram para acirrar a disputa entre as emissoras. Com grades que mesclavam atrações ao vivo com conteúdo gravado, todos os canais se viram obrigados a ampliar suas estruturas, algo que já vinha acontecendo durante os anos 1960 com o avanço da TV Excelsior e a estreia da Rede Globo, disposta a conquistar papel de protagonista nesse cenário.

Os primeiros prédios construídos especialmente para a televisão foram dimensionados para um mercado mais modesto, talvez sem a previsão do crescimento que ocorreu anos depois. Era muito comum as emissoras dividirem suas atrações em vários estúdios e teatros, muitas vezes localizados em pontos distantes da cidade e com equipes em locais diferentes, o que aumentava muito os custos de cada produto. Foi diante dessa realidade que, no final dos anos 1970, Roberto Marinho começou a pensar num grande centro de produção para criar, realizar e gerar toda a sua grade. Entretanto, a situação financeira do país e os incêndios que atingiram a empresa obrigaram o empresário a deixar a ideia engavetada.

Já como líder de audiência nas principais capitais e com uma programação nacional bem estabelecida, a Globo entrou na década de 1980 com sua produção distribuída em mais de 40 locais diferentes. Os programas de entretenimento eram gravados no Teatro Fênix, mas as equipes ocupavam imóveis bem distantes dali. As novelas foram divididas entre os estúdios da Cinédia, da Tycoon e os de Renato Aragão, todos alugados para viabilizar os projetos que entravam no ar. As cidades cenográficas eram erguidas num terreno em Guaratiba, na zona oeste do Rio de Janeiro. E o jornalismo e o esporte ficavam no Jardim Botânico, onde também estavam instalados departamentos de edição, finalização e chamadas, entre outros ligados diretamente ao que chegava ao telespectador.

Era preciso unir tudo isso para modernizar a linha industrial, concentrar o pessoal e diminuir custos. Boni, o diretor-geral da Globo, recebeu o sinal verde de Roberto Marinho para reunir profissionais e condições e dar início à construção desse centro de produção, algo para ser erguido pensando no futuro e atender às necessidades da empresa a longo prazo. "Eu tinha acabado de fazer cursos nos Estados Unidos sobre cinema, visitado os maiores estúdios da Europa e estagiado em algumas TVs americanas", conta Adilson Pontes Malta, então diretor de engenharia da Globo e homem escolhido para coordenar esse projeto. "Ele conhece tudo. É a pessoa", teria dito Boni a Marinho na reunião definitiva sobre o maior investimento da empresa.

Com base em seus estudos e no que viu no exterior, Adilson Pontes Malta tinha certeza de que o centro de produção da Globo precisava obrigatoriamente gerar ganho de produtividade e atender às necessidades de produtos muito diferentes da linha de entretenimento, como programas, novelas, séries, humorísticos e shows, cada qual com sua dinâmica. "Era fundamental valorizar o patrimônio artístico e concentrar as pessoas ligadas às atividades afins", diz o engenheiro. Ele também queria acabar com o "corredor da conversa", uma extensa passagem que existia no prédio do Jardim Botânico onde, principalmente às segundas-feiras, todo mundo se encontrava para falar de futebol, família, festas – menos trabalho.

A divisão dos espaços físicos do novo centro de produções encomendado por Roberto Marinho foi inspirada nos estúdios das grandes companhias de cinema dos Estados Unidos, com construções destinadas exclusivamente para a gravação dos programas e novelas, e imóveis ao redor para as equipes de produção, roteiristas e diretores, além da infraestrutura para a cenografia, figurinos, efeitos especiais e serviços. Tudo muito bem localizado e distribuído, para que ninguém tivesse dúvidas quanto a quem recorrer durante a execução de um produto. "Inicialmente, tinha até medidor individual de energia para saber exatamente quanto cada programa consumia e determinar seu peso no orçamento, mas isso não emplacou", ressalta Adilson Pontes Malta. "A Globo continua com um processo de gestão e produção com administração única", completa.

Outra preocupação era garantir uma dinâmica mais moderna e menos burocrática em todos os departamentos, inclusive os administrativos. Novamente, a experiência em empresas dos Estados Unidos e da Europa foi fundamental. Os profissionais passariam a ocupar locais amplos, eliminando as salas individuais, tão comuns nas TVs daquela época e símbolos de poder. "O novo conceito previa um espaço diferenciado para os diretores de cada setor e, às vezes, para os cargos mais elevados. E as salas de reunião serviam a todos, desde que agendadas com antecedência", explica Adilson Pontes Malta.

Depois de alguns meses para preparar o projeto e escolher o local onde seria instalado o novo centro de produções, no início de 1983, chegou a hora de apresentar todos os detalhes a Roberto Marinho e obter a liberação para iniciar imediatamente a construção. Na reunião foram apresentados todos os detalhes do projeto, inclusive a localização, num amplo terreno em Jacarepaguá.

– Mas por que tão longe? – indagou Roberto Marinho.
– Hoje é longe, mas vai ficar perto. Bem perto, tenho certeza!
– Você tem certeza?
– Dr. Roberto, o Rio de Janeiro está crescendo pra lá. A Barra da Tijuca avança naquela direção.

Roberto Marinho foi convencido, e Adilson Pontes Malta nomeado o coordenador da construção do Projac, o Projeto Jacarepaguá, como ficou escrito nos documentos entregues ao mais alto escalão da Globo.

Diante da grandiosidade da obra, foi estabelecido um cronograma para cada etapa da construção e regras que deveriam ser seguidas para evitar contratempos, desperdício e problemas com as autoridades. Tudo deveria ser pensado antes, afinal tratava-se de um investimento de US$ 250 milhões. "O Projac demorou onze anos para ficar pronto. Houve, inclusive, um embargo da obra na época do governo Brizola, que parou os trabalhos, mas para a concepção do que era e pelo custo, foi um período muito bem utilizado", avalia o "pai do Projac", como Adilson Pontes Malta é carinhosamente chamado pelos amigos.

No dia 2 de outubro de 1995, Roberto Marinho chegou cedo ao Projac e se dirigiu ao estúdio onde aconteceria a gravação de *Explode Coração*, primeira novela a ser produzida totalmente no centro de produções. No local estavam 500 pessoas, entre artistas, produtores, diretores, a autora Gloria Perez, maquiadores, cinegrafistas e os principais executivos da Globo. O dono da emissora estava acompanhado de sua esposa, Lily de Carvalho Marinho, e dos filhos Roberto Irineu, João Roberto e José Roberto. Ele fez um rápido discurso e ressaltou a importância desse investimento.

> **"Há trinta anos era eu um jovem sexagenário, que ainda não conseguia conter os entusiasmos da juventude, quando fui ao bairro do Jardim Botânico procurar um terreno onde seria construído o prédio da TV Globo. Era um lugar ainda meio ermo e esquecido, de uma beleza serena e acolhedora. O cenário perfeito para realização de um ideal. Empenhando toda a minha vida e com a ajuda de muitos que aqui estão, consegui realizá-lo. Este foi o desafio do passado. Mudou o cenário, mudaram os tempos, mas os ideais permanecem ousadamente jovens. Os dias de emoção vividos no Jardim Botânico reproduzem-se agora em Jacarepaguá. Vejo que o nosso Projac vai ganhando vida e tomando forma em um processo de expansão e modernidade que nos estimula a trabalhar com o mesmo rigor, com a mesma pertinácia dos tempos pioneiros. Este é o desafio do futuro."**[8]

Roberto Marinho bateu a claquete que deu início à cena a que algumas semanas depois os telespectadores assistiriam, na estreia de mais um grande sucesso.

Imediatamente, começou a transferência de todo o entretenimento da Globo para o Projac. Primeiro foram as novelas e minisséries; depois os humorísticos, infantis e os programas de auditório. Tudo muito organizado. "São mais de seis mil pessoas por dia no local e você não vê ninguém parado ou perdido", diz Adilson Pontes Malta, que não esconde o orgulho de ter coordenado um projeto totalmente planejado, com restaurantes, bancos, dinâmica de transportes, espaço para os figurantes e o conforto para cada artista se preparar para a longa jornada de trabalho. "A gente tomou o cuidado de separar as pessoas, não por preconceito, mas porque são atividades completamente diferentes", diz.

O Projac, ou Estúdios Globo, seu nome atual, está instalado num terreno de 1,65 milhão de metros quadrados, a maior parte com vegetação da Mata

---
8   Reprodução do site Memória Globo.

Atlântica e, portanto, de preservação obrigatória. "Aquilo é uma verdadeira cidade, com paisagismo maravilhoso, e os escritórios e centros de produção. É uma superestrutura que eu acho que não tem em nenhum lugar do mundo", diz Arlete Salles. "Quando você chega, já percebe que está numa fábrica de conteúdo, numa indústria", ressalta Walderez de Barros.

Além dos dez estúdios já preparados para a era digital em alta definição, o Projac reúne sete módulos de produção, fábrica de cenários e figurinos, três espaços independentes para a construção de cidades cenográficas e um centro de pós-produção voltado para sonorização, edição e efeitos especiais. Um estúdio em formato de domo ainda será construído para viabilizar a produção de cenas em 360º.

Considerado o segundo maior centro de produção de televisão da América Latina, perdendo apenas para as instalações da TV Azteca, inauguradas em junho de 2012, há quem afirme que já está na hora de ser ampliado. "A produção da Globo cresceu tanto que já ouvi que o Projac está ficando pequeno e precisa de mais seis estúdios", diz Tony Ramos, um dos profissionais mais atuantes da emissora. "Acho que ninguém imaginava que a produção crescesse dessa forma", completa o ator.

Um ano depois da inauguração do Projac, foi a vez de o SBT dar início às operações de seu Centro de Televisão da Anhanguera, o CDT. A estrutura conta com oito estúdios, sendo dois voltados exclusivamente para a teledramaturgia. No local também há um espaço para cidade cenográfica e um estúdio que atendeu ao reality show *Casa dos Artistas*, além de um edifício para os departamentos administrativos. "Tínhamos cinco endereços e precisávamos somar tudo num lugar só, porque o custo operacional era elevadíssimo", conta Alfonso Aurin, engenheiro que desenvolveu o projeto. Guilherme Stoliar, vice-presidente do Grupo Silvio Santos, foi o maior incentivador da construção, com olhos nas contas do futuro.

Engana-se quem pensa que o CDT e o Projac são semelhantes. "Os conceitos são diferentes, porque, se você analisar, a Anhanguera é uma TV inteira resumida em um único endereço, diferente do Projac, que é uma central de produção. O CDT tem tudo, inclusive a exibidora e o tráfego de fitas"[9], explica Alfonso Aurin. O Centro de Televisão de Silvio Santos foi erguido em pouco mais de três anos e consumiu cerca de US$ 100 milhões.

Em março de 2005, um ano após o bom resultado da versão de *A Escrava Isaura*, produção que marca a retomada definitiva da teledramaturgia da

---

9 Exibidora: parte responsável por subir o sinal e levar a programação até o telespectador. Tráfego de fitas: departamento responsável por distribuir o conteúdo arquivado em mídia física (fitas, DVDs, Blu-Ray) para departamentos internos, emissoras da rede e afiliadas.

Record, com um grande investimento, os executivos da emissora finalizaram as negociações de compra dos estúdios de Renato Aragão. O objetivo era concentrar toda a produção de novelas no Rio de Janeiro, cidade com um número maior de artistas e profissionais do setor, o que representava importante diminuição nos custos. Três estúdios ocupavam o terreno com 40 mil metros quadrados e eram suficientes para aquele estágio de produção. Mas, como havia o plano para ampliar o espaço dos folhetins na grade de programação, os executivos autorizaram o aporte de US$ 60 milhões para a ampliação da estrutura e aquisição de equipamentos de alta tecnologia. Surgia o RecNov.

Quatro anos depois, o centro de produção de dramaturgia da Record já contava com dez estúdios, central de pós-produção com efeitos sonoros e visuais, fábrica de cenários, ateliê de figurinos e um espaço para a construção de uma cidade cenográfica de porte médio. A alguns quilômetros dali, outro terreno possibilitava a reprodução de cenários maiores. Foi no RecNov que a emissora produziu suas mais importantes novelas, como Cidadão Brasileiro, *Vidas Opostas, Poder Paralelo, Dona Xepa, Pecado Mortal, Os Dez Mandamentos* e *A Terra Prometida*.

Em novembro de 2015, numa operação que impressionou o mercado, a Record fechou parceria com a produtora Casablanca, que passou a ser responsável pela gravação e finalização das novelas da emissora por cinco anos. O RecNov ficou sob o controle da Casablanca.

### Sobe e desce

O improviso não acontecia apenas nas cenas transmitidas ao vivo, mas também nos bastidores das principais emissoras de São Paulo e Rio. Em seu começo, a TV Paulista funcionava dentro de um apartamento de quatro quartos, sala, cozinha e banheiro. Os artistas, obrigados a solucionar a falta de estrutura, eram forçados a trocar de roupa na garagem do edifício e usar o elevador com figurinos de Shakespeare, Molière e Guimarães Rosa. Há quem garanta que, numa dessas corridas entre o camarim improvisado e o estúdio no quinto andar, artistas ficaram presos no elevador quebrado, obrigando quem estava no ar a alterar a história que era exibida.

# Um novo século de novelas, com histórias cada vez mais perto da realidade

As transformações políticas, sociais e econômicas que o Brasil atravessou a partir da segunda metade da década de 1990 contribuíram para mudanças significativas na teledramaturgia brasileira. Com a chegada dos anos 2000, mais do que nunca o telespectador ocupou posto decisivo nessa indústria e impôs aos autores a obrigação de ser representado nas histórias que a televisão produz para seu horário nobre.

Com maior poder aquisitivo conquistado durante um período de crescimento do país, esse público ampliou seus conhecimentos. Investiu na educação formal, passou a viajar mais para destinos domésticos e internacionais e abriu-se a janela para produções de dramaturgia realizadas nos Estados Unidos e na Europa, principalmente os excelentes seriados distribuídos no Brasil pelos canais de TV por assinatura. Naturalmente, a plateia evoluiu e passou a ser mais crítica em relação aos produtos para seu entretenimento. "Tivemos que desconstruir o melodrama para não deixar a novela parecendo com o que se fazia no século XX", diz Aguinaldo Silva, autor de inúmeros sucessos que sabe, como poucos, mexer com o imaginário de quem está em casa, mesclando os elementos mais tradicionais do folhetim com os modernos recursos dos dias atuais.

O surgimento de uma nova classe média disposta a consumir os mais diversos produtos aguçou o desejo dos empresários de avançar no mercado brasileiro. Todos os setores da economia estavam de olho no potencial desse cliente e dispostos a tudo para conquistá-lo. Mais uma vez, a televisão foi a plataforma preferida para essa aproximação e atraiu praticamente 80% das verbas destinadas à publicidade. A fatia mais generosa desse bolo ficou para a Globo, o que levou suas concorrentes a acirrarem a disputa pela audiência, já que um ponto a mais na média representava a entrada de anunciantes e dinheiro. Na prática, maior pressão para quem escrevia novelas, uma vez que todas as decisões passaram a ser tomadas com base nos números das pesquisas e nas metas a serem atingidas, além do gosto e das expectativas do telespectador. "O autor não deve acreditar que a sua própria ideia, sua mensagem, o seu ideal e história sejam soberanos, esquecendo de criar uma conexão amorosa e respeitosa com seu público", ressalta a novelista Thelma Guedes. Para ela, é a pessoa que está diante da TV que dirá o que deseja assistir e apontará aos realizadores o melhor caminho a ser tomado. "Temos que tirá-lo do chão, da banalidade do seu cotidiano e dar algo que ele não conheça e o faça feliz", completa. "Os temas precisam ser mais contemporâneos, e a dinâmica, apropriada à vida de hoje, com uma linguagem quase telegráfica, para seguir a velocidade do mundo moderno", ensina Aguinaldo Silva.

No início dos anos 2000, a Globo ainda liderava o segmento das telenovelas, com grande margem de vantagem. Em seu primeiro horário, a faixa das 18h, a emissora garantia algo em torno de 50% de share. *O Cravo e a Rosa*, por exemplo, fechou com 52% do público, *Chocolate com Pimenta* atingiu 58,8% e *Cabocla*, 56,5%. O padrão para a época era de médias diárias acima dos 30 pontos. Às 19h, era muito comum ultrapassar a barreira dos 35 pontos, com share entre 55% e 60%. Já no principal horário, inicialmente às 20h30 e depois às 21h, os autores conquistavam facilmente entre 60% e 70% de share, com índices gerais entre 44 e 50 pontos, como registrado por *Senhora do Destino*, *América* e *Belíssima*. O SBT, como seu próprio slogan afirmava na época, era o "líder absoluto da vice-liderança" e alcançava entre 10 e 15 pontos com a exibição de tramas da Televisa. A versão brasileira de *Pícara Sonhadora* foi um dos pontos altos, com 16,2 de média geral, e a original *Carinha de Anjo* foi recordista, com 16,8 pontos. A Record, com produções bem modestas e realizadas em parceria com produtoras independentes, oscilava entre 2 e 6 pontos, com exceção de *Louca Paixão*, que atingiu 9 de média geral. Esse confortável cenário da teledramaturgia brasileira se transformou completamente com o investimento da Record em dramaturgia, com a contratação, inclusive, de muitos profissionais da líder no setor. Além disso, com o avanço da tecnologia e a queda de valores das assinaturas de serviços por cabo e satélite, surgiram novas plataformas para disputar o mesmo público. "Além do televisor, há sites, blogs, Twitter e as novíssimas mídias de vídeos sob demanda", destaca Mauro Alencar. "Essa ampliação descomunal de acesso ao entretenimento mudou muito o perfil do telespectador, sobretudo o consumidor das pequenas telas. Para a telenovela competir com tanta oferta, tem que dar o que não há em nenhum outro lugar", diz Thelma Guedes.

O grande desafio dos autores nesse novo século de janelas abertas ao mundo é vencer a própria velocidade da vida. Tudo acontece rapidamente e o telespectador recebe essas informações quase que imediatamente. Se nos anos 1970 e 1980 era possível prender o público de um capítulo para o outro apenas com a espera da resposta da mocinha para um pedido de casamento, hoje, a mesma ferramenta exige muito mais criatividade e algo que seja realmente relevante para a história, porque todo mundo sabe que o casal principal viverá feliz para sempre. Além disso, apesar de certo conservadorismo, o comportamento é outro e antigos impedimentos não existem mais, assim como ideais de felicidade. "As tramas giram em torno dos mesmos *plots* de sempre: histórias de amor, relações familiares, vingança e redenção. Mas as soluções serão outras, porque temas que eram considerados tabus já são tratados de maneira bem aberta", ressalta o novelista Renato Modesto.

Logo no início do novo século, a autora Gloria Perez colocou no ar um dos melhores exemplos desse tempo de olhares mais amplos e da necessidade de discutir a diversidade cultural sem preconceitos. Concebida meses antes dos atentados nos Estados Unidos, *O Clone* tinha seus pilares na cultura islâmica, nas técnicas da ciência que possibilitavam a clonagem de seres vivos e na discussão do aumento do consumo de drogas na sociedade brasileira. Temas que encontraram certa resistência por parte dos diretores da Globo, que, após as ações terroristas, chegaram a sugerir o cancelamento da estreia. A novelista manteve-se firme em seu propósito e conseguiu levar ao telespectador uma trama muito atual, que fez um contraponto com o extremismo que os telejornais noticiavam. "E foi a curiosidade sobre quem eram os muçulmanos e como eles viviam que gerou uma das maiores audiências dos últimos anos", lembra Jayme Monjardim, responsável pela direção geral. Além da própria dramaturga, a equipe de bastidores contou com a consultoria dos líderes religiosos da comunidade muçulmana no Brasil, para que fossem produzidas cenas extremamente fiéis à realidade.

Para escrever a história de Lucas e Léo e da jovem Jade, uma muçulmana criada no Rio de Janeiro que volta a viver no Marrocos com sua família, Gloria Perez foi ao país africano conhecer um pouco da cultura e ouvir relatos de pessoas, das mais tradicionalistas às mais modernas. Foi com base nessa imersão que surgiu um texto rico e cativante, método que a autora traz até os dias atuais. Ela mesclou toda a riqueza do islamismo com uma trama de amor, ódio, disputas e tudo o que um bom folhetim reúne. "Novela é diversão e se, além disso, suscita reflexões, leva o público a se interessar por saber sobre algum assunto, ótimo. Se quero passar uma ideia, dar alguma contribuição, tenho que fazer isso na dramaturgia. Mostro a situação vivida e não discurso sobre ela. O público só vai prestar atenção se o texto cumprir seu papel de divertir", diz Gloria.

Com muitas externas realizadas no Marrocos, a equipe de atores, diretores, técnicos e produtores trabalhou durante dois meses em Rabat e nas cidades próximas. No Projac foram construídos os cenários internos e uma cidade cenográfica que reproduzia, inclusive, trechos de ruas e um pedaço do mercado da capital marroquina. A novela contava com núcleos brasileiros e personagens extremamente populares, como dona Jura, proprietária de um bar onde muitos se cruzavam e participações especiais aconteciam, como as de Martinho da Vila e Alcione.

Além dos romances, das cenas de puro humor ou do questionamento ético sobre a manipulação da vida, *O Clone* realizou uma das mais ousadas campanhas sociais da história da teledramaturgia. Por meio da personagem Mel, uma garota de família rica que se afunda na cocaína, a autora levou o tema ao grande público e, pela primeira vez, deixou de lado o discurso alarmista para destacar que as drogas também dão prazer, na fase inicial do consumo. Além da ficção, os capítulos também exibiam depoimentos verdadeiros de anônimos e famosos que passaram pelo problema. "Como principal produto de entretenimento do país, atinge um número grande de pessoas e se transforma na mais eficiente ferramenta de prestação de serviço", diz o diretor Jayme Monjardim.

Em 2001, *O Clone* fechou com 47 pontos, o equivalente a 65% de share, representando o melhor resultado dos últimos seis anos. Naquela década, só foi superada por *Senhora do Destino* (50,4), *América* (49,4) e *Belíssima* (48,5).

Silvio de Abreu com o elenco de Belíssima

Defensora do pensamento de que a teledramaturgia pode ampliar a discussão de assuntos próximos ao telespectador ou daqueles que ganham destaque nos telejornais, em 2005 Gloria Perez voltou a ambientar parte de sua história no exterior. Dessa vez, no entanto, não seria apenas o registro de uma cultura diferente da nossa, mas um alerta para a exploração de pessoas que tentavam entrar nos Estados Unidos em busca de uma oportunidade melhor de vida. Naquela época, era muito comum assistir a reportagens sobre a prisão de brasileiros que tentavam atravessar a fronteira do México ou que morriam durante as ações da polícia norte-americana para evitar a entrega de imigrantes ilegais. A autora mergulhou fundo na pesquisa e buscou fatos reais para o ponto de partida da novela. Surgiu *América*, com a protagonista Sol, uma pobre jovem brasileira que não mediu esforços para chegar aonde acreditava que teria um cotidiano menos sofrido.

Em seus capítulos iniciais, *América* teve cenas fortes, mas baseadas nos telejornais internacionais. Numa das sequências, a protagonista, interpretada por Deborah Secco, foi encontrada pela polícia numa caixa para envio de encomendas durante uma das tentativas de entrada nos Estados Unidos. O que muitos achavam ser exagero da ficção não foi mais que a reprodução do que realmente aconteceu com uma cubana em agosto de 2004 e que ganhou repercussão no mundo inteiro, tamanho o desespero para fugir de seu país. "Em todas as minhas obras tenho reforçado a ideia de que o nosso umbigo não é o centro das atenções", diz a novelista.

Apesar da repercussão de um tema forte como a imigração ilegal por meio da ação criminosa de coiotes, na fase inicial *América* derrapou na audiência. Para quem assistia aos capítulos, era nítido o desentendimento entre a autora e o diretor Jayme Monjardim, principalmente em relação à postura da protagonista. "Na escrita, era uma mulher forte, cheia de gás, e na tela estava sempre chorando", explica Gloria. Com apenas 25 capítulos no ar, o diretor-geral foi afastado e o comando ficou sob a responsabilidade de Marcos Schechtman, que passou a seguir as orientações do roteiro, clareou as cenas e alterou o comportamento de Sol. "O ajuste foi necessário para levar ao ar a história como ela estava sendo contada nos capítulos", afirma a escritora. Até o tema musical da abertura foi trocado. "Soy loco por ti América", com a popular Ivete Sangalo, substituiu "Órfãos do Paraíso". "Era a música perfeita para falar do sonho americano, de pessoas que arriscam tudo, inclusive a vida, atravessando mares e desertos para chegar ao que acreditam ser o paraíso, muito bem construído por Hollywood", completa a autora. Aos poucos, os índices reagiram e atingiram o padrão estabelecido para o horário. Uma demonstração do sucesso alcançado foi a enorme quantidade de cartas e mensagens eletrônicas de pessoas relatando o drama da aventura de entrar em um país sem as autorizações legais.

*América* não gerou polêmica na mídia especializada somente pela briga entre autora e diretor, mas também por abordar o mundo dos rodeios. Autointituladas protetoras dos animais, mais de oito mil pessoas enviaram mensagens ofensivas ao perfil de Gloria Perez no Orkut, atacando principalmente a memória de sua filha, a atriz Daniella Perez, assassinada em dezembro de 1992. Não foi o suficiente para intimidá-la; muito pelo contrário – ela avançou no tema e não levou ao telespectador apenas o *glamour* dessa atividade, mas informações de como realmente eram tratados cavalos, bois e touros. Se não bastasse isso, a novela das oito, como era chamada na época pelos telespectadores, falou da questão gay e da vulnerabilidade das crianças na internet. Em horário nobre, a prestação de serviço para muitos pais, mostrando como um adulto agia para seduzir um menor. Na trama, um garoto de 8 anos é assediado por um homem de 58 anos que usava o perfil falso de um pré-adolescente.

Para *América*, Gloria Perez até escreveu uma cena no capítulo final com um beijo entre Júnior e Zeca, interpretados, respectivamente, por Bruno

Gagliasso e Erom Cordeiro. Apesar de toda a expectativa do público, de uma longa discussão sobre essa ousadia em programas de televisão, rádio e nas revistas especializadas e de ter sido gravada, acabou cortada, sob orientação do alto comando artístico da Globo. Houve apenas uma insinuação, porque os executivos da emissora acreditavam que o telespectador médio não estava preparado para vencer esse tabu e que a reação dos mais conservadores poderia prejudicar o desempenho da empresa ao longo do tempo. Na noite de 5 de novembro de 2005, foram registrados 66 de média e picos de 70 pontos, o equivalente a 82% do público do horário.

"Are baba!". Em 2009, mais uma vez, Gloria Perez resolveu mergulhar numa cultura diferente da nossa para construir sua novela e levou o público a adotar expressões como "arrastar o sari no mercado", "as lamparinas do juízo" e "namastê", expressões em português para frases e gírias usadas pelos indianos. Atenta às transformações do comportamento humano e uma observadora nata, a autora estava na Mipcom, evento em que emissoras de TV e produtores de conteúdo do mundo inteiro oferecem seus melhores programas, quando surgiu a ideia de ambientar sua próxima história na Índia. "Me impactou o que vi de desenvolvimento tecnológico no estande indiano e, à noite, na festa que foi oferecida por eles imperava a tradição milenar do hinduísmo. Achei fascinante a maneira como eles avançavam para o futuro sem abrir mão das tradições, enquanto nós só conseguimos eliminando o passado", diz a novelista.

*Caminho das Índias* estreou no dia 19 de janeiro de 2009 e, inicialmente, gerou certa estranheza no telespectador. Os índices do horário caíram, se comparados com a produção anterior, mas, no decorrer da exibição de seus 203 capítulos, reagiram conforme aumentavam os comentários populares. Ainda na fase inicial, o público não aceitou o protagonista Bahuan, interpretado por Márcio Garcia, recém-contratado pela Globo após um período como apresentador na Record. Ficou evidente que quem assistia à trama preferia Raj, personagem de Rodrigo Lombardi planejado inicialmente para ser o elemento que atrapalharia o casal principal. O problema é que a química do ator com Juliana Paes foi muito melhor. Gloria Perez fez a inversão dos papéis e a trama central de amor ficou para Maya e Raj.

*Caminho das Índias* despertou muitas críticas, principalmente em relação ao excesso de liberdade criativa da autora. Gloria Perez ignorou a diferença de fusos entre o Brasil e a Índia e a sensação causada no telespectador era de que o Rio de Janeiro e Nova Délhi eram bairros vizinhos. Os colunistas de televisão e as revistas voltadas a esse tipo de entretenimento também apontaram exageros na caracterização dos personagens indianos, com destaque para as mulheres, que apareciam em todas as cenas vestidas com roupas para ocasiões especiais. As várias sequências de festas e danças eram outro ponto polêmico e motivaram muitas piadas. Nos programas humorísticos, por exemplo, os quadros reproduziam os cenários do folhetim das 21h e colocavam uma música do nada para alguém levantar e requebrar a cintura.

Assim como já tinha feito em outros textos, Gloria Perez aproveitou *Caminho das Índias* para abordar o preconceito do público em relação a algum tema de comportamento. Dessa vez, a esquizofrenia estava em discussão, por meio do personagem de Bruno Gagliasso, um jovem sensível e talentoso, mas que vê sua doença avançar, sem o tratamento adequado, porque sua família insiste em negar o que acontece. Para abordar o assunto da melhor forma possível, Gloria foi a campo, pessoalmente, para levantar as informações necessárias. "Meus trabalhos são todos embasados por uma pesquisa grande e vou pelo método antropológico. Não escrevo a partir de estudos que venham prontos. Eu vou até os grupos que quero retratar, convivo com eles e descubro o que gostariam de dizer para a sociedade", explica a autora. Foi nessa imersão que percebeu a necessidade de deixar bem clara a diferença dos psicopatas criminosos. "Eles sofrem muito quando os jornais classificam os que cometem crimes bárbaros como 'loucos'. Yvone nasceu para deixar evidente que psicose e psicopatia não são a mesma coisa", completa. Mais uma excelente campanha numa obra de ficção.

Por misturar todos esses elementos, propor uma história universal e realizar o diálogo entre duas culturas tão diferentes, *Caminho das Índias* foi a primeira novela a ganhar um Emmy Internacional, importante premiação da televisão. A trama fechou com 38,8 de média geral, 0,7 ponto abaixo de *A Favorita*, exibida antes e considerada uma produção diferenciada por fugir do formato tradicional dos folhetins, principalmente em relação à mocinha e à vilã.

Quatro anos depois, Gloria Perez resolveu ser mais ousada. A protagonista de *Salve Jorge* estava muito distante do que se costumava assistir até então. A jovem Morena era uma moradora da comunidade do Complexo do Alemão que ficou grávida aos 14 anos de idade e sonhava em dar melhores condições de vida à sua família e, por isso, torna-se vítima de traficantes internacionais de pessoas. Ela acaba como prostituta numa boate na Turquia. "Isso gerou desconforto? Com certeza, mas também rendeu frutos: aumentou a autoestima e abriu espaço para os até então invisíveis moradores do Morro do Alemão[10], capturando o momento de euforia em que todos nós acreditamos que tinham conquistado a cidadania", destaca a autora. Para ela, outra importante contribuição de sua obra foi abrir espaço para que outras produções também colocassem a favela no núcleo central, retratando com mais verdade a realidade brasileira.

Ao abordar o tráfico humano, *Salve Jorge* desencadeou uma importante discussão sobre essa modalidade de crime e alertou muitos jovens sobre as falsas promessas de dias melhores no exterior. Deixou claro também como os mafiosos agiam no sequestro de recém-nascidos destinados a adoções ilegais e tráfico de órgãos humanos.

*Salve Jorge* provocou uma queda significativa na audiência da principal faixa de teledramaturgia da Globo. A novela fechou com apenas 34,3 de média geral, 4,5 pontos a menos que *Avenida Brasil*, exibida anteriormente. Além de uma concorrência mais acirrada com a Record, a fuga de telespectadores aconteceu porque muitos rejeitaram os mesmos elementos já vistos em *O Clone* e *Caminho das Índias*. Boa parte do elenco foi repetido nas três tramas. Havia também sequências com festas típicas da Turquia e até danças em alguns núcleos. Como várias externas haviam sido gravadas com muita antecedência na Europa, erros de continuidade ficaram perceptíveis. O cabelo da protagonista, por exemplo, podia aparecer no início do capítulo cacheado e totalmente liso no último bloco da noite.

Apesar da queda de audiência registrada pela Globo no decorrer dos anos 2000, provocada em parte pelo aumento da concorrência nesse segmento e pela diversidade dos gostos do telespectador, as novelas seguem firme como principal produto da televisão brasileira. "É um clássico, um formato que está entre nós há muitos e muitos anos e que faz parte da nossa cultura", destaca Thelma Guedes. Segundo ela, trata-se de um "patrimônio cultural do Brasil, porque fala da gente e dos problemas de um país, das dores e dos sonhos de uma nação. Um espelho desses anseios, mas também uma janela que informa e pode abrir perspectivas". Apesar do forte esquema industrial, acredita a autora, todas as produções realizadas também pela Record e pelo SBT buscam o máximo em qualidade artística.

Diariamente, a televisão brasileira produz, em média, 320 horas de teledramaturgia. Com duas tramas no ar, a Record exibe, por noite, 100 minutos de arte, e o SBT mais 50 minutos voltados ao público infantojuvenil. A Globo responde, no mínimo, por três horas inéditas, quando não está no ar a faixa das 23h ou minisséries. "Atualmente, uma equipe responsável

---

·10 Bairro da zona norte do Rio de Janeiro, formado basicamente por moradores mais pobres.

pelo folhetim das 21h grava praticamente um longa-metragem por dia. É algo assustador", avalia Fernanda Montenegro. "Houve um tempo em que todo ator conseguia facilmente atuar no teatro e na televisão. Hoje, ou faz um ou outro, porque tem trabalho em estúdio ou externas de segunda a sábado", completa.

Se nas primeiras décadas da TV no Brasil um capítulo de novela não ultrapassava os 30 minutos, incluindo os breaks para os patrocinadores, hoje, a menor duração é de 40 minutos, para as tramas exibidas às 18h. Os episódios começaram a crescer para potencializar a audiência e diluir os custos de produção. "Não foi uma exigência da história, muito menos do telespectador, mas uma pressão maior do comercial, diante das possibilidades de venda", explica Antônio Fagundes. Para o ator, aos poucos, os executivos das emissoras de TV começaram a perceber que é necessário atender a uma antiga reivindicação dos autores: produções mais compactas para evitar uma narrativa mais arrastada. "Não é um bom caminho manter uma novela no ar por oito meses ou mais. Isso pode provocar o desgaste junto à grande massa do público", completa Fagundes. Os que ainda defendem esse argumento afirmam nas reuniões com os escritores que "uma novela das 21h paga boa parte da folha de salários da emissora". "Quer dizer, quando faz sucesso", diz, rindo, Aguinaldo Silva, que já ouviu diversas vezes essa brincadeira.

O autor sabe muito bem a responsabilidade de sustentar a principal faixa de teledramaturgia da Globo. A maior audiência dos anos 2000 tem a sua assinatura. *Senhora do Destino* fechou com impressionantes 50,4 de média, o equivalente a 74% do público, índice próximo ao que as novelas registravam durante as décadas de 1980 e 1990, quando praticamente não havia grandes concorrentes.

*Senhora do Destino* partiu de um fato verdadeiro que ganhou destaque na imprensa para contar a história de Maria do Carmo, uma nordestina que chega ao Rio de Janeiro atrás de oportunidades de trabalho para garantir o sustento de seus filhos pequenos. A caçula, uma criança de colo, é sequestrada e nos próximos capítulos essa mãe fará de tudo para encontrá-la. O clássico folhetim estava no ar para atrair o telespectador, mas um rico conjunto de personagens contribuiu para transformar esse texto no grande sucesso dos anos 2000.

Coube a José Wilker dar vida a Giovanni Improtta, um bicheiro muito engraçado, com linguajar próprio, apaixonado por Maria do Carmo e patrono de uma escola de samba. Suas expressões, sempre erradas, caíram no gosto popular e foram repetidas nas ruas durante toda a exibição dos

221 capítulos. "Felomenal", "Há malas que vêm de trem", "O tempo ruge e a Sapucaí é grande" são apenas alguns exemplos. Diante de tamanha repercussão, depois virou protagonista de um filme[11].

A grande sensação de *Senhora do Destino*, no entanto, foi Nazaré Tedesco, a mulher que sequestrou a filha da protagonista. Sem medir as consequências de seus atos, ela foi capaz de matar suas vítimas, empurrando-as pela escada. "As pessoas perceberam que as vilãs eram as favoritas do público porque faziam tudo o que não tínhamos coragem. Então, comecei a escrever de uma forma que ela ficasse cada vez mais marcante", revela Aguinaldo Silva. Para construir essas personagens, o autor recorre sempre às figuras emblemáticas dos desenhos animados, em que o politicamente incorreto acaba perdoado. "Eu sempre dou um tom de brincadeira para as minhas vilãs. Por exemplo, a relação de Maria do Carmo e Nazaré foi inspirada em Tom & Jerry, porque o gato sempre tenta prejudicar o rato e não consegue. É algo divertido", diz o autor. Já para o personagem Crô, de *Fina Estampa*, a inspiração surgiu do Pica-Pau, até na caracterização e nos figurinos.

Se no passado os grandes atores evitavam os vilões para não serem preteridos nas campanhas publicitárias ou terem que administrar a rejeição do público, no decorrer das duas primeiras décadas do século XXI eles passaram a disputar esses papéis. "Eles são mais variados, possuem uma gama de emoções maior e são responsáveis pela ação da novela. Por isso, oferecem mais ao artista", avalia Marieta Severo, que, em sua volta às telenovelas, interpretou uma dona de agência sem nenhum pudor para negociar suas modelos na prostituição de luxo. Houve também certa pressão do telespectador para que os personagens ficassem mais próximos da realidade, sem o maniqueísmo do folhetim tradicional, em que os mocinhos são muito bons e os bandidos totalmente maus. "Assim, retratam mais a complexidade do ser humano", completa a atriz.

*Duas Caras*, texto de Aguinaldo Silva exibido em 2007, caminhou muito bem longe dessa dualidade. Os protagonistas misturavam sentimentos e, mesmo com o objetivo de fazer justiça e lutar pelo bem, recorriam a ações que fugiam dos princípios da lei. Quatro anos depois, em *Fina Estampa*, o autor mesclou realidade e tramas surreais numa história que falou de ascensão social e preconceito, mas que divertiu com os politicamente incorretos Crô e Tereza Cristina, respectivamente interpretados por Marcelo Serrado e Christiane Torloni. Afinidade e repulsa, lealdade e disputa estavam presentes na relação patrão e empregado, numa admiração doentia e dolorosa. A novela fechou com

---

11 *Giovanni Improtta* – comédia de 2013, dirigida e estrelada pelo próprio José Wilker.

39,2 de média, 3,3 pontos a mais que *Insensato Coração* e 1 a mais que *Passione*. É, até hoje, a maior audiência da segunda década do século XXI na Globo.

Em 2014, Aguinaldo Silva conseguiu novamente subir os índices da faixa das 21h com *Império*, novela em que teve de mostrar muita habilidade diante da necessidade de a atriz Drica Moraes deixar o elenco para cuidar da saúde. Ela interpretava Cora, a vilã cômica da história e responsável por movimentar todos os núcleos centrais. Diante do imprevisto, o autor criou um tratamento estético milagroso e, depois de uma série de sessões numa clínica, a personagem voltou muito mais jovem, na pele de Marjorie Estiano, que a interpretou na primeira fase da trama.

O protagonista Comendador José Alfredo de Medeiros é uma dessas criações muito próximas da realidade. Na juventude, depois de uma desilusão amorosa, ele acaba num garimpo e se transforma no mais poderoso do local após a morte de um homem rico e misterioso. Muitos anos depois, é admirado pelos filhos e amigos, vive um casamento de aparência e tem uma amante que acaba de sair da adolescência e, de certa forma, é explorada pelos pais. O que aparentemente é contrário aos padrões de comportamento aceito pelo brasileiro, caiu nas graças do conservador público de novelas. "Foi a grande história de amor da novela", ressalta Marina Ruy Barbosa, que aponta a cena de casamento dos dois personagens no alto do Monte Roraima como um dos momentos inesquecíveis dessa produção. "O público se apaixonou pelos dois e passou a torcer para que eles ficassem juntos. A parceria com o [Alexandre] Nero passava verdade a quem assistia, mérito do nosso trabalho e dedicação", completa a atriz.

Apesar de ser o protagonista, o Comendador foi vítima da vingança do mordomo Silviano e acabou morto. Entretanto, bem ao estilo de Aguinaldo Silva, a imagem do personagem apareceu por entre as cortinas de uma janela durante a festa que reuniu toda a sua família. O recurso dividiu a opinião do público e da crítica especializada e fez lembrar o mesmo destino de Tereza Cristina, que reapareceu numa rápida cena do último capítulo de *Fina Estampa*. Para o autor, a imaginação tem de voar para surpreender o público, uma vez que o mundo moderno acabou com muitos truques da dramaturgia clássica. "O porteiro eletrônico eliminou boa parte do suspense nas novelas", diverte-se Aguinaldo. "Antigamente, os prédios residenciais não possuíam nem portaria, muito menos seguranças. Você entrava e subia direto. Então, era possível alguém bater na porta, criar suspense e aparecer o inimigo. Hoje, não dá. Ele tem que passar por tanto obstáculo que, se fizer isso na TV, ninguém vai acreditar", explica o escritor. O clichê da carta anônima com ameaças ou revelações surpreendentes também parece não fazer mais sentido numa época em que as trocas de mensagens são instantâneas, por meio de aplicativos. "Do ponto de vista dramático, perdemos, porque basta ligar o celular para localizar qualquer pessoa. Não faz sentido insistir com velhos recursos", completa.

Diante de um mundo com mais tecnologia e facilidades, com maior oferta de conteúdo audiovisual e com um telespectador mais crítico e informado, o grande desafio dos autores de telenovelas neste século XXI é adotar uma linguagem mais moderna no melodrama do tradicional folhetim. Para gerar o vínculo diário do público com a história que está no ar, são fundamentais os ganchos entre os blocos de uma mesma noite e entre os capítulos. "Só que isso precisa ser muito bem realizado, porque quem assiste novelas conhece profundamente todos os macetes dos profissionais", diz Marcílio Moraes.

\*\*\*

Depois de experiências com resultados considerados fracos e de ficar praticamente três anos sem produzir uma novela, em 2004 a Record resolveu investir novamente no gênero, com o objetivo de alcançar a vice-liderança entre as redes nacionais de TV e tirar essa posição do SBT. Estudos sobre o comportamento do público apontavam para a necessidade de oferecer um leque amplo de produtos em jornalismo, esporte, shows, humor e dramaturgia. Como a Record não tinha tradição nos folhetins, os executivos da emissora resolveram fazer uma parceria com a produtora independente Casablanca. Surgiu *Metamorphoses*, uma trama confusa e com graves erros no roteiro, que não foram corrigidos porque nos bastidores houve uma espécie de disputa para ver quem mandava mais no projeto. Além disso, para justificar a trama principal, ambientada numa clínica de estética em que os mais modernos procedimentos eram realizados, muitos atores se submeteram a cirurgias plásticas, todas exibidas durante os capítulos, numa conversa malfeita entre a realidade e a ficção. Apesar de contar com muito dinheiro, naufragou. Foram apenas 3,2 pontos de média geral, índice que não justificou os milhões destinados ao que deveria ser um marco na emissora.

A tragédia com *Metamorphoses* serviu como uma grande lição a toda a diretoria da Record. Para fazer valer o slogan "A Caminho da Liderança", era necessário assumir o comando de todos os segmentos da programação (jornalismo, esporte, shows, realities, dramaturgia, humor, variedades) e reunir uma equipe capaz e experiente para atuar na frente e atrás das câmeras. Foi um período de muitas contratações, com irrecusáveis propostas salariais. Autores, colaboradores, diretores, produtores, elenco, figurinistas, cenógrafos, câmeras, cabeleireiros e profissionais de outros setores necessários para uma novela de sucesso saíram da Globo e do SBT e ingressaram num projeto que abria mais um núcleo de teledramaturgia, desta vez com fortes indícios de que não seria apenas por uma temporada, mas algo duradouro e capaz de concorrer com a líder no setor.

Com uma equipe que conhecia muito bem o esquema de produção industrial desenvolvido ao longo de décadas pela Globo, foi dado início ao projeto de *A Escrava Isaura*, baseada exclusivamente no romance de Bernardo Guimarães. "A minha versão tinha quilombos e população afrodescendente com sua própria liberdade. Não tive acesso a nada do original, para não correr o risco de copiar o Gilberto Braga", afirma Tiago Santiago, que largou uma carreira consolidada como colaborador dos maiores novelistas para ser autor de sua própria trama.

Rubens de Falco e Norma Blum, que em 1976 interpretaram, respectivamente, Leôncio e Malvina, ganharam dois papéis na nova versão. Foi uma forma de Herval Rossano homenagear o elenco que deu vida à trama desenvolvida por Gilberto Braga. Desta vez, coube ao ator ser o Comendador Almeida e à atriz dar vida a Gertrudes, pais do vilão. "Fiquei feliz pela oportunidade e surpresa com um tratamento tão diversificado. Foram dois trabalhos diferentes para um mesmo livro", diz Norma.

A jovem Isaura, que em 1976 ganhou vida na pele de Lucélia Santos, desta vez foi interpretada por Bianca Rinaldi, contratada pela Record como grande estrela após protagonizar duas novelas no SBT, *Pícara Sonhadora* e *Pequena Travessa*. A atriz foi orientada pelo diretor Herval Rossano a não assistir a nenhuma cena da primeira versão de *A Escrava Isaura*, justamente para construir uma nova personagem. "Me agarrei nos livros e nos filmes da época para observar o comportamento e os costumes. Além disso, o figurino e o cenário ajudaram muito na elaboração do que estava no papel", conta Bianca. Em sua memória ainda está um clima diferente nos bastidores e o desejo de toda uma equipe em acertar com o novo projeto. "Era a possibilidade de mais um campo de trabalho para categorias que ficavam sob as ordens de uma única emissora", completa.

A nova versão de um dos maiores sucessos da teledramaturgia brasileira gerou a curiosidade do público e foi realizada muito longe do amadorismo do título anterior. "Começou ali realmente uma nova era na teledramaturgia da Record, que, finalmente, mostrou condições de se estabelecer no gênero", diz o autor. Com poucas semanas no ar, já registrava médias próximas a

16 pontos, encostando em *Começar de Novo*, a trama das 19h da Globo. *A Escrava Isaura* fechou com 12,8 de média na Grande São Paulo, o que correspondeu a 20,6% do público de seu horário.

Diante do sucesso que finalmente a dramaturgia atingia e cientes de que era fundamental investir pesado em qualidade e profissionais, os executivos da Record intensificaram as contratações para o departamento e não mediram esforços para tirar da Globo outros autores. Ao mesmo tempo, foram iniciados estudos para determinar qual o formato que substituiria *A Escrava Isaura*. Marcílio Moraes, que chegou à emissora para ser autor principal, recebeu como encomenda mais uma novela de época, desta vez baseada na obra de José de Alencar. Como argumento, a aprovação desse estilo pelo telespectador. "A ideia foi de Herval Rossano para outra equipe, que não acertava no texto. Então, ele me pediu para dar continuidade e garantiu a liberdade para reformulações", conta o autor. A fidelidade aos três romances foi deixada de lado e todos os elementos folhetinescos serviram para contar as tramas das três protagonistas. *Essas Mulheres* não registrou a mesma audiência da anterior, mas não fez feio. Fechou com 8,8 de média, mantendo a vice-liderança.

Em outubro de 2005, entrava no ar o segundo texto de Tiago Santiago na Record e o momento mais significativo na história da teledramaturgia da emissora. Pela primeira vez, mesmo que por apenas oito minutos, uma novela alcançava a liderança, ultrapassando o *Jornal Nacional*. "Até então, as experiências mais fortes das concorrentes da Globo tinham sido novelas de época, como *Éramos Seis,* ou com temas rurais, como *Pantanal*. Mas uma trama contemporânea e urbana era inédito", diz o autor, com orgulho.

*Prova de Amor* estreou com uma bela fotografia, núcleos paralelos interessantes, bem conduzida e com um elenco conhecido. "As pessoas diziam que parecia novela da Globo em outra emissora. E realmente era", diz Tiago Santiago. Assim como ele, o diretor Alexandre Avancini havia deixado a concorrente para assumir a direção geral de uma produção e, por isso, o esquema de gravação, edição e finalização era extremamente semelhante. "Havia uma esperança muito grande de que realmente fôssemos disputar a liderança e nos estabelecer definitivamente no mercado", completa.

*Prova de Amor* recorreu a um elemento muito forte na teledramaturgia da Globo, principalmente nos textos de Gloria Perez. Foi realizada uma campanha para encontrar crianças e adolescentes desaparecidos e vários conceitos de saúde foram divulgados por meio de um núcleo ambientado num hospital. Além disso, muitas externas foram realizadas no bairro do Leblon, tradicional locação da obra de Manoel Carlos, autor responsável por inúmeros sucessos na concorrente. A ordem era justamente mostrar que o mesmo era possível na Record, incluindo cenas mais ousadas e muitas tomadas na praia.

*Prova de Amor* fechou com 16,5 pontos na Grande São Paulo, o equivalente a 25% do público de seu horário. Por mais de onze anos, permanece como a melhor audiência da teledramaturgia da Record. O fenômeno *Os Dez Mandamentos* chegou perto: 16,4 de média. Esse sucesso levou a emissora a transformar Tiago Santiago em consultor no segmento, obrigando praticamente todos os demais autores a submeterem suas sinopses à avaliação dele.

Em março de 2006, um novo passo no projeto de uma teledramaturgia mais consistente na grade de programação da Record. O consagrado Lauro César Muniz estreava na emissora com *Cidadão Brasileiro*, inaugurando a segunda faixa de novelas. Com forte inspiração em *Escalada*, texto de sua autoria, a nova produção foi realizada em três fases e contou com muitos atores que haviam deixado a Globo. Para o público, estava nítida a guerra entre as duas redes de televisão e um período mais complicado para o SBT.

Com 10,6 de média, *Cidadão Brasileiro* era mais uma prova de que o projeto da Record tinha consistência. A Globo já dava os primeiros sinais de preocupação com o avanço da concorrente e, para não facilitar sua ação, renovou antecipadamente o vínculo com atores, diretores e autores, além de estimular oficinas para encontrar novos talentos. A mesma estratégia era usada na TV de Edir Macedo, por meio de concursos de roteiros e workshops. Em julho, foi a vez de Cristianne Fridman estrear como autora principal, com *Bicho do Mato*, sob supervisão de Tiago Santiago.

Em novembro de 2006, outro momento emblemático no projeto da Record com sua dramaturgia. "Como tínhamos uma liberdade maior para propor temas, levei aos diretores a ideia de uma novela na favela, num contraponto à velha máxima da Cidade Maravilhosa", lembra Marcílio Moraes. Surgiram personagens reais, assim como a comunidade em que parte da história se desenrolava. No vídeo, personagens bem humanizados, com seus acertos e erros, certezas e dúvidas, amores e ódios. "Jamais faríamos aquilo na Globo", revela o autor.

Apesar de retratar a violência urbana e, por isso, contar com muitas cenas violentas, *Vidas Opostas* recorreu a todos os elementos do folhetim, e o Romeu e Julieta da vez ficou para uma história de amor quase impossível entre um garoto de família milionária da zona sul do Rio de Janeiro e uma linda menina da favela. Aliás, foi esse o argumento para o autor conseguir a aprovação para sua novela: ousar, mas manter tudo o que o público gosta. Aproveitou também para denunciar, por meio da ficção, a corrupção na polícia e a ação das milícias no morro. "As pessoas discutiam aqueles temas e a dramaturgia deu voz ao cidadão", completa Marcílio Moraes.

No último capítulo, a liderança por longos 44 minutos e a audiência de 44% da plateia daquela noite. *Vidas Opostas* fechou com 13,3 de média geral e deu lugar para *Caminhos do Coração*, a primeira da trilogia *Os Mutantes*, assinada por Tiago Santiago.

Empolgada com os resultados obtidos num tempo relativamente curto, a direção da Record aprovou a inclusão de ficção científica num dos núcleos da novela, desde que não fossem abandonados os romances que o telespectador mais tradicional sempre apreciou. *Caminhos do Coração* trouxe para a tela alguns jovens com superpoderes, numa clara influência dos filmes *X-Men* e de *Heroes*, série que fazia muito sucesso em várias partes do mundo, principalmente entre os mais jovens. Santiago diz que boa parte da inspiração veio mesmo da peça *DNA*, que ele escreveu com Leila Oda e que contou com a direção de Bibi Ferreira. A montagem falava sobre os efeitos que os alimentos transgênicos poderiam causar nos seres humanos, justamente num período em que muito se discutia o assunto na imprensa e na televisão. "Então, pensei numa família envolvida com um laboratório especializado em genética humana", conta o autor.

As várias sequências em que os mutantes apareciam com seus poderes exigiram que a Record desenvolvesse um departamento de efeitos especiais para atender à demanda da indústria de uma novela. "Era fundamental garantir velocidade ao processo e ter essa equipe sempre por perto para colaborar na criação das cenas", explica o autor. Na época, até se pensou em contratar uma produtora especializada nesse tipo de acabamento estético, mas chegou-se à conclusão de que isso poderia provocar atrasos na finalização dos capítulos.

Considerada a grande estrela da dramaturgia da emissora, Bianca Rinaldi foi escalada para ser protagonista de *Caminhos do Coração*. "Como só usei dublês na segunda fase da novela, em função da minha irmã gêmea que apareceu na trama, me preparei com aulas de circo e *Muay Thai* para os momentos de luta e que exigiam mais habilidade corporal", lembra a atriz. O fato é que a novela fez sucesso, chegou a ultrapassar em várias ocasiões a Globo e gerou muita repercussão entre o público e a imprensa, ainda que fosse pelos efeitos especiais, que, às vezes, deixavam a desejar. Tiago Santiago lançou, então, no dia 3 de junho de 2008, *Os Mutantes*, a segunda parte da trilogia, em que os superpoderosos dominaram a novela e garantiram um ar de série à produção.

Caminhos do Coração, que foi exibida entre 28 de agosto de 2007 e 2 de junho de 2008, fechou com 15,3 de média, até então a segunda maior audiência da dramaturgia da Record desde a retomada de sua produção quatro anos antes. Os Mutantes, no ar de 3 de junho de 2008 a 23 de março de 2009, marcou 13,6 pontos. A perda de quase dois pontos obrigou o autor a rever sua trilogia e encerrá-la com um formato mais tradicional. Surgiu Promessas de Amor, com a renovação quase completa do elenco e poucos superpoderosos. Sua média geral foi de 9,1, e, quando se identificou a fuga de público, tentou-se em vão inserir lobisomens que atacavam a todos. Já não havia mais apelo para a ficção científica.

Em 2009, Poder Paralelo levou para a tela mais um texto qualificado de Lauro César Muniz. O ponto de partida era a relação entre os criminosos brasileiros e a máfia italiana, numa história policial com muita ação e mistério. Os primeiros capítulos foram gravados na Itália e contaram até com a explosão de um carro e perseguições na região central de Roma e outras cidades da costa do país. Fechou com 10,7 de média, índice que poderia ser muito maior caso não tivessem ocorrido pelo menos seis trocas de horário, oscilando das 21h30 às 23h15, estratégia que afasta qualquer possibilidade de se criar o costume nas pessoas de ligar a televisão para acompanhar uma trama interessante. Nessa época, a Record fazia de tudo para prejudicar a Globo, até mesmo alterar sua grade em cima da hora, coisa que com o tempo se provou que só trouxe efeitos negativos para a própria emissora.

Nesse mesmo período, depois de uma longa negociação realizada a sete chaves, a Record anunciou a parceria com a Televisa, um duro golpe no SBT, que sustentava sua dramaturgia com os enlatados e versões brasileiras de alguns sucessos exibidos no México. O acordo previa a coprodução entre as duas empresas aqui no Brasil e a venda do conteúdo no mercado internacional. Durou apenas quase três anos, tempo suficiente para as versões de Bela, a Feia e duas temporadas de Rebelde. Sem falar a mesma língua, com objetivos e expectativas bem diferentes entre os dois grupos, o compromisso foi rompido, sem os resultados sonhados pelos dois lados.

Na época, muitos chegaram a duvidar da longevidade desse acordo, pelo simples fato de, historicamente, ser o SBT a emissora a exibir novelas mexicanas. Como o público estava acostumado a ver esse produto em outro canal, teria certa resistência à novidade, como de fato aconteceu. "Cada grupo social tem suas especificidades emocionais, suas aspirações particulares, que, obviamente, refletem na escolha da novela", explica Mauro Alencar. Para ele, é evidente que quem gosta dos folhetins da Televisa assistiu a muitos títulos na TV de Silvio Santos e desenvolveu certa afinidade com os outros elementos, como as vinhetas e a própria grade.

Silvio Santos nunca escondeu de ninguém sua preferência pelo estilo da televisão mexicana e, como empresário, sempre importou muitos produtos, principalmente novelas. Quando resolveu colocar sua dramaturgia dentro dos padrões econômicos da emissora, no início dos anos 2000, encomendou a versão de textos consagrados com quase nenhuma adaptação. "Por ordem dele, não se devia mexer muito na história, porque funcionava no mundo e não seria diferente por aqui", recorda Henrique Martins, diretor de várias dessas produções. Até mesmo os nomes dos personagens ou os títulos das novelas deveriam ser mantidos.

*Pícara Sonhadora*, por exemplo, a primeira do contrato entre o SBT e a Televisa, virou piada até nos programas humorísticos das concorrentes, porque o som remetia a outra palavra. Bianca Rinaldi foi a protagonista, orientada a não assistir ao original, a fim de evitar a construção realizada pela mexicana Mariana Levy, apesar de se tratar quase de uma tradução fiel. Depois vieram *Amor e Ódio* com Suzy Rêgo, e *Marisol* com Bárbara Paz, recém-saída da *Casa dos Artistas*. A audiência das três se manteve entre 15,0 e 16,2, patamar confortável para quem ainda pensava como "vice-líder absoluta". Já *Pequena Travessa*, que entrou na sequência, atingiu 14,1 de média.

A dramaturgia do SBT seguiu mesclando versões brasileiras dos textos mexicanos com originais da Televisa em horário nobre até 2008, quando *Amigas e Rivais* não superou 3,8 de média geral. A Record havia dominado a técnica de fazer novela, contratado muitos funcionários da concorrente, inclusive o experiente Fernando Rancoleta, diretor de elenco muito respeitado por artistas e, por isso mesmo, seus convites para projetos na nova emissora eram praticamente irrecusáveis.

A concorrência da Record não afetou somente o SBT, que gradualmente viu a audiência de sua dramaturgia ser reduzida a um quarto do que marcava no início da década. Um fenômeno muito semelhante ocorreu com a Globo, mas em outras proporções. Salvo raros episódios isolados, os três principais horários da emissora sempre garantiram a liderança, apesar da queda nos números ano após ano, um sinal de maior oferta do produto e fuga do telespectador para outras plataformas. Além disso, as pesquisas constataram que nas grandes cidades as pessoas passaram a chegar mais tarde em casa, em função da longa jornada de trabalho e dificuldades no trânsito e no transporte coletivo. É uma nova realidade que precisa ser considerada em qualquer avaliação sensata e imparcial.

A maior disputa no mercado televisivo registrada na primeira década do século XXI trouxe grandes benefícios para a teledramaturgia, em todas as suas frentes de trabalho. Câmeras em alta definição, como a tecnologia 4K, levaram a um apuro maior da fotografia e da iluminação e os softwares para finalização dos capítulos garantem qualidade ímpar aos detalhes e até mesmo a correção de pequenos defeitos. Com mais produtos de teledramaturgia no ar, no mínimo sete simultaneamente, houve a necessidade de ampliar a mão de obra, inclusive de atores, para atender às grandes escalações. "E eles chegam mais preparados, porque consomem mais novelas e descobrem todos os macetes da interpretação", ressalta Marieta Severo. "É essa grande indústria, assim como a do cinema dos Estados Unidos, que influencia as novas gerações", completa a atriz. Fernanda Montenegro defende o mesmo raciocínio e vê com naturalidade a aposta em homens e mulheres bonitos para os papéis centrais. "É uma herança hollywoodiana. O galã tem que ser lindo e ter queixo quadrado, cintura fina e ombros largos. Se tiver que ficar de cueca em cena, que seja uma coisa deslumbrante. A menina tem que ser divina, sem nenhuma ruga ou bolsa nos olhos", diz a veterana atriz, que conhece muito bem as exigências de uma indústria que se transformou muito desde que começou suas operações, em 1950.

Marina Ruy Barbosa é uma das melhores representantes dessa nova geração de intérpretes. Bonita, bem-sucedida na publicidade, talentosa, preocupada com o estudo constante da arte e sem medo de interpretar as mais diferentes personagens, tem se destacado a cada novela, minissérie ou série. Depois de fazer um pequeno papel em *Sabor da Paixão*, aos 7 anos de idade, convenceu os pais a inscreverem-na no curso de teatro infantil. Em pouco tempo, surgiu o teste para *Começar de Novo*. "Apesar da pouca idade, meus pais tiveram a sensibilidade de ver em mim um desejo e uma vocação para atuar", conta. Sua estreia foi sem falas, afinal, Aninha era o anjo do protagonista e, no último capítulo, realiza o milagre de salvá-lo. "Foi um grande exercício, porque tinha que passar tudo pelo olhar", recorda a atriz.

Foi essa dedicação e a expressão dos sentimentos sem palavras que chamaram a atenção de diretores e autores da Globo, entre eles, Silvio de Abreu, que a convidou para o núcleo central de *Belíssima*, em 2005. "Agora, eu tinha muita falas, até em grego!", recorda. A garota de longos cabelos ruivos interpretou Sabina, filha da mocinha vivida por Cláudia Abreu e neta da vilã de Fernanda Montenegro. Foram também muitas cenas ao lado de Tony Ramos e Glória Pires. "Eu não podia estar em melhor companhia. Foram momentos inesquecíveis", diz. Ali, com tantos profissionais consagrados, a garota em início de carreira aprendeu na prática que todos os dias precisava chegar com o texto estudado e a ouvir diretores e os mais experientes. Está aí a explicação para seu sucesso.

*Belíssima* foi a terceira maior audiência da principal faixa de novelas dos anos 2000, perdendo, na média, apenas para *América* e *Senhora do Destino*. Fechou na Grande São Paulo com 48,5 de média, o equivalente a 69,9 de share. Ambientada na Grécia, exigiu da Globo a construção de uma pequena cidade cenográfica na ilha de Guaratiba, zona oeste do Rio de Janeiro. Já no Projac, foram reproduzidos bairros paulistanos, graças à inclusão de muitos efeitos especiais para apagar do horizonte a vegetação de Jacarepaguá.

Bia Falcão, a vilã de Fernanda Montenegro, foi um dos destaques de *Belíssima*, e por pouco a atriz não fez parte do elenco da novela. Na primeira sinopse elaborada por Silvio de Abreu essa personagem não existia. "Eu queria fazer uma história de uma mãe supersofisticada e linda que vivia em conflito com a filha por ela ser relaxada e não tão bonita quando ela. As coisas ficariam piores quando resolvesse ficar com o genro, destruindo o casamento", revela o autor. Proposta aprovada, o escritor assumiu pessoalmente a responsabilidade de convencer as duas atrizes sobre o que tinha em mente. Ouviu o primeiro "sim" de Glória Pires, escalada para ser a filha. E viajou para Nova York para conversar com Sônia Braga. "Elas seriam perfeitas como mãe e filha", completa.

Com o sinal praticamente verde de Sônia Braga, Silvio de Abreu começou a escrever os primeiros capítulos, até que chegou a notícia de que a atriz e a Globo não haviam fechado um acordo salarial. Durante alguns dias, o autor pensou em quem poderia colocar como protagonista. Em seu raciocínio, os maiores símbolos sexuais deste país são Sônia e Vera Fischer, mas esta não combinava como mãe da Glória. Depois de pensar muito, mudou completamente sua sinopse. "Resolvi manter o mito da beleza e comecei com a morte da mãe, o que gerou muita raiva em Bia Falcão, que não aceitava que a neta fosse completamente diferente de sua filha", conta o autor. "E foi sucesso", diz, com orgulho.

Depois de supervisionar os textos de *Eterna Magia* e *Beleza Pura*, em 2010 Silvio de Abreu assinou *Passione*, que não registrou os mesmos índices de sua última novela. Foram 35,3 de média. "Eu não entendo ainda por que ela não fez o sucesso que eu gostaria que tivesse atingido. Dizem que foi porque algumas pessoas não entendiam o que os italianos falavam", analisa o autor. Nos capítulos iniciais, quando a história estava mais concentrada na Itália, os principais personagens misturavam o idioma original com palavras em português. Para garantir mais veracidade aos personagens, Silvio de Abreu contratou uma professora da USP para ajudá-lo na redação dos capítulos. "Eu escrevia em italiano do meu jeito, ela corrigia de acordo com a gramática e, depois, eu adaptava para chegar à compreensão do telespectador", conta.

A vilã Clara, interpretada por Mariana Ximenes, foi um dos destaques de *Passione*. Durante boa parte dos capítulos, ela enganou o protagonista Totó, interpretado por Tony Ramos. "Os telespectadores reclamavam que ele era muito bobo e não percebia as ações da vigarista. Então, resolvi deixá-la boazinha por algum tempo. Quando todos estavam envolvidos com esse comportamento, virei novamente o jogo e provei que qualquer um pode cair em golpes", recorda Silvio de Abreu. No último capítulo, ela consegue fugir para um paraíso fiscal. Dois anos depois, colocou no ar, agora na faixa das 19h, uma nova versão de *Guerra dos Sexos*. Dessa vez, trinta anos depois, com Tony Ramos e Irene Ravache como os primos Otávio e Charlotte.

Outros remakes aconteceram nas faixas das 18h e 19h da Globo durante essas duas décadas dos anos 2000. A ideia era resgatar para as novas gerações textos clássicos que marcaram época. Em 2004, Benedito Ruy Barbosa supervisionou sua filha Edmara Barbosa em *Cabocla*. Em 2006, foi a vez de *Sinhá Moça*, em 2009, *Paraíso*, e, em 2014, *Meu Pedacinho de Chão*. Em 2007, para homenagear Ivani Ribeiro, uma das maiores novelistas deste país, entrou no ar *O Profeta*, agora sob os cuidados de Duca Rachid e Thelma Guedes, supervisionadas por Walcyr Carrasco. As duas autoras foram obrigadas a mexer em muitas estruturas originais, porque os costumes mudaram e o público do novo século não se prenderia a alguns tabus do passado. "Em 1978, o protagonista se apresentava como um sujeito de moral duvidosa, o que funcionou muito bem, mas, agora, o telespectador rejeitaria de imediato", explica Thelma. "Na década de 70, a mocinha não podia ficar com ele porque não aceitava sua ambição e que ele vendesse seus poderes. Os tempos mudaram, e isso não é mais impedimento", completa. Para a escritora, a essência da obra não pode ser alterada, mas é fundamental que todos os envolvidos estejam muito atentos à realidade em que vivemos.

*O Profeta* fechou com 31,8 de média na Grande São Paulo, praticamente cinco pontos a mais do que a novela seguinte, *Eterna Magia*, o que comprova que histórias são atemporais, mesmo que registrem o cotidiano do momento retratado.

Alcides Nogueira foi outro autor que assumiu o desafio de readaptar uma obra consagrada. Em maio de 2008, também na faixa das 18h, assinou *Ciranda de Pedra*. "Não é fácil lidar com as comparações, e, no meu caso, foram duas: com o livro de Lygia Fagundes Telles e com a versão escrita por Teixeira Filho. Mas são bem diferentes. Ele optou por uma leitura mais social, e eu, por uma abordagem mais psicológica", analisa o autor.

Uma bonita homenagem a um grande nome das telenovelas surgiu das mãos de Maria Adelaide Amaral, que em 2011 trouxe para os mais jovens a leveza de *Ti Ti Ti*, de Cassiano Gabus Mendes. Cinco anos depois, Daniel Ortiz pegou as principais personagens de *Sassaricando* para fazer *Haja Coração*.

A realização dos remakes ou a releitura de grandes sucessos do passado divide a opinião dos executivos das emissoras de televisão. Se por um lado há a certeza de uma história que já funcionou no passado, do outro há o risco de não atender o telespectador dos dias atuais com temas que já estão ultrapassados, mesmo abordados pelos gênios da televisão.

Em 2009, um ano após assumir a responsabilidade de manter de pé o departamento de dramaturgia do SBT e de assinar *Revelação*, Íris Abravanel, mulher de Silvio Santos, coordenou uma equipe de onze redatores, entre colaboradores e autores principais, para *Vende-se um Véu de Noiva*, adaptação para a televisão de uma radionovela de Janete Clair. O texto fazia parte de um lote com 30 títulos que a emissora adquiriu dos herdeiros da mulher que desenvolveu os princípios do folhetim diário de nosso país.

*Vende-se um Véu de Noiva* teve mais de 70% de suas cenas gravadas em externas, o que garantiu uma qualidade diferenciada. A audiência não correspondeu muito: foram apenas 4,9 de média geral na Grande São Paulo, muito próximo da reprise de *Dona Beija*, da extinta TV Manchete. Aliás, um ano antes, Silvio Santos também havia comprado da produtora JPO todas as fitas de *Pantanal* e as exibiu em horário nobre. O autor Benedito Ruy Barbosa entrou na justiça para impedir que sua trama fosse ao ar sem os devidos pagamentos pelos direitos autorais e de imagem dos atores. A questão foi resolvida muitos anos depois, em agosto de 2016.

Com a contratação de Tiago Santiago a peso de ouro, afinal, era o responsável pelas maiores audiências da Record, o SBT apostou em mais um remake, desta vez *Uma Rosa com Amor*, de Vicente Sesso. A comédia romântica fechou com 10,0 de média, o que representou um significativo crescimento. Mais tarde, a reprise do original da Manchete *A História de Ana Raio e Zé Trovão* marcou 8,5 pontos.

Com liberdade garantida em contrato, a segunda novela de Tiago Santiago para o SBT foi *Amor e Revolução*, ambientada no conturbado período da ditadura militar. Sua ideia era tocar em uma ferida aberta da política brasileira e conscientizar o público. Entretanto, apesar de toda a repercussão inicial, os resultados não foram os esperados. "Sofri pressão de todos os lados. Direita e esquerda, dos progressistas e conservadores. E eu só queria ter uma postura de historiador e mostrar as coisas como elas realmente eram", conta. Foram apenas 4,8 pontos de média, uma queda brutal em comparação com os índices das novelas anteriores, além do custo elevado. "Havia uma preocupação muito grande em não endividar a empresa, de não dar um passo maior que a perna", recorda o autor. "Em minha cabeça, Silvio Santos, o milionário, já poderia ter colocado dois horários de novelas inéditas, ultrapassando a Record facilmente", completa. Com o fiasco, seu contrato não foi renovado.

Enquanto isso, na Globo, os diretores ligados à dramaturgia tentavam entender a redução gradual da audiência em todas as faixas destinadas ao principal produto da emissora. Mesmo com inovações no texto e com a entrada de novos autores, a partir de 2009 o horário das 21h deixou de registrar médias acima dos 40 pontos, sofrendo ano a ano queda na pontuação. *Insensato Coração*, de Gilberto Braga e Ricardo Linhares, foi a primeira produção a ser oficialmente chamada de "novela das nove", e, diante da responsabilidade de marcar uma nova fase, ganhou uma atenção maior durante a escalação dos atores e o lançamento, com direito a uma intensa campanha na TV, jornais e revistas.

Alguns dias antes de entrar no ar, a equipe de *Insensato Coração* enfrentou o que poderia haver de pior numa produção para a televisão. A protagonista Ana Paula Arósio foi afastada do papel após faltar às gravações, sem nenhum aviso ou explicação. Todas as suas cenas precisaram ser refeitas por Paola Oliveira, chamada às pressas pelos autores. Se não bastasse isso, alguns dias depois, Fábio Assunção também não compareceu ao trabalho, durante uma recaída no tratamento da dependência química, segundo informações de bastidores. O ator foi substituído por Gabriel Braga Nunes, que, nas primeiras semanas, teve uma agenda dobrada, para fazer as cenas dos episódios iniciais e os que já estavam em andamento.

Alguns profissionais envolvidos com a novela usam essa fase inicial como uma das razões para a baixa audiência dos primeiros capítulos de *Insensato Coração*. O tempo provou que pequenas falhas na estrutura narrativa levaram a essa espécie de rejeição do telespectador. Os índices subiram a partir do momento que a personagem de Glória Pires inicia sua vingança, com todos os clichês de um folhetim.

Muitos temas atuais estiveram em discussão durante os 185 capítulos da trama de Gilberto Braga e Ricardo Linhares, entre eles a homofobia, tratada por meio do núcleo de Cássio Gabus Mendes. "Ele era um jornalista preconceituoso, escroto e meio maluco, mas extremamente competente", diz o ator, convicto de que o telespectador atual prefere ver na tela figuras mais humanizadas, homens e mulheres com seus erros e acertos, heróis que também ferem os padrões morais diante dos obstáculos da vida e mocinhas que odeiam os vilões sem virar o rosto para o segundo tapa.

Essa dramaturgia mais provocativa e realista chegou ao seu ponto máximo com *Avenida Brasil*, um fenômeno de audiência aqui e em todos os 132 países em que foi exibida. Depois de muitos anos, um último capítulo voltou a parar o país ao atingir a impressionante marca de 76% de share, somente comparada ao desfecho de *Caminho das Índias*. Nessa noite, 19 de outubro de 2012, muitas cidades brasileiras atravessavam a fase final do segundo turno das eleições municipais, em que os candidatos, obrigatoriamente, precisavam estar ao lado do eleitor. As agendas foram canceladas, assim como eventos empresariais e publicitários. Todos com medo de não haver plateia. Na média geral, a novela alcançou 38,8 pontos.

Adriana Esteves e Murilo Benício em cena de Avenida Brasil

A trama de *Avenida Brasil* foi revolucionária em muitos aspectos. A mocinha Nina volta ao Rio de Janeiro para se vingar da madrasta que a jogara num lixão e não mede esforços, muito menos maldades, para atingir seu objetivo. A vilã Carminha engana a todos, até a seu marido, mas diante da comunidade se apresenta como uma devota senhora. João Emanuel Carneiro foi muito além disso no quesito inovação. O autor, pela primeira vez, colocou a nova classe C como protagonista da novela das nove da noite, por meio de Tufão, Leleco, Muricy, Ivana, entre outros muito semelhantes a quem estava em casa. "Ele conseguiu fazer com que o Bairro do Divino representasse o povo, com seus anseios, desejos, sonhos, frustrações e deslumbramento diante de um novo cenário econômico, que lhe permitia consumir e viver muitas situações que até então estavam restritas aos mais ricos", analisa o professor Claudino Mayer. E foi essa identificação quase imediata que transformou *Avenida Brasil* num dos marcos da teledramaturgia moderna no Brasil.

*Avenida Brasil* foi moderna, diferente e, em muitos momentos, chocou o telespectador. Uma das cenas mais fortes aconteceu na primeira fase, quando a pequena Rita foi abandonada no lixão. Depois, já na reta final, a mocinha acaba enterrada viva, numa sequência que em nada deixou a desejar em relação aos filmes de suspense e terror. A novela também teve os elementos mais tradicionais de um folhetim, como a dúvida sobre o assassino misterioso, a reconciliação das rivais e os momentos românticos, com direito a casamentos cinematográficos.

Antes dessa novela, João Emanuel Carneiro já havia mostrado seu estilo mais contemporâneo em *A Favorita*, quando inverteu a maneira de apresentar ao público as personagens centrais, Donatela e Flora, respectivamente interpretadas por Claudia Raia e Patricia Pillar. No capítulo 56 foi revelado que a sofrida Flora, mesmo após anos na prisão, continuava a ser uma assassina fria e cruel, e que a rival era, na verdade, a vítima. A novela fechou com 39,5 de média na Grande São Paulo, índice que poderia ter sido muito melhor se sua estreia não tivesse enfrentado o último episódio de *Caminhos do Coração*, no ponto máximo da trilogia *Os Mutantes*, na Record.

*A Favorita* foi exibida durante o primeiro período mais intenso de competição com a Record, que avançava em sua teledramaturgia graças aos altos investimentos. Na imprensa, diariamente, esse embate ganhava destaque com os números divulgados pelas assessorias das duas emissoras, que mostravam cenários bem diferentes em várias partes do país. Na região Sul, por exemplo, a trama de João Emanuel Carneiro ultrapassava tranquilamente os 50 pontos. Já em alguns estados do Norte, como o Pará, a história de Tiago Santiago liderava com certa folga. Na região Sudeste, o placar era mais equilibrado, com ligeira vantagem para a Globo.

Em 31 de agosto de 2015, o autor do maior sucesso da última década retornava ao vídeo com a promessa de mais um texto inovador. Na direção, a moderna e ousada Amora Mautner, parceira nas produções anteriores. *A Regra do Jogo* substituiu a fracassada *Babilônia* e já na primeira noite mostrou que teria dificuldades para conquistar o telespectador. A badalada estreia marcou 31,5 pontos, o pior índice de um capítulo inicial na história da Globo. Na época, os especialistas consultados pela imprensa apontaram o excesso de violência urbana e a proximidade com a realidade como os fatores que afastaram o público, cansado de um cotidiano pesado e disposto a assistir às tramas bíblicas da concorrente. Além disso, a imagem escura realizada sob forte influência do cinema não foi compreendida como inovação, mas como algo ruim por quem estava em casa. A anunciada "caixa cênica", com câmeras instaladas em pontos desconhecidos dos atores, como atrás de um espelho, quadro ou até mesmo num objeto de decoração do cenário, técnica criada para garantir mais naturalidade à interpretação, também não caiu no gosto popular. Aos poucos, depois de várias pesquisas, ajustes foram realizados e os números começaram a reagir.

*A Regra do Jogo* reuniu um grande elenco, com nomes consagrados como Tony Ramos, José de Abreu, Susana Vieira, Renata Sorrah, Tonico Pereira, Giovanna Antonelli, Cauã Reymond e Vanessa Giácomo. O papel do protagonista ficou para Alexandre Nero, recém-saído de *Império*. Por contar com os melhores profissionais, a novela mostrou interessantes interpretações, exemplos de uma boa química entre os atores, diretores e autor. "Muito antes do início das gravações iniciamos a fase de ensaios, algo raro na indústria da televisão e que garantiu uma qualidade bem acima da média", conta Tony Ramos. Essa fase foi realizada quando todos receberam os primeiros dezoito capítulos para a construção de seus personagens. Experiente e sem ter de provar mais nada a ninguém, Tony se viu com "a mesma apreensão e determinação, a mesma vontade e, principalmente, o mesmo respeito a quem assiste TV".

*A Regra do Jogo* terminou no dia 11 de maio de 2016. Apesar de marcar 41,2 pontos em seu último capítulo, prova de que conquistou plateia durante as 167 noites em que esteve no ar, fechou com 28,8 de média geral, 3,3 pontos a mais que *Babilônia*. A dramaturgia da Globo vivia um momento muito diferente do que se viu nas décadas de 1970, 1980 e 1990, quando reinava absoluta entre os brasileiros e era a única oferecida no mercado internacional. O mundo havia mudado.

Nessa época, em sua principal concorrente, a Record, estava no ar *Os Dez Mandamentos*, primeira novela com temática bíblica da era moderna da teledramaturgia brasileira. Antes esse tipo de conteúdo ia ao ar por meio de minisséries, na própria Record, com resultados satisfatórios, e pela Tupi, em 1968, com *O Rouxinol da Galileia*. A aposta nesse gênero veio depois de um período de dois longos anos de crise no setor, após a equivocada *Máscaras*, que derrubou o patamar de audiência conquistado desde *A Escrava Isaura*. *Balacobaco*, *Dona Xepa*, *Pecado Mortal* e *Vitória* não conseguiram a mesma repercussão das produções anteriores, muito menos os números. Nessa fase, a vice-liderança, principalmente em São Paulo e no Painel Nacional de Televisão, voltou a ser do SBT.

*Os Dez Mandamentos* estreou no dia 23 de março de 2015 e não precisou de muito tempo para ultrapassar as tramas infantojuvenis do SBT e se consolidar na casa dos 13 pontos de média. Os índices subiram com os comentários dos próprios telespectadores, que apontavam a falta de violência e o resgate de temáticas inerentes a todo ser humano como os principais valores dessa produção. "Muitas pessoas afirmavam que era uma história a que toda a família poderia assistir. Essa reunião em casa diante da TV era algo que não acontecia havia muito tempo", destaca a autora Vivian de Oliveira, que, além de se aprofundar na história de Moisés e do povo hebreu, criou vários núcleos fictícios para desenvolver o tradicional folhetim. "O sonho de liberdade de um povo, a fé e a esperança eram tudo o que o público desejava", completa a autora. Ou seja, apesar de narrar situações distantes do atual momento, tudo era muito real, porque a trama abordava sentimentos presentes em qualquer época.

A linguagem adotada em *Os Dez Mandamentos*, sem palavras complicadas ou construções formais, é a melhor explicação para a grande aceitação do público. A autora evitou, é claro, as gírias e os termos mais modernos, mas entregou aos atores falas que fluíam com naturalidade e agradavam ao telespectador.

A história da travessia do povo hebreu pelo deserto sob o comando de Moisés exigiu muita criatividade para os cenógrafos, cuidados especiais com efeitos e o alto investimento na finalização de muitos capítulos e sequências. As pragas do Egito, por exemplo, que aconteceram durante várias noites, ganharam acabamento em produtoras de Los Angeles, assim como a abertura do Mar Vermelho, gravada nos estúdios do Rio de Janeiro e com inclusão de computação gráfica nos Estados Unidos. No vídeo, um resultado diferenciado que gerou poucas críticas.

A audiência de *Os Dez Mandamentos* correspondeu aos esforços e em muitas noites obrigou a Globo a esticar o *Jornal Nacional* para evitar o confronto com a novela – inicialmente, a fase final de *Babilônia*, e depois *A Regra do Jogo*. Mesmo assim, no dia 10 de novembro, o capítulo que exibiu a abertura do Mar Vermelho atingiu a liderança em sua média com 28 pontos, oito a mais que a concorrente. "Normalmente, as novelas que fazem sucesso fora da Globo são obras com temáticas específicas ou pouco exploradas pela líder do mercado", afirma o professor Mauro Alencar.

O fato é que, mesmo sem um grande estudo para verificar o desejo do público – *Os Dez Mandamentos* surgiu inicialmente como minissérie e só se transformou em novela diante da crise que a dramaturgia da emissora atravessava –, a Record encontrou seu diferencial no mercado. "Foi um grande aprendizado de cinco a seis anos, até que chegamos a um ponto de maturidade. Isso não significa que devemos permanecer em apenas um estilo", analisa Vivian de Oliveira.

A primeira novela bíblica da Record fechou com 16,4 pontos na Grande São Paulo, praticamente empatada com *Prova de Amor*, que, em 2005, atingiu 16,5 de média. Mas sua importância é muito maior, afinal, alguns meses depois de sair do ar, chegou aos cinemas como filme, após um intenso processo de edição, formato que garantiu boa bilheteria e serviu como espécie de aquecimento para uma segunda temporada; na verdade uma continuação, cinco meses depois. A novela também foi vendida para vários países e, na Argentina, transformou-se em fenômeno, igualando-se em resultados a *Avenida Brasil* e *A Regra do Jogo*.

Apesar de todo o sucesso durante a exibição da primeira temporada, a diretoria da Record demorou para perceber que ali estava um caminho interessante para sua programação. Quando percebeu a conquista de um público, já era muito tarde para substituir *Os Dez Mandamentos* por outra produção inédita do gênero. A solução foi engavetar a excelente *Escrava Mãe* e reprisar, novamente, as minisséries *Rei Davi* e *José do Egito* enquanto preparava a produção de *Os Dez Mandamentos – Nova Temporada* e *A Terra Prometida*.

Os três meses com a continuação da história de Moisés, até a morte do protagonista, serviram como uma espécie de prólogo para *A Terra Prometida*, a narrativa sobre a chegada do povo hebreu a Jerusalém sob o comando de Josué. Desde o primeiro capítulo, no dia 5 de julho de 2016, estava provado que a emissora havia conseguido manter o público conquistado no ano anterior e que essa temática ainda agradava a muitos. "A Bíblia oferece muitas histórias ricas para adaptação, com tramas de amor, traição, vingança, aventura e os questionamentos da humanidade", ressalta o autor Renato Modesto, que, entre pesquisa, realização da sinopse, roteirização e redação, ficou quase dois anos envolvido com o projeto.

*A Terra Prometida* representou um importante avanço na teledramaturgia da Record. Depois de achar uma linguagem para o texto dessas adaptações, foi possível investir em mais sequências de ação, lutas, invasões de cidades e guerras, momentos que lembraram séries internacionais, entre elas *Game of Thrones*, um dos pontos de inspiração da equipe comandada por Renato Modesto. "Foi trabalhoso, desafiador, mas compensou. Foi uma novela que exigiu muita organização para nada dar errado", completa o autor.

Já *Escrava Mãe*, inicialmente a substituta de *Os Dez Mandamentos*, entrou no ar totalmente gravada no dia 31 de maio de 2016, reinaugurando a segunda faixa de novelas da Record. Durante toda a sua exibição manteve a vice-liderança consolidada, mas, sem o planejamento correto, foi substituída pela reprise de *A Escrava Isaura*, a novela que iniciou a chamada retomada da dramaturgia da Record, treze anos antes, o que prova que ainda falta muito para se estabelecer definitivamente como indústria do folhetim.

Quem também teve muitos altos e baixos em sua dramaturgia durante os anos 2000 até se estabelecer no segmento foi o SBT. Os diretores da emissora, tanto os ligados ao artístico quanto ao comercial, sempre souberam da força das novelas junto ao mercado publicitário, pelo fato de abrangerem um leque muito grande de consumidores. Um produto fora da Globo com desempenho de audiência satisfatório sempre atraiu anunciantes, principalmente aqueles que não possuíam verbas para entrar na líder. Assim, com essa constatação, era inevitável investir no setor. Mas como atuar num segmento com forte concorrência sem gastar muito, sem se endividar e atrair o público?

A resposta surgiu durante uma reunião do comitê artístico do SBT que estudava os próximos passos da emissora. O alto investimento com a contratação de Tiago Santiago e sua equipe não atingiu a meta desejada. Ele já estava praticamente fora da emissora e Íris Abravanel seria a única autora da casa. No entanto, *Corações Feridos*, mais uma adaptação de texto mexicano voltada ao público adulto, não ia bem em audiência, oscilando sempre em torno da casa dos 4 pontos. Foi diante desse cenário que Daniela Beyruti, filha de Silvio Santos que atuava como diretora artística, lembrou-se de *Carrossel*. "Em sua memória estava o clima familiar diante da TV para ver a novelinha da professora Helena e sua turma", diz dona Íris. Ideia proposta, estudo de viabilidade feito, direitos de adaptação comprados e a expectativa de dobrar os índices ao oferecer um programa em horário nobre para a criançada.

*Carrossel* entrou no ar no dia 21 de maio de 2012, depois de uma campanha realizada na própria televisão, no rádio e na mídia impressa e com chamadas durante o *Programa Silvio Santos*. Na coletiva de imprensa, Íris Abravanel e os executivos do SBT chegaram a afirmar que ficariam felizes se a nova versão da novela atingisse os 7 pontos de média. "Mudou completamente o público-alvo do horário", recorda Reynaldo Boury, diretor de dramaturgia, justificando a postura mais cautelosa. O primeiro capítulo fechou bem acima, com 12,7 pontos na Grande São Paulo, e nas noites seguintes se acompanhou o crescimento gradativo dos índices. O fenômeno apontava para uma nova realidade na emissora.

A versão brasileira de *Carrossel* foi relativamente fiel ao texto original, mas muitos novos elementos foram acrescentados. "Compramos a adaptação livre, sem limites, porque sabemos que, de certa forma, tem que representar a realidade brasileira", diz Boury. Os clipes musicais se mostraram muito eficientes e, com os resultados positivos, ganharam mais espaço nos capítulos, potencializando a venda de CDs e DVDs e o licenciamento de inúmeros produtos, além de um álbum de figurinhas. "Tudo sempre muito colorido e alegre, para agradar quem sabíamos estar na frente da televisão", explica Boury. No auge do sucesso de *Carrossel*, os fãs começaram a pedir shows com o elenco principal, o que aconteceu em seu último trimestre de exibição e que foi transformado em especial de fim de ano.

Com 310 episódios, *Carrossel* fechou com 12,3 de média na Grande São Paulo, o melhor desempenho dos produtos próprios, ou adaptações da emissora, desde *Esmeralda*, de 2005. Nessa década, apenas a reprise de *Pantanal* havia ultrapassado a marca. Além da excelente audiência, os resultados comerciais registrados enquanto *Carrossel* esteve no ar obrigaram os diretores do SBT a manterem a linha infantojuvenil na grade.

*Chiquititas*, baseada no texto da argentina Cris Morena, autora da Telefe, estreou em 15 de julho de 2013 e, já em seu primeiro capítulo, mostrou um avanço importante do SBT na realização de suas novelas. Além dos núcleos infantis, tramas paralelas atendiam aos mais velhos, aqueles pais saudosistas que sentaram diante da TV para relembrar as emoções que tiveram quando crianças com a professora Helena e se tornaram fiéis à nova aposta da emissora. A audiência permaneceu alta, uma prova de que o conceito familiar era realmente a tendência dessa segunda metade da década na televisão brasileira, o que refletia muito no desempenho da Globo, também atacada pela Record.

Com 545 capítulos, a novela ficou no ar por pouco mais de dois anos, até o dia 14 de agosto de 2015. *Chiquititas* fechou com 10,9 pontos na Grande São Paulo e foi substituída por *Cúmplices de um Resgate*, outro fenômeno em audiência e resultados publicitários. Uma temporada de shows em grandes ginásios em São Paulo e no Rio de Janeiro foi marcada por espetáculos lotados e algumas apresentações extras para atender aos inúmeros pedidos de fãs. Larissa Manoela, que interpretou as gêmeas Manuela e Isabela, viveu o momento mais importante de sua carreira até então.

Esse segmento infantojuvenil ganhou tamanha importância no SBT que ocupa também o segundo horário de novelas com as reprises desses sucessos. Para surpresa de muitos, pouco tempo após a primeira exibição mantém a emissora na briga pela vice-liderança sem representar um novo alto investimento. Até quando dará resultado é uma pergunta para a qual ainda não se tem resposta.

Apesar de parte da imprensa e dos sites dedicados às questões da televisão destacarem que as novelas já não possuem mais o mesmo desempenho de décadas anteriores, os números comprovam que há muita leitura errônea do que realmente acontece com o principal produto de nossa TV. A audiência está pulverizada, é fato, e não somente entre os canais abertos, mas também para outras plataformas, incluindo as digitais. Mas, quando se contabiliza o público que assiste aos folhetins em horário nobre na Globo, na Record e no SBT, chega-se a algo muito próximo de períodos anteriores, em que praticamente não havia concorrência porque os executivos defendiam a ideia de que nenhum investimento deveria ser realizado para combater as tramas globais porque isso seria jogar dinheiro fora.

A falta de criatividade, com a consequente repetição de enredos, é outra crítica muito comum contra as novelas. Há certa verdade nisso, pois os autores recorrem a estruturas que funcionaram no passado para sustentar os novos trabalhos. Entretanto, a retomada da faixa das 23h para dramaturgia diária mostrou a viabilidade de reler antigos sucessos com os olhares da atualidade. Em julho de 2011, por sugestão de Roberto Talma, a Globo colocou no ar o remake de *O Astro*, um dos grandes sucessos assinados por Janete Clair, como uma homenagem à autora. A adaptação ficou sob responsabilidade de Alcides Nogueira, que deslocou a história dos anos 1970 para os dias atuais. "Eu e Geraldo Carneiro tínhamos liberdade total para mexer na trama, que é muito impactante. Como Herculano Quintanilha é um personagem emblemático de nossa dramaturgia, nos deu segurança para incluir novos elementos e alterar o perfil psicológico de alguns", explica o autor. Com 64 capítulos, fechou com 19,4 pontos na Grande São Paulo.

Um ano depois foi a vez de Walcyr Carrasco adaptar *Gabriela*, que originalmente foi escrita por Walter George Durst com base no romance de Jorge Amado. Com Juliana Paes no papel principal, a novela ganhou em sensualidade e o comportamento da protagonista, em densidade. O autor também mesclou a narrativa com seu humor próprio e algumas provocações. Fechou com 21,6 de média, o melhor índice até hoje nessa faixa. Em 2013, outro clássico, agora de Dias Gomes, retornou ao vídeo. Ricardo Linhares imprimiu uma discussão mais política a *Saramandaia*, além de resgatar todos os personagens emblemáticos, como dona Redonda, professor Aristóbulo e dona Candinha. Alguns meses depois, assim como na novela, os jovens foram às ruas do país para protestar, inicialmente contra o aumento das passagens de ônibus em São Paulo e, depois, contra a corrupção no governo.

*O Rebu*, exibida em 2014, foi o último remake nessa faixa das 23h, que, nos anos seguintes, ganhou textos inéditos. A releitura para a obra de Bráulio Pedroso foi extremamente atual, apesar do velho clichê "quem matou?". No eixo principal estavam os empreiteiros Angela Mahler, Carlos Braga da Costa e Bernardo Rezende, respectivamente interpretados por Patricia Pillar, Tony Ramos e José de Abreu. Um dossiê com denúncias de corrupção e de um grande esquema envolvendo políticos para atender os interesses de empresários no campo petrolífero era motivo de chantagem e preocupação. Algo que, depois, saiu da ficção para dominar os telejornais diários.

*O Rebu*, que fechou com 15,9 pontos na Grande São Paulo, levou ao ar uma altíssima produção, com riqueza de detalhes em cenários e figurinos, além de um acabamento de fotografia diferenciado. A tecnologia 4K foi utilizada, o que possibilitou uma imagem mais real e o trabalho constante com sombras, fundamental para os momentos de suspense e as inúmeras voltas no tempo. "É esse espaço para a renovação que é fundamental na televisão brasileira. É a hora da ousadia e do avanço, porque a pressão com a audiência é bem menor", diz Marieta Severo, que, no ano seguinte, foi a vilã de *Verdades Secretas*.

Em 2015, a faixa das 23h foi ocupada por uma obra totalmente inédita. Walcyr Carrasco apresentou ao público uma história forte, com foco em uma garota que entra para o mundo da moda e se vê diante da prostituição de luxo. Para provocar ainda mais, essa jovem e sua mãe transam com o mesmo homem, o empresário Alex, interpretado por Rodrigo Lombardi.

Foram muitas as cenas com forte carga sensual e nus masculino e feminino. Além do sexo, o autor abordou outras problemáticas contemporâneas, como o vício em crack.

Com *Verdades Secretas*, Carrasco conseguiu provar que é possível fazer um bom folhetim com muita ousadia e flertando com os seriados. Seu roteiro foi marcado por um ritmo diferenciado e rápido, sem enrolações nas cenas. "As coisas aconteciam sem parar e isso prendia o telespectador", diz Marieta Severo, que após anos como a dona Nenê, de *A Grande Família*, surgiu na tela como a inescrupulosa Fanny, dona da agência de modelos e a pessoa que negociava diretamente com os homens ricos as meninas que estavam no "book rosa".

*Verdades Secretas* lançou Camila Queiroz e, definitivamente, projetou a carreira de Grazi Massafera. A atriz entregou-se ao papel de maneira única durante o período em que sua personagem está envolvida com crack. As cenas impressionantes foram consideradas pelos especialistas em combate às drogas a melhor prestação de serviço nesse sentido. Tamanha dedicação garantiu vários prêmios a Grazi. A novela, que fechou com 19,7 de média na Grande São Paulo, foi a vencedora do Emmy Internacional de 2016. "Esse é um prêmio que dá credibilidade e mais visibilidade para as nossas produções", ressalta Thelma Guedes, que, em 2014, trouxe a estatueta com *Joia Rara*, novela que escreveu com Duca Rachid. A dupla já havia assinado outras produções de destaque, como *Cama de Gato* e *Cordel Encantado*, "uma homenagem ao povo nordestino", como a própria Thelma explica.

Outro avanço na dramaturgia brasileira possibilitado pelo horário das 23h, quando o telespectador dá sinais de que aceita temas mais ousados, foi a exibição da primeira cena de sexo entre dois homens. No capítulo do dia 12 de julho de 2016 de *Liberdade, Liberdade*, os personagens de Caio Blat e Ricardo Pereira, respectivamente, André e Capitão Tolentino, se entregam finalmente à paixão, com direito a beijo e nus. A sequência só foi escrita depois que todos os diretores envolvidos com o projeto e o alto comando da Globo certificaram-se de que o público aceitaria o novo numa produção de época que, apesar de ser ficção, flertava com a história do Brasil. A orientação foi para que na tela ficasse claro que o amor prevalecia no casal e que o sexo fosse apenas consequência, com o mesmo tratamento dado aos casais heterossexuais.

A quebra de um tabu só foi possível em *Liberdade, Liberdade* porque dois anos antes outro passo fora dado por Walcyr Carrasco. Em *Amor à Vida*, o autor desenvolveu um vilão gay capaz de tudo, inclusive de jogar sua sobrinha recém-nascida numa caçamba com entulho. Durante a novela, diante das pressões por audiência, o autor acrescentou significativa dose de humor ao personagem de Mateus Solano, provocando a aproximação com quem estava em casa. "Com habilidade, ele fez com que todos o aceitassem e torcessem por um final feliz e de regeneração, quebrando o preconceito de parte da população contra o homossexual", diz Antônio Fagundes.

No último capítulo, finalmente, o primeiro beijo gay entre dois homens numa novela brasileira. Félix e Niko terminam juntos e formam uma família. "É algo histórico e sempre será lembrado. Do ponto de vista das liberdades individuais, dos direitos humanos, foi um grande passo à frente. E isso não tem preço para um autor", conclui Carrasco.

Meses depois, durante o fórum de dramaturgia da Globo, o assunto foi debatido entre os autores da emissora. Eles discutiam até que ponto é possível avançar em alguns temas sem contrariar o telespectador e de uma forma eficiente contribuir para a evolução da sociedade, da garantia das igualdades e das transformações de comportamento. De repente, uma pergunta de Walther Negrão chamou a atenção de todos:

– O beijo gay é obrigatório em novelas?

Quando alguém ameaçou responder, Negrão emendou:

– Se for, eu estou fora! Não é a minha praia e não sei escrever isso.

– Você é contra, mas o que salvou minha novela foi um gay, o Félix! – exclamou Walcyr Carrasco.

– Não concordo! O que salvou foi o seu talento para escrever comédia e a capacidade para reverter a situação. Seria assim com qualquer personagem.

*Amor à Vida* é um grande exemplo do conceito de obra aberta para a novela, em que a sinopse original vai se adaptando conforme a reação do telespectador. César, por exemplo, o empresário interpretado por Antônio Fagundes, estava previsto para morrer no capítulo 40. "Inicialmente, passaram para o 80, depois para o 120. E ele apareceu na última cena, no emocionante desfecho ao lado do filho, porque a discussão da homofobia na própria família ganhou em importância", revela o ator. Outros ajustes também foram realizados com base nas pesquisas com o público, como um espaço maior para o humor. A média geral na Grande São Paulo foi de 35,8 pontos.

Mesmo com produção maior de séries, seriados e minisséries para atender à necessidade de uma plateia com menos tempo disponível para consumir conteúdo audiovisual e adepta de outras plataformas, principalmente as móveis, a telenovela continuará sendo o principal produto da televisão brasileira, mesmo com todos os avanços tecnológicos. "Não importa se estamos vendo a história no celular dentro do ônibus, na TV em casa, no cinema. O que importa é a história em si. Se ela for relevante, se provocar identificação, se alterar os batimentos cardíacos e alimentar a imaginação, dará resultados", avalia Manuela Dias, autora de *Justiça*.

A velha discussão sobre o fim das novelas tão cedo não vai terminar, mesmo porque pontuará a constante preocupação em modernizar um gênero que se mostra extremamente rentável há mais de sessenta anos. "É a mesma coisa que falavam sobre o teatro e a literatura com o avanço da TV e do cinema. Estão aí, sempre fortes", diz Walcyr Carrasco, que ainda tem na memória reportagem publicada numa revista no início dos anos 1970 com o título "Eles vão salvar a novela?", sobre crise no gênero. Para Marcílio Moraes, "elas perderão o prestígio, mas continuarão a atrair público e anunciantes". Já Gloria Perez discorda. "Ainda tem muita estrada pela frente, porque faz e continua fazendo a crônica do nosso cotidiano. É para o Brasil o que Hollywood foi para a sociedade americana, com o registro dos hábitos, do comportamento, valores, ambição e sonhos", diz a autora.

Os profissionais da área e os especialistas são unânimes sobre a necessidade de se rever o tamanho das novelas. Elas cresceram para diminuir custos e potencializar lucros e, por isso, se tornaram muito grandes numa época em que a velocidade impera no cotidiano do ser humano. "Hoje o nosso tempo corre mais depressa", lembra Gloria Perez. "E o público quer histórias resolvidas mais rapidamente", diz Alcides Nogueira. "Não acabarão, mas ficarão mais modernas e ousadas, sempre com o melodrama", ressalta Walther Negrão.

Essa é uma discussão que ainda vai longe e ganhará contornos diferentes diante do que o mundo trouxer de novidade para as pessoas. A única certeza vem das palavras de Tarcísio Meira, o ator da primeira telenovela diária, *2-5499 Ocupado*: "Só não pode deixar de ser um teatro popular, muito menos abandonar o público que nos aplaude desde 1963".

# Quem disse que seriado é coisa de americano?

A dramaturgia sempre foi um dos pilares da televisão brasileira, até mesmo em sua fase de programação ao vivo, quando ainda não existiam as novelas diárias. As histórias levadas ao ar por meio dos teleteatros encantavam as pessoas e eram garantia de audiência e retorno comercial. Assim como nos Estados Unidos, em que o novo veículo de comunicação era muito mais evoluído, os anunciantes encontravam nas comédias românticas o cenário ideal para exibir às mulheres diferentes produtos para a casa e para os cuidados pessoais. Foi de olho nessa possibilidade de negócio que, no início de 1953, Cassiano Gabus Mendes recorreu a um produto que seu pai desenvolveu para o rádio, para impulsionar a grade no início da tarde, praticamente quando a TV iniciava suas transmissões. "Ele tinha os originais guardados e sempre recorreu a eles para se inspirar durante toda a existência desse projeto", destaca Eva Wilma.

No dia 25 de março de 1953, às 12h, estreava *Somos Dois*, uma sitcom estrelada por Jorge Dória e Cachita Stuart sobre o cotidiano de um casal em início de relacionamento. O seriado era gerado ao vivo e, por mostrar algumas cenas que insinuavam a intimidade de marido e mulher, acabou transferido, a pedido dos censores, para a faixa das 18h30. No início do ano seguinte, Cassiano Gabus Mendes mudou o título para *Namorados de São Paulo*, fez ajustes no formato, colocou Mário Sérgio e Marisa Prado nos papéis principais e passou a exibi-lo às 23h. Alguns meses depois, a atriz deixou a TV Tupi e a jovem Eva Wilma foi convocada para protagonizar o seriado, que, àquela altura, já garantia uma boa repercussão.

Com dois episódios por semana, às terças e quintas, *Alô, Doçura* se transformou imediatamente numa das maiores audiências da época. Apesar de contar com a colaboração de sua irmã Maria Edith, Cassiano Gabus Mendes era presente em todo o processo: texto, roteirização, direção e até sonoplastia. "Depois do ensaio, ele chegava carregando vários discos e sentava ao lado do sonoplasta para orientá-lo sobre a trilha das cenas e os efeitos sonoros que desejava", recorda Eva Wilma. Com todos os detalhes na cabeça, repassava cada cena com o elenco antes da transmissão ao vivo. Com o programa no ar, o diretor fazia questão de ficar na mesa de corte para acompanhar de perto mais um trabalho. "E, às vezes, a gente conseguia ouvir no estúdio bem baixinho ele orientando para fechar em close, mudar enquadramento ou inserir uma canção", completa a atriz.

Dez meses após a estreia de *Alô, Doçura*, o ator Mário Sérgio precisou se afastar do programa para honrar compromissos internacionais com o cinema. Para seu lugar foi chamado John Herbert, um dos artistas mais bonitos da época e que mexia com o público feminino. "Ele já era meu namorado e fizemos uma excelente parceria no vídeo", diz Eva Wilma. O seriado ficou no ar por dez anos com poucas interrupções, sempre com bons números de audiência, faturamento e repercussão na mídia especializada. "Foi um programa que originou várias outras séries, como *A de Amor*, de Lauro César Muniz, e *Confissões de Penélope*, de Sérgio Jockyman", ressalta a atriz.

*Capitão 7* foi outra produção do gênero que fez grande sucesso na primeira década da televisão brasileira. Exibida pela TV Record, a série contava a história de Carlos, um brilhante químico que na infância foi levado por alienígenas e ganhou poderes especiais em sua volta ao planeta; entre eles, a habilidade de voar, a força e a velocidade. Entretanto, tudo isso só se manifesta quando utiliza seu uniforme, impecavelmente guardado numa caixa de fósforos. O herói lutava contra o Caveira e era casado com a jovem Silvana. "A criançada adorava a série porque tinha muita ação e lutas", recorda Idalina de Oliveira, a mocinha dessa produção.

Ayres Campos, o Capitão 7

O ator Ayres Campos não foi escolhido para ser o protagonista à toa. Homem bonito e forte, com corpo atlético, tinha o físico ideal para alguém que sempre levava vantagem nas lutas. "Alguns figurantes tinham até medo, porque ele se empolgava nas cenas de briga e, às vezes, colocava um pouco mais de força no movimento ou no soco", diverte-se Idalina. Como todo programa ao vivo, isso era motivo para muitos dos imprevistos que aconteciam, inclusive quebrar parte da cenografia.

Outro momento que ficou na memória de toda a equipe do *Capitão 7* foi a realização da vinheta de abertura, o único elemento gravado. Foi utilizado filme de cinema e os diretores acharam melhor explorar cenas em externa. Uma delas era com o Capitão 7 saltando de uma ponte em um rio. A sequência foi registrada na Marginal do Rio Pinheiros, São Paulo, que naquela época não era poluído, mas ninguém sabia exatamente a profundidade no ponto em que seria realizada a filmagem. "E o nosso herói se jogou sem ter a informação. Por sorte não aconteceu um acidente", diz Idalina de Oliveira, a Silvana do seriado. Aliás, entre 1954 e 1966, período em que o seriado esteve no ar, muitas crianças foram batizadas como Carlos e Silvana, os protagonistas dessa aventura.

*Capitão 7* foi um dos fenômenos de audiência da TV Record, Canal 7 de São Paulo, e sempre com um faturamento de causar inveja a outras produções. Em 1959, a emissora fez uma parceria com a Editora Continental/Outubro e lançou o gibi do herói. Na revista, ele podia fazer muito mais do que era capaz na televisão. Sem recursos de trucagem, era impossível colocá-lo para voar em todos os episódios. Já no papel, tudo era permitido. E a garotada adorava.

No dia 3 de janeiro de 1962, na TV Tupi, entrou no ar outra série que marcou a história da televisão brasileira e até hoje é uma referência nesse tipo de produção. Exibida logo após o *Repórter Esso*, *O Vigilante Rodoviário* conquistou adultos, jovens e crianças ao apostar num herói muito próximo do público. O Inspetor Carlos e seu fiel amigo, o cão Lobo, lutavam contra o crime nas estradas do país. Na verdade, a locação era na Via Anhanguera, na Grande São Paulo, local de baixo movimento na época, o que facilitava as gravações. "A série nasceu da necessidade de haver no Brasil um programa que mostrasse nosso país para o público, que tinha como referência as atrações dos Estados Unidos", diz o ator Carlos Miranda, o protagonista. "Eu passei seis meses na Escola de Policiamento Rodoviário em Jundiaí aprendendo o básico sobre atitudes, rotinas e defesa pessoal", completa o ator.

*O Vigilante Rodoviário* teve 38 episódios, exibidos durante cinco anos pela TV Tupi e, depois, reprisados pela Globo. Seu lançamento, no início de 1962, foi planejado em detalhes, inclusive com uma campanha publicitária e entrevistas com os realizadores e atores nos diversos programas da TV de Assis Chateaubriand. "Lembro perfeitamente quando entramos nos estúdios do Sumaré e fomos chamados ao vivo pelo Homero Silva, o maior apresentador da época. Ele fez perguntas sobre nossa ousadia e o que esperávamos do público", recorda Carlos Miranda. Uma das grandes curiosidades era sobre o pastor-alemão companheiro do protagonista. "Ele pertencia a um policial que o alugava para a publicidade. Trocamos o nome dele de King para Lobo, o que foi assimilado rapidamente pelo animal. Ele era meu melhor amigo em dia de trabalho", lembra, com saudade, o ator Carlos Miranda.

Carlos Miranda, o Vigilante Rodoviário

*O Vigilante Rodoviário* era todo gravado em película de 35 mm, transformada para a panorâmica da TV, ou seja, para 16 mm. Depois de captada a imagem, assim como no cinema, o episódio era dublado e depois editado para ganhar sua versão final e tirar qualquer erro ou imprevisto que houvesse. Foram muitas as situações engraçadas que não chegavam ao telespectador. "Uma vez, perdi o controle da moto e fui parar dentro do lago do Parque do Ibirapuera", conta o protagonista. A farda rasgar no meio da sequência de luta era muito comum, assim como o Lobo, o cão, sair da marcação da cena. "Numa tarde, ele não quis fazer nada. Não adiantava estimular, porque estava meio estafado. Foi para casa e descobrimos que na rua onde seu proprietário morava havia uma cadela no cio", completa Carlos Miranda, que, depois do grande sucesso na televisão, resolveu entrar para a polícia rodoviária do estado de São Paulo, em que atuou como porta-voz e relações-públicas.

Há quem diga que *Família Trapo*, uma das maiores audiências da televisão durante os anos 1960, não pode ser considerada uma série ou seriado porque era, na realidade, um programa semanal de humor. O fato é que ali estão as origens e os elementos de muitas produções que apareceram depois, como *Sai de Baixo* e *A Grande Família*. Ao longo do tempo, os especialistas em televisão e os executivos das emissoras foram criando características para definir exatamente os gêneros de dramaturgia. As séries são produzidas em episódios interligados, que dão certa continuidade à história, geralmente dividida em temporadas. Os seriados também são semanais, mas com capítulos independentes, com começo, meio e fim na mesma noite. Ao olhar para o passado, é possível constatar que sempre foram capazes de envolver o telespectador e atraíram grandes atores e os mais importantes autores e roteiristas.

Uma das estratégias de Boni para colocar a Rede Globo em pouco tempo na liderança do mercado televisivo brasileiro foi investir pesado na produção de dramaturgia. Assim que as novelas diárias se consolidaram, já nos primeiros anos da década de 1970, no passo seguinte iniciou-se a implantação das séries e seriados, uma forma de oferecer ao público um pouco mais do mesmo, só que com outra roupagem. Entre janeiro e outubro de 1972, foi exibida, na faixa das 19h, *O Primeiro Amor*, de Walther Negrão. A trama fez muito sucesso e dois personagens de um núcleo paralelo roubaram a cena e conquistaram a garotada. Shazan e Xerife eram amigos de infância, trabalhavam na única oficina de bicicletas de Nova Esperança, eram muito atrapalhados e construíam as mais estranhas engenhocas. Os jovens interpretados por Paulo José e Flávio Migliaccio ganharam uma série para protagonizar em horário nobre.

Antes de a novela sair do ar, Walther Negrão recebeu ordens de José Bonifácio de Oliveira Sobrinho para formatar o seriado e escrever os primeiros episódios. A estreia deveria ser quase imediata. E foi o que aconteceu. O último capítulo de *O Primeiro Amor* foi exibido no dia 20 de outubro, uma sexta-feira. Na quinta-feira da semana seguinte, dia 26, às 21h, entrava no ar o episódio de estreia de *Shazan, Xerife & Cia*. "Alguns dias depois, ele me chamou novamente em sua sala para comunicar que deveria fazer uma novela para dar férias a Janete Clair. Indiquei o Lauro César Muniz para dar continuidade ao seriado", conta Negrão. Daniel Filho, responsável pela dramaturgia da Globo naquela época, fez a negociação e conseguiu finalmente tirar o autor da Record. "Fiz alguns episódios e a reação sempre foi muito boa, porque os dois personagens eram extremamente populares e de grande aceitação entre os mais jovens", diz Muniz, que também passou a criação do roteiro para outro profissional ao ser convocado para ingressar no seleto time de autores de novelas do horário das 20h.

A partir de abril de 1973, *Shazan, Xerife & Cia.* passou para a faixa das 18h, em que havia uma quantidade maior de adolescentes e crianças diante da TV, e ganhou episódios diários, numa temporada que durou mais um ano. Nessa época, a Globo apostou num quarto horário de novelas, às 22h, e deixou de lado esse tipo de produto. Somente em 1978, após a boa repercussão do episódio "Ciranda Cirandinha" do *Caso Especial* (espaço dedicado a pequenas histórias, muitas desenvolvidas em apenas um episódio), foi que Boni resolveu apostar novamente no gênero e pediu aos autores que transformassem o episódio "Ciranda Cirandinha" numa série e desenvolvessem uma temporada que abordasse os dilemas da juventude naquela época. Domingos de Oliveira, Daniel Filho, Antonio Carlos da Fontoura, Luiz Carlos Maciel e Euclydes Marinho criaram uma história de cinco jovens que acabam de se conhecer e praticam um crime. Esse era o ponto de partida para abordar as mudanças de comportamento, o uso de drogas, o crescimento da violência urbana e a falta de perspectivas de uma geração. É claro que a censura militar caiu em cima e gerou muitas dificuldades para o roteiro. Sequências inteiras foram cortadas e assuntos importantes deixados de lado. Apenas sete episódios entraram no ar entre abril e outubro daquele ano, mas a aceitação do público levou o alto comando da Globo a aprovar um projeto ousado e diferente.

Na última semana de maio de 1979, depois de grande divulgação em sua programação e na imprensa, a Globo estreou a faixa "Séries Brasileiras", às 22h: *Carga Pesada* às terças, *Malu Mulher* às quintas e *Plantão de Polícia* às sextas. Esse foi um dos períodos mais emblemáticos e produtivos do horário nobre da emissora, com três produtos independentes, mas com a mesma qualidade na produção e linguagem. É preciso deixar claro que a televisão brasileira já estava em condições de levar ao público um formato que havia muitos anos a TV dos Estados Unidos desenvolvia em ritmo industrial, assim como fazíamos com as telenovelas diárias. "A grade das emissoras daqui era preenchida com muitos enlatados, como o *Kojak* e o *Rota 66*, por exemplo, porque ainda não tínhamos a mesma eficiência. Colocamos um produto nacional no ar e a resposta foi tão positiva que, em pouco tempo, esses seriados americanos sumiram do nosso vídeo", ressalta Antônio Fagundes, que, ao lado de Stênio Garcia, protagonizava *Carga Pesada*.

O cotidiano e as aventuras dos caminhoneiros Pedro e Bino foram exibidos, inicialmente, por dois anos, somando 54 episódios, e também tiveram como ponto de partida uma das histórias do *Caso Especial*. Dias Gomes era o supervisor de texto e coordenava uma equipe que incluía Gianfrancesco Guarnieri, Carlos Queiroz Telles e Walter George Durst. "Era uma série muito popular, porque a cada semana trazia realidades sociais totalmente diferentes de um país extenso como o nosso", afirma Antônio Fagundes. A produção exigia muita logística, porque muitas externas eram realizadas em regiões distantes do centro de produção da Globo, obrigando a um planejamento para o deslocamento de equipamentos e de toda a estrutura técnica.

*Carga Pesada* foi uma produção que garantiu bons números de audiência para a Globo e grande repercussão junto ao público. "Os homens que tinham vergonha de assumir que assistiam novelas não escondiam que gostavam da série porque se identificavam com aquele universo masculino", analisa Fagundes. Pouco mais de vinte anos depois, em abril de 2003, o projeto foi retomado, com os mesmos protagonistas, e voltou a ser um dos produtos mais bem-sucedidos da emissora. A supervisão de texto ficou sob a responsabilidade de Walcyr Carrasco, e os episódios foram escritos por Walther Negrão, Ecila Pedroso e Mara Carvalho.

*Malu Mulher*, que inicialmente foi exibida às quintas-feiras, é até hoje apontada como uma das mais ousadas e vanguardistas produções da televisão brasileira. Com direção geral de Daniel Filho, a série narrou em 76 episódios a vida de Malu, uma mulher recém-separada, com uma filha pré-adolescente para educar e que precisa se dedicar à carreira. Estava no ar uma dramaturgia que tinha como ponto central a emancipação feminina e os desafios para se impor diante de uma sociedade machista em plena década de 1970. Não foi por menos que enfrentou muita resistência dos censores, que se incomodavam com o texto moderno. Temas como prostituição e liberdade sexual foram simplesmente vetados e alguns episódios nem chegaram a sair do papel. "Na época, eram verdadeiros tabus. As pessoas tinham restrições para conversar abertamente sobre divórcio, vida a dois ou aborto", diz Antônio Fagundes. "Talvez por isso só o *Carga Pesada* tenha voltado anos depois", completa o ator.

*Malu Mulher* foi vendida para mais de 50 países e, em muitos deles, principalmente na América Latina, também enfrentou a censura. Entretanto, nos Estados Unidos, Suécia, Inglaterra, França, Portugal, Grécia, entre outros, garantiu bons índices de audiência e conquistou os críticos locais. A série protagonizada por Regina Duarte ganhou alguns prêmios internacionais, entre eles Prêmio Ondas, da Espanha, e Prêmio Iris, da imprensa norte-americana.

*Plantão de Polícia* também mexeu com o telespectador ao colocar na tela o conflito entre duas gerações de profissionais. O repórter Waldomiro Pena não tinha formação universitária, mas era o melhor de sua época. Até o dia em que Serra chega à redação da *Folha Popular*. O jovem com diploma internacional vê o mundo sem romantismo, baseado principalmente nos resultados e na contenção de custos. Era um pequeno retrato da mudança que o trabalhador brasileiro via em seu cotidiano no final dos anos 1970 e início de uma nova década. Assim como *Malu Mulher*, o seriado protagonizado por Hugo Carvana, Marcos Paulo e Denise Bandeira foi exportado para muitos países, entre eles França, Portugal, Alemanha, Estados Unidos, Suíça e Argentina. Além de alguns prêmios internacionais, em 1982 foi o destaque da Semana da TV Brasileira no National Film Theatre, realizada em Londres.

Nos anos seguintes, projetos foram realizados nesse segmento de programação, alguns com mais resultados, outros com menos repercussão, mas sempre com importante contribuição para o desenvolvimento de uma grade mais sólida, capaz de oferecer um leque amplo de conteúdo e entretenimento para o telespectador. Em 1980, após grande sucesso como novela, *O Bem-Amado* ganhou quatro temporadas em formato de seriado com os personagens mais marcantes criados por Dias Gomes: o prefeito Odorico Paraguaçu, Dirceu Borboleta, as irmãs Doroteia, Dulcineia e Judiceia Cajazeira e Zeca Diabo. "Como a audiência era alta e o público gostava das histórias, nós chegamos a gravar nos Estados Unidos, porque era fácil aprovar o orçamento com a direção da Globo", diz Emiliano Queiroz.

No ano seguinte, *Amizade Colorida* deu o que falar. "A ideia era fazer uma metalinguagem e usar o humor para abordar o comportamento masculino", recorda Antônio Fagundes. "Pensamos em usar o nome Edu Homem, mas o Boni achou que fosse demais brincar com o próprio produto", diz o ator. A série tinha como ponto de partida as fragilidades de um fotógrafo diante da nova mulher, mais independente e com menos preconceitos em relação ao comportamento. Esse novo olhar sobre a postura das pessoas e a possibilidade do sexo casual criaram muitos problemas com a censura. "Só conseguimos colocar no ar 11 episódios, tamanha a pressão dos responsáveis pela liberação", destaca o ator.

Nesse mesmo ano, às sextas-feiras, Francisco Cuoco protagonizou *Obrigado, Doutor*, um drama que mostrava o cotidiano de um médico que abandonou a carreira num grande centro urbano para cuidar da população de uma pequena cidade no interior do país. Sem a mesma repercussão de produções anteriores, ficou apenas na primeira temporada. O mesmo aconteceu com o seriado *Mário Fofoca*, derivado da novela *Elas por Elas*, em que o detetive atrapalhado roubou a cena.

No dia 17 de maio de 1985, a Globo colocou no ar um dos seriados mais criativos e ousados que a televisão havia produzido até então. *Armação Ilimitada* ocupava a faixa nobre da sexta-feira para falar diretamente com o público jovem, que estava muito bem representado nessa produção. Juba e Lula eram sócios de uma empresa de prestação de serviços e dividiam a mesma namorada, Zelda Scott. Esse triângulo amoroso só foi possível porque, naquela época, a censura já dava os primeiros sinais de enfraquecimento e o público desejava uma liberdade maior no entretenimento. "O Daniel Filho reuniu uma equipe de autores jovens, como Euclides Marinho, Patricya Travassos, Guel Arraes, Antônio Calmon e Nelson Motta. Juntos, criaram algo moderno ainda nos dias atuais", diz Kadu Moliterno, protagonista ao lado de André de Biasi e Andréa Beltrão. "Será sempre uma das referências de nossa televisão", completa o ator.

O investimento em *Armação Ilimitada* foi grande, porque a ideia sempre foi entregar um produto diferenciado e de qualidade. "As cenas eram gravadas como no cinema e, por isso, chegavam a consumir quase quatro horas para serem finalizadas. Era cansativo, mas o resultado final compensava", pondera Kadu Moliterno. Na história, os jovens sócios praticavam vários esportes, como surfe, windsurfe, ciclismo, motocross e mergulho, além de trabalhar como dublês para o cinema. Ou seja, os protagonistas estavam envolvidos sempre em sequências com muita ação e, como consequência, passíveis de muitos imprevistos e acidentes. "Uma vez, caí de um carro em movimento e fui atropelado por um Opala que vinha logo atrás", relembra Moliterno, que perdeu dois dentes, quebrou três costelas e levou 13 pontos na perna. "Chegou uma hora que a direção da Globo proibiu que os atores fizessem as cenas mais perigosas, contratando especialistas para esses momentos", completa o ator. Aliás, algo obrigatório até os dias atuais.

Os desafios da nova mulher voltaram ao vídeo por meio de uma produção independente exibida inicialmente na TV Manchete e, depois, no SBT. Manoel Carlos, que já havia escrito *Malu Mulher*, retomou a temática em *Joana*, também protagonizada por Regina Duarte. Dessa vez, a série avançava em outras discussões, como a política brasileira, direitos sociais, economia e até mesmo criminalidade. Após um desentendimento com os diretores da rede de Adolpho Bloch, Guga de Oliveira assinou com Silvio

Santos e exibiu mais uma temporada. *Tamanho Família e Família Brasil* são as duas outras produções desse gênero realizadas pela Manchete.

Já o SBT, ao longo de sua história, colocou no ar oito séries, sendo a primeira *Pensão da Inocência*, com a comediante Maria Tereza no papel principal. Depois de *Joana*, a emissora ficou praticamente cinco anos afastada desse tipo de programa, quando, em 1990, estreou a nova versão de *Alô, Doçura*, com Virginia Novik e César Filho nos papéis principais, além de Gerson Brenner, nos últimos episódios, em substituição ao protagonista. Com capítulos diários com até 15 minutos de duração, destacava as diferenças nos olhares e expectativas de homens e mulheres e os desafios do relacionamento. Um ano depois foi a vez de *Grande Pai*, que tinha como ponto de partida a vida tumultuada de Arthur, um viúvo que se vê diante dos desafios da criação de suas filhas adolescentes. Apesar da boa repercussão e dos números positivos, o projeto ficou pouco mais de um ano em cartaz. Em 1996, o investimento foi em *Brava Gente* e três anos depois em *Ô Coitado*. O SBT voltou ao gênero com *Meu Cunhado e Patrulha Salvadora*, este talvez o mais bem-sucedido, por ser focado no público infantojuvenil. Em 2016, *A Garota da Moto* provou, mais uma vez, que é possível fazer boa dramaturgia com produtoras independentes, com planejamento adequado, para não queimar etapas importantes.

Na década de 1980, a Band também investiu em séries e seriados brasileiros para faixas importantes de sua grade. *Dona Santa* contou com 32 episódios e teve em seu elenco Nair Bello, Elias Gleizer, Claudia Alencar, entre outros. Selton Mello, com apenas 11 anos de idade, fazia sua estreia na televisão e já mostrava que estava acima da média. O programa fez muito sucesso e, segundo as publicações da época, colocou em evidência todo o talento e versatilidade de Nair Bello como comediante, consagrando-a definitivamente como um dos grandes nomes da televisão brasileira. Dois anos depois, Geraldo Vietri resolveu convocar a atriz novamente para ser protagonista em mais uma aposta da emissora em séries. *Casa de Irene* repetiu a boa repercussão da produção anterior. Ainda nos anos 1980, a emissora produziu e exibiu *Casal 80* e *Bronco*.

Apesar das dificuldades de uma economia marcada por altos e baixos, fator que gerava incertezas nos executivos das emissoras em relação a investimentos em projetos mais caros, a década de 1990 foi marcada por uma produção significativa no gênero. Com a abertura política e, como consequência, maior tolerância em relação a certos tabus, os autores e produtores apostaram em algumas questões sociais, como a importância de combater a violência contra a mulher, algo que assustava nos noticiários policiais, tamanha a falta de consciência sobre essa triste realidade. Surgiu assim, em março de 1990, *Delegacia de Mulheres*, em que as protagonistas eram delegada, investigadoras e policiais que atuavam num departamento especializado. Foram ao ar apenas 18 capítulos. Três anos depois, Regina Duarte voltava ao gênero com *Retrato de Mulher*. Com 9 episódios mensais, a proposta da série era mostrar o universo feminino a partir de perfis bem diferentes.

Em 1994, a TV Cultura colocou no ar uma das séries marcantes na história da televisão brasileira. Baseada na peça teatral de Maria Mariana, *Confissões de Adolescente* levava ao telespectador as aflições e questionamentos dos jovens. No vídeo, personagens com todas as suas oscilações, anseios e dúvidas. Assim como na vida real, provocaram uma identificação do público raras vezes vista em nossa TV. Os textos eram feitos por Euclydes Marinho, Domingos de Oliveira e Patrícia Perrone, além da própria Maria Mariana, com direção de Daniel Filho. Essa equipe conseguiu colocar no ar temas considerados polêmicos, como a primeira relação sexual, gravidez na adolescência, uso de camisinha, aborto, drogas, alcoolismo e separação dos pais. O sucesso dessa série contribuiu para estabelecer um diálogo maior nas famílias dos telespectadores, afinal, todos os temas estavam exemplificados nos episódios, facilitando a comunicação entre gerações tão diferentes.

Maria Mariana, Georgiana Góes, Daniele Valente, Deborah Secco e Camila Capucci interpretavam as jovens cheias de dúvidas e esperanças. Luis Gustavo deu vida ao pai das garotas. *Confissões de Adolescente* também foi exibida pela Band e vendida para Israel, Finlândia, Nova Zelândia, França, Portugal e Grécia. Ela deu origem a uma série da TF-1, a TV francesa, que teve boa repercussão, comprovando que as temáticas apresentadas eram universais e representavam a juventude da década de 1990.

Depois de *Confissões de Adolescente*, a TV Cultura apostou em outras séries voltadas ao público infantojuvenil, entre elas *Castelo Rá-Tim-Bum*, *Mundo da Lua*, *Um Menino Muito Maluquinho* e *Ilha Rá-Tim-Bum*. Essa linha de programação recebeu vários prêmios internacionais, em reconhecimento às obras que uniam o entretenimento à preocupação com a educação e à formação ética e pessoal.

Durante a década de 1990, a Globo produziu oito seriados, incluindo nesse gênero *Malhação*, voltada ao público jovem e que muitos especialistas afirmam se tratar, na realidade, de uma novela. Polêmicas à parte, o fato é que ela permanece no ar até os dias de hoje, com renovações anuais de temporadas. *Sandy & Junior*, com episódios semanais, também tinha como objetivo conquistar os adolescentes durante suas quatro temporadas, e, no vídeo, acompanhou o amadurecimento de seus protagonistas, assim como do telespectador, que a cada ano desejava temáticas mais apropriadas à sua realidade.

No dia 31 de março de 1997, um domingo, entrava no ar *Sai de Baixo*, um seriado humorístico que tinha como missão segurar a audiência no fim da noite, após o encerramento do *Fantástico*. O elenco foi um de seus diferenciais e reuniu Aracy Balabanian, Cláudia Jimenez, Luis Gustavo, Marisa Orth, Miguel Falabella e Tom Cavalcanti. Um dos maiores sucessos da Globo em sua história, por pouco o seriado não aconteceu em outra emissora. É que a ideia de Luis Gustavo de produzir uma sitcom num teatro foi apresentada por Daniel Filho aos executivos do SBT, que não acreditaram em sua viabilidade. Com o não inicial, o diretor levou a proposta até a TV da família Marinho. Inicialmente, o projeto dividiu opiniões e poucos eram os que apostavam em resultados interessantes.

"*Sai de Baixo* não precisou de muito tempo para mostrar a que veio", diz Luis Gustavo. Em poucas semanas, estava entre as maiores audiências da Globo e arrastava multidões ao Teatro Augusta, onde eram gravados os episódios. Durante seis anos, diante do local as filas eram intermináveis, e as pessoas não mediam esforços para garantir um local na plateia. Os mais variados artistas faziam questão de participar do programa, sendo que muitos não faziam rodeios e se convidavam.

Nesse segmento de programação, durante os anos 1990, outras duas produções deixaram suas marcas. Entre abril e julho de 1997, Malu Mader protagonizou *A Justiceira*, um drama policial que não escondia sua inspiração em séries da TV dos Estados Unidos e apostava em muitas sequências de ação. Os índices de audiência foram bons, mas os críticos da época não se empolgaram muito com a série. Para piorar a situação, a protagonista engravidou e precisou se afastar do trabalho. A direção achou melhor encerrar o projeto no 12º episódio.

Até há pouco tempo, a Globo tinha como costume renovar sua grade nos primeiros dias de abril, quando apresentava ao público suas novas atrações e os programas que se transformariam em sucesso. Em 1998, entrou no ar *Mulher*, o projeto mais ousado de Daniel Filho nesse segmento de dramaturgia. Com base na grande repercussão que os seriados médicos dos Estados Unidos, principalmente *ER*, faziam no mundo inteiro, o diretor conseguiu convencer Boni de que a Globo tinha todas as condições de colocar no ar uma produção com a mesma qualidade. Entretanto, deveria haver um cuidado especial com o roteiro, o que aconteceu por meio da consultoria de Lynn Mamet, uma escritora norte-americana que veio ao Brasil para orientar a equipe e desenvolver a espinha dorsal da história da Clínica Machado de Alencar, local onde trabalhavam as médicas Marta e Cristina. "Assim que eles nos apresentaram a sinopse, nos apaixonamos pelo que tínhamos em mãos, afinal, abordaríamos as aflições humanas, as diferenças de duas gerações e os problemas tão comuns a muitas mulheres", diz Eva Wilma, que, ao lado de Patricia Pillar, protagonizou a série.

Gravado em película e com a mesma técnica de iluminação, o primeiro episódio conquistou imediatamente o telespectador. No ar, uma imagem bonita e diferenciada, que não deixava nada a desejar em relação às produções dos Estados Unidos. "Como era semanal, dava tempo de realizar cada cena numa velocidade menor, se comparado com novelas. E isso resultava numa qualidade superior", conclui Eva Wilma. *Mulher* teve duas temporadas e, mesmo assim, entrou para a história da televisão brasileira.

Em 1999, para manter a dramaturgia em sua grade sem a presença de novelas, a Band fechou uma parceria com a Sony Entertainment Television para a produção de séries. *Santo de Casa*, baseada em *Who's The Boss?*, e *A Guerra dos Pintos*, adaptação de *Married With Children*, não atingiram o objetivo e saíram do ar muito antes do que se planejou inicialmente. Algo muito parecido aconteceu alguns anos depois, em 2007, com a Rede TV!. A emissora se associou à Disney e à ABC International Television para exibir a versão brasileira de *Desperate Housewives*, com Lucélia Santos, Sônia Braga, Isadora Ribeiro, Tereza Seiblitz, Franciely Freduzeski e Viétia Zangrandi nos papéis principais. A série fez um relativo sucesso para os padrões da emissora e foi encerrada em sua primeira temporada, com 23 episódios.

Essas produções da Band e da Rede TV! feitas em parceria com grandes produtores mundiais de entretenimento são exemplo de que não basta pegar uma fórmula ou uma história consagrada dos Estados Unidos e produzir uma versão aqui no país. O telespectador brasileiro assiste a essas produções e reconhece sua qualidade, mas deseja algo ligado à sua realidade quando o produto é criado e executado no país pelos nossos profissionais. *A Grande Família* é a expressão mais verdadeira desse raciocínio.

A história criada por Oduvaldo Vianna Filho e exibida pela Globo entre 1972 e 1975 voltou ao vídeo vinte e seis anos depois, inicialmente como uma espécie de homenagem ao autor. O sucesso foi imediato. A audiência disparou, mantendo a emissora sempre com um share acima de 50% em seu horário e um retorno comercial bem além das expectativas iniciais. "O trunfo de *A Grande Família* sempre foi a identificação imediata do telespectador", diz Marieta Severo, que por 14 anos interpretou Nenê. "Nesse tempo todo, sempre ouvi das pessoas que tinham um cunhado folgado como o Agostinho, a mãe igual à Nenê e um pai tão generoso como o Lineu", completa. Segundo a atriz, era essa expressão tão brasileira que levava o telespectador a ligar a televisão todas as quintas-feiras no seriado, que, naturalmente, ao longo do tempo perdeu parte de sua audiência com o aumento da concorrência em horário nobre, mas nunca deixou o posto de liderança.

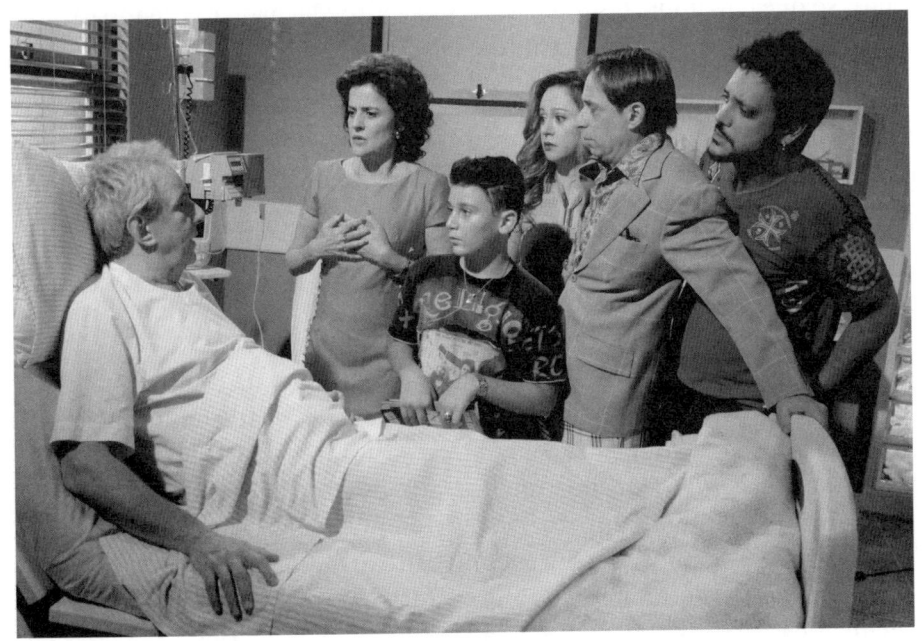

A Grande Família

O elenco central era composto por Marco Nanini, Marieta Severo, Rogério Cardoso, Lúcio Mauro Filho, Guta Stresser, Pedro Cardoso, além de Marcos Oliveira, Tonico Pereira, Andréa Beltrão e Francisco Milani, com personagens fixos em quase todas as temporadas, mais os artistas que ficaram no ar durante algum tempo, como Evandro Mesquita e Natália Lage. "Todos representavam um pouco do Brasil", destaca a intérprete de Nenê. "A primeira vez que recebi a sinopse, pensei como eu ia criar aquela dona de casa meio ingênua que tanto amava aquela família. Ela surgiu de uma forma muito natural", conta a atriz.

Na manhã do dia 24 de julho de 2003, o ator Rogério Cardoso sofreu um infarto fulminante em sua casa. Naquela noite, entrou no ar uma homenagem ao comediante, um dos nomes mais queridos do humor pelo público brasileiro. O especial, na verdade um bloco editado às pressas, bateu o recorde de audiência do programa. Foram 45 pontos de média, o equivalente a 64% dos telespectadores do horário. Em 11 de setembro de 2014 foi ao ar o último episódio da série, que contou as trapalhadas e aventuras da família Silva. Elenco, produtores e diretores acharam melhor encerrar a produção, antes que se acentuasse o processo natural de desgaste.

Outro grande sucesso do gênero, *Os Normais*, também surgiu na grade de 2001, só que em junho. Os roteiristas Alexandre Machado e Fernanda Young levaram ao ar uma proposta diferente e moderna de sitcom, totalmente distante do convencional. Durante três temporadas, Luiz Fernando Guimarães e Fernanda Torres viveram as mais loucas histórias do casal Rui e Vani. O programa se tornou uma referência na televisão brasileira e contribuiu para a formação de uma nova geração de autores, que via nessa experiência muito bem realizada a possibilidade de avançar na produção de entretenimento no Brasil. Os diretores da Globo perceberam que o público aceitava histórias mais convencionais e também prestigiava o que saía do convencional, algo de que certos executivos tinham receio.

A popularização da TV por assinatura e o avanço da internet no Brasil possibilitaram o aumento da plateia dos grandes seriados internacionais. Com um telespectador mais exigente, os diretores da Globo perceberam que era necessário capacitar melhor nossos profissionais e desenvolveram um intercâmbio com roteiristas de outros países, convidados para palestras e workshops. "Esses encontros realizados no Projac sempre lotam, porque tem muita gente interessada nesse gênero e quer descobrir técnicas e formatos", afirma Renata Dias Gomes. "As séries estão crescendo aqui no Brasil e há mais gente no mercado. É o tipo de trabalho que todo mundo quer, porque é bem menos braçal que o roteiro de novela", completa a autora.

Esse aumento de produção de séries e seriados é verificado desde o início dos anos 2000 e foi acentuado com a criação da lei que estabelece uma quantidade mínima de conteúdo nacional no horário nobre dos canais distribuídos por sistemas de assinatura, independentemente de sua nacionalidade. Sony, Warner, Fox, Discovery, entre outros, precisam ter obrigatoriamente produto brasileiro em sua grade para garantir a operação no país, gerando uma demanda muito maior.

Nos canais pagos, *Mandrake*, com Marcos Palmeira, foi a pioneira e, depois de seu sucesso, muitas outras vieram na sequência. Se no começo desse processo alguns roteiros eram questionados e as produções comparadas com as realizadas pela TV aberta, na sequência mostraram a que vieram. *Sessão de Terapia, O Negócio, Três Teresas, Magnífica 70* e *1 Contra Todos* são apenas alguns exemplos de trabalhos bem-sucedidos e que conquistaram sua plateia. Algumas dessas séries foram vendidas para o exterior, e muitas, premiadas. "Elas estão se tornando cada vez mais importantes na televisão brasileira, tanto aberta quanto fechada, acompanhando uma tendência mundial", diz o dramaturgo Renato Modesto.

Na primeira década do novo século, a Globo levou ao ar produções bem diversificadas, mas o humor predominou nesse segmento. *A Diarista, Sob Nova Direção* e *Toma Lá, Dá Cá* tiveram temporadas bem-sucedidas, assim como os dramas *Carga Pesada, Carandiru* e *Força-Tarefa*. Nesse mesmo período, a Record assinou *Acampamento Legal, Turma do Gueto, Avassaladoras* e *Louca Família*. Mas foi *A Lei e o Crime*, de Marcílio Moraes, o seu maior destaque. "O sucesso foi imediato porque a história era forte, cheia de contrapontos, e os personagens muito bem construídos", explica o autor. O protagonista Nando é um jovem de classe média que vê sua vida mudar depois de perder o emprego e assassinar o sogro. Da fuga para não ser preso até se tornar líder da bandidagem em um dos morros do Rio de Janeiro, a trama foi narrada com muito ritmo e sequências de ação, que não deixaram nada a desejar em relação ao que se vê no exterior. "Tudo foi construído a partir da consultoria de um delegado e um promotor para deixar o mais próximo da realidade", diz Marcílio. Alguns meses depois, *Força-Tarefa* estreou na Globo e abordou um cenário muito parecido, mas com foco nos conflitos pessoais dos investigadores de uma divisão especial de investigação na corporação.

O sucesso de *A Grande Família* levou a Globo a iniciar a segunda década do século XXI com mais produções ligadas ao humor e, principalmente, às relações interpessoais. Era hora de colocar em evidência a amizade de duas mulheres que trabalhavam na mesma loja de vestidos de noiva e que tinham em comum namoros bem complicados. Escrita por Cláudio Paiva e com a direção de núcleo de Maurício Farias, *Tapas e Beijos* teve cinco bem-sucedidas temporadas e saiu do ar bem antes de um desgaste. Andréa Beltrão e Fernanda Torres interpretaram, respectivamente, Sueli e Fátima, duas mulheres do subúrbio carioca, o que criou quase que imediatamente um forte vínculo com os telespectadores. Fábio Assunção, Vladimir Brichta, Otávio Müller, Fernanda de Freitas e, em especial, Flávio Migliaccio, integravam o eixo central do seriado. Apesar de ser um produto extremamente popular, em nenhum momento a produção perdeu a qualidade, incluindo um refinado texto. Nessa mesma época, Aguinaldo

Silva escreveu *Lara com Z*, protagonizada por Susana Vieira, mas sem os mesmos resultados. Tratava-se na verdade de um *spin-off*[12] de *Cinquentinha*, minissérie exibida dois anos antes.

Com dois produtos bem aceitos pelo público, *Tapas e Beijos* e *A Grande Família*, a Globo fez pequenos ajustes nessa linha de programação e investiu em alguns títulos nos anos seguintes. *Pé na Cova*, de Miguel Falabella, foi um dos que registraram bons índices, assim como *A Teia* e *Doce de Mãe*, uma excelente série protagonizada por Fernanda Montenegro, que recebeu o Emmy Internacional como a melhor atriz em série. Também em 2014, Gloria Perez assinou *Dupla Identidade*.

A estreia desse seriado foi aguardada com ansiedade pelos apaixonados pelo gênero. *Dupla Identidade* foi gravada totalmente em 4K[13] e seu último episódio contou com o reforço de uma equipe de cinema para garantir qualidade diferenciada. Ao saber detalhes do protagonista, o ator Bruno Gagliasso, mesmo considerado mais jovem do que o perfil do personagem, lutou para ficar com o papel. Edu era um psicopata longe de qualquer suspeita. Profissional bem realizado, homem educado e generoso, é na verdade um *serial killer* capaz de cometer as maiores atrocidades. Se no começo a crítica especializada demonstrou certa resistência, no final aplaudiu o seriado, que não ficou devendo nada a produções como *Dexter*, *The Fall* ou *The Following*.

*Dupla Identidade* foi vendida para nove países, entre eles Portugal, China, Costa Rica, Coreia do Sul, Estados Unidos e Inglaterra, e garantiu a Bruno Gagliasso o Troféu APCA e o Prêmio Contigo como melhor ator, além de indicações em outras premiações. No ano seguinte, 2015, *Chapa Quente* ocupou o lugar de *A Grande Família* e revelou um belíssimo trabalho de Ingrid Guimarães, Leandro Hassum e Tiago Abravanel. Já *Mister Brau*, protagonizado por Lázaro Ramos e Taís Araújo, substituiu *Tapas e Beijos* e foi muito bem aceito pelo público, levando ao ar um texto de qualidade e excelentes interpretações.

Depois dos bons resultados das minisséries bíblicas, a Record resolveu investir num seriado com a mesma temática. No dia 22 de janeiro de 2014, entrou no ar o episódio inicial de *Milagres de Jesus*, uma coprodução com a produtora Academia de Filmes. "Escrevi a primeira temporada praticamente sozinho e, assim, acredito que ajudei a dar uma cara ao projeto. Os roteiros

---

12  O termo designa uma derivação.
13  A mais alta resolução digital de imagem para televisores domésticos, com 4.000 pixels na horizontal e 2.000 na vertical.

eram emocionantes e combinavam ação e aventura", diz Renato Modesto. Depois, entre outros, Vivian de Oliveira e Gustavo Reiz também colaboraram como escritores. "Foi muito enriquecedor estudar o *Novo Testamento* para criar as tramas nas passagens mais importantes de Jesus", completa o autor. O resultado de audiência foi considerado satisfatório, tanto que novos episódios foram produzidos para o ano seguinte. "O fato de ser composta por poucos episódios permite um trabalho mais minucioso por parte de quem escreve, que tem mais tempo para pesquisar e aperfeiçoar os roteiros", explica o autor.

Outro segmento da teledramaturgia que ganha cada vez mais investimentos e estímulos é o de minisséries. Com capítulos diários, mas duração bem menor que as novelas, esse tipo de produção costuma apresentar uma qualidade inquestionável, tanto em relação aos elementos técnicos – como captação de imagens e fotografia – quanto na interpretação dos atores. Como se trata de uma obra fechada, o elenco sabe exatamente tudo que acontecerá com os personagens e a intensidade de cada cena. "Você tem mais tempo para produzir e, por isso, mais cuidado em cada etapa. Além disso, a quantidade menor de capítulos nos permite elaborar melhor o acabamento dos episódios", diz Jayme Monjardim, que já dirigiu, entre outras, *Divã, Maysa – Quando Fala o Coração, A Casa das Sete Mulheres* e *Chiquinha Gonzaga*.

Até o final dos anos 1970, era praticamente inviável economicamente a produção de uma minissérie no Brasil. O custo de produção de audiovisual no país era elevado e, para se pagar, um produto precisava obrigatoriamente ter muitos capítulos para diluir os investimentos feitos em cenários, figurinos, equipamentos, entre outros itens. Apesar das restrições financeiras, José Bonifácio de Oliveira Sobrinho sabia que uma empresa produtora de conteúdo precisava atuar em todos os gêneros consumidos no mundo para estar entre as mais importantes no mercado internacional. "A partir de 1978, conhecemos diversas tramas importadas dos Estados Unidos e o Boni sabia que era importante nacionalizar esse gênero", diz Mauro Alencar, mestre e doutor em teledramaturgia brasileira e latino-americana. Assim, no dia 26 de abril de 1982, entrou no ar *Lampião e Maria Bonita*, a primeira de muitas outras que ainda seriam exibidas por aqui.

A história dos últimos dias do líder dos cangaceiros combatido pelas autoridades e da mulher que mexeu com seu coração encantou imediatamente o telespectador. Com mais de 80% das cenas realizadas no agreste nordestino, a primeira minissérie de nossa TV exibia no vídeo um cenário pouco conhecido da maioria do público e uma carga emocional extraída das raízes da cultura brasileira. "Ninguém estava ali porque era bonitinho, mas por ser um artista atuando até as últimas consequências, com um comprometimento e paixão muito superiores a qualquer outra experiência", recorda Tânia Alves, a protagonista. Durante um mês, mais de 100 pessoas, entre artistas, técnicos, figurantes, produtores e diretores, viveram em locais com pouquíssima estrutura e foram obrigadas a encontrar solução para muitos problemas que naturalmente surgiam no decorrer das gravações. Um deles era resfriar os equipamentos expostos às altas temperaturas da região, o que exigia criatividade e profissionais para manutenção 24 horas a postos.

O trabalho nas locações começava bem cedo, ainda na madrugada, pois tudo precisava estar pronto para que se aproveitasse ao máximo a parte da manhã, quando o calor era menor. Geralmente havia um intervalo ao meio-dia, porque era quase impossível aguentar o sol. "Eu acordava às 4 horas para começar a montar a Maria Bonita junto com o maquiador Jack Monteiro, que diariamente precisava encontrar um tom de pele mais bronzeado", recorda Tânia Alves. A caracterização era bem demorada e realizada em várias frentes, pois todas as cenas exigiam muitos figurantes e contavam com praticamente todo o elenco principal. O planejamento não podia falhar.

*Lampião e Maria Bonita* teve apenas oito capítulos, mas foi tão intensa que não sai da memória do telespectador, inclusive dos mais jovens que assistiram em reprises ou nas plataformas digitais. É, sem dúvida, um marco na história da televisão brasileira e na carreira de Tânia Alves e Nelson Xavier. "Já se passaram mais de trinta anos e até hoje me param na rua para falar sobre a minissérie", conta a atriz. "E lembram de detalhes, principalmente da cena em que Maria Bonita arranca a orelha de outra mulher", completa.

*Avenida Paulista*, de Daniel Más e Leilah Assumpção, foi a segunda minissérie produzida na Globo e substituiu *Lampião e Maria Bonita*. Com direção de Walter Avancini, a história tinha como tema central a ascensão e queda de Alex Torres, um homem capaz de tudo por poder, dinheiro e prazeres. Antônio Fagundes foi o protagonista e contracenou com nomes importantes, entre eles Walmor Chagas, Dina Sfat e Ney Latorraca. No início dos anos 1980, Boni desejava dar mais espaço aos criadores paulistas e abriu um núcleo em São Paulo para a realização de programas e dramaturgia, algo que com o tempo se mostrou inviável. Em julho, Euclydes Marinho assinou *Quem Ama Não Mata*, que teve direção de Daniel Filho, um dos maiores incentivadores desse gênero. A repercussão foi imensa, pois o autor se baseou em vários casos verdadeiros de crimes passionais e colocou em discussão um tema delicado e tratado, na época, quase que silenciosamente por muitas famílias.

Os bons números das três primeiras minisséries levaram a Globo a manter os investimentos no segmento, considerado uma boa solução para a grade de programação e um produto capaz de atrair aquele telespectador que não assistia a novelas por puro preconceito, porque a plateia principal era formada por mulheres. Com essa linha, era possível atingir os homens por meio de histórias mais fortes e ousadas – e com menos lágrimas, como nos folhetins. Em 1983, entraram no ar *Moinhos de Vento, Bandidos da Falange* e *Parabéns pra Você*. No ano seguinte, baseada no romance homônimo de Zélia Gattai, a minissérie *Anarquistas, Graças a Deus* contou a história de uma família de imigrantes italianos no Brasil e fez um grande sucesso, principalmente em razão da qualidade do material que foi exibido. Por pouco, essa adaptação não acabou como novela das 18h, voltada ao público infantojuvenil, ou ocupou a faixa das 20h, porque a Globo estava com problemas em *Sol de Verão*, com a morte de Jardel Filho. Também nesse ano, *Rabo de Saia*, outra produção do núcleo paulista comandado por Avancini, conquistou enorme audiência. Com muito humor, as aventuras de Quequé, um homem com três famílias em cidades diferentes, atingiu, segundo levantamentos da época, 50 pontos de média, algo impressionante para essa faixa de horário.

Foi uma minissérie que deu o *start* na dramaturgia da TV Manchete. No dia 21 de agosto de 1984, apenas 14 meses após o início de suas operações, a emissora estreou *Marquesa de Santos*, uma cara e caprichada produção com Maitê Proença no papel principal. Com uma mistura de fatos históricos e muita ficção, levou ao telespectador a história de paixão entre Domitila de Castro Canto e Melo com D. Pedro I, interpretado por Gracindo Júnior, em pleno movimento pela independência do Brasil. No elenco também estavam Bibi Ferreira, Maria Padilha, Edwin Luisi, Leonardo Villar, entre outros, que ajudaram a atrair a atenção do telespectador.

Já nos primeiros capítulos, o público e a imprensa especializada constataram que a primeira minissérie da nova rede de televisão trazia algo diferente no que se refere à realização. "A Manchete chegou com uma proposta de alta qualidade em toda a sua grade", diz o pesquisador Elmo Francfort. Segundo registros da época, *Marquesa de Santos* marcou 7 pontos de média, colocando-se em pouco tempo em terceiro lugar durante seu horário de exibição.

O sucesso de *Marquesa de Santos* levou a Manchete a manter os investimentos nesse formato, produzindo na sequência *Viver a Vida*, de Manoel Carlos, e *Santa Marta Fabril S.A.*, de Geraldo Vietri, autor de inúmeros sucessos do gênero na emissora, entre eles *O Fantasma da Ópera* e *Na Rede de Intrigas*. Walcyr Carrasco também assinou diversos roteiros, como *Filhos do Sol, Rosa dos Rumos e O Guarani*. Ao todo, a TV de Adolpho Bloch colocou no ar 17 minisséries.

A Band também se aventurou nas minisséries, mas com bem menos ousadia e recursos. Foram exibidas seis produções do gênero, sendo a primeira em 1986. *Carne de Sol* teve somente quatro capítulos. Dois anos depois, no dia 4 de janeiro de 1988, a emissora estreou *Chapadão do Bugre* e buscou na violência e tensão os elementos para se diferenciar do que a Globo costumava levar ao ar. Entretanto, foi *Capitães da Areia*, em 1989, o grande sucesso da televisão da família Saad nesse segmento de dramaturgia. Em 2008, numa parceria com a japonesa NHK, surgiu *Haru e Natsu – As Cartas Que Não Chegaram*, uma forma de comemorar o centenário da chegada dos primeiros imigrantes do Japão.

Muitas foram as obras de literatura que ganharam versões para a televisão no formato de minissérie. Como esse era um produto que exigia um cuidado maior com a produção e o acabamento e era exibido após o ápice do horário nobre, era possível apostar em temas mais elaborados e verdadeiros épicos. O tempo de elaboração era maior, possibilitando mais externas e requinte em cada etapa do trabalho. Foi com esse olhar diferenciado que Boni aprovou a exibição de *O Tempo e o Vento*, baseada na trilogia de Erico Verissimo, e determinou que fosse o ponto de partida das comemorações pelos 20 anos da Globo.

A saga de uma família gaúcha durante mais de 150 anos estreou no dia 22 de abril de 1985 e foi narrada em 26 capítulos, todos com excelentes índices de audiência. *O Tempo e o Vento* foi uma superprodução que contou com mais de 100 personagens, além de quase 6 mil figurantes nas batalhas e deslocamentos dos homens comandados pelo Capitão Rodrigo, brilhantemente interpretado por Tarcísio Meira. Cerca de 60% das cenas foram realizadas em externas no Sul do país, além de várias sequências gravadas na cidade cenográfica, com mais de 40 mil metros quadrados, onde havia a figueira centenária – a testemunha do tempo, segundo a obra original de Erico Verissimo. Para ganhar a dimensão desejada no vídeo, a árvore natural foi reforçada pela equipe de cenografia para ficar maior, mais vistosa, algo que impactou o telespectador.

No elenco, nomes fortes e muito conhecidos, como Glória Pires, Lima

Duarte, Louise Cardoso, Eloísa Mafalda, Mário Lago, Lilian Lemmertz, entre outros. No vídeo, inúmeras sequências de ação, lutas, fugas e disputas, exigindo a presença de dublês nos momentos mais arriscados, deixando para os atores apenas as cenas em close. No entanto, mesmo com esse cuidado para garantir a integridade dos profissionais e veracidade ao que era exibido, alguns incidentes aconteceram, principalmente tombos e quedas de cavalo. "Fui traído por uma sela frouxa", recorda Tarcísio Meira.

Com plano aberto, o dublê do protagonista conduziu o cavalo durante toda a aproximação da tropa. O diretor e os câmeras fizeram as marcações para que Capitão Rodrigo surgisse com espada numa das mãos e um archote na outra. Tudo ensaiado e executado, restando apenas o detalhe em close com Tarcísio. O ator montou no animal, foi para a marcação e começou a galopar. De repente...

– Vou cair! – gritou.

Com a sela desafivelada, Tarcísio Meira tombou para a direita, derrubando o animal. "A minha preocupação era avisar a todos os atores e figurantes que vinham atrás para que desviassem e, assim, evitar um grande número de vítimas", diz o ator. Depois que foi atendido, descobriu que não ferira o cavalo, mesmo com uma adaga na cintura e um espadim na mão. O pequeno acidente levou a equipe a trocar os objetos verdadeiros, mas não afiados, por cenográficos, sem a possibilidade de cortar alguém.

As comemorações pelos 20 anos da Globo contaram com mais duas minisséries de grande repercussão baseadas na literatura brasileira: *Tenda dos Milagres*, de Jorge Amado, adaptada por Aguinaldo Silva, e *Grande Sertão: Veredas*, do romance homônimo de Guimarães Rosa, assinada por Walter George Durst. A ordem naquela época era reunir os melhores profissionais nesses projetos, tanto para o vídeo como para funções atrás das câmeras, visto que exigiam riqueza de detalhes em cenografia e figurinos, muito planejamento nas externas e estudo rigoroso da cultura retratada por meio das várias personagens. "Nós tivemos uma professora de prosódia que sabia exatamente como as pessoas do sertão mineiro falavam e se comportavam", recorda Tarcísio Meira. Durante as aulas, ela deixou bem claro que haveria uma identificação imediata do telespectador, porque, mesmo que algumas palavras fossem muito regionais, havia ali uma alma brasileira. E foi o que aconteceu.

*Grande Sertão: Veredas* foi uma produção totalmente diferente na Globo e, por isso mesmo, se transformou num dos marcos das minisséries brasileiras. Ela foi toda gravada em externas, em um trabalho que consumiu

90 dias de uma equipe com mais de 300 pessoas, entre produtores, técnicos, diretores, cabeleireiros, figurinistas, maquiadores, motoristas, assistentes, iluminadores, além dos 52 atores e uma centena de figurantes. Todos, nesse período, trocaram a rotina dos estúdios no Rio de Janeiro por uma temporada em Buritizeiro, na região do Paredão de Minas, onde imóveis foram locados e pensões reservadas para acomodá-los.

O conflito do jagunço Riobaldo – que se vê apaixonado por Diadorim, sem saber que, na verdade, tratava-se de uma mulher – envolveu o telespectador e garantiu vários prêmios a Tony Ramos e Bruna Lombardi, atriz que, inicialmente, dividiu opiniões entre os diretores da emissora. Muitos não acreditavam que ela daria conta do papel, por ser considerada uma mulher muito bonita e, por isso, o público não a aceitaria como alguém que vivia no agreste. Foi um momento importante em sua carreira, já que, depois, a atriz faria uma sequência de protagonistas em novelas e minisséries.

Apenas quatro anos após a estreia de *Lampião e Maria Bonita*, que inaugurou o gênero, as minisséries brasileiras já estavam consolidadas como produtos da Globo, e, apesar do custo elevado e de um lucro menor em função da quantidade restrita de capítulos, permaneciam na grade da emissora, que tinha como objetivo muito claro levá-las para o mercado internacional. No dia 5 de maio de 1986, estreou *Anos Dourados*, um retrato envolvente da década de 1950, assinado por Gilberto Braga.

A história de amor de Lurdinha e Marcos foi apenas o ponto de partida para mostrar as mudanças de comportamento da sociedade, a juventude mais aberta ao diálogo e as inquietações políticas, tudo isso por meio de uma impecável reconstituição de época. "*Anos Dourados* tinha uma clareza absoluta na trajetória de cada personagem, dos conservadores aos modernos, além de uma emblemática trilha sonora, perfeita em seus objetivos", analisa Mauro Alencar. A mistura de todos esses elementos culminou na maior audiência do horário até então. "Pensamento, caráter e ação em total equilíbrio e, portanto, encontrando ressonância emocional, histórica e afetiva no telespectador", completa o mestre e doutor em teledramaturgia brasileira e latino-americana.

Seis anos depois, em julho de 1992, Gilberto Braga colocou no ar *Anos Rebeldes*, um retrato da década de 1960, marcada por mais engajamento político e menos romantismo. Antes da estreia, em função da presença de Malu Mader como protagonista, muitos acreditaram se tratar de uma espécie de continuação de *Anos Dourados*. Não era. Na prática, mais um olhar sobre o comportamento humano e as transformações da sociedade. O ponto de partida também era uma história de amor, dessa vez da individualista Maria Lúcia e do engajado João Alfredo.

*Anos Rebeldes* colocou em evidência a luta clandestina de jovens para transformar a história do Brasil e tirar o país do regime militar. "A minissérie fez um paralelo interessantíssimo entre a ficção e o documentário, algo muito bem desenhado sobre um assunto que toda uma geração não tratava nem nas escolas", destaca Cássio Gabus Mendes, o protagonista dessa produção que, de certa forma, influenciou a realidade. Assim como na ficção diária da televisão, muitos adolescentes queriam mostrar que não eram alienados dos assuntos realmente importantes e foram às ruas com caras pintadas para pedir o impeachment de Fernando Collor de Mello, presidente acusado de envolvimento com falcatruas e corrupção.

Gilberto Braga nunca escondeu de ninguém as muitas referências que fez em *Anos Rebeldes* a amigos e pessoas que admirava por seu envolvimento na luta pelos direitos sociais e políticos. Também deixou muito claras passagens de sua própria vida, como o dia em que foi chamado pela censura para explicar um texto moderno e provocador em *Escrava Isaura*. Nesses seis anos que separam *Anos Dourados* e *Anos Rebeldes*, outras importantes produções foram realizadas, entre elas *O Pagador de Promessas*, *O Primo Basílio*, *A, E, I, O... Urca* e *Boca do Lixo*, primeira minissérie assinada por Silvio de Abreu e, praticamente, sua preparação para os folhetins da faixa das 20h, a principal da Globo. "Como não havia nada de comédia, foi um exercício para descobrir novas formas de solução dramática. O texto era árido e me proporcionou enxergar diferente", explica o autor. *O Sorriso do Lagarto* e *As Noivas de Copacabana* são outros importantes títulos dessa época.

A década de 1990 continuou com uma significativa produção de minisséries, mas, aos poucos, a Globo começava a reduzir a quantidade de títulos. *Sex Appeal, Agosto, Memorial de Maria Moura, Engraçadinha: Seus Amores e Seus Pecados* se destacaram até 1995. *Decadência* encerrou essa fase. O texto de Dias Gomes gerou muita polêmica, principalmente por abordar o fanatismo religioso e provocar as igrejas evangélicas. Na época, a Igreja Universal, de Edir Macedo, entrou na justiça com uma ação civil por danos morais. Na imprensa foram muitas as reportagens e críticas que destacavam um "possível plano" da Globo, que, por meio de sua dramaturgia, estaria fazendo um ataque à instituição religiosa de Macedo para minar a Record, que já anunciava seu projeto de conquistar a liderança no mercado televisivo do país.

*Decadência* também abordou a política, corrupção empresarial e a prostituição, e, em função dessa temática, exibiu algumas cenas mais fortes, com sexo e nudez. "Foram várias sequências sem roupa, o que só aumentava a repercussão", revela a atriz Ingra Liberato. Por questões financeiras, numa fase mais conturbada, no ano seguinte a emissora não produziu esse gênero de dramaturgia.

Somente em março de 1998 é que as minisséries voltaram a ocupar a grade da Globo. Dias Gomes, em colaboração com Marcílio Moraes e Ferreira Gullar, adaptou *Dona Flor e Seus Dois Maridos*, do livro homônimo de Jorge Amado. Alguns meses depois, Gloria Perez se baseou no romance de Roberto Drummond para fazer *Hilda Furacão*, que marcou a estreia de Ana Paula Arósio na emissora, ainda como artista emprestada pelo SBT. O acordo firmado com Silvio Santos previa a volta da atriz à sua antiga empresa para protagonizar teleteatros. Depois, estaria finalmente liberada de qualquer compromisso contratual.

O ano seguinte começou com a excelente *O Auto da Compadecida*, mas o grande destaque de 1999 foi mesmo *Chiquinha Gonzaga*, um texto de Lauro César Muniz que retratou toda a intensidade da vida da compositora que popularizou o samba no Brasil e escandalizou a sociedade com seus ideais de liberdade e nova postura feminina. Gabriela Duarte foi a protagonista na primeira fase, e sua mãe, Regina Duarte, ficou responsável pela personagem na fase madura, num impressionante trabalho de caracterização de envelhecimento jamais visto na televisão brasileira. "Trouxemos dos Estados Unidos David Press e seus assistentes, maquiadores especialistas nesse processo e com atuação nos filmes de Hollywood", revela Jayme Monjardim, o diretor desse trabalho.

A minissérie *A Muralha*, quarta adaptação para a televisão do livro de Dinah Silveira de Queiroz, foi um dos produtos realizados para marcar as comemorações dos 35 anos da Globo. O projeto foi assinado por Maria Adelaide Amaral, que conseguiu misturar os elementos do romance, informações históricas e ficção numa excelente minissérie, cheia de ação e belíssimas interpretações. Escalado para interpretar o bandeirante Dom Braz Olinto, Tarcísio Meira, depois de ler a sinopse, resolveu pedir à diretora Denise Saraceni a troca de seu personagem. Ele abria mão do protagonista para viver Dom Jerônimo Taveira, um homem monstruoso que quebrava definitivamente a imagem de galã construída no decorrer de sua carreira. "Foi um papel bem-feito", diz ele, com orgulho. O fato é que com esse trabalho Tarcísio Meira ganhou o Prêmio APCA na categoria melhor ator, e a minissérie foi escolhida como o grande destaque do ano. Com a desistência de Tarcísio, o papel principal ficou com Mauro Mendonça, que já havia interpretado o bandeirante na versão de 1968, na TV Excelsior. "Essa é a melhor lembrança que tenho de minha carreira", enfatiza o ator.

Apesar de concentrar os trabalhos numa cidade cenográfica erguida no Projac, *A Muralha* foi uma superprodução que exigiu muita habilidade da equipe e grande desprendimento dos atores, já que o figurino estava constantemente sujo e a maquiagem não favorecia ninguém, pois a história colocava quase todos os personagens em locais com muita terra, mato e imóveis rústicos. Para garantir maior veracidade aos cenários, caciques atuaram como consultores na construção de ocas para as gravações e índios das tribos Guarani, Xavante do Alto Xingu, Kamaiurá e Waurá atuaram como figurantes nos 51 capítulos.

Depois do sucesso de *A Muralha*, Maria Adelaide Amaral ficou praticamente como titular da faixa das minisséries. Assinou *Os Maias* em 2001, *A Casa das Sete Mulheres* em 2003, *Um Só Coração* em 2004 e *JK* em 2006. Todas com excelentes resultados em audiência. Na sequência, vieram *Queridos Amigos*; *Dalva e Herivelto, Uma Canção de Amor*; *Dercy de Verdade*, além do trabalho de supervisão em *Tudo Novo de Novo* e *Amores Roubados*. "Quando os personagens emergem de uma estrutura histórica e social, seus conflitos impulsionam a trama, que por sua vez é determinante na ação e no comportamento. É imprescindível esse envolvimento", analisa Mauro Alencar.

Ainda na primeira década de 2000, importantes e consagrados autores de novelas contribuíram com as minisséries da Globo. Em agosto de 2001, Manoel Carlos assinou *Presença de Anita*, com a estreante Mel Lisboa e muitas cenas de nudez e sexo. Além de gerar muita polêmica e repercussão na mídia, atingiu excelentes índices de audiência. Em 2002, Carlos Lombardi criou *O Quinto dos Infernos*, uma irreverente versão da história da corte portuguesa no Brasil, em que não economizou nos atores com pouca roupa e sequências com forte teor erótico. Em 2005, foi a vez de Benedito Ruy Barbosa contribuir com *Mad Maria*, uma superprodução avaliada em R$ 12 milhões sobre a construção da ferrovia Madeira-Mamoré. Mais de 400 profissionais foram deslocados para Rondônia, onde em trinta dias aconteceram as gravações de todas as externas.

Em janeiro de 2007, outro ousado e caro projeto entrou no ar, dessa vez com a assinatura de Gloria Perez. *Amazônia* tinha como ponto de partida a resistência dos seringueiros do Acre à ocupação da Bolívia, mostrando os conflitos pela terra e o surgimento do Estado Independente do Acre. A segunda fase abordou a decadência da borracha, e, a terceira, a importância de Chico Mendes, interpretado por Cássio Gabus Mendes. "Foi uma experiência única. Era um mundo que eu não conhecia e precisei me preparar para esse universo", diz o ator. A equipe ficou mais de setenta dias na região amazônica para o registro de todas as cenas externas, além das que foram realizadas em cidade cenográfica e nos estúdios do Projac.

\*\*\*

Todos acham que eu falo demais
E que eu ando bebendo demais
Que essa vida agitada
Não serve pra nada
Andar por aí
Bar em bar, bar em bar

Foi com esses versos da canção "Demais" que, no dia 5 de janeiro de 2009, entrou no ar o primeiro capítulo da minissérie *Maysa – Quando Fala o Coração*. Manoel Carlos, que havia trabalhado com a cantora durante a década de 1960 na Record, assinou o texto e a direção ficou por conta de Jayme Monjardim, filho da intérprete. "Foi um dos momentos mais felizes de minha vida, porque realizava ali o sonho de contar a história da minha mãe de uma maneira incrível e com carinho, respeito e sensibilidade", diz.

Com apenas nove capítulos, a minissérie levou ao telespectador a trajetória turbulenta da cantora, tanto no aspecto profissional quanto no pessoal. "Havia muita verdade e todos reconheceram que não escondemos nada, inclusive os momentos mais delicados ou o problema com a bebida", ressalta Jayme Monjardim. Entretanto, houve quem reclamasse da falta de referência à Record, emissora que projetou Maysa para a grande massa por meio de seus programas musicais e festivais, mas que na época da exibição da minissérie representava a maior concorrente da Globo.

*Maysa – Quando Fala o Coração* representou um importante avanço na linguagem plástica da teledramaturgia brasileira com sua aposta no requinte da imagem. Affonso Beato, diretor consagrado em Los Angeles, foi contratado pela emissora para auxiliar no desenvolvimento de um conceito de fotografia para cada cena que entrou no ar.

*Som & Fúria*, uma adaptação da série canadense *Slings And Arrows* comandada por Fernando Meirelles, foi outra importante contribuição para o avanço das minisséries no Brasil. Realizada em parceria com a O2

Produções, contou com uma intensa e detalhada preparação de elenco, algo muito parecido com o que ocorre no cinema, o que garantiu uma profundidade maior na construção dos personagens. Apesar da audiência modesta, na faixa dos 16 pontos na Grande São Paulo, recebeu muitos elogios da crítica especializada e ganhou o Troféu APCA como melhor minissérie e melhor ator para Felipe Camargo.

No final de 2009, depois de muitos desencontros nos bastidores, recusas de artistas e adiamentos da estreia, entrou no ar *Cinquentinha*, uma minissérie de Aguinaldo Silva idealizada inicialmente para ser exibida em episódios semanais. "Foi uma tentativa de trabalhar com a linguagem muito bem desenvolvida pelos americanos para os seriados de comédia", reconhece o autor, que não abandonou as novelas, mas que nos últimos anos tem se dedicado a esse formato, principalmente nos cursos ministrados durante suas Master Classes. "Sou viciado em seriados e meu sonho é só escrever esse tipo de roteiro", revela. Entretanto, como representa importantes resultados nos folhetins diários, continua produzindo para o principal horário de teledramaturgia da Globo, mas "a partir de *Senhora do Destino* a linguagem ficou híbrida", avalia o dramaturgo. A audiência não foi das melhores, mesmo porque foi exibida na reta final do ano, quando, naturalmente, há uma quantidade menor de televisores ligados.

Nos anos seguintes a Globo experimentou transformar, principalmente em janeiro, filmes nacionais em minisséries. Surgiram *O Bem-Amado, Chico Xavier, Xingu, Gonzaga – De Pai Pra Filho, Serra Pelada – A Saga do Ouro, O Tempo e o Vento* e *Tim Maia – Vale o Que Vier*. Além de dividir os longas-metragens em capítulos, eram acrescidas cenas extras e sequências descartadas na edição para o cinema, uma forma de atender o telespectador da televisão. Ao mesmo tempo, foram produzidas obras inéditas, como *O Canto da Sereia* e *Amores Roubados*, ambas de George Moura com direção de José Luiz Villamarim, *Felizes Para Sempre?*, de Euclydes Marinho com direção de Fernando Meirelles, e *Ligações Perigosas*, de Manuela Dias, que, depois de vinte anos como colaboradora, estreava como titular – entretanto, no cinema já havia assinado roteiros, entre eles *Deserto Feliz* e *A Floresta que se Move*. "Essa experiência fez da expansão do trabalho autoral para a TV algo natural", diz ela. Essa sequência de minisséries foi realizada por gente jovem, com menos vícios e atentos às novas linguagens, mas supervisionados por conceituados profissionais, como Gloria Perez e Maria Adelaide Amaral. Tratava-se de uma interessante estratégia de troca de informações entre duas gerações bem distintas de autores de conteúdo para a televisão.

Dentro do projeto de conquistar mais audiência e maior participação nos recursos publicitários, em 2010 a Record iniciou a ousada produção de minisséries baseadas na *Bíblia*, uma forma de atender aos interesses da Igreja Universal e conquistar uma plateia mais conservadora. No dia 3 de março estreou *A História de Ester*, de Vivian de Oliveira. Ao ser escalada para escrever o roteiro, seu filho estava com apenas um mês de vida. "Eu não sabia se ficava feliz ou preocupada com o convite, mas aceitei, e, mesmo sem babá, lidei muito bem com as duas novidades", recorda. No vídeo, além dos personagens bíblicos, núcleos de ficção para garantir os elementos do folhetim que atraem o telespectador. "Foi muito bem recebida pelo público, mas no começo houve certo preconceito dos atores, que achavam que seria uma pregação a favor da igreja", completa a autora.

Como primeira produção do gênero, *A História de Ester* mostrou alguns equívocos na caracterização dos personagens, principalmente com barbas e cabelos falsos que não podiam ser disfarçados no ar, e nos figurinos, problemas que foram solucionados nas outras minisséries do gênero e culminaram com um processo mais profissional na realização de novelas baseadas na *Bíblia*, inclusive com efeitos especiais muito melhores. Com dez capítulos no ar, fechou com 10,8 de média em São Paulo, o equivalente a 21% do público do horário.

Com o resultado considerado satisfatório pelo alto comando da Record, mesmo com um custo de episódio muito superior ao de um capítulo de novela, no ano seguinte foi a vez de Gustavo Reiz escrever *Sansão e Dalila*, produção com maior requinte e já sem a resistência de parte do elenco. Os 12,2 de média geral e a vice-liderança durante toda a sua exibição eram os principais motivos para derrubar de vez qualquer preconceito no mercado. O departamento de teledramaturgia da emissora já havia dado o sinal verde para sua próxima obra do gênero, *Rei Davi*, também de Vivian de Oliveira. "A produção foi antecipada, o que nos ajudou muito no texto. Descobrimos ali que poderíamos usar uma linguagem mais coloquial, que o telespectador aceitaria", ressalta a autora. Foram 30 capítulos, três vezes mais que a primeira produção do gênero, e a ampliação do share para 26%.

Praticamente sem férias, em 2013 Vivian de Oliveira estreou *José do Egito*, produção que já dava sinais claros de que esse tipo de história era prioridade na Record. A autora ganhou colaboradores, pesquisadores, muitas cenas foram gravadas no exterior e especialistas ministraram aulas sobre a cultura dos hebreus. "Todos nós já conhecíamos mais sobre o tema e havíamos desenvolvido um estilo para levar esse universo ao telespectador", conta a autora. O avanço artístico era evidente e, apesar da queda de audiência para 10,7 na Grande São Paulo, surgia ali a primeira intenção para fazer novelas baseadas na *Bíblia*.

Em 2014, diante da decisão de transformar *Os Dez Mandamentos* em novela e não mais em minissérie com até 50 capítulos, a Record apostou numa ousada trama política, em pleno ano de disputa para a Presidência da República, ainda sob o impacto das primeiras manifestações populares em São Paulo e no Rio de Janeiro. "E, apesar de toda a efervescência do momento, ninguém reclamou ou criou dificuldades, prova de que é possível abordar todos os temas em todos os momentos", diz o Marcílio Moraes. A audiência não foi animadora, apenas 3,8 de média geral na Grande São Paulo.

Diante de um telespectador cada vez mais disposto a assistir produtos de curta duração e mais conectado a outras plataformas, as emissoras de televisão, principalmente a Globo, estimulam seus profissionais a criarem cada vez mais histórias em formato de séries e seriados. Os autores mais jovens, muitos colaboradores dos veteranos das novelas, têm respondido satisfatoriamente a essa demanda e emplacaram interessantes tramas. Durante muito tempo, *Justiça* aparecerá como exemplo de algo novo na televisão. Manuela Dias contou sua história por meio de quatro olhares diferentes que se cruzavam diante do público para dar a visão por todos os ângulos da cena. "A importância do formato se dá dentro da própria minissérie, porque atende às demandas específicas do conteúdo que está sendo contado. Se a linguagem não está a serviço do que é narrado, se torna ruído", diz a escritora.

*Justiça* é algo absolutamente inovador e que aponta para o futuro não tão distante da televisão brasileira. Mesmo com tantos avanços da tecnologia, facilidades para captação de imagens e novas plataformas para o consumo de audiovisual, as boas histórias continuarão a atrair o público para telas gigantes ou pequenos displays móveis porque carregam a emoção capaz de tocar, provocar e transformar o ser humano.

### Festa do sopapo

O alto e forte José Parisi foi o tipo ideal para fazer O Falcão Negro, já um grande sucesso com Péricles Leal no Rio de Janeiro. Nas muitas cenas de briga, Parisi batia de verdade. Até que um dia ninguém mais quis contracenar com ele. Convenceram o Russo, um motorista da TV, de quase dois metros, a fazer uma ponta no seriado, ao vivo. Na primeira ameaça de Parisi, Russo disparou vários golpes não previstos no roteiro. Parisi falava: "Para! Cai pra eu poder te bater". Sem sucesso. O jeito foi interromper a cena com o intervalo comercial e a turma do "deixa disso" entrar imediatamente em ação. O programa voltou normalmente, mas já com Russo devidamente afastado do local.

# A TV do bom humor

O humor sempre teve espaço na televisão do Brasil, mas de maneira muito mais intensa no seu começo e com lugar de destaque em todos os desenhos de programação que existiram. Essa foi uma área que recorreu a grandes atores, como Ribeiro Filho, Manoel de Nóbrega, Max Nunes, Walter Stuart, Haroldo Barbosa, Oswaldo Molles, Aloysio Silva Araújo, Roberto Silveira e Chico Anysio. Todos os nomes muito conhecidos, respeitados e já consagrados por trabalhos apresentados no rádio.

Em seu primeiro dia, minutos depois de inaugurada, a TV Tupi colocou no ar o programa *TV na Taba*, com a participação de vários artistas, entre eles Mazzaropi, na oportunidade já um conhecido comediante do teatro e do circo. O cinema só passaria a fazer parte de sua vida dois anos depois.

Não por acaso, *Rancho Alegre*, um dos grandes sucessos da Rádio Tupi, criado por Dermival Costa Lima, ganhou sua versão televisiva por iniciativa de Cassiano Gabus Mendes, em 1952, contando com as participações do próprio Mazzaropi, de Geny Prado e João Restiffe. Foi o primeiro produto de humor fixo de grade, porque até então o que existia no gênero eram apenas adaptações para a TV de comédias consagradas no teatro.

A aceitação por parte do público foi tão significativa que, imediatamente após o seu lançamento, Walter Stuart teve aprovada a ideia do *Artigo do Dia*, criação e interpretação dele, ao lado da mulher, Mora Stuart, e de David Neto. Era um programa diário, que durava entre 5 e 10 minutos, baseado em um fato do cotidiano contado de maneira engraçada, quase escrachada. Foi o embrião de *A Bola do Dia*, que Stuart e David Neto vieram a apresentar depois, a partir de 1954. Os dois também estiveram à frente de outros tantos humorísticos da Tupi na mesma década de 1950, caso de *As Aventuras de Berloque Holmes*, *Grande Revista São Luiz* e *Olindo Topa Tudo*.

O programa *Olindo Topa Tudo* era feito ao vivo. Walter Stuart costumava sair com uma equipe e filmar ações que depois seriam exibidas durante o programa. Certa vez, levou um jacaré para o estúdio, que ficou amarrado junto ao cenário. Havia uma briga em cena e Olindo, personagem dele, num determinado momento, tinha de fugir pulando pela janela. Ele fez tudo direitinho, só esqueceu que o jacaré estava bem ali e caiu em cima dele. Como não havia como escapar do animal pelo estreito corredor atrás do cenário, com medo de ser mordido pelo bicho, voltou para o palco e, num improviso, desafiou seu algoz:

– Que tal uma melhor de três?

Em outra ocasião, no mesmo *Olindo Topa Tudo* transmitido ao vivo, a deixa para a entrada do intervalo era o desmaio de Walter Stuart numa cena de bar. Depois, na volta, um violeiro começaria a tocar. No entanto, bastou Stuart cair, que o músico, ansioso, já começou a tocar. A câmera mostrava o violeiro e Stuart, ao lado, "desmaiado". Mesmo assim, ele, de olhos fechados, gritou:

– Cala a boca e deixa a garota-propaganda falar!

E voltou a "desmaiar", como previsto no script.

*No Tempo da Vovó*, criação de Ribeiro Filho para interpretação de Maria Vidal, considerada uma das maiores comediantes da época, e *Alô, Doçura* foram outras duas novidades que fizeram história. Criado por Cassiano Gabus Mendes e escrito pela irmã dele, Maria Edith Mendes, *Alô, Doçura* é reconhecida como a primeira sitcom brasileira, protagonizada no começo por Eva Wilma e Mário Sérgio, substituído depois por John Herbert já no segundo ano de exibição. Também a partir de 1955, o programa passou a ser exibido na TV Tupi do Rio de Janeiro, usando os mesmos textos de Maria Edith Mendes, com direção de Maurício Sherman e interpretação de Haydée Miranda e Paulo Maurício.

Fora da Tupi, em 1954, também baseada num grande sucesso do rádio, a TV Paulista estreou *Cadeira de Barbeiro*, criado por Aloysio Silva Araújo. O italianado Papanatas, interpretado por Aloysio, em conversa com seu cliente, papel de Manoel de Nóbrega, satirizava o cotidiano social e político do país. Conta a história que expressões como "vai graxa, doutor?" e "meter a tesoura na vida de alguém" nasceram graças ao programa.

*Recruta 23*, ainda na Paulista e também de autoria de Aloysio Silva Araújo, é lembrado como o primeiro trabalho de Ronald Golias na televisão, lançado por Manoel de Nóbrega. Borges de Barros e Homem de Mello eram outros participantes fixos do programa, mas o grande sucesso, até hoje em cartaz na TV brasileira, indiscutivelmente, foi *Praça da Alegria*.

Criado por Manoel de Nóbrega – ideia que, ele confessou, surgiu durante uma viagem à Argentina –, estreou em 3 de junho de 1957. Nóbrega, tal como o frequentador daquela praça argentina, interpretava um senhor aposentado que todos os dias sentava no mesmo banco de um jardim e acabava interagindo com os personagens que por ali passavam. O programa tinha meia hora de duração e dele participavam Ronald Golias, Chocolate, Carlos Alberto de Nóbrega, Canarinho, Borges de Barros, Eloísa Mafalda, Homem de Mello, Clayton Silva. Em 1959, *Praça da Alegria* passou a ser exibido também pela TV Rio, contando com a participação de Jorge Loredo no papel do mendigo culto, personagem que, em São Paulo, era interpretado por Borges de Barros. Ao longo desses anos, o programa sempre manteve seu formato original, mas observou três mudanças de nome. Em 1977 e 1978, ainda foi ao ar como *Praça da Alegria*, na TV Globo, com apresentação de Miele, e registro de título que se mantém até hoje. *A Praça é Nossa* é seu atual título e é exibido pelo SBT.

Manoel de Nóbrega e Borges de Barros em A Praça da Alegria

No tempo da *Praça* na TV Globo decidiu-se fazer uma abertura com cenas em externas com todos os personagens. Na vez de Roni Rios e Viana Jr., ou seja, a Velha Surda e Apolônio, ficou decidido que os dois subiriam num balão. O que ninguém sabia era que Viana morria de medo de altura, só que ele, para evitar confusão, resolveu ficar quieto e enfrentar o medo. Assim foi, e ia tudo muito bem, até o momento em que o balão decolou e Viana não se segurou mais. Deu o maior chilique e quase despencou do cestinho. A produção tentou convencê-lo a ficar, mas não houve meio. Roni Rios, seu grande parceiro, e que era veterinário, tentou acalmar o amigo:
– Calma, Viana. Vamos lá. Feche os olhos e imagine que você nasceu para ser um pássaro e voar pelo ar.
– Sinto muito, meu amigo. Não vai dar. Eu nasci para ser uma minhoca e ficar grudado na terra – disse Viana, que saltou do cestinho e foi embora.
Na Bandeirantes, em 1987, o programa passou a se chamar *Praça Brasil* e foi ao ar de abril a dezembro de 1988, mas com Carlos Alberto de Nóbrega à frente por pouco menos de um mês e, daí em diante, sob o comando de Moacyr Franco. Convidado por Silvio Santos, Carlos Alberto aceitou se transferir para o SBT e apresentar A *Praça é Nossa*, que se mantém no ar até os tempos atuais.
Grandes nomes do humorismo brasileiro passaram pelo banco do programa. Golias, Jô Soares, Chocolate, Agildo Ribeiro, Consuelo Leandro, Nair Bello, Orival Pessini, Teobaldo, Roni Rios, Geraldo Alves, Canarinho, Viana Júnior, Zilda Cardoso, Luiz Pini, Dedé Santana, Borges de Barros, Homem de Mello, Mussum, Zacarias, Dedé Santana, Clayton Silva, Simplício, Ema e Walter D'Ávila e Kate Lyra são alguns desses artistas. O programa, segundo Carlos Alberto, veio contrariar o que foi quase uma norma na televisão do começo. "A *Praça* nunca foi de rádio. É um engano que muitas pessoas cometem. Foi transmitida do estúdio da Rádio Nacional de São Paulo, mas já produzida para a televisão. O que existia antes, no rádio, era o *Programa Manoel de Nóbrega*. Havia também o *Cadeira de Barbeiro* e o *PRK-30*, com Lauro Borges e Castro Barbosa", destaca.
Golias atravessou fases bem diferentes na televisão. "Desde o começo até o fim da sua vida, ele foi o mesmo do primeiro dia. Um cara muito responsável, uma pessoa de muito boa convivência e da maior lealdade", lembra Moacyr Franco. Foram várias as ocasiões em que Golias pediu para alterar o texto só para não magoar amigos e as pessoas. Para ele, o humor passava muito longe do constrangimento.

Um dia, Moacyr Franco entregou o texto final para Golias fazer a primeira leitura. Naquela noite, o quadro trocava o nome do Café Photo, uma casa noturna de São Paulo conhecida por ser frequentada por garotas de programa, por "Café Trepou". Imediatamente, Golias reagiu:

– Moa, vamos tirar isso aqui. Eu falo até com o Silvio Santos, mas nós temos que tirar isso daqui. É que as meninas de lá são todas minhas amigas.

Se era uma brincadeira ou verdade, ninguém conseguiu confirmar.

Sem a mesma longevidade, ainda na década de 1950, a TV Paulista estreou o *Miss Campeonato*, idealizado por Sérgio Porto, o Stanislaw Ponte Preta. O cenário principal era o da pensão da dona Liga, cuja sobrinha, a Miss Campeonato, era cobiçada pelos hóspedes, que representavam os times de futebol, aqueles que disputavam a série principal do campeonato paulista. Ao final da disputa, o personagem do time campeão casava-se com a miss. O programa ficou no ar de 1957 até 1965. Em seu início na televisão, a vedete Carmem Verônica foi a primeira "Miss Campeonato". Depois dela vieram Célia Coutinho, Rose Rondelli, Anilza Leoni, Irma Alvarez, Marly Marley e Luely Figueiró.

O começo da televisão, por muitos anos, sempre valorizou o humor como produto essencial de grade. *O pequeno mundo de Dom Camilo*, na TV Tupi, em São Paulo, com Otelo Zeloni no papel do padre Camilo e textos de Walter George Durst, foi um desses destaques. O programa teve outras vertentes nos anos 1960, com os títulos de *As Aventuras de Dom Camilo* e *Dom Camilo e os Cabeludos*. Assim como *Conversa de Lotação*, na Record, em 1957, criado por Oswaldo Molles. Foi a estreia de Pagano Sobrinho na televisão, trazendo a fama que já tinha conquistado no rádio no papel de um chofer de lotação em contato com diferentes tipos de passageiros.

Em 1960, Oswaldo Molles, que não tinha carro, foi contemplado com um Renault Dauphine durante sorteio na entrega do Troféu Roquette Pinto. Ele levou muito tempo para ir buscar o veículo, porque havia anos não dirigia. Antes queria praticar, e para tanto procurou os serviços de uma autoescola. Quando se sentiu confiante, foi buscar o carro, e só concordava em dar carona se o seu passageiro aceitasse não conversar durante o trajeto para não distraí-lo. Um belo dia, alguém, encafifado com aquilo, resolveu colocar esse assunto a limpo e, no meio do caminho, perguntou:

– Molles, por que você não gosta de conversar enquanto dirige?

Molles – que, embora fosse criador de humor, era um cara muito sério – mandou esta:

– Mania. No carro que antes eu dirigia nenhum passageiro falava comigo.
– Que carro era?
– Carro funerário.

\*\*\*

O *Grande Show União* foi um dos maiores sucessos da programação da Record, em São Paulo, com as participações de Nair Bello, Renato Corte Real, Irvando Luiz, Murilo Amorim Correia, Maria Tereza, Valery Martins, Valéria Luercy e Roni Rios.

*Rio, Eu Te Adoro*, lançado pela TV Rio em 1959, deu projeção a Moacyr Franco com o personagem Mendigo, que infernizava a vida do ator e comediante Iran Lima com o bordão "Me dá um dinheiro aí", que depois se transformou em sucesso do Carnaval.

Entre São Paulo e Rio, no mesmo período também foram exibidos *Folias do Golias*, na TV Paulista, com texto de Carlos Alberto de Nóbrega, e *Dona Fofoca, a Sabichona*, na Tupi, protagonizado por Maria Vidal com participação da atriz Marlene Morel, escrito por Cassiano Gabus Mendes. Assim como *Lotação Ponto 5, Sandarino de Bourbon* e *Nóbrega e Seus Bonecos*, com Manoel de Nóbrega fazendo as vezes de um ventríloquo que procurava manter a paz entre uma boneca certinha, a atriz Isaura Marques, e um boneco malandro, vivido pelo comediante Canarinho.

A utilização do videoteipe, no início dos anos 1960, alterou de forma bem significativa a produção dos programas de humor. O que antes ia ao ar ao vivo, muitas vezes na raça, valendo-se de um quase total improviso, passou a receber melhor tratamento e um trabalho mais elaborado. A TV Rio foi a primeira a se utilizar do VT para a gravação de *Só Tantã*, que depois veio a se chamar *Chico Anysio Show*, com direção de Carlos Manga. O programa passou a ser exibido também em São Paulo pela TV Excelsior, a partir da sua inauguração.

Pela primeira vez alguém na televisão tinha o atrevimento de fazer um programa praticamente sozinho, apoiado apenas por personagens criados por ele mesmo: Professor Raimundo, Quem-Quem, Coronel Limoeiro e tantos outros. A ideia foi realizar alguma coisa diferente do que já existia e fugir de um formato já consagrado por outros humoristas. Mal imaginava ele que o sucesso seria tão grande.

Chico Anysio, nascido em Maranguape, Ceará, mudou-se para o Rio com sua família em 1938, aos 7 anos de idade, e o seu começo artístico aconteceu num teste para locutor na Rádio Guanabara. Ficou em segundo lugar, perdendo para alguém que, na ocasião, usava o nome verdadeiro de Senor Abravanel. Chico, antes de tudo, sonhava em ser jogador de futebol, e nunca passou vergonha em campo, mas o rádio e a televisão entraram de maneira definitiva na sua vida. Na Mayrink Veiga, onde foi trabalhar tempos depois, teve a ideia de montar um programa baseado numa sala de aula, que levou o nome de *Escolinha do Professor Raimundo*. Como o dinheiro era curto, os alunos eram só três: João Fernandes, Zé Trindade e Afrânio Rodrigues. O início na televisão, como de muitos naquele tempo, foi na TV Rio, no programa *Aí Vem Dona Isaura*, comandado por Ema D'Ávila, justamente com essa personagem que atravessou gerações e, recentemente, foi resgatada por seu filho, Bruno Mazzeo.

Chico teve uma carreira de muito sucesso na televisão. Além da *Escolinha* e do *Chico Anysio Show*, na Excelsior antes e na Globo pelo resto da vida, ele esteve à frente de *Chico City* e *Chico Total*. Escreveu vários livros, como *O Canalha* e *Fazedores de História*. Ficou famoso também por suas célebres frases, como "quem é casado há quarenta anos com dona Maria não entende de casamento, entende de dona Maria. De casamento entendo eu, que tive seis" ou "as mulheres estão descobrindo que mulher é bom, coisa que os homens já sabem há séculos".

Chico Anysio, o grande comandante da Escolinha do Professor Raimundo

O *Noites Cariocas*, direção de Péricles do Amaral, também na TV Rio, foi outro grande sucesso do humor e reuniu em seu elenco, entre outros, nomes como Virginia Lane, Consuelo Leandro, Dercy Gonçalves, Carmem Verônica, Rose Rondelli, Renato Corte Real, Golias, Walter D'Ávila, Castrinho, Jô Soares e Chico Anysio. Foi nesse programa o lançamento do quadro da socialite milionária casada com o Oscar.

O *Noites Cariocas* foi um dos primeiros trabalhos de Castrinho na televisão, quando já havia desistido da carreira artística. "Tinha parado de fazer show em boate, quando encontrei na Avenida Atlântica alguém que tinha me assistido e perguntado por onde eu andava. Era o José Brasil, diretor da TV Rio, que mandou que eu procurasse o Wilton Franco. Fui lá, dei o nome do Zé Brasil e o Wilton me contratou", recorda. Integrou o elenco de *O Riso é o Limite*, com Tutuca, Zé Trindade, Ankito, Eva Todor e Aldo Garrido. Era um programa baseado em *O Céu é o Limite*, sucesso daquele tempo, apresentado por J. Silvestre.

Castrinho, como era praxe na televisão daquele tempo, era soldado em quartel. Tinha que fazer de tudo: interpretar, escrever, produzir e tudo o mais que aparecesse na frente.

No começo da década de 1960, as emissoras passaram a disponibilizar os seus maiores investimentos nas realizações de novelas, ainda assim preservando o espaço do humor, muito por força do reconhecido talento dos seus artistas. De igual forma, a abertura de canais de TV em outras importantes praças contribuiu de maneira bem consistente para o aparecimento de talentos locais no cenário nacional. O que antes se limitava e existia como oportunidade só em centros como São Paulo ou Rio, foi se estendendo para todo o país, estimulando uma via de mão dupla que até então não existia. Em Pernambuco, por exemplo, o comediante Barreto Júnior foi o incentivador de muitos jovens talentosos, entre eles Lúcio Mauro. "Ele foi um dos maiores humoristas deste país. Não ficou conhecido porque não trabalhou no Rio, que é onde se divulgam todas as artes brasileiras. Atuava sem maquiagem, sem pinturas, sem trejeitos. Era apenas a comunicação verbal, que fez dele um dos maiores comediantes que este país já teve", diz Lúcio Mauro. Para ele, a televisão pernambucana foi privilegiada por contar com uma gama de intelectuais, inclusive Ariano Suassuna, que atuava também nos palcos. "O teatro pernambucano me impulsionou, apesar de eu ser paraense", completa.

Foi exatamente essa vivência no circo, no teatro e no rádio que proporcionou ao telespectador o acesso a uma geração de raciocínio muito rápido e brilhante jogo de improviso. Costinha era um desses, que fazia piada do que via ao seu lado, uma forma de impressionar o público. Certo dia, na TV Excelsior, fazendo ao vivo seu programa *De Frente com Costinha*, percebeu que havia nos bastidores um pastor-alemão chamado Radar, que iria gravar o último capítulo da novela *Vidas Cruzadas*. No meio do esquete, disparou:

– Nossa, ali tem um gato!

No mesmo momento, por coincidência, Radar começou a latir, e Costinha entrou no vácuo:

– Ainda bem que eu falei em gato. Se eu falasse em veado, acho que ele ia acabar comigo.

Resultado: tomou 30 dias de suspensão.

Dercy Gonçalves é outro exemplo de profissional boa de improviso e sem papas na língua. Em agosto de 1967, *Dercy de Verdade* estreou na TV Globo com apresentação às segundas-feiras, substituindo o *Dercy Comédias*. Com direção de Jorge Loredo, a atriz realizava um grande show de variedades, com atrações musicais e entrevistas que fugiam do comum. Saiu do ar em 1969, por determinação da censura.

Assim como as novelas, os programas de humor passaram a ser rigorosamente fiscalizados pelos censores de Brasília. Um período complicado, mas, ainda assim, em 1967, dia 25 de março, a TV Record estreou *Família Trapo*, considerado até hoje um dos maiores sucessos do gênero na televisão brasileira e que deu origem a outros tantos formatos com as mesmas características. Os textos eram assinados por Carlos Alberto de Nóbrega e Jô Soares, e no elenco estavam Otelo Zeloni, Renata Fronzi, Golias, Cidinha Campos, Sonia Ribeiro e Renato Corte Real. "Era o *crème de la crème*. Eu e o Carlos Alberto escrevíamos o programa, ideia que partiu do Tuta para reunir Golias e Zeloni no mesmo cenário. Dava, em média, umas 18 ou 20 cenas por programa, que eram divididas entre nós e que se encaixavam direitinho", diz Jô.

Mesmo existindo um texto como linha central, as improvisações eram frequentes e sempre se ajustavam, como se já fizessem parte do combinado e ensaiado. O cenário era dividido em dois andares, e certa noite Golias resolveu descer do segundo para o primeiro usando um poste de bombeiro que havia ali. Com o seu peso, o poste arrebentou e ele despencou de uma altura de quase quatro metros, caiu de pé, como se nada tivesse acontecido, e disse sua fala seguinte. O humorista estava preparado para acidentes desse tipo.

Antes de entrar definitivamente para a televisão, Golias trabalhou numa funilaria e também como alfaiate. Nessa época, atuou como aqualouco no Tietê, um clube tradicional da cidade, que há poucos anos deixou de existir.

Golias não aprontava só nos palcos ou nos bastidores. A sua vida sempre foi marcada pelo bom humor e uma certa dose de "irresponsabilidade". Certo dia, ele e Jô Soares resolveram tomar um café no bar que ficava próximo ao Teatro Record, na Consolação. No trajeto, passaram por uma tinturaria e um paletó na vitrine chamou sua atenção. O humorista não pensou duas vezes e entrou no estabelecimento.

– Quanto custa este casaco?

– Ah, seu Golias, eu não posso vender. Veio pra lavar e o dono vem pegar.

Golias insistiu tanto que queria comprar a peça que convenceu o tintureiro a ligar para o dono do paletó.

– Golias, que prazer, como está? – disse o cliente do outro lado da linha.

– Bem, e você? Tô querendo comprar seu paletó.

Sem deixar que o homem respondesse, emendou:

– Quanto você quer nele? Dá o preço, que eu compro.

Lisonjeado por ter falado pessoalmente com Golias, o dono da vestimenta deu a ele o paletó, sem cobrar um centavo. "Ele adorava fazer essas coisas. E, quando gostava de algo, pedia. Eu, Jô, 80 números maior, também dei um blazer para ele, que ficava largo, claro, mas que Golias usava sem problemas."

Golias, mesmo com o passar do tempo e até os últimos momentos de vida, nunca mudou suas características. Independente do tempo que fizesse, frio ou calor, usava short, preferencialmente preto, tênis sem meia e camisa branca de manga comprida. E sempre tinha na mão uma sacola de plástico, dessas que os supermercados distribuem, para carregar seus pertences, entre documentos e dinheiro. No SBT, todos os dias, ele ia ao posto do Bradesco verificar seu saldo e fazer seus depósitos. Um gerente sempre era destacado para primeiro desamassar as notas e depois conferir o valor.

Durante o tempo em que ficou no ar, cerca de quatro anos, com apresentações semanais e inéditas, *Família Trapo* sempre foi recordista de audiência.

Jô Soares estreou na Globo como redator e ator no *Faça Humor, Não Faça Guerra*, título baseado no slogan hippie da época, inspirado no conflito do Vietnã, que se arrastou até 1975. Com direção de João Loredo e Carlos Alberto Loffler, contava ainda com Max Nunes, Haroldo Barbosa e Renato Corte Real na equipe de redatores. Depois desse programa, a emissora produziu e apresentou, sempre nas noites de segunda-feira, *Satiricom, Planeta dos Homens* e *Viva o Gordo*, em que Capitão Gay, Zé da Galera, Gardelón, Dalva Mascarenhas, Vovó Naná, Reizinho, Aninha, do programa de culinária, entre outros, garantiam as gargalhadas do telespectador. Em sua transferência para o SBT, em 1988, Jô levou com ele Max Nunes, Hilton Marques e o diretor Willem van Weerelt, e *Viva o Gordo* foi transformado em *Veja o Gordo*.

Em todos esses programas, na Globo antes e no SBT depois, Jô sempre reuniu elencos numerosos, com destaque para as participações de Paulo Silvino, Berta Loran, Luiz Orioni, Milton Carneiro, Maria Cristina Nunes, Álvaro Aguiar, Sandra Bréa, José Vasconcellos, Renata Fronzi, Eliezer Motta e Miele.

Miele, quando foi procurado pelos autores deste livro, disse que sua passagem no humor foi tão inesperada quanto tantas outras em sua carreira: "Essa coisa toda foi muito acidental, era sempre um quebra-galho. Eu nunca me preparei para nada, nem para ser humorista, nem para ser diretor, nem para ser produtor". E, na oportunidade, terminou dizendo que até aquele dia cantava em seus shows, para o completo desespero de alguns críticos.

Outro grande sucesso foi *Balança Mas não Cai*, que a TV Globo adaptou do rádio para a televisão, criado por Max Nunes e Haroldo Barbosa. Tinha em sua equipe de redatores nomes como Antônio Fonseca, Ary Leite, Emanoel Rodrigues, Geraldo Alves, Glauco Ferreira, Irvando Luís, Max Nunes, Paulo Silvino, Roberto Silveira e Wilson Vaz, com direção de Paulo Celestino, Milton Gonçalves e Lúcio Mauro, recheado de esquetes e alguns quadros fixos, como "Primo Pobre e Primo Rico", "Fernandinho e Ofélia" e "Lelé & Dacuca". No elenco, Brandão Filho, Paulo Gracindo, Sônia Mamede, Colé, Elias Gleizer, Paulo Silvino, Tutuca, Ferrugem, Zezé Macedo, Chico Anysio e Castrinho. A apresentação era de Augusto César Vannucci.

Um dos maiores redatores de humor, Wilson Vaz será sempre lembrado pela vez em que – nos anos 1960 – vendeu mil piadas para Manoel de Nóbrega. Os textos foram considerados excelentes e tinham todos os elementos para o sucesso e fixação na memória do público. Porém, mal sabia Nóbrega que Wilson vendera as mesmas mil piadas para Chico Anysio, Renato Corte Real e Arnaud Rodrigues. E o detalhe é que todos os compradores trabalhavam na mesma emissora, inclusive ele, na Record. Na prática, não havia exclusividade para ninguém.

Usando como modelo um seriado de grande sucesso da televisão americana, *All in The Family*, Roberto Freire criou *A Grande Família*, que a TV Globo estreou em 1972. Exibida em 112 episódios em sua primeira fase, com textos de Max Nunes e Oduvaldo Vianna Filho, tinha no elenco Eloísa Mafalda, Jorge Dória, Djenane Machado antes e Maria Cristina Nunes depois, Osmar Prado, Luiz Armando Queiroz, Paulo Araújo e Brandão Filho.

Alda Leiner e Denise Bandeira entraram posteriormente, enquanto Milton Gonçalves e Paulo Afonso Grisolli se revezaram na direção.

Na primeira fase, *A Grande Família* ficou no ar até 1975, para voltar em 2001, tendo no elenco principal Marieta Severo, Marco Nanini, Pedro Cardoso, Guta Stresser, Tonico Pereira, Lúcio Mauro Filho, Evandro Mesquita, Marcos Oliveira e Vinícius Moreno, com Mauro Mendonça Filho, Maurício Farias e Luiz Felipe Sá revezando-se na direção. Saiu definitivamente do ar em setembro de 2014, com 489 episódios exibidos. Dessa vez, o programa foi escrito por Cláudio Paiva, Adriana Falcão, Bernardo Guilherme, Bíbi Da Pieve, Cláudio Gonzaga, Paulo Cursino, Mariana Mesquita, Cláudia Jouvin, Maurício Rizzo, Mauro Wilson, Marcelo Gonçalves, Max Mallmann e Pedro Cardoso.

***

Wilton Franco, por muitos anos reconhecido como um dos diretores mais importantes da televisão brasileira, criador de programas de diversos gêneros, um belo dia teve a ideia de juntar quatro figuras de diferentes áreas de atuação e chamar esse grupo de *Os Adoráveis Trapalhões*. O mais desconhecido de todos, até então, era um jovem comediante cearense, advogado por formação, com rápidas passagens em programas da Excelsior e da Tupi, depois do seu começo na TV Verdes Mares, de Fortaleza. O nome dele: Renato Aragão. O lutador de luta livre Ted Boy Marino e os cantores Ivon Curi e Wanderley Cardoso, como figuras já consagradas, naturalmente eram as maiores apostas para o programa cair imediatamente na simpatia do telespectador.

O fim da Excelsior e os compromissos artísticos de cada um sempre foram um impedimento para dar ao programa um ritmo regular de gravações e acabaram por apressar o seu fim. Mas foi na Record, em 1973, com o título de *Os Insociáveis,* que a sua formação de maior sucesso começou a ser montada. O segredo era o baixo custo de produção. Nada mais que um cenário e alguns objetos de cena, quase sempre destruídos em cada gravação. Dedé Santana, com quem Renato já tinha feito a dupla "Dedé e Didi", foi o primeiro a ser lembrado. Depois dele, Antônio Carlos Bernardes Gomes, o Mussum, um dos integrantes do "Originais do Samba", um conjunto de sucesso que se destacava, além da boa música, pelo estampado das roupas e muito samba no pé em todas as apresentações.

Dedé, que já conhecia Mussum, ficou encarregado de fazer o contato e convencê-lo de que uma coisa em nada iria interferir na outra. Ao contrário, sua transformação em comediante daria maior visibilidade e popularidade ao conjunto musical. Algo que, de fato, durante alguns anos acabou sendo verdade, ou foi acontecendo até o momento em que ele, Mussum, não conseguiu mais conciliar as duas atividades. "Ele não queria vir de jeito nenhum. Eu sabia que tinha jeito para o humor. Sempre acompanhava o show dos Originais do Samba e ele era engraçado. Mas achava que era só um tocador de reco-reco. Só depois de muito tempo, de muita conversa, ele concordou em fazer", lembra Dedé. "Dois programas foram suficientes para ele tomar conta do pedaço", completa o humorista. Aos três, na mudança para a Tupi, logo no ano seguinte e já com o nome de Os Trapalhões, se juntou Mauro Faccio Gonçalves, o Zacarias, que todos conheciam de passagens pela Excelsior e da própria Record.

O argentino Tito de Miglio assumiu a direção do programa, trabalhando com uma equipe pequena. Eram só dois produtores, Eltron Seyssel e Flávio Amaral, com textos de Mario Wilson e Carlos Alberto de Nóbrega. Foi um sucesso impressionante, a ponto de se tornar recordista de audiência no horário e despertar o interesse de todas as outras TVs, em especial a mais importante delas. Poucas vezes a televisão viveu um drama tão intenso em seus bastidores como foi a contratação de Os Trapalhões pela TV Globo, em março de 1977.

Convencidos pelos empresários Sérgio Murad, o Beto Carrero, e Roberto Mendonça, os quatro – Didi, Dedé, Mussum e Zacarias – resolveram comunicar sua saída à Tupi depois de já terem assinado com a concorrente. O inconformismo tomou conta dos diretores da emissora de São Paulo, inclusive a ponto de usarem todos os mecanismos jurídicos para impedir algo que já havia se consumado. Os comediantes, devidamente orientados pelos seus advogados, ficaram incomunicáveis durante alguns dias para evitar declarações que pudessem complicar ainda mais aquele tumultuado momento, sem saber, ao mesmo tempo, se todo aquele sacrifício iria valer a pena. Era grande o questionamento a respeito de como seria a adaptação deles, com toda a chanchada que os caracterizava, numa programação que fazia questão de manter, com rigores e a qualquer custo, o seu padrão de qualidade.

A estreia do programa se deu aos poucos, primeiro em forma de dois especiais, exibidos em janeiro e fevereiro, para só a partir de 13 de março de 1977 se estabelecer como atração fixa dos domingos, às 19h.

O sucesso na televisão era tanto, que os Trapalhões resolveram se apresentar no Circo Bartolo. No final do espetáculo era sempre uma zorra danada, porque todos queriam autógrafos do quarteto. Com isso, eles não tinham tempo nem de fazer uma refeição entre uma sessão e outra. Malandro, Maurinho, o Zacarias, percebeu que a solução era sair do camarim sem a sua até então inseparável peruca, como único jeito de não ser reconhecido. Não é que deu certo? Ao contrário dos companheiros, ele passava tranquilo pela multidão, comia e voltava sem grandes transtornos e sem ser reconhecido por ninguém. Isso até o belo dia em que um garoto olhou bem para aquele sujeito carequinha e gritou:

– Olha lá o Zacarias disfarçado de careca!

Foi uma correria danada atrás dele, que acabou ficando sem a refeição.

O sucesso só foi crescendo com o passar dos anos. Programas comemorativos a cada aniversário de Os Trapalhões foram levados ao ar na Globo, inclusive com a participação de outras ilustres figuras do elenco da emissora. No entanto, também com o desenrolar do tempo, a relação entre os quatro, aos poucos, foi se deteriorando. Existiam críticas dos outros três à maneira de Renato se colocar como líder do grupo, negociar separadamente o seu contrato e sempre reservar para ele as partes mais importantes ou engraçadas do programa. Em 1983 veio o rompimento.

Dedé, Mussum e Zacarias criaram uma empresa própria, a Demuza, que a partir daquele momento passou a tratar de seus negócios, enquanto Renato continuou com o programa, auxiliado pelos comediantes que até então faziam o elenco de apoio, entre eles Carlos Kurt, Roberto Guilherme e Tião Macalé. A separação durou um ano. Em março de 1984, amizades restabelecidas, o programa voltou ao ar, reunindo novamente os quatro integrantes, todos vestidos de branco, em sinal de paz, apresentados por Chico Anysio.

A morte de Zacarias em 1990 e a de Mussum quatro anos depois foram golpes que não deixaram Os Trapalhões resistir por muito tempo. O programa deixou de ser transmitido em agosto de 1995. Três anos depois, Renato Aragão voltou aos domingos da Globo, mas na faixa do meio-dia, com A Turma do Didi e um elenco muito variado, que se renovou o tempo todo até sair do ar, definitivamente, em 2010. Eliezer Motta, André Segatti, Kleber Bambam, Marcelo Augusto, Rodrigo Sant'Anna, Edson Cordeiro, Dedé Santana e Luís Salém atuaram nessa fase.

Excelentes e inovadores programas de humor surgiram na televisão com a necessidade urgente de substituir algumas das atrações mais consagradas. Na mudança de Jô Soares para o SBT, em 1988, a TV Globo passou a exibir filmes nas noites de segunda-feira, criando o Tela Quente, até hoje em cartaz.

O *TV Pirata* foi o seu substituto indireto, porque, em vez das segundas, ia ao ar às terças-feiras. Criado por Guel Arraes e Cláudio Paiva, valia-se de uma equipe de redatores que tinha nomes como Mauro Rasi, Luis Fernando Verissimo, Felipe Pinheiro, Patrycya Travassos, Vicente Pereira e Pedro Cardoso. Houve também o suporte de profissionais que chamavam a atenção nas publicações *Casseta Popular* e *O Planeta Diário*. Hélio de la Peña, Beto Silva, Marcelo Madureira, Bussunda e Cláudio Manoel contribuíram com o texto. No elenco, só nomes consagrados da televisão. Entre os principais, Claudia Raia, Antonio Calloni, Otávio Augusto, Débora Bloch, Denise Fraga, Diogo Vilela, Louise Cardoso, Guilherme Karam, Luiz Fernando Guimarães, Cristina Pereira, Marco Nanini, Ney Latorraca, Regina Casé, Marisa Orth, Maria Zilda Bethlem e Pedro Paulo Rangel. Na direção, José Lavigne, Carlos Magalhães, Guel Arraes. O *TV Pirata* ficou no ar até 1992, quando foi substituído por *Casseta & Planeta, Urgente!*.

No começo, o *Casseta* fazia parte de uma programação de especiais que eram exibidos na *Terça Nobre*. O lema "jornalismo-mentira e humorismo-verdade" foi obedecido do começo ao fim em 2010, parodiando assuntos do cotidiano, até mesmo produtos da própria Globo, inclusive as suas novelas, sempre destacando a fictícia Organizações Tabajara. Aliás, por causa disso, tamanha foi a repercussão que a Universidade Tabajara, no Rio Grande do Sul, se viu obrigada a mudar de nome.

Além de Hélio de la Peña, Beto Silva, Marcelo Madureira, Reinaldo, Hubert, Bussunda e Cláudio Manoel, o programa contava com uma apresentadora que interagia o tempo todo com eles. Começou com Kátia Maranhão, que deu lugar a Maria Paula, em 1994. Luana Piovani e Cláudia Rodrigues também chegaram a participar do programa, substituindo a titular em sua licença-maternidade.

As histórias na vida dos "Cassetas" foram muitas, como esta contada no site Memória Globo:

Em maio de 2001, a Câmara dos Deputados reclamou com a Globo de um quadro exibido no *Casseta & Planeta, Urgente!*. No quadro em questão, os humoristas se faziam passar por deputados que paravam motoristas de carro nas ruas e ofereciam seus votos em troca de dinheiro, numa abordagem semelhante à dos garotos de programa. No final, uma prostituta reagia com indignação quando perguntada se era deputada.

Os integrantes do *Casseta & Planeta* divulgaram uma nota em que se diziam surpresos ao saberem, pela imprensa, da ameaça do presidente da Câmara dos Deputados de processá-los por causa de uma piada em um programa de televisão. A nota dizia: "Em nenhum momento tivemos a intenção de ofender deputados ou prostitutas. O objetivo da piada era somente comparar duas categorias profissionais que aceitam dinheiro para mudar de posição. Não vemos nenhum problema em ceder espaço para o direito de resposta dos deputados. Pelo contrário, consideramos o quadro muito adequado e condizente com a linha do programa. Caso decidam pelo direito de resposta, informamos que nossas gravações ocorrem às segundas-feiras, o que obrigará os deputados a 'interromper seu descanso'". A Câmara dos Deputados, no entanto, não levou adiante as ameaças de interpelação judicial.

O grande golpe sofrido, durante os 18 anos em que o *Casseta* se manteve em cartaz, foi a morte de Bussunda, na Alemanha, durante a Copa do Mundo de Futebol de 2006.

\*\*\*

Na história do humor na televisão, poucos produtos se igualam ao que a *Escolinha do Professor Raimundo* representou, desde a sua criação por Haroldo Barbosa em 1952, na Rádio Mayrink Veiga do Rio de Janeiro, depois na televisão, na TV Rio, em 1957, como um quadro do programa *Noites Cariocas*, e depois na TV Globo, integrada a *Chico City* e *Chico Anysio Show*. Entre 1990 e 1995 ocupou a grade com episódios diários e, em 2001, voltou como especial em temporadas unindo o Canal Viva e a Globo. Para Cininha de Paula, sobrinha de Chico e diretora dos programas, "os personagens da *Escolinha* partiam da escolha oportuna com que Chico Anysio passava a vida em revista. E, como ele gostava da metalinguagem, da surpresa do texto e porque não tinha auditório, o público eram os próprios participantes". Como um, de fato, não sabia do texto do outro, havia sempre o fator surpresa, que acabava divertindo a todos. Marcos Plonka, falecido em 2011, dez anos depois de o programa ter saído do ar, era o judeu Samuel Blaustein, "o que fazia qualquer negócio". Depois de tantos trabalhos em novelas da Globo e na Tupi, ele dizia que tinha encontrado na *Escolinha* uma maneira de trabalhar das mais prazerosas.

Outras tantas escolinhas vieram a existir tempos depois, produzidas por Gugu Liberato e exibidas na Record, mas a *Escolinha do Golias*, no SBT, foi outra a fazer grande sucesso em suas três temporadas, levadas ao ar entre os anos de 1990 e 1997. Carlos Alberto de Nóbrega escrevia e fazia o professor, com Golias, Nair Bello e Consuelo Leandro como alunos na sua melhor fase.

Foi um programa que em tantas outras ocasiões foi reprisado pelo SBT para suprir necessidades da sua grade.

Chico Anysio lançou muitos nomes que até hoje estão na televisão e sempre fez questão de manter os profissionais mais velhos, mesmo garantindo espaço para revelar talentos. Em 1989, Antônio José Rodrigues Cavalcante, ou simplesmente Tom Cavalcante, um ex-revisor de texto, locutor de rádio e apresentador de telejornal da TV Verdes Mares, de Fortaleza, fez seu primeiro trabalho na Globo.

Tom Cavalcante teve como referência dois conterrâneos, Chico Anysio e Renato Aragão. Em 1982, aos 20 anos, quando ainda era locutor da FM 93, saiu de Fortaleza num Bandeirantes, voo de instrução militar da FAB, com destino ao Rio de Janeiro. Os tempos eram muito difíceis. Da base aérea do Galeão, na Ilha do Governador, foi se hospedar naquela noite na casa do amigo cearense, Inácio, em Niterói. Na manhã do dia seguinte, cara e coragem, bateu na porta da Globo, no Jardim Botânico, para tentar ser recebido por Chico. Sonhar, pensava ele, não custa nada. Foi um plantão de cinco dias, inútil, porque Chico não gravava nos estúdios do Jardim Botânico, mas na Cinédia. Voltou para Fortaleza, triste por não ter encontrado o Chico, mas feliz por ter recebido um bom-dia do grande Sérgio Chapelin. Nesse ano, depois de aprender o caminho, teve a certeza de que aquele era o seu lugar.

"Corta a cena, entremeada de passagens que dariam um filme, dez anos após a primeira viagem, no dia 12 de outubro, estreio na *Escolinha do Professor Raimundo* como João Canabrava, o Sóbrio, numa aposta visionária do mestre Chico", narra Tom Cavalcante a recordação de um marco em sua vida. Foi um período em que ele e o programa fizeram grande sucesso, até que um dia veio a separação.

A saída de Canabrava da *Escolinha*, embora desde o começo existissem rumores de uma briga, só foi esclarecida muito tempo depois, na única oportunidade que um deles teve de resolver falar do assunto. Num programa de Hebe Camargo, gravado na casa dela, Tom contou que toda a vida, desde que chegou à Globo, foi tratado como um filho por Chico Anysio. "Ele me adotou. E, graças a isso, eu consegui compartilhar meu trabalho com artistas como Grande Otelo, Walter D'Ávila, Costinha e Brandão Filho. Houve um desentendimento entre pai e filho por causa do convite que recebi do Daniel Filho e do Boni para fazer o *Sai de Baixo*", revela o humorista. A paz foi restabelecida com *Chico.Tom*, espetáculo de teatro que durante todo o ano de 2008 correu diversas cidades, cada um fazendo uma apresentação solo de 40 minutos, e os dois se juntando no palco na parte final.

*Sai de Baixo* mostrava o cotidiano de uma família, contado em forma de uma peça de teatro, com um roteiro guia e sempre aberto para os diferentes ou inesperados improvisos. As gravações, duas sessões do mesmo episódio, aconteciam no Teatro Procópio Ferreira, em São Paulo, com as participações de Marisa Orth, Aracy Balabanian, Ary Fontoura, Cláudia Jimenez, Luís Gustavo, Miguel Falabella, Luiz Carlos Tourinho, Ilana Kaplan e Márcia Cabrita, além de receber costumeiramente convidados importantes, como Milton Nascimento, Rita Lee e vários atores, entre eles Francisco Cuoco, Lima Duarte, Laura Cardoso, Dercy Gonçalves e Arlete Salles.

Foi um grande sucesso da Globo entre 1996 e 2002, com exibição aos domingos depois do *Fantástico*. Tom Cavalcante admite que, a respeito do que esse programa representou, só se deu conta agora. "É maior do que eu imaginava e só pude constatar isso agora, assistindo com calma aos episódios pelo Viva. Uma sinergia nascida e reverberada ao Brasil da união de vários talentos. Uma efeméride para os anais da Comédia Nacional. Se traduzido, ganharia a América Latina como um *Chaves*", diz ele.

No SBT, entre 1999 e 2000, foi exibida a série *Ô... Coitado!*, estrelada por Gorete Milagres no papel da empregada Filomena, cujo bordão "ô, coitado!" já era sucesso em sua participação em *A Praça é Nossa*. Dirigido por Guto Franco, o programa contava com a participação de Moacyr Franco como coprotagonista no papel de Steve Formoso, o patrão de Filomena. Partiu dele a ideia de produzir a série *Meu Cunhado*, no ar às quartas-feiras e domingos, e de convencer Golias a ressuscitar o personagem Bronco. "Foi a última coisa que o Golias fez. E foi com muito brilho", ressalta Moacyr.

Filomena, personagem de Gorete Milagres

Certa vez, Moacyr Franco encontrou o publicitário Roberto Duailibi num restaurante e conversaram rapidamente sobre televisão. No final do papo, o especialista em propaganda falou:

– Quero que você avise lá no SBT que eu considerava o programa *Agente 86* o melhor texto de televisão de humor que eu já tinha visto e agora eu acho que é *Meu Cunhado*.

Moacyr retornou para sua casa com a mesma sensação de ganhar uma premiação. Um texto popular, mas de qualidade, aprovado pelo dono de uma das maiores agências de publicidade do país.

No mesmo ano, 1999, a TV Globo estreou *Zorra Total* nas noites de sábado, em formato de esquetes, reunindo humoristas de várias gerações. O programa, além de trazer de volta *A Escolinha do Professor Raimundo* e o personagem Alberto Roberto, ambos com Chico Anysio, se caracterizou por fazer um remake de personagens que entraram para a história do humor brasileiro. Foram os casos de Saraiva (versão de Francisco Milani para o original de Ary Leite), o homem da intolerância zero; Santinha e Epitáfio (versão de Nair Bello e Rogério Cardoso para o original, de Nair Bello e Renato Corte Real) e o casal Fernandinho e Ofélia (versão de Lúcio Mauro e Cláudia Rodrigues para o original também de Lúcio Mauro e Sônia Mamede). Também apresentou novidades, como Pit Bicha e Pit Bitoca (Tom Cavalcante e Heitor Martins); Severino (Paulo Silvino), o assistente de TV "cara-crachá"; Leozinho (Nelson Freitas), o marido sempre traído por Márcia (Maria Clara Gueiros); Lady Kate (Katiuscia Kanoro); a excêntrica Gislaine (Fabiana Karla); os caras de pau (Marcius Melhem e Leandro Hassum); e Valéria Bandida (Rodrigo Sant'Anna).

Mais recentemente, em maio de 2015, o programa passou por uma grande reformulação, que atingiu até o seu título – simplificou-se para *Zorra* –, e também trocou seus quadros tradicionais por um novo formato, com edição ágil e piadas mais ácidas. O programa foi premiado com o Emmy Internacional.

O *Pânico na TV*, no mesmo trajeto dos primeiros humorísticos, foi um sucesso do rádio que veio para a televisão. Sucesso da Jovem Pan, estreou na Rede TV! em 23 de setembro de 2003, ancorado por Emílio Surita, como no rádio, e com as participações de Márvio Lúcio, o Carioca, Sabrina Sato, Wellington Muniz, Rodrigo Scarpa e Marcos Chiesa, o Bola, no elenco principal. Um dos seus primeiros sucessos foi o quadro "Sandálias da Humildade", maneira de atormentar alguém que a produção do programa considerasse inatingível, antipático e esnobe. Entre as principais "vítimas", Daniela Cicarelli, Luana Piovani, Luiza Tomé, Carolina Dieckmann e Clodovil, esses dois últimos os casos mais marcantes.

Clodovil, que na ocasião era contratado da mesma Rede TV!, em várias ocasiões ameaçou abandonar o seu programa das tardes na emissora porque não suportava a brincadeira e a perseguição que sofria do *Pânico*. Quase toda segunda-feira, ao abrir seu vespertino, rebatia com acidez o que os humoristas haviam levado ao ar na noite anterior. Carolina Dieckmann, como caso mais grave, teve atendida na justiça uma reivindicação que proibia a citação do seu nome no programa e qualquer tipo de aproximação ou abordagem dos humoristas. Também como grandes destaques dos primórdios do programa, a imitação de Amaury Júnior feita por Carioca, e a dupla Vesgo e Silvio entrevistando convidados de grandes festas em São Paulo e no Rio de Janeiro.

O *Pânico* foi criado para levar ao rádio a discussão dos mais variados assuntos, mas foi o humor e a irreverência que chamaram a atenção do ouvinte. Com o tempo, as gravações disponibilizadas na internet passaram a registrar um número elevado de acessos. "Era o melhor resultado do portal Terra", lembra Surita. Numa das reuniões entre os sócios no projeto, o próprio Emílio e Antônio Augusto Amaral de Carvalho Filho, o Tutinha, a ideia da televisão surgiu naturalmente.

– Emílio, vamos colocar esse programa na TV? – disparou Tutinha.

A ideia progrediu e um primeiro roteiro foi realizado. "Gravamos um pilotinho e fomos nas emissoras. Todas! Até que o Amilcare e o Marcelo se interessaram e ofereceram o horário das 6 da tarde do domingo. Eu pensei comigo: entre Gugu e Faustão? Ferrou!", diverte-se o apresentador.

Com apenas um patrocinador garantido, o humorístico entrou no ar. No início a dificuldade era conseguir convidados, então, desse problema surgiram o Vesgo, Silvio e uma espécie de Amaury Júnior maluco, para mostrar gente famosa no programa. "Ou seja, da escola do rádio veio o jeito de improvisar. É aquele negócio de 'não deixar buraco no ar'. E, como sempre gostamos muito de experimentar, funcionou", diz Surita. "Tem um time comprometido e criativo. E é feito com paixão", completa.

O *Pânico*, desde o rádio, se caracterizou por brincar com tudo e com todos. Tornaram-se históricas as imitações de Carioca ligando para a casa de pessoas como Manoel Carlos, Paulo Henrique Amorim e Malu Mader, imitando a voz do narrador Silvio Luiz. O formato é definido por Emílio Surita como "genuinamente brasileiro, com aquele jeito moleque de brincar com os costumes e diferenças da nossa cultura".

O *Pânico na TV* foi apresentado até dezembro de 2011 na Rede TV!. Nos meses de janeiro e fevereiro ainda foram ao ar algumas reprises, com os melhores momentos do ano anterior, até que em 1º de abril de 2012 estreou

Pânico na TV

na Bandeirantes, também nas noites de domingo, mas com o título de *Pânico na Band*. O elenco original do programa sofreu mudanças ao longo dos tempos, perdendo algumas das suas peças mais importantes, como Sabrina Sato e Wellington Muniz, mas permitindo a entrada de outras, como Eduardo Sterblitch, Daniel Zukerman, Evandro Santo, Guilherme Santana, Mari Gonzalez, Vinícius Vieira e Carlos Alberto Silva. Da mesma forma, também foram frequentes as trocas de bailarinas, conhecidas como paniquetes.

***

No dia 17 de março de 2008, em um contrato de parceria com a produtora Cuatro Cabezas, a Band estreou *Custe o que Custar (CQC)*, nas noites de segunda-feira, baseado no *Caiga quien Caiga*, criado por Diego Guebel e Mario Pergolini, sucesso da televisão argentina desde 1995.

Os trabalhos do *CQC* começaram muito antes do seu lançamento e a participação de Marcelo Tas, desde o primeiro dia, sempre foi muito direta. "Entrei no programa em novembro de 2007 para ajudar a implantar o formato. Antes do *CQC*, a segunda-feira era o dia mais micado da TV. Depois, passou a ser um dos mais disputados. O desafio do *CQC* me deu a oportunidade de reinventar a minha carreira na televisão. Tenho consciência de que o programa revelou talentos preciosos e virou uma referência para o jornalismo e o humor brasileiros", diz o humorista. Curiosamente, a mesma mistura de humor e jornalismo marcou sua estreia na televisão, na pele do repórter ficcional Ernesto Varela, na TV Gazeta de São Paulo.

Além de Tas, Rafinha Bastos e Marco Luque foram escolhidos como apresentadores, movimentando um grupo de repórteres, inicialmente formado por Danilo Gentili, Rafael Cortez e Felipe Andreoli, que se destacavam pela coragem de perguntar e se colocar diante de diferentes entrevistados e situações. A eles, em diferentes fases, juntaram-se Monica Iozzi, Oscar Filho, Maurício Meirelles, Guga Noblat, Ronald Rios, Dani Calabresa, Juliano Dip e Erick Krominski. Também houve mudanças na bancada, com a saída de Rafinha Bastos, Oscar Filho e Marcelo Tas, por último, dando lugar a Dan Stulbach como âncora. O programa foi apresentado até 21 de dezembro de 2015.

Nos últimos anos, paralelamente ao avanço das plataformas digitais, uma nova geração de humoristas passou a dominar a comédia nacional, fazendo uso de uma linguagem mais moderna e uma abordagem sempre direcionada para o público de internet. Muitos desses artistas fazem enorme sucesso nas mídias sociais, com plateia cativa.

Enquanto os humoristas mais antigos tinham como objetivo atingir a grande massa por meio da televisão aberta, os novos já trabalham com a tendência de segmentação, que ganhou força com o advento dos canais disponibilizados pela era da internet. Isso significa que apesar de Rafinha Bastos, por exemplo, nunca chegar à liderança de audiência na TV aberta, ele sempre teve grande influência em razão da projeção nas mídias sociais. Outro ponto significativo é que a TV aberta já percebeu a importância do humorista multiplataforma e passou a investir nele como forma de rejuvenescer e acertar na abordagem de temas que possam sensibilizar e atingir um novo tipo de telespectador.

A MTV, uma emissora jovem, foi bem-sucedida em direcionar sua programação para a geração mais conectada à internet. Lá, humoristas como Marcelo Adnet e Dani Calabresa ganharam destaque nacional, muito deles também como roteiristas.

Comediantes como Rafinha Bastos, Danilo Gentili e Fábio Porchat também fazem o chamado stand-up, um tipo de comédia que se resume, entre outras coisas, a divertir suas plateias sozinho, em pé, sem caracterizações, sem cenários, modelo mais disseminado nos Estados Unidos.

Mesmo conservando talentos de muitos anos em seus programas, a televisão sempre se manteve aberta à renovação de valores no campo do humor. "Parece presunçoso e prepotente da minha parte falar isso, mas eu tenho certeza que o Porta dos Fundos modificou a televisão", diz Fábio Porchat, atualmente à frente de um talk show na Record e de um programa no Multishow, além de campanhas publicitárias e produções cinematográficas. "O *Tá no Ar* é uma resposta ao Porta dos Fundos. O *Zorra* mudou porque a televisão percebeu que o humor não era mais aquele que estava sendo feito", completa o humorista.

O começo de Porchat foi na Globo, como roteirista de programas, entre eles *Zorra Total, Tudo Junto e Misturado* e *Esquenta*. Ganhou notoriedade nacional no Porta dos Fundos, canal de vídeos na internet, trabalhando com um grupo formado por Clarice Falcão, Gregorio Duvivier, Antonio Tabet, Gabriel Totoro, Letícia Lima, Marcos Veras, Marcus Majella, Rafael Infante, Luis Lobianco e Júlia Rabello.

Foram várias as propostas que recebeu para ter um programa próprio na TV aberta. Só em agosto de 2016 ele aceitou o desafio de apresentar um talk show na Record. Hoje artista consagrado, Porchat confessa que o seu ingresso na carreira artística se deu por puro acaso, até por ser algo que nunca tinha cogitado na vida. "Eu nunca quis ser ator, nunca quis ir para a TV. Fiz curso de teatro na escola e só com 16 anos comecei a filmar com os meus amigos as brincadeiras. Só de onda, nada sério. Um belo dia, já com 18 anos, fui assistir à gravação do *Programa do Jô* e aí pedi para ir lá na frente fazer uma imitação de *Os Normais*. O Jô deixou. Meio nervoso, claro, mas a plateia começou a reagir, a banda começou a dar risada e o Jô também. As pessoas foram rindo, rindo, rindo, e nesse momento assim eu meio que saí do corpo. A ficha caiu: 'Caramba! É isso que eu quero fazer. Eu quero fazer as pessoas darem risada'".

Dani Calabresa, paulista de São Bernardo do Campo, teve passagens pelo *Pânico*, na Rede TV!, e pelo *Sem Controle*, do SBT, antes dos quatro anos na MTV, destacando-se em programas como *Furo MTV, Furfles MTV, Infortúnio, Comédia MTV* e *Verão de Casal*. Em dezembro de 2012 foi contratada pela Bandeirantes e depois de dois anos acertou seu ingresso na Globo, para integrar o elenco do novo *Zorra*. Já Marcelo Adnet, seu então marido, sempre se destacou pela versatilidade, desde o começo, em participações rápidas em programas e numa novela da Globo, *Pé na Jaca*, até fazer a série *Mandrake*, da HBO, e participar de episódios de *Cilada*, no Multishow. Estreou na MTV em 2009, emissora em que, em pouco tempo, se transformou na estrela principal. Na Globo desde 2013, encabeçou o elenco da série *O Dentista Mascarado* e passou a apresentar *Tá no Ar: a TV na TV* e *Adnight*, como programas de temporada.

# Babá eletrônica: a TV das apresentadoras infantis

Assim que a televisão brasileira entrou no ar, os diretores da TV Tupi perceberam quanto era importante contemplar na grade diária o segmento infantojuvenil. Mesmo sem poder de consumo, as crianças precisavam desenvolver o gosto de assistir ao novo veículo de comunicação e, assim, garantir a plateia nas décadas seguintes, transmitindo esse costume para as gerações que viriam depois.

Assim como os demais gêneros de programação, a linha infantil na TV foi derivada dos sucessos que o rádio apresentava diariamente. Ainda em setembro de 1950, nos dias seguintes à inauguração da TV Tupi, entrou no ar *Gurilândia*, com a mesma equipe do *Clube do Papai Noel*, produzido por Francisco Dorce e Homero Silva para a Rádio Tupi de São Paulo. No elenco, o destaque era uma garotinha esperta capaz de cantar, interpretar e comandar os mais diferentes quadros. "Me comparavam à Shirley Temple", recorda Sonia Maria Dorce. No vídeo, um pouco de tudo, mas a nítida preocupação com conteúdo, principalmente em contribuir para passar alguns ensinamentos, apresentar histórias interessantes e falar sobre literatura.

Da mesma forma, no Rio de Janeiro, alguns meses após iniciar suas transmissões, a TV Tupi passou a exibir *Gurilândia*, que, alguns meses depois, trocou o nome para *Clube do Guri*. Em seu comando, o popular Collid Filho, que levava ao telespectador os mais variados quadros, entre eles concursos de talentos e apresentações musicais. Wanderléa, Rosemary, Leny Andrade e Elisângela são apenas algumas artistas reveladas no infantil do Canal 6. Sucesso absoluto, a atração ficou no ar até 1976, alguns anos antes da falência da TV de Assis Chateaubriand.

Nos primeiros anos da televisão no Brasil, tudo era transmitido ao vivo e os teleteatros eram considerados a melhor forma de preencher os diversos horários da grade, inclusive a faixa destinada às crianças. Enquanto esteve no ar, o *Teatrinho Troll* exibiu mais de 400 peças clássicas. Nessa área, a TV Tupi contava com o trabalho da autora Tatiana Belinky e do diretor Júlio Gouveia, responsáveis pela primeira adaptação para a televisão do *Sítio do Picapau Amarelo*, de Monteiro Lobato, e da pioneira novela *Poliana*.

Os circos também inspiraram os primeiros programas de televisão destinados à garotada. Em 1953, alguns meses após iniciar suas operações, a TV Paulista estreou o *Circo do Arrelia*, com o imortal Waldemar Seyssel, palhaço que atravessou o tempo e marcou a infância de muitas gerações. O sucesso foi imediato e o picadeiro se transferiu para a TV Record, inicialmente nas noites de quarta-feira e depois aos domingos, em que permaneceu até o fim da década de 1960. A emissora da família Machado de Carvalho produziu outras atrações do gênero, entre elas a *Grande Gincana Kibon*.

O mais bem-sucedido infantil das primeiras duas décadas da televisão brasileira surgiu da constatação dos diretores da Kibon de que as vendas aumentavam cada vez que a empresa patrocinava alguma atração voltada às crianças. Por isso, os executivos levaram aos diretores do Canal 7 de São Paulo a proposta de um programa semanal com muitas atividades físicas para promover os sorvetes da empresa. Vicente Leporace e Clarice Amaral ficaram por longos 14 anos à frente da *Grande Gincana Kibon*, promovendo competições, números musicais e disputas de calouros. Durval de Souza e Cidinha Campos apresentaram o programa nos dois últimos anos da atração, entre 1969 e 1971.

Essa estratégia de associar o nome dos patrocinadores aos programas ganhou força nas duas primeiras décadas da TV no Brasil e também foi adotada na linha infantojuvenil, o que, de certa maneira, contribuiu para a permanência no ar de muitas atrações mais educativas. Ao mesmo tempo, no decorrer dos anos 1960, os publicitários já não tinham mais dúvidas de que as crianças também formavam um interessante contingente de consumidores. Não tinham dinheiro, mas eram determinadas em convencer os pais quando desejavam ter aquilo que apareceu na televisão. Além disso, garantiam altos índices de audiência para programas de auditório e séries criadas especialmente para elas, como *Capitão 7* (Record), *Capitão Aza* (Tupi) e *Capitão Furacão* (Globo).

A TV Excelsior também buscou atender esse segmento em sua moderna grade, que aliava os conceitos e técnicas de horizontalidade e verticalidade de conteúdo. As atrações infantis ocupavam as primeiras horas do dia e esquentavam a audiência para o que viria depois, no famoso "efeito cascata". "Fiz muito teatrinho dirigido pelo Vicente Sesso", recorda Claudete Troiano, que começou sua carreira na emissora com apenas 7 anos de idade. Depois, já com 13 anos, foi para a TV Bandeirantes, em que comandou o vespertino diário *Tic Tac*. "Eu tinha um foguete e as meninas que me auxiliavam vestiam roupas de soldadinho de chumbo", recorda a apresentadora. No final da tarde, uma das crianças no estúdio era escolhida para entrar no equipamento junto com a equipe. A cena lembra o *Xou da Xuxa*, sucesso entre 1986 e 1992, mas aconteceu muito tempo antes, em 1969.

Na década de 1970, com a Tupi já enfraquecida por mais um agravamento da crise na emissora, o fechamento da Excelsior e a situação difícil da Record, somente a Globo investiu numa linha mais consistente voltada para as crianças. Surgiram *Vila Sésamo*, *TV Globinho* (jornal com dois minutos de duração) e uma nova versão do *Sítio do Picapau Amarelo*, a que ficou mais conhecida e se transformou em referência quando se fala em adaptação da obra de Monteiro Lobato. A Bandeirantes, diante do prejuízo do incêndio que sofreu, administrou o que tinha no ar e a recém-inaugurada TV Gazeta propôs novos formatos, contratando Claudete Troiano para essa linha. As demais emissoras apostavam em desenhos e enlatados dublados, entre eles o *Clube do Mickey*, uma produção da Disney gravada em seus parques para promover no mundo inteiro seus personagens e centros de entretenimento.

Foi somente em meados dos anos 1980, depois de um longo período com investimentos pesados em dramaturgia diária, que a Globo resolveu dar mais atenção à sua linha infantil. O aporte se mostrava necessário, porque a recém-chegada TV Manchete já se movimentava nesse sentido e Silvio Santos iniciava as operações de sua televisão, dedicando bom espaço a animações e atrações para a garotada, entre elas o Bozo.

Com a inauguração da TVS Rio de Janeiro, Canal 11, Silvio Santos queria em sua linha infantil dar continuidade ao *Clube do Mickey*, programa que atingia resultados interessantes na extinta TV Tupi e mexia com o imaginário das crianças que não tinham condições de conhecer os famosos parques dos Estados Unidos. Entretanto, Ricky Medeiros, conselheiro artístico do empresário, não gostava do formato desenvolvido pela Disney, e, durante uma reunião, convenceu todos os diretores de que a solução estava nas memórias de sua infância.

– Vamos conseguir algo muito melhor – disse o conselheiro.

– Mas eu quero os desenhos da Disney – retrucou Silvio Santos.

– Silvio, quando eu era menino, havia um palhaço com cabelo vermelho que fazia a alegria da molecada. É isso que teremos!

Naquele momento, Silvio Santos lembrou que, numa de suas viagens aos Estados Unidos, tinha visto no aeroporto a imagem daquele personagem associada a produtos voltados às crianças. A compra do *Clube do Mickey* foi desconsiderada e Ricky Medeiros iniciou uma grande pesquisa para adquirir os direitos do Bozo. "O problema é que ele estava fora do ar há anos porque os Estados Unidos proibiram apresentadores infantis de fazer merchandising", destaca Medeiros. Com o sim de Larry Harmon, o detentor dos direitos de imagem do Bozo, que, inclusive, escolheu Wandeko Pipoca para interpretar o palhaço, o programa estreou no dia 15 de setembro de 1980, com transmissão simultânea pela TVS do Rio e pela TV Record de São Paulo, emissora da qual o empresário possuía 50% das ações.

A audiência do Bozo foi crescendo mês após mês, assim como seu espaço na grade do SBT. A atração chegou a ocupar quase oito horas diárias, divididas em dois blocos, e a ter versões locais para atender às necessidades regionais da rede que Silvio Santos começava a montar. Aos poucos, outros personagens foram criados para ajudar a sustentar o longo programa, que mesclava desenhos animados e brincadeiras no palco e por meio de telefonemas. Aliás, por ser ao vivo, foi um verdadeiro celeiro de imprevistos e saias-justas provocadas durante as participações dos telespectadores. Foram onze anos praticamente seguidos no ar.

Na manhã de 7 de março de 1983, a Globo estreava seu mais novo programa infantil, o *Balão Mágico*, com os cantores do grupo de mesmo nome. A pequena Simony encantava a todos com seu talento, e ao seu lado estava Fofão, do saudoso Orival Pessini. Depois, integraram o elenco Cascatinha, interpretado por Castrinho, e as crianças Tob, Mike e Jairzinho, que chamou atenção dos produtores ao participar do clipe de "Io e Te", interpretado por seu pai, o cantor Jair Rodrigues.

Com espaço diário na grade matinal, o *Balão Mágico* exigia um esquema especial para que os estudos dos integrantes não fossem prejudicados, além da necessidade de atender aos shows em várias cidades brasileiras. "Viajávamos muito para apresentações em grandes estádios sempre lotados", recorda Castrinho, que conviveu com essa molecada durante cinco anos. Por isso, as gravações aconteciam sempre às quartas e quintas, nos estúdios da Globo localizados na Praça Marechal Deodoro, no centro de São Paulo. Os trabalhos começavam por volta das 14h e se estendiam até o início da madrugada, tempo suficiente para gravar cenas para serem exibidas por uma semana. "Era uma rotina superpuxada e não havia, como nos dias atuais, equipe especializada para apoio, como psicólogos, nutricionistas ou professores", lembra Jair Oliveira. Os próprios produtores se encarregavam de auxiliar o elenco no que fosse possível, desde que a ajuda no estudo, uma orientação para a alimentação ou um conselho não prejudicasse o bom andamento da equipe.

Além dos episódios diários, o *Balão Mágico* sempre estava escalado para os especiais de fim de ano, momentos em que, além de atender o público infantojuvenil, precisava conversar com os adultos do horário nobre. Nessas ocasiões, a direção geral passava para Augusto César Vannucci, responsável pelos diversos musicais realizados pela Globo. "E, independente de ser criança ou não, ele tratava todo mundo igual, com a mesma rispidez e cobrança", recorda Jair Oliveira, que não precisou de muito tempo para perceber que a ordem ali era a concentração e a entrega total. "Como eu era tímido, ficou nítido que eu não estava no clima da música e levei um esporro na frente de todos", conta. O que parecia ser uma grande indelicadeza de um adulto para com um menor de idade serviu como lição, tanto que, a partir dali, Jairzinho passou a ser um dos mais presentes nos clipes.

O *Balão Mágico* marcou sua geração, mas saiu do ar para dar lugar ao *Xou da Xuxa*, com a apresentadora revelada na TV Manchete e que daria início a uma nova era dos programas infantis da televisão brasileira.

No início dos anos 1980, Xuxa era apenas a modelo Maria da Graça Meneghel, que começava a despontar na carreira por meio de ensaios de moda e sensuais, figuração em programas de televisão e atuação no cinema. Ninguém imaginava que aquela garota de 20 anos de idade entraria para a história do maior veículo de comunicação do país e estabeleceria um novo marco para um dos segmentos mais importantes da programação. Certo dia, enquanto visitava a TV Manchete para divulgar a capa de uma revista voltada ao público masculino, recebeu o inusitado convite para comandar um programa infantil. "O Maurício Sherman me chamou, disse que eu tinha uma coisa de Peter Pan, Marilyn Monroe e o sorriso da Doris Day e fez a proposta para o *Clube da Criança*", recorda a eterna Rainha dos Baixinhos. O fato é que Xuxa estreou num formato pouco conhecido da televisão brasileira, em que a apresentadora não utilizava linguagem infantil, muito menos adotava postura de um adulto mandando nas crianças e comandava brincadeiras no palco. "Não existia nada parecido na época. Era tudo novo. Um caminho só meu", diz. Apesar da contratação de uma nova artista e do investimento para colocar no ar o programa, o *Clube da Criança* possuía uma estrutura muito simples, a começar pelo cenário, que remetia a um playground. "Não tinha ajudante de palco nem figurinista e a equipe de produção era bem enxuta", lembra Xuxa, que, em vários momentos, foi obrigada a organizar as brincadeiras, conter as crianças, dar broncas no ar e pedir ajuda à própria plateia.

O *Clube da Criança* não precisou de muito tempo para conquistar audiência, atrair anunciantes e se transformar numa plataforma para vender produtos direcionados à garotada, como discos, revistas e álbuns. "A TV Manchete já estava com problemas sérios e o assédio a Xuxa seria inevitável", pondera Elmo Francfort. No final de 1985, quase que diariamente, Mário Lúcio Vaz tentava convencê-la a mudar de emissora. "Ele ficava sentado na porta da emissora esperando eu passar e todo dia dizia que estava na hora de ir para a Globo", lembra a apresentadora.

As negociações foram abertas e Xuxa teve todas as suas exigências imediatamente aceitas por Boni. Troca de cenários e figurinos periodicamente, gravar tudo num dia só, dar presentes para as crianças e um horário fixo nas manhãs. Não houve nada que ele recusasse. Só não concordou que o programa tivesse o nome dela, exigência de que ela também não abria mão. Estava estabelecido o impasse, que durou alguns meses, até que um belo dia Boni ligou com uma sugestão:

– Pode ser "Xou da Xuxa"? Mas tem que ser assim, na língua do X. Você topa?

Xuxa Meneghel topou. Isso em maio de 1986. O contrato foi fechado e sua chegada à nova emissora foi anunciada como a de uma grande estrela. O projeto foi desenvolvido para que a estreia do novo programa atendesse todas as expectativas do público e se tornasse uma referência no segmento infantojuvenil. No dia 30 de junho de 1986, pontualmente às 8 horas da manhã, uma nova nave descia na televisão brasileira.

*Amiguinha Xuxa é hora de brincar*
*Estamos esperando só você chegar*
*A felicidade se fantasiou em amor [...]*

O novo infantil da Globo era totalmente inspirado no conteúdo da atração que Xuxa comandava na TV Manchete, mas com uma qualidade muito superior de acabamento e cenografia, além de contar com desenhos animados mais populares. Agora, a apresentadora não ficava mais sozinha no palco. Além das Paquitas, suas assistentes, outros personagens foram criados, surgindo um universo infantil que será lembrado por muitos anos, tamanho seu poder de influenciar toda uma geração de telespectadores. A audiência respondeu imediatamente e o *Xou da Xuxa* se transformou num dos maiores faturamentos da Globo, com diversas ações de merchandising, licenciamento de produtos, venda de discos e publicações. "Senti uma cobrança absurda quando me vi dando altos índices, pois as pessoas começaram a me ver como uma estrela e não mais como apresentadora", revela Xuxa. As diferenças não paravam por aí. "A Manchete era a minha casa, onde fazia o que queria. Na Globo, era a empresa cheia de regras que precisavam ser seguidas", completa.

Mais cedo ou mais tarde, Xuxa deixaria sua primeira emissora para ingressar no time da principal rede de televisão do país. Foi assim com vários outros artistas, principalmente apresentadores. Até há pouco tempo, a Globo não formava seus grandes comunicadores, mas buscava nas concorrentes os melhores profissionais. O fato é que ela chegou à grande vitrine na hora certa, conquistou seus fãs e se tornou a Rainha dos Baixinhos. "Eu trabalhava como uma louca e comecei a perceber que tudo o que vestia as pessoas copiavam, as palavras que usava entravam para o vocabulário das crianças e o que eu fazia virava notícia", analisa a apresentadora. "O apelido surgiu naturalmente", completa.

Estava estabelecida uma nova fase na televisão brasileira: a era das apresentadoras infantis, uma vez que as concorrentes da Globo também apostaram no formato e buscaram suas estrelas para um segmento que faturava alto, sem nenhum tipo de restrição às estratégias da publicidade. O estímulo ao consumo acontecia nos tradicionais intervalos comerciais, nos merchandisings e até mesmo na premiação das brincadeiras, sempre com os lançamentos de uma indústria repleta de produtos para meninas e meninos.

No dia 6 de abril de 1987 foi a vez de o SBT colocar no ar a sua versão de programa infantil comandado por uma apresentadora. Se Xuxa ocupava toda a parte da manhã, a nova aposta da emissora seria exibida à tarde, para não disputar a mesma plateia. Mara, que já havia passado por *Sessão Premiada*, *O Povo na TV* e *TV Pow*, além do júri do *Show de Calouros*, foi a escolhida por Silvio Santos para integrar o projeto. A jovem baiana já tinha experiência nesse segmento, afinal, em Salvador, havia atuado no *Parquinho – Um Sonho de Criança* e no *Clube do Mickey*, com direito a uniforme, patins e boné com orelhas do personagem central da Disney. "Aí, resolvi ir para o Rio de Janeiro atrás de uma oportunidade como cantora, quando surgiu a possibilidade de atuar na equipe de *O Povo na TV*", recorda Mara.

No entanto, a responsabilidade agora era muito maior. Mara estava numa rede nacional à frente de um programa criado pelo próprio dono da empresa. "Ele acompanhou tudo muito de perto, incluindo o desenvolvimento do cenário e a seleção dos desenhos animados. Foi também o responsável pelo título, *Show Maravilha*", conta a apresentadora. *Show Maravilha* não tinha uma nave espacial, mas um trenzinho que, depois de passar por um arco--íris, chegava ao palco com todo o elenco, incluindo os assistentes de palco, os Marotos, as borboletas e o Banana.

Assim como na concorrência, o *Show Maravilha* misturava brincadeiras no palco, desenhos animados, concursos de talento e números musicais. "Lançamos bandas e cantoras e contamos com muita gente famosa, porque o programa registrava alta audiência e todos queriam passar por lá", destaca Mara. Os bons resultados levaram a mídia a fazer comparações com Xuxa. De um lado, a loira; do outro, a morena. A rivalidade entre as duas foi imediatamente criada e alimentada nas revistas especializadas no mundo dos famosos. "Era aquela fofoca na mídia, mas, na medida do possível, desenvolvemos uma amizade", conta a apresentadora. A Globo nunca liberou sua estrela para aparecer na concorrente, mas permitiu que a artista do SBT divulgasse seu CD no *Xou da Xuxa*. "Eu estava lançando o álbum com a música 'Não Faz Mal' e fui ao programa. A Marlene, com aquele jeito dela, gerou uma pressão maior, mas a Xuxa foi super-receptiva", recorda.

Praticamente dois meses após a estreia de *Show Maravilha*, em junho, o SBT colocou no ar o *Oradukapeta*, comandado por Sérgio Mallandro. Apresentada pela manhã e, portanto, concorrente direta de Xuxa Meneghel, a nova atração tinha uma pegada mais irreverente, com quadros como

"Goleiro Mallandrovsky", uma competição de pênaltis, e "Porta dos Desesperados", excelente sátira à "Porta da Esperança". No ano seguinte, em agosto de 1988, mais um investimento no setor, com o *Dó Ré Mi Fá Sol Lá Simony*. Esse foi um período em que a programação infantil dominou a maior parte da grade do SBT. Às 7h30 entrava Sérgio Mallandro, seguido, a partir das 10h30, por Simony, que entregava o horário para o Bozo. À tarde, Mara Maravilha encerrava essa faixa dedicada às crianças, somando pouco mais de dez horas no ar.

Também foi em 1987 que Angélica, aos 14 anos de idade, depois de uma passagem pelo *Nave da Fantasia*, despontou como apresentadora infantil na TV Manchete. Ela assumiu o comando do *Clube da Criança*, resgatando o prestígio da atração que um dia esteve nas mãos de Xuxa, a agora Rainha dos Baixinhos. Camila Pitanga, Giovanna Antonelli e Juliana Silveira, hoje entre as principais intérpretes de novelas no país, atuaram como suas assistentes de palco. Não precisou de muito tempo para a audiência responder e a repercussão levar a jovem a ganhar mais espaço com o musical *Milk Shake*. Mas a emissora começou a agonizar financeiramente e não conseguiu impedir que seu jovem talento se transferisse para o SBT. Na TV de Silvio Santos, durante quase quatro anos, liderou o diário *Casa da Angélica*, acumulando também a apresentação de *Passa ou Repassa* e *TV Animal*, sempre com bons resultados, o que a levou para a Globo, em setembro de 1996.

Na contramão da Globo e do SBT e mais alinhada com a preocupação educativa da TV Cultura, em São Paulo, que apresentava o *Bambalalão*, a TV Bandeirantes apostou em dois formatos diferenciados para a sua linha infantil. Primeiro, em 1986, *TV Fofão*, com o personagem criado por Orival Pessini – em sua pauta, além de desenhos animados, quadros de humor e com conteúdo artístico. Depois, com estreia no dia 6 de julho de 1987, o *ZYB Bom*, comandado por seis pré-adolescentes. Rodrigo Faro, Aretha Marcos, Rafael Vannucci, Samanta Monteiro, Jefferson e Juliana se revezavam em números musicais, interação com o público, pequenos esquetes, desafios de lógica, piadas e utilização de sucata nas brincadeiras. A direção era de Augusto César Vannucci, o que explica a alta qualidade e a sofisticação no acabamento dos clipes exibidos quase que diariamente. "Era tudo ao vivo, e ele, sempre rigoroso com todos nós", lembra Faro.

*ZYB Bom* ficou no ar por um ano e meio, sempre com resultados de audiência considerados satisfatórios para o padrão da TV Bandeirantes. Entretanto, mesmo sendo exibido às 16h, longe do confronto com Xuxa, enfrentava a concorrência dos programas de auditório infantis do SBT. O relativo sucesso transformou a vida daqueles jovens, que, além de cumprirem com todas as obrigações escolares, incluindo a manutenção de notas acima da média, tinham agenda de eventos apertada. Rodrigo Faro, por exemplo, participava de campanhas publicitárias da indústria de alimentos e de brinquedos, o que garantia um rendimento extra no fim do mês. No âmbito pessoal, toda essa exposição tinha aspectos positivos e negativos. Na escola, era alvo de chacota dos meninos. "Tinha piada pronta com cada produto que anunciava e me chamavam de veado porque usava maquiagem na TV, mas entre as garotas fazia sucesso porque aparecia na televisão", diverte-se o apresentador, diante de algo tão contraditório. "Mas, no fundo, todo mundo queria ser meu amigo", completa.

Disposto a tirar a liderança de Xuxa Meneghel, no início de 1989, o SBT promoveu alguns ajustes em sua linha infantil e criou uma atração para Simony com o próprio nome da artista. Também contratou Mariane, que já despontava como cantora, para comandar o *Dó Ré Mi Fá Sol Lá Si*. A linha editorial não foi alterada, mas os números de audiência subiram. "Com isso, em pouco tempo ganhei um programa com meu nome, novo cenário, mais desenhos e reforços na equipe e no elenco de palco", recorda a apresentadora. "Competia diretamente com a Rainha dos Baixinhos e achava saudável isso, porque nos esforçávamos para fazer o melhor", completa.

Em pouco tempo, Mariane se firmou no seleto grupo das apresentadoras infantis, e, apesar da crise financeira que o SBT atravessou, vendo-se obrigado a reduzir o quadro de funcionários, permaneceu no ar até setembro de 1991, quando foi demitida por cortar os cabelos no estilo "joãozinho" sem autorização do alto comando da emissora. "Como toda adolescente, tive meu momento de rebeldia e paguei por isso. Só depois, anos mais tarde, pude entender que eu era um produto e que eu não poderia ter alterado aquela imagem", analisa.

Em 1991, ainda de olho no potencial financeiro da linha infantojuvenil, Silvio Santos resolveu apostar numa jovem cantora para comandar o *Festolândia*, atração diária exibida no final das manhãs com um conteúdo mais educativo e muitas referências à literatura universal. Eliana estava no *Qual é a Música?* com o grupo Banana Split, quando o dono do SBT fez a proposta que mudou o rumo de sua carreira. Contrato assinado, apenas um teste de vídeo e em quatro meses a tão desejada estreia. Mas o retorno não foi o esperado para um projeto com cenários elaborados, figurinos para vários personagens e elenco grande. Era tudo muito caro, o que levou a emissora a cancelar a exibição. "Foi tudo muito triste, a primeira vez que me decepcionei com as pessoas, que mudaram de comportamento quando veio o anúncio do término do programa", lembra a apresentadora.

Os próximos capítulos dessa história são conhecidos do grande público. Eliana convenceu Silvio Santos a mantê-la no ar, mesmo com um programa barato e simples, e viu uma nova oportunidade surgir com a chegada de Nilton Travesso ao comando artístico do SBT. "Ele percebeu que eu poderia oferecer muito mais, uma vez que, além de chamar os desenhos, até os merchandisings realizava, com apenas um banquinho diante de um fundo infinito onde eram projetados os desenhos dos papéis de carta que eu colecionava", lembra. "A Xuxa descia de uma nave, a Mara chegava de trem, a Angélica possuía uma linda casa, e eu, apenas a parede verde", completa a apresentadora, com humor.

Chamada para a primeira reunião com o novo diretor artístico, Eliana entrou na sala crente de que seria demitida, afinal, "toda vez que tem mudança nos cargos mais elevados, alguém dança", ri. Mas não foi o que aconteceu.

– Menina, você tem algum problema nas pernas?

– Não, não, senhor! – respondeu a jovem, receosa, sem compreender a brincadeira.

– Então por que você fica lá escondida?

Eliana explicou tudo o que havia acontecido desde que fora chamada por Silvio Santos após sua participação no *Qual é a Música?* e ouviu a promessa de que sua situação mudaria em breve. E foi o que aconteceu. Cenários foram desenvolvidos, figurino pensado em detalhes e um símbolo criado para essa nova fase: um chapeuzinho de praia que toda criança utiliza para se proteger do sol e brincar à vontade.

Eliana ficou à frente do *Bom Dia & Cia.* por longos quatro anos, sempre com resultados comerciais acima das expectativas. Em pouco tempo, se transformou numa das apresentadoras com mais licenciamentos de produtos no segmento infantojuvenil. Em 1997, seu nome foi para o título do programa e, um ano depois, foi contratada a peso de ouro pela Record para ser a grande estrela da emissora nessa área. "Cheguei para materializar o sonho de fazer um programa educativo de ponta a ponta. Contratei o Fernando Gomes, criador do *Cocoricó*, para desenvolver os bonecos e ajudar a criar esse conteúdo qualificado", recorda. O problema é que essa produção mais sofisticada exigia muito tempo de gravação. "Ficávamos até as duas da madrugada no estúdio, mas, apesar de todo o esforço, não surtiu efeito", completa.

Com o objetivo claro de se estabelecer na linha infantojuvenil para atender ao projeto "A Caminho da Liderança", a Record não mediu esforços com o programa de Eliana. Parte da equipe foi trocada e o diretor José Amâncio foi escalado para a nova fase. "Como gastávamos muito dinheiro com as horas extras, determinaram que passaríamos a fazer ao vivo, o que sempre é um risco, principalmente com a naturalidade das crianças", destaca a apresentadora. E não precisou de muito tempo para surgirem as piadas de duplo sentido ou com algum palavrão. "Desenvolvi um grande jogo de cintura. Não adiantava tentar esconder. Eu dava risada e dizia para aquele menino não repetir aquilo na TV", completa.

Eliana permaneceu à frente de atrações infantis na Record até o final de 2004, quando os executivos da emissora apontaram a necessidade de mudança de público. Nessa época, com um cenário econômico mais equilibrado e uma classe C atuante como consumidora, inclusive da TV por assinatura, parte significativa da faixa infantil passou a assistir às animações e atrações dos canais distribuídos pela TV fechada. "O formato se esgotou porque a mídia mudou. Pouco a pouco, a conectividade se instalou e, com a globalização, crianças do Brasil assistem ao mesmo que as chinesas por meio da TV, computador ou celular", analisa Mariane. Além disso, foram criadas várias restrições para a publicidade direcionada às crianças, diminuindo significativamente a rentabilidade desse segmento.

No auge da era das apresentadoras infantis, emissoras e profissionais lucraram muito com as ações desenvolvidas pelas agências de publicidade para atingir um consumidor muito bem determinado e facilmente influenciável. Os espaços dos intervalos comerciais ou para merchandising eram valorizados e aceitavam de tudo, sem nenhuma preocupação, inclusive quanto à linguagem adotada. Apesar de um mundo lúdico e colorido no vídeo, nos bastidores a realidade era outra: puro negócio capitalista. "Eu tinha consciência de que toda emissora é uma empresa e, como tal, precisa fazer dinheiro. Às vezes, ficava triste em pensar que havia crianças que gostariam de ter aquele brinquedo, mas não conseguiriam comprar", reconhece Mariane. "Por isso, evitei fazer muita coisa relacionada a alimentação", diz Eliana, que também tinha certa preocupação com a qualidade dos produtos e os riscos que poderiam oferecer a quem comprasse.

De certa maneira, todas as grandes apresentadoras infantis que despontaram na televisão brasileira entre os anos 1980 e 1990 deixaram esse segmento após um período de transição. Na própria Globo, Xuxa comandou atrações para adolescentes e público familiar e atualmente, na Record, ocupa o horário nobre para falar com adultos. "Muitos gostam do sensacionalismo, que dá resultado rápido, mas não sei fazer isso. Eu quero é verdade, divertir e me emocionar para contar histórias de pessoas e realizar sonhos", diz a eterna Rainha dos Baixinhos. Angélica passou por games e atualmente está à frente do *Estrelas*. Eliana foi para a linha dominical em 2005 com o *Tudo é Possível* e, depois, migrou para o SBT, no confronto direto com Rodrigo Faro e Fausto Silva.

O sucesso desse formato de programa de auditório com crianças no palco conduzido por apresentadoras foi exportado para outros países. A fama de Xuxa chegou ao exterior, inicialmente por meio de reportagens publicadas em veículos de grande credibilidade, como *The New York Times* e *New York Magazine*, que destacavam o estrondoso espaço conquistado na televisão brasileira e seu avanço na América Latina. Em maio de 1991, *El Show de Xuxa* estreou no canal Telefe e, imediatamente, explodiu em audiência, superando em muito os resultados brasileiros. "A Argentina foi um lindo presente, porque as leis do país permitiam que até bebês entrassem no estúdio", lembra Xuxa. O convite para comandar um infantil no país vizinho surgiu com a repercussão de seus shows no Paraguai, uma vez que a imagem da Globo chegava às cidades fronteiriças. "Tive aulas particulares durante dois meses. A professora me seguia em todos os lugares para que eu dominasse a língua espanhola", recorda a apresentadora.

*El Show de Xuxa* foi exibido no período da tarde e seguiu um esquema de produção muito semelhante ao da Globo, inclusive com os mesmos elementos cenográficos e gravações concentradas em poucos dias para atender a sua agenda internacional. A repercussão foi tão grande que, em questão de meses, o programa passou a ser exibido em outros países da América Latina. No ano seguinte, a nave da apresentadora chegou à Espanha. *Xuxa Park* estreou no Tele 5 e seguiu uma trajetória de bons resultados e boa repercussão na mídia. "A estrutura à disposição era muito maior do que a da Globo e pudemos fazer uma excelente temporada", diz. Em 1993, o passo mais importante. "Surgiu o convite do Channel Family e lá fui eu para Hollywood. Passei um perrengue por causa da língua, foi difícil, mas gratificante", diz a apresentadora. O programa *Xuxa* em inglês foi retransmitido para mais de 100 emissoras nos Estados Unidos, incluindo a CBD e a ABC Family, além de sua venda para mais de 120 países.

Mara Maravilha também trabalhou na Argentina. Em 1994, a apresentadora assinou com a CBA, uma emissora com sede em Mar del Plata. A proposta internacional chegou no momento em que Mara atravessava uma forte depressão. "A fama trazia um vazio muito grande e acreditei que o problema pudesse ser resolvido em outro país", diz. Depois de romper o contrato com Silvio Santos, passou uma temporada na Grande Buenos Aires. "Gravávamos num grande ginásio e o programa era vendido para outras cidades e países", completa a apresentadora. No final do contrato, ela voltou para o Brasil para se dedicar mais à música evangélica.

A era das grandes apresentadoras infantis na televisão brasileira já foi encerrada. Na última década, crianças e jovens ganharam o comando desse tipo de programação, uma forma de se aproximar de um telespectador cada vez mais conectado e crítico. Ao mesmo tempo, houve uma concentração de conteúdo oferecido à garotada, dos menores aos mais velhos, na TV por assinatura. Se não há mais a preocupação de desenvolver durante a infância o costume de assistir à televisão aberta e, assim, garantir plateia no futuro, o desafio nos dias que virão será o de trazer muita gente de outras plataformas para uma mídia mais convencional. Só o tempo dirá se essa atual estratégia de abandono do segmento infantil foi acertada. Por enquanto compensa, porque uma linha adulta atrai mais anunciantes.

# A força da TV regional

Com os custos de produção e exibição mais reduzidos e a necessidade de realizar coberturas mais específicas pelo Brasil, as principais emissoras passaram a investir no aumento do número de afiliadas. Canais regionais, principalmente nas diversas capitais, foram incorporados, resultando na formação de grandes redes.

O interior de São Paulo, como uma das mais ricas economias do país, sempre se colocou entre as prioridades, por ser considerado indispensável para distribuição de programações e por sua representatividade na audiência e nos resultados comerciais. Outras tantas cidades de todo o nosso território serviram como pontos estratégicos para ampliar os raios de alcance e, assim, atingir um número cada vez maior de pessoas.

Hoje, entre os milhares de TVs espalhadas pelo Brasil, a grande maioria está atrelada a SBT, Globo, Record, Rede TV! e Bandeirantes, que, além das suas emissoras próprias, valem-se estrategicamente desse grande número de afiliadas para multiplicar suas áreas de cobertura.

O Decreto nº 52.795, assinado pelo então presidente João Goulart em 31 de outubro de 1963, determinou diretrizes para o funcionamento das redes nacionais, as que se valem de um conjunto de estações geradoras e respectivos sistemas de transmissão "organizadas em cadeia, para transmissão simultânea de uma mesma programação"; redes regionais, formadas por estações radiodifusoras instaladas em uma determinada região ou, ainda, a local, aquela que atende e se propaga apenas na cidade onde está instalada.

Antes de ser definitivamente adotado no Brasil o conceito de rede, em 1969, as TVs que existiam eram obrigadas a montar suas grades e se responsabilizar pela produção de tudo que ia ao ar. Hebe Camargo, Lolita Rodrigues, Eva Wilma e John Herbert, entre outros nomes conhecidos do cenário nacional, com grande frequência eram chamados para chancelar as programações de outros grandes centros brasileiros, além de São Paulo e Rio de Janeiro. No entanto, se, de um lado, conviver com essa dificuldade operacional e enfrentar custos tão elevados representava muito sacrifício, esse também foi um tempo em que várias dessas emissoras puderam contribuir de maneira importante para o cenário artístico nacional. Foi um período em que as portas se mantiveram abertas para o surgimento do talento local. Oportunidade que se estendeu aos mais diversos profissionais, e não somente aos que faziam vídeo.

Depois do seu nascimento em São Paulo, aos poucos a televisão foi se espalhando pelo Brasil. A própria Tupi chegou ao Rio, Minas, Brasília, Bahia, Pernambuco, Ceará, Paraná, Rio Grande do Sul e, gradativamente, a todos os estados brasileiros, ingressando e multiplicando-se nas cidades. Curitiba também teve sua primeira televisão, a TV Paranaense. A partir dela, outras tantas foram surgindo em todo o interior do estado do Paraná. Mesmo caso da TV Salvador, na Bahia, e TV Jornal do Commercio, do Recife, além de tantas outras.

Oliveira Andrade em começo de carreira na EPTV

A EPTV, inaugurada em 1979 por José Bonifácio Coutinho Nogueira, é um exemplo de uma televisão que, além de se integrar a uma rede poderosa – Globo –, também cumpre o papel de uma TV regional, com suas emissoras em Campinas, São Carlos, Ribeirão Preto, Varginha, além de, mais recentemente, também participar do controle acionário da Rede Bahia, um dos maiores grupos de mídia do Nordeste. Todas com obrigações determinadas, sempre fazendo prevalecer a unidade do conjunto.

O jornalista Oliveira Andrade participou muito de perto do começo da então TV Campinas, inclusive convivendo com os problemas pertinentes à sua instalação. "A gente, no começo, sofreu muita discriminação de algumas cidades. Atingíamos Piracicaba, que é um grande município, e há um bairrismo, uma rivalidade – hoje, talvez, nem tanto, mas num determinado período, sim. Ela transcendia o futebol de XV de Piracicaba, Ponte Preta e Guarani. Era difícil fazer cobertura diária". Tanto assim que, para acabar com o problema, providenciou-se a troca de denominação, e não somente na TV Campinas, mas também em São Carlos, Ribeirão Preto e Varginha. Todas passaram a ser chamadas simplesmente de EPTV, iniciais de Empresas Pioneiras de Televisão.

Além de Oliveira Andrade, outras grandes figuras saíram da EPTV para despontar no cenário nacional, casos de Heraldo Pereira, Leonor Corrêa, Renata Ceribelli, José Roberto Burnier, José Luiz Datena, entre tantos outros. Aliás, Oliveira chegou a ser chefe de todos eles e sentir as dificuldades da falta de um melhor relacionamento com as cabeças de rede. "No começo foi difícil, porque não havia pessoas com experiência. Você era obrigado a pesquisar, saber avaliar e também buscar indicações, valendo-se especialmente daqueles que atuavam no rádio. Foi importante também, como emissora afiliada, contar com todo o apoio da Globo, através de estágios no Rio e em São Paulo", destaca o jornalista. Esse processo de integração, além de outros fatores, contribuiu para a decolagem da EPTV, que já há muitos anos tem uma presença ativa no jornalismo da principal rede nacional, inclusive se responsabilizando pela produção de vários programas da área, especialmente o *Globo Repórter*.

A televisão em Campinas, no seu começo, também pagou pelo noviciado, com registros de fatos que acabaram fazendo parte da sua história e do seu folclore. Um deles aconteceu durante os preparativos de um especial com o Quarteto em Cy nos estúdios da EPTV. Foram quase duas semanas de trabalhos intensos para que tudo saísse da melhor maneira possível, até que chegou o grande dia. Na hora de afinar a iluminação, já com as convidadas em cena, o diretor insistiu tanto para que o assistente aproximasse a contraluz das convidadas, que ele acabou botando fogo no cabelo de uma delas. E por muito pouco não pôs tudo a perder. Só depois de se sentirem absolutamente seguras elas concordaram em dar início ao programa.

Outro episódio, registrado também como um dos mais pitorescos, aconteceu durante a cobertura de um torneio de tênis em Campinas. O então repórter Oliveira Andrade, depois de fazer todas as sonoras, pediu que o seu cinegrafista fizesse imagens de um jogo em andamento. Solicitação feita, imediatamente atendida, a ponto de Oliveira entender que até poderia se afastar um pouco para tomar um refrigerante. Na volta, quando resolveu dar uma checada, viu que o cinegrafista tinha se colocado estrategicamente numa lateral da quadra e tentava acompanhar, com uma lapada atrás da outra, o lado a lado da bolinha.

Assim como a EPTV, em 1962 Maurício Sirotsky Sobrinho inaugurou a TV Gaúcha, em sociedade com outros dois empresários, Frederico Arnaldo Ballvé e Nestor Rizzo. Depois dela vieram outras 18 emissoras entre o Rio Grande do Sul e Santa Catarina, mas aí já como integrantes do Grupo RBS – Rede Brasil Sul, e também participantes da Rede Globo.

Aliás, durante muitos anos, as emissoras da RBS foram consideradas modelos de afiliadas pela qualidade da sua programação nos dois estados e uma participação muito ativa no conteúdo da cabeça de rede. No dia 7 de março de 2016, decidiu delimitar suas operações apenas ao estado do Rio Grande do Sul e confirmou a venda dos seus veículos em Santa Catarina para os empresários Carlos Sanchez e lírio parisotto.

Além de emissoras independentes, a partir de grandes centros, como São Paulo, Rio, Belo Horizonte, Vitória, Curitiba, Fortaleza e Salvador, também foram surgindo aos poucos novas grandes redes regionais. A jornalista Luciana Liviero, indicada pelo seu professor de vídeo da PUC, Gabriel Priolli, que na época era do jornalismo da Globo, em São Paulo, iniciou sua carreira como repórter na TV Tribuna, de Santos. "Foi um momento de extrema valia para minha vida profissional. Ganha-se experiência cobrindo pautas variadas, em cidades diferentes, fazendo reportagens e entradas ao vivo. A limitação muitas vezes de infraestrutura e pessoal nas tevês locais acaba também proporcionando um conhecimento mais próximo de como tudo funciona, de como a mágica acontece", explica a jornalista.

A TV Tribuna também foi a primeira casa de trabalho de outros tantos nomes conhecidos, como Maria Cândida, Vladir Lemos, Sandro Zeppi e Carlos Lopes. É importante destacar o depoimento de Luciana e de tantos outros, porque as emissoras regionais até os dias de hoje continuam servindo como ponto de apoio para a televisão como um todo. Além de contribuírem de maneira importante na formação de profissionais, todas por lei são obrigadas a ter uma percentagem de produção regional em suas linhas de programação, que varia de acordo com o tamanho da população da localidade. Isso inclui cobrir assuntos de interesse público, focados principalmente na prestação de serviço, e uma considerável presença de elementos culturais da região.

Com a experiência adquirida em muitos anos, trabalhando principalmente nas regiões de Campinas e Ribeirão Preto, Leonor Corrêa diz que essa é uma preocupação sempre presente. E, muito mais do que regionalizar, ainda de acordo com ela, o grande desafio é manter sempre acesa essa proximidade das pessoas com a programação. E foi com essa preocupação e para ampliar ainda mais a qualidade dos seus trabalhos no interior de São Paulo que a Globo entendeu que a criação de outras redes regionais seria relevante para distribuição, mas também como contribuição para o conjunto do seu trabalho.

A TV Globo Vale do Paraíba, que existia desde 1988 e que durante muito tempo serviu como uma espécie de escola de formação e aprimoramento de vários repórteres, apresentadores e até narradores esportivos, como foi o caso de Cléber Machado, em 2003 deu lugar à Rede Vanguarda, uma sociedade de José Bonifácio de Oliveira Sobrinho, Boni, com seu filho José Bonifácio Brasil de Oliveira, Boninho, e o primo Roberto Buzzoni. Graças às suas geradoras em São José dos Campos e Taubaté, além de várias dezenas de estações retransmissoras, a Rede Vanguarda ampliou seu raio de cobertura para toda a região do Vale do Paraíba e cidades do litoral norte.

Boni, à frente das suas TVs, exerce uma postura bem parecida com aquela de quando esteve na direção da Globo, como principal defensor da boa qualidade do trabalho. Em muitas ocasiões, quando é chamado a falar, ele tem repetido que "a tecnologia é rápida, mas o conteúdo evolui lentamente". Uma distância que tem tentado diminuir nas emissoras da Rede Vanguarda, em que a busca pela perfeição é cobrada o tempo todo.

Em um processo semelhante, também em 2003, o empresário J. Hawilla fundou, com sede em Sorocaba, a TV TEM, conglomerado que juntou a TV Aliança Paulista (Sorocaba), TV Itapetininga (Itapetininga), TV Modelo (Bauru) e TV Progresso (São José do Rio Preto). Unidas, elas representam uma cobertura de quase metade do estado de São Paulo, com imagem distribuída para 318 cidades.

A exemplo da Vanguarda e da Tribuna, a formação da TV TEM passou a contribuir de maneira bem significativa, especialmente no jornalismo da Globo, além de atender muito de perto todas as regiões da sua área de cobertura.

Mauro Lissoni, diretor de programação e conteúdo da Rede Massa, com a experiência de muitos anos no SBT, entende como essencial para todas as TVs dispensar maior atenção para as suas áreas de cobertura. Um trabalho, no entender dele, que deve acontecer em tempo integral na busca de maior estreitamento de relações com o telespectador. "Quem está aqui no Paraná não quer saber do congestionamento na Marginal Pinheiros ou Tietê, mas daquilo que está acontecendo na cidade ou estado dele", destaca o executivo, grande defensor da regionalização. "Até pela sua representatividade no campo econômico, todas as TVs terão que dar maior importância a ela. É uma realidade de que ninguém mais pode fugir. A Rede Massa, hoje, cobre todo o Paraná, um estado com uma riqueza que não pode ser ignorada", completa.

A Rede Massa pertence ao apresentador e empresário Carlos Roberto Massa, o Ratinho, e surgiu em março de 2008, com a compra das emissoras que pertenciam ao Grupo Paulo Pimentel. Às suas emissoras – TV Iguaçu (Curitiba), TV Tibagi (Apucarana e Maringá), TV Cidade (Londrina) e TV Naipi (Foz do Iguaçu) –, em 2012 veio se juntar a TV Guará, de Ponta Grossa, todas afiliadas ao SBT. Ratinho, nas ocasiões possíveis, tem sempre destacado o trabalho jornalístico e de prestação de serviços das suas emissoras, merecedoras de vários prêmios. Também fala com toda a naturalidade sobre os problemas que aparecem, independentemente do tamanho de cada um. "Nós fomos os primeiros a nos preparar para a instalação do digital. Compramos um transmissor Toshiba, última geração, mas na viagem de Santos para Curitiba o caminhão pegou fogo e queimou o equipamento", recorda. "Como toda grande televisão que se preze, nós também tivemos nossos problemas com incêndio. Além do transmissor, a TV Tibagi e a TV Cidade foram destruídas pelo fogo", ironiza.

O diretor de jornalismo da Rede TV!, Franz Vacek, entende que a busca da uniformidade deve ser um exercício constante em todas as grandes cabeças de rede, mas sempre respeitando os limites e características de cada região. "Não dá para sentar em uma torre de marfim no Sudeste e impor os factuais dessa região para todo o Brasil. Daí a nossa preocupação em equipar convenientemente todas as emissoras da nossa rede, para que elas também possam atender convenientemente as suas regiões, até para ativar sua participação no conjunto dos nossos trabalhos", diz.

Mas nem sempre foi assim. No começo, de acordo com o publicitário e homem de TV José Carlos Missiroli, houve um descompasso até tudo ser resolvido e funcionar de forma mais razoável. "As grandes emissoras montaram redes muito coesas e as afiliadas não tinham liberdade de fazer absolutamente nada, porque o contrato era muito rígido. Elas eram obrigadas a ficar penduradas no satélite *full time* com poucas oportunidades de produção local", analisa. Foi uma situação que se estendeu por alguns anos e só se modificou a partir do momento em que as praças passaram a reivindicar maior oportunidade de desenvolver seus próprios produtos, sem se afastar do espírito da rede.

Hoje, além das redes agregadas ao SBT, Globo, Record, Rede TV! e Band, com suas bases em grandes capitais, existem outras, como a Rede Família, Rede Vida e TV Aparecida, que operam a partir de suas sedes em cidades do interior, com resultados comerciais e de audiência interessantes. Claudete Troiano, por exemplo, consegue movimentar muitas ações de merchandising em seu feminino transmitido pela TV Aparecida, a ponto de chamar a atenção de muitas emissoras instaladas em São Paulo e no Rio de Janeiro. Há programas de entrevistas com grande repercussão em cidades importantes, como Campinas, São José do Rio Preto, Uberlândia e Uberaba, para citar algumas.

O universo da TV no Brasil tem características muito próprias que em nada se assemelham às de qualquer outro país. Aqui, desde o começo, com o aprimoramento permitido pelo tempo, a televisão sempre teve muito do nosso jeito.

### Atração quase fatal

Estava tudo ensaiadinho na TV Tupi, para que a atriz Márcia Real, no fim de uma apresentação do TV de Vanguarda fosse jogada dentro de uma banheira e morresse afogada com uma torneira caindo sobre o seu rosto. A cena saiu com uma perfeição tão grande, que até arrancou aplausos de todos no estúdio. Apenas se estranhou que Márcia, mesmo com a apresentação encerrada, não saísse da banheira nem respondesse aos apelos de todo o pessoal do elenco. Ela só dava uns pequenos gemidos. Alguma coisa tinha acontecido – e, de fato, aconteceu. Na queda na banheira, ela acabou fraturando a bacia. Saiu dali direto para um pronto-socorro.

# A ousadia de fazer uma TV diferente

Especialmente ao longo da década de 1980, e em mais de uma oportunidade, houve o interesse da Editora Abril em ampliar as suas atividades para o campo da televisão, inclusive chegando a concorrer às concessões das antigas emissoras das TVs Tupi e Excelsior. Roberto Civita, presidente da Abril, tinha consciência de que todo grande grupo de comunicação não poderia sobreviver sem uma televisão. Na ocasião, quando o Brasil ainda vivia sob os costumes do regime militar, foram muitos os comentários de que não seria interessante contemplar uma empresa – que tinha entre as suas publicações a revista *Veja* – com canais de televisão em alguns dos pontos mais importantes do país.

Verdade ou não, Silvio Santos e Adolpho Bloch, considerados figuras mais simpáticas ao governo de então, foram os contemplados com as concessões dos canais entregues pelos grupos de Assis Chateaubriand e da família Simonsen. Houve também, por parte da Abril, tentativas de formar uma nova rede, a partir da compra de TVs regionais, algo que nunca prosperou, diante da dificuldade de concretizar negócios nas praças de São Paulo e Rio de Janeiro. A TV Gazeta, por exemplo, foi procurada mais de uma vez, porém as negociações nunca prosperaram, por ser uma emissora que pertence a uma fundação[14].

Ainda assim, o desejo de transportar para o vídeo muito daquilo que as suas várias revistas já estampavam determinou a criação da Abril Vídeo e o início das suas atividades em 12 de agosto de 1983. O investimento inicial foi de 1 milhão de dólares. Roger Karman, escolhido para ser o diretor-geral, admite que, depois de tantas tentativas, "descobriu-se que seria muito mais fácil fazer televisão, e televisão de boa qualidade, do que conseguir uma emissora". Daí a mudança de foco. Além da contratação de todo o pessoal necessário, entre elenco, produção e técnica, parte desse valor foi empregado na compra de duas horas diárias na faixa nobre da TV Gazeta, Canal 11 de São Paulo, além do pagamento de aluguel pela utilização de dois andares do Edifício Cásper Líbero, na Avenida Paulista, 900.

Silvia Poppovic e Paulo Markun, na data anunciada, foram escolhidos para fazer a apresentação do trabalho que estava nascendo. Todas as noites, de segunda a sexta, a partir das 20h30, ia ao ar o jornal *São Paulo na TV*, apresentado pelos dois, com as participações fixas de Helena de Grammont, Caco Barcelos, Juca Kfouri, Patrício Bisso, Claudio Carsughi, Emílio Carranzi, Célia Bardi, José Roberto Nassar e Luis Nassif. Depois do jornal, uma linha especial e variada de programas, incluindo esporte, política e economia, até dicas de bons restaurantes, tendo à frente nomes como Augusto Nunes, Thomaz Souto Corrêa, Cláudia Matarazzo e Otávio Ceschi Júnior. Para fechar a noite, um programa de debates políticos apresentado por Ferreira Netto.

Nos fins de semana, além de um plantão de notícias e diversas produções de variedades, havia um espaço para prestação de contas do prefeito de São Paulo, Mário Covas; um musical com Pink Wainer e o *Olho Mágico*, apresentado por Cristina Prochaska, Aizita Nascimento e Émile Eddé. O *Olhar Eletrônico*, que reunia um pessoal jovem e ousado, com nomes como Fernando Meirelles, Marcelo Tas, Marcelo Machado, Paulo Morelli e Tonico Melo, era o momento mais aguardado pelo telespectador.

O jornalismo da Abril Vídeo foi dirigido em duas fases diferentes por Luiz Fernando Mercadante e Narciso Kalili, contando com nomes da importância de Miriam Leitão, Ethevaldo Siqueira, Mona Dorf, Chico Santa Rita, Mônica Teixeira, Even Sacchi, entre outros. A participação do público, como um serviço inovador para a televisão de então, aconteceu no *Disk Opinião*, talvez abrindo caminho para a interatividade que outras TVs e programas iriam

---

14 Fundação Cásper Líbero, que administra, além da TV Gazeta, as rádios Gazeta AM e FM e a Faculdade Cásper Líbero.

adotar muitos anos depois. Era permitido ao telespectador opinar sobre os assuntos colocados no jornal *São Paulo no Ar*.

A Abril Vídeo, no todo, foi um trabalho de televisão dos mais interessantes, mas que durou muito pouco tempo. Em 22 de novembro de 1985 foi encerrado o acordo com a Fundação Cásper Líbero. Ficou, no entanto, aberto um caminho para que outras produtoras independentes, em acordos isolados com as diversas emissoras, viessem a realizar experiências semelhantes, um trabalho de parceria que se acentuou especialmente nos últimos anos. Praticamente todas as grandes redes de televisão, antes hermeticamente fechadas para suas próprias realizações, com o passar dos anos perceberam quanto esse somatório de esforços poderia ser importante. Hoje, em campos diversos, da teledramaturgia ao jornalismo, os acordos de produção em parceria, entre outros benefícios, vieram contribuir de maneira muito importante para o mercado de trabalho.

A MTV, sigla da Music Television, chegou ao Brasil em 20 de outubro de 1990, como braço mais importante da Abril Vídeo e com o desafio de ser a primeira emissora do sistema aberto com programação segmentada do país. Um projeto ainda mais audacioso em seu conjunto, porque tinha também como objetivo se transformar na principal fonte musical e de entretenimento da maioria dos jovens brasileiros, público que naquela época não colocava a televisão entre as suas prioridades de vida ou lazer.

Uma casa na Rua Coropés, no bairro do Alto de Pinheiros, em São Paulo, foi o começo de tudo. Lá foram montadas as equipes e realizadas as primeiras transmissões, mas, por ser um local sujeito a inundações, logo houve a mudança para o antigo prédio da TV Tupi, na Avenida Professor Alfonso Bovero nº 52, no Sumaré. A proposta, desde o primeiro dia, sempre foi experimentar aquilo que pudesse despertar a atenção do seu bem determinado tipo de telespectador. Do linguajar utilizado a toda a composição visual, tinha-se como objetivo sempre buscar uma comunicação intimista, abordagem que não era a usual e em nada se assemelhava à de outras TVs de então.

Em todos os programas, usando como referência o que a MTV americana já fazia, se falava o que era dito nas ruas ou se mostrava muito daquilo que o mercado internacional apontava como novidade.

Vários daqueles que foram chamados a compor o seu time tinham muito desse perfil, porque já vinham de experiências isoladas em outras emissoras, caso, por exemplo, de um pessoal que na ocasião fazia o *TV Mix*, da TV Gazeta.

Exibido todas as manhãs, entre os anos de 1987 e 1989, o programa ia fundo no campo das variedades, misturando, com leveza, toques de humor e muita descontração, todo tipo de assunto, desde o factual mais relevante a informações sobre cinema, sexo, teatro e até culinária. Para a época, o *TV Mix* foi considerado um conteúdo dos mais inovadores e tinha muito daquilo que o pessoal da Abril buscava fazer, com o objetivo de atender a uma faixa de público que as TVs convencionais não colocaram como prioridade.

A proposta da MTV brasileira, em seu começo, foi exatamente esta: fazer um *TV Mix* em tempo integral. "O sucesso desse programa me levou a receber vários convites", conta Astrid Fontenelle, "um até da França, que eu não aceitei porque não falava uma palavra em francês". Entre a Gazeta e o convite da MTV, que ainda estava apenas no papel, a jornalista foi chamada por Nilton Travesso para fazer o *Mulher 90*, na Manchete. "A oportunidade de trabalhar com ele fez os meus olhinhos brilharem. Acertei e fiquei um tempo lá, mas nunca deixando de considerar que o desafio real da minha vida seria a MTV", explica a apresentadora.

Rodrigo Carelli, depois chamado para cuidar da *Casa dos Artistas*, no SBT, e de *A Fazenda*, na Record, foi outro que também participou desse começo da MTV e tem dele as melhores recordações, porque foi um momento que contribuiu demais para o seu crescimento profissional, assim como de outros tantos companheiros da mesma geração. Até o momento de sair de lá, em 2011, além dos acústicos de Cássia Eller e Lulu Santos, Carelli também foi o responsável pelo acústico de Roberto Carlos, produzido, gravado, mas que não pôde ser levado ao ar. "O Roberto queria fazer o acústico da MTV e a gravadora dele também, mas o contrato com a Globo, assinado antes mesmo do DVD, não permitia que aparecesse em outras televisões. A Sony botou o acústico no mercado, mas a MTV não pôde colocar no ar", relembra. Carelli entende que a melhor definição para a MTV é a de que ela era uma TV aberta, mas com características de TV segmentada, quase a cabo, e que dava a todos total liberdade de trabalhar e experimentar. Todos que atuaram lá, segundo ele, fizeram muito isso, ou seja, colocar à prova todos os meios possíveis e imagináveis, até mesmo aqueles que, por receio ou inibição, nunca foram testados em outros lugares.

O que havia como espelho ou parâmetro para a MTV daqui era a americana, que já existia havia dez anos, como algo muito pulsante para a época. Por trás de tudo, a Editora Abril sempre ofereceu o apoio necessário para levar adiante a proposta de uma televisão diferente, relevando a premissa de que, para ocupar o lugar almejado, era preciso inovar e apostar todas as fichas numa proposta mais agressiva. E, para pegar o mercado totalmente de surpresa, houve o cuidado de programar uma série de ações às vésperas do seu lançamento, entre elas a organização de uma feira para que as principais agências de São Paulo e os grandes anunciantes pudessem conhecer melhor a emissora que estava por surgir. Tudo isso também com vistas a reduzir ao mínimo possível a rejeição que poderia vir a existir. Uma preocupação que, segundo Zico Góes, que acumulou vinte anos de MTV, tinha toda a razão de ser, "porque o mundo da televisão é uma esfera conservadora, um pouco porque quem paga essa conta é o mercado publicitário, ainda mais conservador. Então dificilmente você experimenta um modelo televisivo". O novo canal de música permitiu que toda a equipe testasse coisas que os outros canais não testariam. "E que, até hoje, se considerarmos o que a MTV apresentou ao longo do tempo dela, outras TVs jamais tiveram o atrevimento de fazer", completa o diretor. Zico Góes chegou à MTV para trabalhar como tradutor na área de jornalismo, na época em que Zeca Camargo, além de apresentar o programa, era gerente do departamento. De tradutor, passou a redator e assumiu outros cargos até chegar à direção geral.

Para atingir os dois grandes mercados da época, Roger Karman, vice-presidente corporativo da Abril e um dos responsáveis diretos pelo projeto da Abril Vídeo, se empenhou pessoalmente em conseguir uma emissora no Rio de Janeiro. A TV Corcovado, que na ocasião não estava atrelada a nenhuma outra rede, foi a escolhida.

As transmissões da MTV, depois de um necessário período de testes, se iniciaram pontualmente ao meio-dia do dia 20 de outubro de 1990, com um clipe de Marina Lima cantando "Garota de Ipanema". Astrid Fontenelle foi a sua primeira apresentadora no ar, na época chamada de *video jockey* (VJ). "Foi um desafio que eu nunca esquecerei em minha vida. A MTV saiu do zero. A gente tinha um escritório na Rua Coropés, mambembezão, assim, com uns estúdios muito ruins, onde fazíamos testes e todo o resto de trabalho. Desde fazer conta administrativa de quanto a gente ia gastar, até quanto precisava pra comprar de máquina de xerox", conta a apresentadora. Entre os comunicadores escolhidos por meio de convites – e até por concurso – estão figuras que se transformaram em grandes nomes da televisão brasileira. Zeca Camargo, Maria Paula, Gastão Moreira, Thunderbird, Daniela Barbieri, Edgard Piccoli, Cazé, Marcos Mion, Cris Couto e Rodrigo Leão são apenas alguns deles. Já numa fase posterior vieram Marcelo Adnet, Dani Calabresa, Fernanda Lima, Didi Wagner, Sabrina Parlatore, Sonia Francine, Penélope Nova, João Gordo e Daniela Cicarelli. A alguns foi oferecida a oportunidade de, antes de tudo começar, ir aos Estados Unidos e ver de perto como a matriz da franquia funcionava. No entanto, a todos, de cara, foi dado o direito de se expressar como bem entendessem, usando um palavreado que, desde o começo, sempre fugiu do que até então se entendia como usual na televisão.

A contratação de Zeca Camargo é uma história à parte. Hugo Prata, com trabalhos na música, no cinema, publicidade e televisão, chegou um dia à MTV, bem no comecinho dos seus trabalhos, perguntando se alguém conhecia um tal de José Carlos Brito de Ávila Camargo, que na época escrevia na *Folha de S. Paulo*. Ninguém respondeu de forma positiva, mas Astrid se prontificou a descobrir. Na época casada com um fotógrafo do jornal, logo ligou para ele e pegou todas as informações de que precisava.

Imediatamente, contou o que descobriu: ele tinha um texto bacana, muito elogiado pelos leitores do jornal. E foi adiante na ficha completa levantada por seu marido:

– Ah, ele é moreno, cara meio de indiano, tem um cabelinho chanel e usa uma tiarinha. Está sempre de sapato sem meia, bate muitas palmas e dá risada alto.

Com essas informações, todos tiveram a certeza de que ele era o cara. Faltava só o telefone, que o marido de Astrid também acabou arrumando. Ligaram e acertaram uma conversa no pequeno escritório da Rua Coropés. Zeca Camargo apareceu no dia combinado, exatamente como tinha sido descrito: cara de indiano, cabelo chanel com a tiarinha, camisa estampada, calça jeans, um monte de livros debaixo do braço e um walkman. "Nesse primeiro dia, só não bateu palmas e nem deu risada alto", revela Astrid.

Hoje, passados tantos anos, sua fisionomia não mudou tanto, o corte do cabelo mudou, mas a mania de carregar livros continua a mesma e o walkman foi trocado pelo iPad. Ele, Zeca, e a MTV foram um caso de amor à primeira vista. Ficou quatro anos lá, de 1990 a 1994, como diretor de jornalismo e apresentador do *MTV no Ar*.

Aliás, uma marca importante da MTV também foi a de formar profissionais diferenciados, que saíram de lá para outras emissoras prontos para diversos tipos de desafios. E isso não só na área dos apresentadores, mas diretores, técnicos e profissionais de criação visual, aqueles que são responsáveis pelas aberturas e vinhetas de programas, além de toda a embalagem da emissora. Este pode ser considerado o grande legado da emissora: uma geração que aprendeu fazendo diferente, que resultou em uma novidade no mercado, tanto na parte estética como na comportamental e até no jeito de se comunicar.

Para outro dos seus primeiros contratados, Edgard Piccoli, que além do rádio vinha de uma experiência na TV Cultura e de uma passagem no programa de vendas Shop Tour, trabalhar na MTV "representava a conexão maior com o público jovem. Era estar no topo do Olimpo. Era tudo que todo mundo daquela geração queria". Para uma importante faixa de público, uma televisão chegando ao Brasil com a proposta de mudar os paradigmas que existiam e dar espaço ao que havia de novo na música era também um objetivo a ser alcançado para muitos que atuavam na área, de modo particular um pessoal que já transitava nesse meio, nas rádios em FM. Edgard foi um desses casos, e, pelo fato de se envolver diretamente em tudo que faz, entrou de cabeça naquele projeto, que ele define como um dos momentos mais completos da sua vida profissional, porque "a importância de tudo o que foi executado na MTV pode ser traduzida no legado que ela deixou".

Até hoje, todos os que passaram pela MTV são lembrados pelo trabalho que fizeram, tornando-se referência para várias pessoas e responsáveis pela mudança de modelo e de interagir musicalmente. "Diferentemente de outros lugares, o mais comum ali era ver seus apresentadores com All Star zoado no ar ou chegar de camiseta estampada em algum lugar em que todos estavam obrigatoriamente de terno e gravata. A eles, tudo era permitido, ou tudo passou a ser aceito com uma naturalidade que nunca foi comum", diz Piccoli. Era uma quebra de padrões absoluta.

A MTV também se colocou como um funil no campo da música, fazendo passar por ela bandas que não tinham vez ou quase nenhuma oportunidade em outros lugares. O Rappa, Skank, Jota Quest, Planet Hemp e Pato Fu são alguns exemplos.

Assim como Edgard, e hoje com a experiência de ter trabalhado em outras tantas emissoras, Sabrina Parlatore também coloca a MTV num patamar especial da vida dela. Em São Paulo havia pouco tempo, vinda do interior e imediatamente após ser aprovada nos testes, ela teve a sensação de quanto seria feliz trabalhando lá. Sensação que se confirmou, porque "foi o melhor lugar em que eu trabalhei na vida, em termos de ambiente, de identificação com as pessoas, pessoas amigas". Um local, ainda segundo Sabrina, onde não existia competição. "Um torcia pelo outro, o que nunca foi muito comum de se ver em outros lugares", destaca ela. No meio TV, mais que em todos os outros, a palavra "concorrência", independentemente de época ou canal, sempre se fez muito presente. "Quando eu tinha que viajar de férias e alguém entrava no meu lugar, existia um sentimento de gratidão, tipo assim, 'obrigada por me substituir, faça um bom trabalho'. Hoje em dia ou em outros lugares as pessoas ficam com medo de perder a vaga, aquela coisa, uma competição assim insensata, um universo que às vezes dá medo", revela a apresentadora.

O que sempre existiu na MTV, embora isso já fizesse parte da característica ou do DNA de cada um, era a obrigação de se comunicar mais facilmente com o telespectador, conversar com ele, trocar ideia, valendo-se de gírias ou até mesmo de palavrões, se fosse necessário. No entanto, por trás desse aparente descompromisso e de algumas vezes ser considerada desajuizada, a emissora foi a primeira a investir em campanhas muito sérias, como prevenção da aids ou contra a violência e a corrupção, coisa que não se via em outros canais. E também foi aquela que levantou a bandeira do beijo gay.

O primeiro beijo gay de que se tem notícia, como registro histórico e com direito a todo o escândalo na ocasião, aconteceu no *Fica Comigo*, programa de namoro de Fernanda Lima, e que acabou passando por cima da resistência que os patrocinadores sempre ofereciam. Ousadia que também levou a MTV americana a produzir e apresentar, em 1998, o reality *The Real World*, que aqui levou o nome de *Na Real* e serviu de inspiração para o surgimento do *20 e Poucos Anos*, em junho de 2000.

Em vez do confinamento, como era recomendado no formato original, o programa daqui acompanhava um grupo de jovens nas suas atividades do dia a dia. De pitboy a patricinha, tinha de tudo um pouco. Como o lançamento aconteceu três meses antes de *No Limite*, no mesmo ano de 1988, na Globo, Zico Góes faz questão de enfatizar que o "*20 e Poucos Anos* inaugurou de fato o segmento de reality no Brasil".

Mas o ano de 1999 é considerado por todos que passaram pela MTV como um dos mais importantes, porque foi nesse momento que houve maiores investimentos na programação ao vivo, casos de *Barraco, Menina Veneno, Fica Comigo, Piores Clipes do Mundo* e *Rock Gol*. Nomes conhecidos como os de Silvio Luiz, Paulo Bonfá, Marco Bianchi, Tatá Werneck, Eduardo Elias, Paulo Tiefenthaler e Paulo Serra foram chamados a participar a partir dali.

Com a sempre presente necessidade de acompanhar as novas gerações, a MTV nunca deixou de se submeter a seguidos processos de atualização. Esse canal, que no começo apostou quase todas as fichas na exibição exclusiva de videoclipes, o que na ocasião mais chamava a atenção do seu público, viu na chegada da internet a necessidade de mudar. O mundo já era outro e passava a existir a imposição de se adaptar a ele. O investimento nos programas ao vivo foi ganhando força na programação, porque iam muito ao encontro do público conectado às mídias sociais. Mas a falta de grandes recursos fazia com que a criatividade – e isso desde sempre – fosse muito cobrada e a todo instante exercitada, tanto pelo pessoal que trabalhava nos bastidores como por aqueles que faziam vídeo. Uma forma de se comportar que sempre empurrava a MTV a romper com os padrões existentes, em muitas ocasiões transformando o tosco em conceito. Numa boa maioria das vezes as coisas eram feitas de maneira tão grosseira, que se transformavam em modelos de modernidade.

Foi assim que surgiu o *Gordo a Go-Go*, apresentado por João Gordo. Em formato de talk show, ele recebia diferentes personalidades, muitas vezes contempladas com perguntas desconcertantes. Convidados que iam do padre Marcelo Rossi a Cássia Eller ou de Marisa Orth a Sérgio Mallandro. Uma das maiores encrencas de que se tem notícia na televisão, que acabou em briga entre apresentador e convidado, por acaso ou como consequência inevitável, aconteceu justamente no *Gordo a Go-Go*, um dos poucos programas da MTV que era exibido gravado.

O medo de ser premiado com alguma surpresa ou de ser pego desprevenido levou alguns dos convidados a se preparar melhor para a ocasião ou para um quase irremediável enfrentamento. Dado Dolabella, convidado no final de 2003, foi um pouco além nos preparativos, com a escolha de uma mala contendo um machado e uma faca. A ideia, claro, era entrar no clima de provocação e fazer barulho, só que a situação fugiu completamente do controle, passando das ofensas verbais para agressão física, inclusive nos corredores e escadas da emissora. Segundo João Gordo, em várias manifestações após o acontecimento, o ator "veio armado e voando para o programa, depois de passar muitos minutos no banheiro". A conversa dos dois, que não levou mais de três minutos, não teve um final mais grave graças à intervenção da turma do deixa disso. Entre troca de insultos, empurrões, palavrões e destruição de parte dos cenários, ali aconteceu de tudo um pouco.

O curioso, em se tratando do pessoal que passou na MTV, é que todos deixaram a sua marca e também têm as melhores recordações do bom ambiente, sempre com astral diferente, que existiu desde o primeiro até o último dia. Marcos Mion, por exemplo, é mais um que tem desse tempo recordações muito boas, pela oportunidade de poder avançar e submeter à prova diversas ideias. Um lugar, segundo ele, onde o grande desafio sempre foi fazer o diferente. No seu caso, em particular, assim que voltou para o Brasil, depois de morar alguns anos nos Estados Unidos, ele sentiu que poderia contribuir com tudo aquilo que, ainda na adolescência, tinha assistido na MTV de lá, que na década de 1980, início dos anos 1990, se colocava entre as maiores forças culturais americanas. "Isso é que me motivou. Eu não sabia como fazer, eu não sabia o caminho, mas tinha certeza de que era aquilo que eu queria fazer. Era um universo que conversava comigo", diz. A sua entrada se deu quase no fim da primeira geração, num instante em que o telespectador da MTV estava querendo, em vez de muita informação, mais entretenimento, música e bagunça. "Foi exatamente aí, com 19 anos, que eu vi a oportunidade de fazer uma grande diferença na história do canal, levando humor e entretenimento, o universo pop, praias, coisas com as quais eu sempre me dei muito bem", completa.

Na mesma época de Mion, mas já em 2007, o *Rock Gol* recebeu Marcelo Adnet para fazer a divulgação do filme *Podecrer!*, dirigido por Arthur Fontes, com a participação de Maria Flor, Fernanda Paes Leme, Dudu Azevedo, Gregorio Duvivier, Erika Mader e outros. Foi o bastante para fazer surgir outro caso de amor à primeira vista. Assim como a MTV imediatamente se interessou pela sua contratação, a recíproca também foi verdadeira.

Adnet estreou o humorístico *15 Minutos*, cujo esquema era não ter esquema nenhum. Um espaço em que se permitia falar e fazer de tudo, constituindo-se em pouco tempo sucesso de crítica e público. Por acaso, em 2008, a MTV também acertou a contratação de Dani Calabresa – uma atriz com trabalhos no teatro e passagens no *Sem Controle*, do SBT, e no *Pânico*, da Rede TV! – para participar do *Quinta Categoria*, ao lado de Mion, um programa feito só à base do improviso. Depois, ainda fizeram a sitcom *Furfles*, *Furo MTV* e *Comédia MTV*. Os dois vieram a se casar em 2010, mas tomaram caminhos profissionais diferentes após a saída da emissora. Ele foi contratado pela Globo, onde atuou, inicialmente, no *Dentista Mascarado* e, depois, no *Tá no Ar* e *Adnight*. Ela passou a ser repórter e apresentadora do *CQC*, na Band, e mais tarde ingressou na equipe do *Zorra Total*.

Os problemas financeiros, que já existiam havia alguns anos, se acentuaram a partir de 2010, quando surgiram os primeiros rumores do fechamento da emissora e da devolução da marca MTV para a americana Viacom, algo que acabou se consumando em 30 de setembro de 2013, com a dispensa dos poucos comunicadores que ainda estavam lá, caso de Paulinho Serra, Titi Müller, Pathy Dejesus e Juliano Enrico. Um último programa foi realizado para marcar esse momento, o fim de uma bonita trajetória. Todos os VJs que brilharam na tela da emissora se reuniram no vídeo com depoimentos emocionantes, as vinhetas mais marcantes foram exibidas e Astrid, num discurso ousado como o da estreia em 1990, colocou o ponto final nesse capítulo da história da televisão brasileira:

Astrid Fontenelle no encerramento da MTV

"Oi, eu sou Astrid Fontenelle e, em clima de chegadas e partidas, tenho a honra de anunciar o fim da MTV Brasil. Eu fui a primeira a acender a luz e nada mais natural que eu chamasse na chincha essa responsa pra mim mesma. Eu quero ser a última a apagar. Sem lamento, com muito orgulho de ter feito parte dessa incrível história de 23 anos de MTV Brasil. Vinte e três anos tocando música pros olhos. Vinte e três anos botando o dedo na ferida. Vinte e três anos revelando talentos. Vinte e três anos revolucionando a TV. Vinte e três anos debochando da gente mesmo. Vinte e três anos botando essa porra pra funcionar direito. Sim, do nosso jeito! Viva a velha MTV Brasil e vida bem longa para a nova MTV que começa amanhã. Sorte e sucesso para quem segue. E pra que sofrer com despedidas, se quem partiu não leva nem o sol e nem as trevas? E quem fica não esquece de tudo o que sonhou. Fui até ali. Nós fomos juntos até algum lugar, galera. Valeu, foi bom e inté!".

Quase que imediatamente, a Viacom anunciou a chegada da MTV à TV paga.

O canal, durante 23 anos transmitindo a MTV Brasil, foi colocado à venda pela Editora Abril, despertando interesse de igrejas, como a Internacional da Graça de Deus, de R. R. Soares, além de grupos de comunicação, caso da Bandeirantes, de Johnny Saad, e da Mundial, de Paulo Abreu. A sua venda, porém, foi efetivada em 18 de dezembro de 2013 para o Grupo Spring de Comunicação, presidido por José Roberto Maluf. Dias após a concretização do negócio, a Igreja Mundial do Poder de Deus passou a ser responsável por sua programação.

# A mais nova rede de televisão do Brasil

A história da Rede TV! passou a ser contada a partir do dia 8 de maio de 1999, no instante em que os empresários Amilcare Dallevo e Marcelo de Carvalho, sócios da TeleTV e até então conhecidos por promover sorteios pelo 0900 em vários programas de quase todas as TVs, resolveram comprar as cinco concessões da TV Manchete, com emissoras em São Paulo, Rio de Janeiro, Recife, Fortaleza e Belo Horizonte. O valor da transação nunca foi confirmado, mas para o mercado tomou-se como verdadeiro algo muito próximo dos US$ 610 milhões. Foi, segundo o próprio Amilcare, um negócio de ocasião: "Tudo aconteceu sem um planejamento para a gente comprar a concessão. Naquele tempo, o Marcelo e eu trabalhávamos para todas as TVs com interatividade. A Manchete era um dos lugares que tínhamos mais horas na programação e, aí, acabamos optando por fazer um acordo para a transferência da concessão".

Desde janeiro daquele ano de 1999 já se sabia que o fim da Rede Manchete estava muito próximo. As diversas tentativas para a sua salvação fracassaram uma após a outra, até mesmo a experiência de alugar todas as suas concessões para a Igreja Renascer, que não conseguiu pagar nem ao menos o primeiro mês do contrato. A RedeTV! nunca se colocou oficialmente como fiel substituta da Manchete, mas, ao ocupar seu espaço, foi quase que automático o entendimento de que viria a se apresentar como uma emissora de programação qualificada, ou seja, uma composição de programas com baixa ou nenhuma apelação e conteúdos mais complexos.

Algo que, imediatamente após o início de suas operações, Amilcare e seu sócio Marcelo verificaram não ser possível. Os problemas eram muitos. "Hoje a Rede TV! seria outra emissora se não tivéssemos que passar por tudo que passamos e pelo que nós vivemos nesse tempo todo. Só em valores históricos pagamos mais de R$ 100 milhões, de cara, para quem nunca pisou na Rede TV!. Quando pegamos a televisão, a Manchete não tinha mais cliente nenhum e fazia mais de ano que não pagava funcionário. E nós não compramos o ativo da Manchete, não ficamos com nenhuma câmera, nenhum prédio, nenhum arquivo jornalístico, nem as novelas, nem nada", explica o empresário.

Marcelo de Carvalho e Amilcare Dallevo, donos da RedeTV

Inaugurar oficialmente a Rede TV! em 15 de novembro, poucos meses após a compra, foi muito mais que um desafio para os seus sócios, porque as condições de trabalho ainda eram muito limitadas, até precárias. A exibição do filme *Kramer vs. Kramer* foi uma das atrações do primeiro dia, com registros de até 4 heroicos pontos no Ibope. Era urgente o investimento em infraestrutura, mas não havia recursos para isso. O custo de uma ilha de edição, com todos os seus necessários equipamentos, era infinitamente maior que o de um computador. José Emílio Ambrósio, um dos fundadores, participou diretamente desse começo, quando houve o entendimento de que a digitalização de todo o processo seria a única saída viável. Algo de que a TecNet, empresa de tecnologia de Amilcare, poderia se encarregar e colaborar, como de fato aconteceu, ainda que com muitos transtornos no início. "O Amilcare montou essa parafernália toda, que no começo deu muito problema. Só que aos poucos, depois de algumas adaptações, o software começou a funcionar e nós começamos a fazer realmente uma televisão diferente. Não tinha como não ser assim. E como também não era possível dispor de cenários físicos, por questões de dinheiro e espaço, passamos a fazer tudo no virtual", lembra Ambrósio.

Diante desse cenário, a produção foi dividida em duas frentes, separadas por vários quilômetros. Enquanto uma operava em Barueri, numa sede ainda improvisada, a outra parte trabalhava em estúdios alugados na Vila Leopoldina, em São Paulo. João Kléber sempre recorda como veio a ser o primeiro artista contratado pela Rede TV!. "O Amilcare Dallevo foi ao teatro ver meu espetáculo e, dias depois, eu fui contratado pela emissora". O programa dele, *Te Vi na TV*, e o *SuperPop*, apresentado todas as noites por Adriane Galisteu, foram colocados como principais produtos da grade, mas sempre sujeitos a adaptações no ar, ao vivo, muitas vezes decorrentes das intempéries técnicas. "Era adrenalina todos os dias, e adrenalina do desespero, porque a Rede TV! era um galpão, não tinha o luxo que tem hoje. Meu camarim era um trailer alugado, que, quando chovia, alagava. Já fiz programa começando com quatro câmeras e terminando com uma, ou o telão quebrando e eu ficando num cantinho, sem poder me mexer", recorda a apresentadora. Na estreia, o *SuperPop* contou com a ilustre presença de Gretchen, Paulo Ricardo e Emerson Fittipaldi. No entanto, com o passar do tempo, por causa dos muitos problemas, as coisas foram ficando cada dia mais difíceis.

Após a saída de Adriane Galisteu e até a chegada de Luciana Gimenez, a partir de 2001, o *SuperPop* foi apresentado por Fabiana Saba e Otávio Mesquita, por períodos muito curtos. Com o passar do tempo, contrariando o plano inicial de um programa que pretendia se dirigir a uma faixa de público mais jovem, o *SuperPop* passou a se valer da presença frequente de subcelebridades e foi se tornando um centro de discussão de assuntos polêmicos.

O primeiro diretor do programa, Rogério Gallo, para evitar os transtornos que o ao vivo sempre causava, optou por gravar o *SuperPop*, achando que isso poderia resolver a questão. Um belo dia, por causa de problemas que não eram apenas técnicos, mas também por falta de pagamento, a gravação atrasou mais de seis horas e só começou depois que o dinheiro caiu na conta de toda a equipe. Todos os convidados, menos um, começaram a ir embora e Adriane por pouco não entrou em desespero. "Foi isso que me fez ter o maior carinho pelo Frejat, do Barão. Foi o único a não ir embora. Eu falava: 'Menino, pelo amor de Deus, se você for embora eu não tenho mais ninguém'. Ele acabou ficando e fizemos o programa só nós dois", destaca a apresentadora.

Marcelo de Carvalho, um dos sócios da Rede TV!, marido da atual apresentadora do *SuperPop*, entende que o programa está no ar desde 1999 até agora porque dá certo. "Nada dura na televisão sem atender o público. Os seus resultados de audiência atingem inteiramente nossa expectativa, muitas vezes superando a Bandeirantes e encostando no SBT ou Record", afirma o empresário. A fórmula tem muito a ver com a própria Luciana, que aposta na espontaneidade. Criticada no começo por causa dos diversos erros, ela se assumiu "falível", e "assim é como se fosse um alter ego de nós mesmos: erra, se espanta, se emociona, se irrita com as pautas. Exatamente como a audiência", completa o empresário. E foi um dos programas que até hoje melhor soube se aproveitar da força das mídias sociais e da plataforma de milhões de seguidores da sua apresentadora no Twitter, Facebook, Instagram e Snapchat.

Luciana Gimenez, apresentadora do SuperPop

Em 29 de abril de 2010, Luciana Gimenez e Marcelo de Carvalho estrearam o *Mega Senha*, criado com base no formato do americano *Password*, e que veio a tornar realidade um plano que o casal tinha havia muito tempo, que era o de apresentar um programa juntos. Mas os muitos compromissos dela e a incumbência de ainda ter que fazer um programa diário acabaram por determinar sua saída, um pouco menos de um ano depois da estreia. No começo, o game chegou a ser levado ao ar às quintas-feiras, mas logo depois passou para os sábados, dia em que até hoje é exibido e em que pessoas comuns concorrem a prêmios em dinheiro, contando com a colaboração de famosos.

Os laços familiares dentro da emissora, por obra do destino, vieram a se ampliar tempos depois. Descoberta pela diretora artística Mônica Pimentel, enquanto fazia estágio no *Bom Dia Mulher*, Daniela Albuquerque foi convidada para apresentar um dos maiores sucessos da Rede TV!, *Dr. Hollywood*, levado ao ar nas noites de domingo, com a participação do médico Robert Rey. Depois Daniela passou por outros programas femininos, até se casar com Amilcare Dallevo e estrear o *Sensacional* nas tardes de domingo. Ele antes fora casado com Faa Morena, cantora e apresentadora, que há muitos anos mantém o *Ritmo Brasil*, um programa musical, nas grades do fim de semana.

Se nos seus bastidores a realidade era sempre de muitas dificuldades, a Rede TV! encontrou um caminho diferente e muito seguro a partir do lançamento do *TV Fama*, programa com foco no *glamour* da televisão, que outras concorrentes em várias oportunidades tentaram imitar, sem o mesmo sucesso. No começo tinha um formato bem diferente do atual, que agora se dedica ao noticiário de TV e bastidores artísticos, mas no início era feito em externas e quase que exclusivamente voltado para a cobertura de festas e eventos, sob o comando de Mariana Kupfer. Depois dela, Monique Evans e Paulo Bonfá comandaram a atração, mas com o formato modificado e apresentado do estúdio. Nelson Rubens, transformado agora na cara do vespertino, só assumiu o comando do programa em 2001, trabalhando esses anos todos ao lado de várias apresentadoras, caso de Íris Stefanelli, Adriana Lessa, Luisa Mell, Janaína Barbosa e, por último, Flávia Noronha.

Íris Stefanelli ingressou na Rede TV! imediatamente após a sua participação no *Big Brother*, enquanto Luisa Mell, antes de se tornar apresentadora, foi repórter de João Kléber no *Eu Vi na TV* e de Monique Evans no erótico *Noite Afora*. Depois estreou o *Late Show* aos domingos, que ficou no ar até 2006, dedicado ao mundo animal.

Outro nome conhecido que a Rede TV! teve no começo foi Valéria Monteiro. Depois de passagem significativa pela Globo, presença marcante na bancada do *Fantástico* e primeira mulher a apresentar o *Jornal Nacional* em 1992, foi contratada para fazer *A Tarde é Sua*, com direção de Hélio Vargas. A estreia foi no dia da inauguração da emissora, com transmissão diretamente de uma casa no bairro do Morumbi, zona sul de São Paulo, alugada para servir de cenário. Essa situação precária durou apenas dois meses. A partir de janeiro de 2000, a produtora Câmera 5 assumiu a realização do programa e, com um formato diferente do inicial, passou a contar com a apresentação de Meire Nogueira, Castrinho e Sonia Abrão. E assim foi por exatos dois anos, quando Sonia Abrão se transferiu para o SBT. Entre a saída dela e a chegada de Clodovil Hernandes em 2003, o *A Casa é Sua* foi apresentado por Leonor Corrêa. Depois do famoso e polêmico estilista, vieram Ronaldo Esper, Liliane Ventura, Monique Evans e Marisa Carnicelli, até a volta de Sonia Abrão, em 2006.

Colunista de sucesso no jornal sensacionalista *Notícias Populares*, a jornalista sempre teve como foco principal trabalhar na imprensa escrita. A televisão, em sua vida, foi entrando devagar, meio sem querer. "Como convidada de programas como os de Silvio Santos, Chacrinha, Hebe, Flávio Cavalcanti, entre outros, isso me fez amadurecer como profissional. A capacidade deles de entreter, emocionar e levar alegria ao público sempre me impressionou. Um dos momentos mais emocionantes foi quando Silvio Santos, após perder a voz e fazer tratamento, voltou dos Estados Unidos e retomou seu programa, em 1988. Uma comoção nacional e eu estava lá fazendo a cobertura. Outro momento marcante foi a despedida de Flávio Cavalcanti, da TV e da vida, quando sofreu um infarto durante seu programa, ao vivo, no SBT. Eu estava no júri e ele morreu quatro dias depois. Levei um bom tempo para entrar novamente no Teatro Silvio Santos, onde tudo aconteceu, sem chorar. De Chacrinha, recebi um telefonema dias antes de sua morte, batemos um papo e ele estava com muita dificuldade de respirar. Me chamou de 'otária', despachado como sempre, por eu não saber ganhar dinheiro, e me avisou que o meio artístico era cruel e ingrato. Foi a última lição que me deixou", diz a apresentadora, cheia de emoção.

A proposta de fazer um programa feminino, inicialmente oferecido a ela, não tinha nada a ver com a sua personalidade ou com alguém que não gosta e não sabe cozinhar, não liga para moda e não tem nenhuma habilidade para artesanato. Daí surgiu a ideia de uma revista de variedades, com a possibilidade de falar de tudo um pouco, inclusive dos bastidores do mundo artístico, seu negócio de muito tempo.

E sempre ao vivo, com direito a várias surpresas. "Já derrubei toda uma bancada com produtos de emagrecimento na hora de fazer merchandising, aí tive uma crise de riso e o diretor precisou ir para o break. Também tropecei numa cesta básica que estava no palco e caí sentada bem na hora em que o Alexandre Frota entrava para a entrevista. Apesar de dar risada, não conseguia levantar, com dor na perna. Ele percebeu, se jogou no chão ao meu lado, e o papo rolou ali mesmo. Uma outra vez, o Sérgio Mallandro quebrou meu dedo com um taco de madeira numa gincana. Aguentar a dor, ao vivo, foi quase impossível. No intervalo, o paramédico colocou uma tala que aliviou um pouco. Quando o programa terminou, fui direto para o hospital", diverte-se Sonia. O *A Tarde é Sua*, apresentado por ela, já há muitos anos é um dos recordistas de audiência da Rede TV!.

Ainda nos primeiros anos, a Rede TV! teve Fernanda Lima no seu começo na televisão, à frente do *Interligado*, também voltado para o público jovem, já fazendo uso de muita interatividade. Com a saída dela para a TV Globo, Fabiana Saba assumiu a apresentação do programa, que ficou, ao todo, quatro anos no ar, até deixar de ser apresentado, em 2003.

Como outro produto importante desses primeiros tempos, nas noites de domingo foi apresentado o *Bola na Rede*, programa de futebol com participação de Juca Kfouri e Jorge Kajuru. Ficou no ar até o momento em que Alberico de Souza Cruz deixou a direção de jornalismo. Juca e Kajuru, por lealdade àquele que os contratou, decidiram sair com ele. O semanal esportivo ainda assim foi mantido, apesar das dificuldades e de muitas vezes não poder exibir os lances de domingo, porque o programa ia ao ar imediatamente após o encerramento dos jogos. "Se você tinha a imagem, colocava no ar. Se não tinha, ficava por isso mesmo. Só no dia seguinte", recorda o apresentador Fernando Vannucci, um dos principais nomes do esporte da Rede TV! na década passada e que também apresentou o *Bola na Rede* por um período. Apesar de acreditar que o formato mesa-redonda já era na ocasião um produto desgastado, Vannucci ressalta que o programa tinha como preocupação dinamizar a participação de repórteres espalhados pelos locais das competições. "Houve uma aposta em cima disso. Eles entravam nos estádios, ao vivo, logo após o encerramento dos jogos, comentando com seus entrevistados e os convidados da mesa o que tinha acontecido no campo de jogo", diz.

A Rede TV!, em duas oportunidades, no passado e depois mais recentemente, fez um acordo com a empresa Sport Promotion para transmitir os jogos da Série B do campeonato brasileiro de futebol nas tardes de sábado, contando para isso com uma equipe formada por nomes conhecidos do jornalismo esportivo: o narrador Silvio Luiz, o comentarista Juarez Soares e o repórter Luiz Ceará. Também mais recentemente uma faixa esportiva foi aberta na programação das tardes de sábado, dedicada a competições regionais de vôlei e basquete.

Imediatamente após a saída de Alberico, José Emílio Ambrósio assumiu o jornalismo da Rede TV!, no começo trabalhando ao lado de Lauro Diniz, de acordo com decisão tomada pelos sócios Amilcare e Marcelo em julho de 2002. Além dos investimentos, que aos poucos foram feitos nos telejornais que já existiam pela manhã e na faixa nobre, assim como no *Repórter Cidadão*, apresentado em tempos diferentes por José Luiz Datena e Marcelo Rezende, entendeu-se como necessário produzir outro informativo para o fim de noite, que veio a receber o título de *Leitura Dinâmica*, noticiário com plástica de revista eletrônica, considerado até hoje uma das inovações no campo da informação na TV. Cristina Lyra, Cláudia Barthel e Renata Maranhão foram algumas das suas apresentadoras, até chegar à atual, Érica Reis. "O *Leitura Dinâmica* realmente mudou o conceito daquele jornalismo. Ele é de pé, ágil e tem vídeo para tudo, com várias editorias. Não fala só de política e economia, mas também apresenta muito entretenimento, inclusive games", ressalta José Emílio, que sempre dedicou a esse jornal um carinho especial, por representar o novo no campo da notícia na televisão.

O jornalismo da Rede TV! continuou sob a direção de José Emílio Ambrósio até novembro de 2009, quando ele deixou o cargo para aceitar convite da Bandeirantes. Américo Martins, vindo da NBC, foi escolhido para sucedê-lo, num momento muito ruim da emissora. Eram frequentes os atrasos de pagamento, comprometendo seguidamente todo e qualquer plano de trabalho. Ainda assim, com grandes esforços, Américo teve o mérito de manter aquilo que a emissora já tinha conquistado e saiu em 2014, quando deu lugar a Franz Vacek.

A escolha de Franz, até então correspondente internacional e como tal trabalhando na cobertura de algumas guerras, de acordo com Amilcare Dallevo, foi uma "aposta que deu muito certo, porque Franz sempre foi alguém que, muitas vezes, se viu obrigado a superar as mais terríveis dificuldades para realizar seu trabalho". Daí a aposta num profissional jovem, que mostrou seu valor em situações das mais adversas. "Eu mesmo captava as imagens, já pensando no texto. Claro que em 2008 os equipamentos eram mais pesados que os de hoje e a internet muito lenta. Foram madrugadas inteiras fazendo testes de conexão, tentando novas ferramentas de transferência. A geração era um verdadeiro parto. Mesmo assim foi possível fazer coisas muito boas", relata o atual diretor de jornalismo sobre o período em que atuou fora do país produzindo suas reportagens.

Já sob a gestão de Franz Vacek, a Rede TV! teve em Mariana Godoy e Boris Casoy algumas das contratações mais importantes para o seu jornalismo.

Depois de passagens pela Gazeta, Bandeirantes e Record, em novembro de 2002 Amaury Júnior estreou com seu programa diário de reportagens sociais e viagens, que na Rede TV! passou a levar o seu nome. O título *Flash*, registrado pela Band, ficou por lá. Pioneiro no colunismo da televisão, Amaury acabou se notabilizando por nunca enfrentar resistências para fazer seu trabalho e entrevistar diferentes figuras, de atividades diversas, porque sempre soube se colocar com elegância e respeito diante das pessoas. Ao fazer a cobertura de festas e eventos artísticos, ele sempre procurou ampliar os horizontes do seu programa, realizando matérias no exterior, às vezes mostrando as belezas do local onde estava, mas em outras ocasiões ouvindo grandes astros da televisão, música e cinema mundial.

***

A Rede TV! acabou vista por muitos como sucessora da Manchete e foi considerada herdeira das dívidas deixadas por ela, especialmente no campo trabalhista. Foram muitas as ações movidas, além de vários outros problemas que surgiram no decorrer do tempo. Por esse e outros tantos motivos, a direção resolveu elaborar uma lista de "personae non gratae", que até hoje não podem aparecer em seus programas e nem mesmo frequentar suas instalações. Entre tantos, cuja relação é até hoje mensalmente renovada e enviada a todas as produções, constam nomes como Carolina Dieckmann, Preta Gil, Roberto Avallone, Claudete Troiano, Jorge Kajuru, Dado Dolabella, Alexandre Garcia, Rafinha Bastos, Xororó, a família Camargo, Luana Piovani, Hugo Gloss, Sasha (filha de Xuxa) e o cantor Latino. Sobre a existência dessa lista, o vice-presidente Marcelo de Carvalho tem uma explicação: "Toda e qualquer pessoa, artista, personalidade etc. que tenha uma questão jurídica contra a empresa está vetada. Acho, inclusive, o máximo de hipocrisia o sujeito acionar uma emissora porque teoricamente se sente 'ofendido', por exemplo, por uma gozação de um programa de humor, e, quando há uma festa, vai correndo atrás das câmeras e dos microfones da mesma rede. Acionou, está vetado. E se por engano for gravado, mando cortar na edição".

Para sanar alguns dos seus inúmeros problemas, especialmente o atraso de pagamentos a funcionários e principais fornecedores, a direção da Rede TV! optou por negociar espaços da sua grade, divisão que chegou a 12 horas/dia de programação própria e outras 12 vendidas especialmente para igrejas. Depois de trabalhar com várias delas, foi aceita a proposta de cessão única de todos esses horários para a Igreja Universal. A exceção é o domingo, em que outro patrocinador forte e quase exclusivo da emissora, uma farmácia, transmite a missa católica da Catedral da Sé. Amilcare Dallevo admite que, mesmo contra a vontade dos donos, não existia outra saída para essa situação financeira, porque a Globo sempre ficou com a maior parte das receitas publicitárias. As outras emissoras são obrigadas a dividir uma fatia pequena, com a qual não dá para fazer frente a tantas despesas operacionais e trabalhistas. "E esse é um ponto importante, porque sempre é polêmico, e a imprensa, de uma maneira geral, vê como uma coisa meio pejorativa. O SBT, durante muito tempo, arrumou outras empresas para financiar todo o seu grupo, a Record tem o aporte da Universal, a Bandeirantes também vende seu tempo para a igreja", diz Dallevo. Questionado se é de seu gosto esse tipo de solução, responde de forma simples: "Não existe outro jeito".

As dificuldades que sempre estiveram presentes levaram a Rede TV!, com o decorrer dos anos, a apelar para produtos de baixo custo na montagem da sua grade de programação. Ainda nos anos 2000, houve a decisão de investir em telenovelas importadas e mais baratas. Daí veio a exibição de *Betty, a Feia*, produção colombiana que se transformou em um grande sucesso e que acabou por motivar o investimento em outras como *Pedro, o Escamoso*, *Gata Selvagem* e *Paixões Ardentes*. Porém, o maior investimento em teledramaturgia só foi possível em 2007, com *Donas de Casa Desesperadas*, uma versão brasileira extremamente fiel ao original americano *Desperate Housewives*. A produção foi uma parceria com a Disney, que disponibilizou toda a estrutura de uma produtora de Buenos Aires para a produção em português. O sucesso esperado não veio e novos investimentos foram cancelados.

No final de 2010, foi anunciada a contratação de Hebe Camargo, após 14 anos de SBT, para apresentação do seu programa semanal. A estreia, em 16 de março de 2011, levou a Rede TV! a ocupar o terceiro lugar no Ibope, um sucesso que a emissora, ainda em recuperação de um período muito difícil e com a doença que Hebe descobriu em 2012, não pôde manter por muito tempo.

Como boa aposta no novo, o melhor exemplo é a exibição do *Pânico na TV*, desde a sua criação em 2003 até a transferência de todos os seus integrantes para a Bandeirantes. Para cobrir essa saída, houve a decisão de fazer uma versão tupiniquim de *Saturday Night Live*, em parceria com a Endemol, para exibir na noite de domingo, em total incoerência com o próprio título da atração. Rafinha Bastos, que já havia se desligado da Band, foi escolhido como apresentador, à frente de um numeroso elenco, formado por Anderson Bizzocchi, Carla Candiotto, Carol Zoccoli, Cláudio Carneiro, Fernando Muylaert, Marco Leal, Renata Gaspar e Rudy Landucci. O esperado sucesso não veio. Ficou no ar apenas cinco meses, de maio a outubro de 2012. A solução para os seus domingos, a Rede TV! só foi descobrir quase dois anos depois, em 29 de junho de 2014, com a estreia do *Encrenca*, versão para a televisão do *Quem Não Faz Toma*, da 89 FM, de São Paulo. Dennys Motta, Ricardo Mendonça, Ângelo Campos e Tatola Godas comandam o humorístico, que tem direção de Ricardo de Barros. É basicamente produzido em cima de vídeos da internet, com a narração da sua equipe. Seus índices de audiência, com o decorrer do tempo, levaram a emissora a aumentar a duração do programa.

Atualmente, a Rede TV!, além das suas cinco emissoras próprias, tem 35 afiliadas, o que garante a cobertura de aproximadamente 90% do território brasileiro. Toda a sua produção é 100% em alta definição e a rede se orgulha de ser a primeira televisão aberta do mundo a transmitir em 3D, uma tecnologia que é guardada a sete chaves, porque foi desenvolvida pela própria equipe de engenheiros da empresa.

### Desemprego

Numa festa de fim de ano da TV Tupi, com a participação de diretores e funcionários da televisão e até do pessoal dos Diários Associados e dos jornais *Diário da Noite* e *Diário de S. Paulo*, estava um figurante inconveniente que havia exagerado na bebida, distribuindo tapas nas costas de quem não conhecia e se engraçando com as damas presentes. Isso causou a revolta do Dr. Aranha, diretor administrativo dos Diários Associados, que imediatamente solicitou a Cassiano Gabus Mendes que o demitisse. O diretor artístico da TV Tupi, explicou que não poderia demiti-lo, porque o tal figurante não era funcionário. E o Dr. Aranha: "Então contrata ele e manda embora".

# A realidade transformada em entretenimento: os reality shows chegam ao Brasil

Anunciado pela grande imprensa como um "novelão que mostra a vida como ela é", o primeiro reality show exibido no Brasil tinha a assinatura da MTV dos Estados Unidos. Mostrava um grupo de adolescentes de cidades diferentes que aceitaram o desafio de conviver na mesma casa por seis meses. *The Real World* mostrava no vídeo os conflitos, desejos, anseios, inseguranças e relacionamentos de jovens da década de 1990 e estreou aqui, em horário nobre, no dia 3 de março de 1997, simplesmente como *Na Real*.

Mais do que apresentar um novo formato, o programa reposicionou a emissora musical com base em uma realidade que já se mostrava no principal mercado da televisão mundial: a internet avançava com uma proposta mais moderna e com a possibilidade de entregar conteúdo em qualquer lugar e longe das plataformas tradicionais. "O público não esperava mais para ver o clipe da Madonna, e a estratégia de marcar um dia para a estreia desse material não funcionava mais. Era necessário flertar com outros modelos, como realities e séries de ficção", destaca Zico Góes, ex-diretor da MTV.

Na semana de seu lançamento no Brasil, as colunas especializadas dos jornais e revistas não utilizaram o termo "reality show", mas sim "programa de comportamento" sem um roteiro predefinido. Chamava atenção dos jornalistas o fato de os participantes serem acompanhados por câmeras 24 horas por dia, muitas vezes em ambientes externos, o que exigia captação em movimento.

A grande novidade que aportava por aqui foi testada duas décadas antes por meio de um projeto desenvolvido pela Public Broadcasting Service, PBS, uma rede educativa dos Estados Unidos, a responsável pela produção do mundialmente conhecido *Sesame Street* (*Vila Sésamo*, no Brasil). No dia 11 de janeiro de 1973, a emissora colocou no ar *An American Family*, série com 12 episódios que registrou o cotidiano de uma família de classe média alta de São Francisco. O telespectador acompanhou, entre outras coisas, o divórcio do casal e a revelação de que um de seus filhos era gay. Um ano depois, a BBC fez o mesmo na Inglaterra, com resultados satisfatórios.

Incentivada pela matriz norte-americana, em 2000 a MTV Brasil reservou R$ 500 mil para as primeiras temporadas de *20 e Poucos Anos*, reality inspirado no original *The Real World* que também abordava o comportamento do jovem. "Mas, desta vez, a gente seguia a vida de cada participante sem o confinamento numa casa", ressalta Zico Góes. De tempo em tempo, eles se reuniam num local para trocar experiências, resolver conflitos e equilibrar as diferenças. "Não era algo forçado como no *The Real World*. Um pouco mais real do que o original", completa o ex-diretor da MTV Brasil. Entre 5 de julho e 20 de dezembro de 2000, foram produzidas e exibidas três temporadas do reality, chamado na época de série.

No mesmo período, segundo semestre de 2000, entrou no ar a versão brasileira de *Survivor*, na verdade uma adaptação livremente inspirada no original americano e questionada posteriormente pelos seus criadores. Com apresentação de Zeca Camargo, *No Limite* estreou na Globo no dia 20 de julho e introduziu, definitivamente, o reality show no cardápio da televisão brasileira. Pela primeira vez, uma rede nacional levava ao telespectador um formato consagrado no mundo inteiro. A audiência reagiu imediatamente e os índices nas noites de domingo dispararam.

Segundo dados da época, o episódio de estreia de *No Limite* registrou 46 pontos de média, índice muito próximo do da novela *Laços de Família*, o programa com maior público da televisão brasileira naquele ano. Nas duas semanas seguintes, caiu para 45 e 43 pontos, e mesmo assim se manteve no segundo lugar no ranking das atrações mais assistidas da TV. Os índices subiram gradualmente, e, no dia 3 de setembro, com o penúltimo capítulo bateu o recorde da temporada, com 52 pontos, o equivalente a pouco mais de 4 milhões de telespectadores na Grande São Paulo.

A repercussão na mídia também superou qualquer expectativa dos executivos da emissora, tanto de forma positiva quanto negativa. Tudo que acontecia em *No Limite* era debatido nos jornais, revistas e programas de rádio e das emissoras concorrentes. Muitos acusaram o programa de ferir os direitos humanos e de ser irresponsável diante de algumas provas. Entretanto, para o grande público, o reality mostrava que não havia pessoas especiais, apenas alguns indivíduos mais determinados que outros.

*No Limite* seguia a fórmula de enviar gente comum a lugares sem nenhuma estrutura básica para enfrentar as adversidades da natureza. Uma região praiana a 100 quilômetros de Fortaleza cheia de dunas, falésias e vegetação rasteira foi escolhida como cenário para a aventura exibida semanalmente após o *Fantástico*. A equipe do reality contava com mais de cem profissionais e pelo menos dez cinegrafistas se revezavam 24 horas por dia para registrar cada movimento, até mesmo os momentos de sono dos participantes.

Os resultados de audiência e, principalmente, o faturamento de *No Limite* reforçaram na Globo a importância do reality show em sua grade. O formato passava a ser obrigatório para uma rede de televisão no Brasil e, imediatamente, os executivos trataram de buscar projetos nas feiras internacionais do setor. O sucesso da versão de *Survivor* aguçou também os diretores das emissoras concorrentes, principalmente do SBT.

Em 2001, a Globo produziu mais duas edições de *No Limite*. A primeira foi exibida entre janeiro e março e conseguiu manter os índices elevados, apesar de uma ligeira queda. O episódio final atingiu 44 de média, seis pontos a menos do que o desfecho da temporada inaugural. A terceira safra ficou no ar entre 28 de outubro e 23 de dezembro, com números mais modestos, mesmo assim responsáveis pela liderança no horário. As médias oscilaram entre 33 e 39 pontos. No início de 2002, a Globo decidiu pelo cancelamento da produção de *No Limite* e só voltou ao formato sete anos depois, já com todos os acordos fechados com os criadores de *Survivor*. A quarta edição estreou no dia 30 de julho de 2009, com 25 pontos de média. Os números já mostravam uma nova situação na televisão brasileira: a competição estava maior entre as emissoras, e o público, cada vez mais sedento por novidades. No final da década de 1990 e início dos anos 2000, produtores holandeses começaram a chamar atenção dos executivos e donos de emissoras do mundo inteiro que circulavam pelas feiras internacionais de conteúdo. Inspirados no livro *1984*, de George Orwell, eles criaram o *Big Brother*, um programa que registra o comportamento humano 24 horas por dia ao confinar algumas pessoas numa casa e submetê-las a provas, disputas e muitas restrições. Durante um desses eventos, Silvio Santos e alguns de seus assessores ficaram impressionados com o projeto e iniciaram as negociações para trazer o formato ao Brasil. Foram várias as reuniões nos dois países para chegar a um acordo que viabilizasse a produção do reality. Já estava tudo certo entre a Endemol e o SBT, faltando apenas a assinatura do contrato na Holanda, momento em que uma cláusula preocupou os brasileiros. "Nós havíamos conversado que no futuro, talvez, viéssemos a produzir outros formatos, mas eles incluíram isso no documento, o que dobrava o valor do negócio", conta Alfonso Aurin, um dos representantes de Silvio Santos nas rodadas de negociação. Assim que foi informado de que haveria um complemento, o empresário parou a gravação do *Qual é a Música?*, telefonou para Hilversum, cidade onde ficava a sede da produtora, e determinou que tudo fosse cancelado e todos voltassem ao Brasil.

Mas o novo formato não saía da cabeça de Silvio Santos. Alguns dias depois, convocou uma reunião com poucos executivos para informar que colocaria no ar um programa nos mesmos moldes do *Big Brother*, "mas diferente, porque não poderia ser o mesmo", relembra Aurin. O grande desafio da equipe era correr contra o tempo para estrear o projeto antes de a Endemol firmar parceria com a Globo.

Enquanto os primeiros nomes eram chamados para ingressar na produção do reality, Silvio Santos comprou um imóvel ao lado de sua residência para transformá-lo na "Casa dos Artistas". "Montamos uma verdadeira operação de guerra. Todos os envolvidos com os preparativos não sabiam exatamente o local porque, diariamente, se reuniam no estacionamento de um shopping e embarcavam num veículo totalmente 'filmado' para não enxergarem o lado de fora. A mesma estratégia foi adotada com os artistas e seus assessores, para que ninguém os visse chegando ou saindo da emissora para as reuniões de assinatura de contrato ou para as provas de figurinos", conta José Roberto Maciel, vice-presidente do SBT. "A equipe entendeu como era importante manter o sigilo", completa. Até mesmo quem foi tirado das concorrentes, principalmente da Globo, firmou o compromisso de manter tudo em segredo.

Quando tudo já estava pronto e a estreia confirmada, uma ordem de Silvio Santos intrigou a muitos: *Casa dos Artistas* entraria no ar sem chamadas para causar impacto no telespectador. Apenas um vídeo no próprio domingo alertando para alguma coisa nova na grade noturna. Sem detalhes, sem nomes, sem nada. "O ineditismo foi arrebatador. Foi algo tão inusitado que o programa se transformou em sucesso do dia para a noite. E Silvio Santos conduziu aquela estreia sem nenhuma bíblia, usando apenas sua intuição de grande comunicador", destaca Maciel. "E começou a dar audiência. Passamos o *Fantástico* e o *Jornal Nacional*", afirma Alfonso Aurin.

A *Casa dos Artistas* estreou no dia 28 de outubro de 2001 e contou, entre outros, com Bárbara Paz, que foi a vencedora, Supla, Alexandre Frota, Mari Alexandre, Nana Gouvêa, Núbia Oliver e Mateus Carrieri. Apesar de algumas regras básicas de um reality de confinamento, muitas dinâmicas surgiram da cabeça de Silvio Santos e da necessidade de deixar o projeto com um jeito mais brasileiro.

Bárbara Paz, a vencedora da primeira Casa dos Artistas, com Supla

No dia 16 de dezembro de 2001, o último episódio da primeira temporada do reality atingiu impressionantes 47 pontos de média, contra 18 da Globo. O programa não gerou apenas bons números de audiência e repercussão na imprensa, mas também um processo na justiça. A Globo, que havia assinado contrato com a Endemol para trazer ao Brasil o *Big Brother*, entrou com uma ação por plágio, alegando prejuízos e uso inadequado do formato.

Em fevereiro de 2002, o SBT colocou no ar a segunda temporada de *Casa dos Artistas*, pouco tempo depois do lançamento do *Big Brother Brasil*, no dia 29 de janeiro. Mesmo com audiência um pouco menor, o programa comandado por Silvio Santos continuava a dar dor de cabeça à Globo, principalmente durante as noites de domingo. A terceira edição, reunindo famosos e anônimos, estreou logo na sequência, mas os resultados já não eram tão satisfatórios. O exagero desgastou um projeto vitorioso. Uma quarta edição foi realizada com o pretexto de encontrar uma protagonista de novela e, assim, fugir de alguma comparação com a criação da Endemol, mas a repercussão não foi a mesma. Nesse intervalo, foram produzidos *Ilha da Sedução* e *O Conquistador do Fim do Mundo*, também adaptações de formatos internacionais.

Diferente de *Casa dos Artistas*, *Big Brother Brasil* tem uma vida longa, apesar da queda de audiência registrada no decorrer do tempo. O reality sempre foi um dos principais faturamentos da Globo e sua repercussão também pautou muitos programas em outros horários, como o *Mais Você*, *Domingão do Faustão* e *Vídeo Show*, além dos vespertinos das emissoras concorrentes. A primeira temporada do reality estreou no dia 29 de janeiro de 2002, sob o comando de Pedro Bial e Marisa Orth. A atriz ficou pouco tempo na função, atuando depois como repórter, até sair completamente do projeto.

O *Big Brother Brasil* seguiu o formato original criado pela Endemol e reuniu 12 pessoas anônimas com perfis bem diferentes. O envolvimento do telespectador foi grande e a primeira edição fechou com 40 pontos de média geral. Com intervalo de pouco mais de um mês, no dia 14 de maio de 2002, entrava no ar a segunda temporada do reality, que, inicialmente, gerou certa preocupação com os números, mas em pouco tempo entrou no trilho da meta para sua faixa de exibição. A média foi menor e serviu para mostrar a todos os diretores da Globo que o ideal era realizar o programa em temporadas anuais, sempre nos primeiros meses do ano. Foi o que aconteceu a partir do *BBB 3*, em janeiro de 2003. A audiência subiu e o melhor desempenho foi registrado durante a quinta edição, que atingiu 47 pontos. É claro que, depois do ápice, houve uma contínua redução nos índices, algo explicado pelo aumento da concorrência entre as emissoras no Brasil. Entretanto, continua em seu horário como líder absoluto.

A escolha de Pedro Bial para o comando do *Big Brother Brasil* contribuiu para que o reality vencesse qualquer tipo de resistência e preconceito dos anunciantes e dos publicitários. Jornalista que atuou muitos anos como correspondente internacional, sua imagem estava associada a grandes coberturas dos fatos mais importantes da história mundial recente. De certa forma, sua presença disfarçou o voyeurismo do público em um olhar mais crítico do comportamento humano, mesmo que a intenção fosse apenas o entretenimento a partir do confinamento de um grupo e de provas de um game qualquer da TV. Ele permaneceu à frente do programa até 2016, quando foi substituído por Tiago Leifert. Os longos discursos de Bial em noite de eliminação, com muitas referências à literatura, dividiam opiniões, mas são lembrados por quem assistia ao *BBB*.

Um programa como esse atrai participantes com diferentes intenções. Há quem busque nele a oportunidade de conseguir um bom dinheiro com o prêmio e mudar a condição de vida. Foi o que aconteceu, por exemplo, com Mara Viana, a vitoriosa de *BBB* 6, que investiu os recursos numa pousada em Porto Seguro, no sul da Bahia. Outros enxergam ali o início de uma carreira artística.

No final de 2002, assim que foram abertas as inscrições para mais uma temporada do reality da Globo, Sabrina Sato, que havia atuado como bailarina no *Domingão do Faustão*, enviou duas fitas para se inscrever. Numa delas, "a imagem da caipirona de Penápolis", como recorda a apresentadora, e na outra uma garota mais urbana. Algumas semanas depois, o telefone toca em sua casa. Uma das produtoras se encantou com a história da menina que vivia numa cidade do interior de São Paulo. Mais dois dias, outra ligação. Um novo produtor se interessou pelo material da jovem que dançava na televisão. E lá foi ela, mesmo com certa ressalva da irmã quanto ao formato, para a conversa no Rio de Janeiro. "O namorado da Karina na época dizia que eu não precisava ter pressa, porque realizaria meu sonho de trabalhar na televisão e que aquilo era para queimar a imagem", diz a apresentadora.

Sabrina Sato não foi a vencedora da terceira edição do *Big Brother Brasil*. Oitava eliminada, viveu uma intensa paixão com Dhomini e caiu nas graças do telespectador. Pouco tempo depois de sair do confinamento, entrou para o elenco do *Pânico na TV*, em que atuou durante onze anos, impulsionando também uma expressiva carreira publicitária. A jovem de Penápolis se associou a conceituadas marcas de diferentes segmentos e se transformou em importante nome em eventos, campanhas e desfiles, sendo referência para muitos jovens. Em 2014, deixou o humorístico para apresentar um programa semanal na Record TV. "Eu não descarto nada. Eu não tenho vergonha de ter feito figuração e ter participado de alguns programas. Muito pelo contrário; eu tenho orgulho de ter sido tão cara de pau", enfatiza ela.

Apesar de toda a correria e da carga de trabalho que um reality show impõe à equipe de produção, Sabrina Sato revela que nos bastidores do programa, depois da eliminação, sempre foi tratada com respeito e admiração. "O Boninho sempre foi muito atencioso com minha família. Nós andávamos todos juntos pelos corredores do Projac. Era a verdadeira família Buscapé na Globo, no hotel e nos eventos da emissora. E ele sempre vinha com uma orientação ou palavra de incentivo", recorda.

A longa trajetória do *Big Brother Brasil* levanta uma grande discussão sobre a qualidade do conteúdo oferecido ao telespectador. Os mais conservadores e críticos defendem o fim do programa, com o argumento de que é uma atração que não agrega nada ao público, muito pelo contrário: enaltece o pior do ser humano. Seus defensores afirmam que os números de audiência provam que esse é o tipo de programa preferido por quem está em casa, uma vez que, mesmo com a redução dos índices no decorrer dos anos, sempre está entre os mais assistidos. Mas esse não é um fenômeno apenas brasileiro.

O *Big Brother* é um formato consagrado em vários países, inclusive em regiões em que a população tem acesso a educação e cultura, desconstruindo o argumento de que só faz sucesso por aqui porque vivemos num país pobre e com um povo facilmente manipulado, por não ter um olhar mais crítico e boa formação acadêmica. Na Espanha foram realizadas mais de 18 edições, incluindo todos os segmentos possíveis, como com celebridades, reencontros de vencedores e VIPs. A CBS já produziu 16 temporadas exibidas nos Estados Unidos e no Canadá. Reino Unido, Alemanha e Bélgica também estão na lista dos países que mais exibiram o reality. Itália e Austrália também não ficam longe do número de exibições feitas no Brasil. "Esse é um formato que dá muita audiência na América Latina, Europa e parte da Ásia e que tem números mais modestos na América do Norte", explica Rodrigo Carelli. Segundo ele, os estudos apontam que nos Estados Unidos a preferência é pelas competições de talento, principalmente os musicais. "O brasileiro gosta do confinamento, das intrigas e de uma historinha contada em capítulos. É a influência da novela", completa o diretor.

No decorrer de suas primeiras 17 edições, o *Big Brother Brasil* confinou 262 pessoas e lançou muitas delas na carreira artística, empresarial e até política. Kléber Bambam, o vencedor da primeira temporada, vive até hoje da fama de um "ex-BBB", ganhando com participações em eventos e publicidade nas redes sociais. Ele é uma exceção, afinal, a cada ano, surgem novos nomes para disputar espaço num mercado de presenças VIP que não pensa duas vezes ao dispensar os mais velhos para ficar com as novas celebridades, aquelas que acabam de sair da TV. O participante que não sabe aproveitar o dinheiro que ganha com esse tipo de negócio para se aprimorar profissionalmente vê imediatamente os holofotes se apagarem. Entretanto, alguns souberam administrar muito bem essa passagem pelo reality comandado por Boninho e alçaram voos maiores. Grazi Massafera é atriz premiada e nome forte nas campanhas publicitárias. Sabrina Sato está entre as principais apresentadoras da Record TV, Juliana Alves e Flávia Viana são atrizes na televisão e no teatro. Íris Stefanelli se transformou em estrela da Rede TV! e Jean Wyllys ingressou na carreira política. Fernando Fernandes atuou como modelo e, após um acidente, tornou-se atleta paraolímpico. Jaque Khury teve passagens por alguns programas dedicados aos jovens, entre eles *Pânico na TV* e *Legendários*. Di Cesar e Diego Alemão administram a fama que conseguiram no programa.

O *Big Brother Brasil* não é o único reality capaz de impulsionar artisticamente alguns de seus participantes. Bárbara Paz se tornou atriz popular de novelas depois que venceu a *Casa dos Artistas*. Chay Suede não ganhou o *Ídolos*, mas sua aparição no talent show o colocou no elenco da versão brasileira de *Rebelde*. Depois, ingressou para o time de galãs da Globo. Thiaguinho é o exemplo mais bem-sucedido de quem passou por uma competição de talentos na TV, com carreira estabilizada e presença entre os nomes mais representativos do samba. Thaeme, Roberta Sá e Sam Alves também souberam aproveitar a oportunidade que surgiu com a exposição numa competição televisiva.

***

Em outubro de 2001, entrou no ar na Espanha *Operación Triunfo*, formato criado pela Gestmusic, parceira da Endemol no país, para ocupar espaço privilegiado na grade da Televisión Española. Misturando elementos de realidade, de concursos musicais e de confinamento, a atração tinha como ponto de partida uma academia onde os participantes passavam por aulas e treinamentos para as disputas no palco. A audiência foi impressionante e não demorou muito tempo para *OT* ser vendido para inúmeros países, incluindo o Brasil.

No dia 27 de abril de 2002, a Globo estreou sua versão para o sucesso espanhol. A primeira temporada de *Fama* foi comandada por Angélica e Toni Garrido e elevou a audiência da emissora nas tardes de sábado, faixa em que Raul Gil era o grande concorrente e incomodava ao colocar a Record num placar muito próximo. O novo programa abriu uma vantagem mais confortável. O projeto teve quatro temporadas e revelou, entre outros, Vanessa Jackson – a primeira campeã –, Roberta Sá, Thiaguinho, Marina Elali, Mariana Belém, Gabriela Nader, Cídia Luize & Dan Torres, Hugo & Thiago e Mariana Rios.

No mesmo 27 de abril, depois de seis meses de produção, o SBT colocou no ar o *Popstars*, formato neozelandês que, ao longo de vários episódios, selecionava cinco meninas para uma nova banda musical. O programa seguia a fórmula de competição, aulas com especialistas, números musicais e eliminação, com vários elementos de reality shows. No fim da temporada, surgiu o grupo Rouge, que fez sucesso durante alguns anos. Em 2003, a proposta era criar uma boy band. Os vencedores formaram a Br'Oz, que não teve uma vida tão longa quanto a versão feminina.

As estreias de *Fama* e *Popstars* trouxeram para o Brasil um novo conceito de formato: o talent show. Segundo alguns especialistas, esse tipo de competição, mesmo com pitadas de realidade, como a exibição do cotidiano do participante ou o processo de ensaio para a avaliação dos jurados, não pode ser comparada com reality show, porque o que está no foco é uma manifestação artística e não o comportamento de anônimos ou famosos. Entretanto, uma parcela significativa de estudiosos associa os dois estilos ao mesmo gênero, ressaltando que a dinâmica pode ser diferente, mas a intenção dos produtores é a mesma – levar ao telespectador as fragilidades, a força de vontade e os meios que cada pessoa tem para atingir seu objetivo, seja ele um grande prêmio em dinheiro ou a apresentação de sua arte ao público.

Foi somente em 2006 que o Brasil passou a exibir sua versão para o "show mais impactante da história da televisão", forma como os executivos da TV dos Estados Unidos se referiam ao *American Idol*, programa que teve origem no britânico *Pop Idol*, criação do agente e produtor Simon Fuller. Exibido pela Fox, além de garantir imediatamente o maior faturamento com publicidade, incluindo as ações indiretas e licenciamentos, o programa atingiu audiência muito acima do esperado, inviabilizando as concorrentes em seu horário. Nessa época, Daniela Beyruti, filha de Silvio Santos, terminava os estudos na Lynn University e virou fã da competição musical que arrebatava os norte-americanos. Ao chegar ao Brasil, propôs ao pai que trouxesse o formato. A compra dos direitos foi realizada em pouco tempo. "A ideia inicial era ter Silvio Santos como apresentador e Luciano Amaral como repórter do talent show, mas os planos mudaram. Primeiro, Silvio desistiu de comandar a nova atração e, depois, Luciano fechou com a Band", relembra Beto Marden, o escolhido ao lado de Lígia Mendes para dar cara ao projeto voltado a um público mais jovem. A química da dupla foi imediata, e a explicação está no passado. O que poucos sabem é que Beto foi professor de expressão corporal e teve a companheira de programa como uma das alunas.

*Ídolos* exigiu um alto investimento, principalmente pelo fato de o SBT assumir toda a produção, algo que não aconteceu mais tarde com a Record, que compartilhou esse trabalho com a Fremantle. Os primeiros episódios eram gravados durante as seletivas em várias capitais brasileiras, exigindo muito planejamento e uma equipe extremamente alinhada. Na época, em entrevistas a jornais e revistas, Daniela Beyruti afirmou que chegou a estabelecer regras para quem atuava nos bastidores, porque era justamente nesse primeiro contato com os milhares de inscritos que todos precisavam concentrar as atenções para descobrir as mais interessantes histórias.

Na audição realizada em Porto Alegre para a primeira temporada, por exemplo, a tensão de uma jovem chamou a atenção de Beto Marden e seu produtor. A baiana Ludmillah Anjos foi para a capital do Rio Grande do Sul de ônibus, com dinheiro suficiente apenas para uma noite de hospedagem e alimentação. "Ao ouvir aquele relato, resolvi fazer uma vaquinha com as outras pessoas que estavam na fila. Isso também é reality. É o imprevisto que nos obriga a improvisar", relata o apresentador, que conseguiu quantia suficiente para o regresso da jovem em avião alguns dias depois. "Ela passou na primeira seleção e chegou a ser uma das finalistas. Alguns anos depois, a vi também no *The Voice Brasil*", completa.

*Ídolos* entrou no ar no dia 5 de abril e, quase que imediatamente, atingiu bons índices para o SBT. O segredo para o resultado positivo e a repercussão na mídia foi incorporar elementos brasileiros ao formato original. "Produzíamos muito material sobre a cultura de cada cidade que abrigava as audições", conta Beto Marden. A segunda temporada foi exibida em 2007, quando Silvio Santos recusou a proposta da Fremantle para assumir a produção do reality. O que poucos sabiam é que havia uma forte movimentação nos bastidores para a transferência do programa para a Record TV. Essa negociação para a troca de emissora foi realizada discretamente por quase um ano, o que levou o SBT a questionar na justiça sua prioridade na renovação do contrato.

Sem o talent show, Silvio Santos determinou que a equipe do SBT desenvolvesse um projeto semelhante, mas original, para entrar no ar imediatamente. Surgiu o *Astros*, sob o comando de Beto Marden e Lígia Mendes e com os mesmos jurados de *Ídolos*: Arnaldo Saccomani, Thomas Roth, Cynthia Zamorano e Carlos Miranda. A dinâmica era muito semelhante, com direito a audições num teatro e apresentações nos estúdios da emissora, em Osasco.

Inicialmente, para provocar a concorrente, o SBT chegou a fazer chamadas com o nome "Novo Ídolos", mas optou por deixar a atração um período sem título e realizar uma promoção para o telespectador batizar o programa. A estratégia funcionou e a repercussão na mídia foi grande. As duas primeiras temporadas seguiram dentro do previsto, mas a terceira foi encerrada antes, como consequência da baixa audiência e questionamentos na justiça sobre a originalidade do formato.

Enquanto isso, *Ídolos* seguia firme na grade da Record, que apostava nas competições de talento e nos realities de comportamento para alavancar seu horário nobre e, assim, conquistar a vice-liderança, ultrapassando o SBT. O ator Rodrigo Faro, uma das promessas da teledramaturgia da Globo, foi contratado a peso de ouro para dar a cara à nova etapa do talent show. E conseguiu. Ele funcionou muito bem nas externas durante as audições em vários estados e também no estúdio, incluindo os episódios ao vivo, que exigiam muita habilidade e certo improviso. Seu maior desafio foi impor seu estilo sem ferir o formato e, ao mesmo tempo, se diferenciar das duas temporadas realizadas no SBT. "Na verdade, era como se substituísse o Beto Marden e a Lígia Mendes, que comandaram os dois primeiros anos em outra emissora", diz Faro.

*Ídolos* permaneceu na grade da Record TV até 2012, sempre com edições anuais. A direção da emissora decidiu não dar continuidade ao projeto em função da queda de audiência, faturamento menor em relação a temporadas anteriores e desgaste no formato. Foi um período também de turbulências no departamento de teledramaturgia e de contenção de gastos.

Na Globo, após *Fama*, o gênero talent show atingiu seu ápice com o *The Voice Brasil*, outra criação da Endemol, aqui dirigida por Boninho, o responsável pelos reality shows produzidos e exibidos pela emissora. A primeira temporada estreou no dia 23 de setembro de 2012 e ocupou o início da tarde de domingo, faixa em que o público familiar é predominante. A audiência respondeu já nos primeiros episódios, inviabilizando o crescimento das concorrentes que nesse horário apostavam em quadros mais populares e assistencialistas. Tiago Leifert, apresentador ligado aos noticiários esportivos, foi o escalado para o comando da atração, que contou com Carlinhos Brown, Claudia Leitte, Daniel e Lulu Santos como os técnicos que montam seus times com base em audições às escuras. Apesar de os 15 pontos de média garantirem a liderança com boa margem de vantagem, no ano seguinte a competição musical foi transferida para o *prime time*, em que também elevou os índices habituais da rede. Os 13 episódios geraram 26 de média.

As temporadas seguintes oscilaram entre 20 e 22 de média, mas, apesar de ficarem ligeiramente abaixo da primeira, apontam para a estabilidade do formato. *The Voice Brasil* é um dos produtos mais bem avaliados pelo telespectador, a ponto de a emissora investir na versão infantil para as tardes de domingo, a partir do verão de 2016, também em esquema de revezamento com outros produtos destinados ao público familiar. Com regras mais suaves, o talent show garantiu boa audiência e retorno publicitário além das expectativas.

Nesse segmento, baseado no israelense *Rising Star*, com forte participação do telespectador por meio de aplicativos, o *SuperStar* garantiu, a partir de abril de 2014, três temporadas pela Globo. Desta vez, não era o cantor em avaliação pelo público e pelos jurados, mas grupos musicais de diversos estilos. Em seu primeiro ano, o programa comandado por Fernanda Lima enfrentou forte resistência do *Programa Silvio Santos*, que chegou a liderar em São Paulo durante várias noites de domingo. A repercussão nunca foi muito grande, prova de que nem tudo que funciona no exterior cai no gosto do brasileiro. *The X Factor* é o melhor exemplo disso.

Consagrado em boa parte do mundo, inclusive com mais espaço que o *The Voice* em alguns países, *The X Factor* não teve o mesmo prestígio no Brasil. Adquirido pela Band e realizado em parceria com a FremantleMedia, sua pré-produção foi tumultuada e gerou várias notícias sobre a desorganização das audições e falta de estrutura para esse processo. A dinâmica da competição não ficou bem clara para o grande público, provocando baixos índices de audiência.

***

A primeira experiência da Record com reality shows foi com *Sem Saída*, formato que a FOX desejava testar no Brasil antes de distribuí-lo pelo mundo. A dinâmica era relativamente simples. Cinco pessoas permaneciam confinadas numa casa erguida num dos estúdios da emissora, no bairro da Barra Funda. Após a realização de provas de um game show, quem tivesse o pior resultado deixava o programa, sendo substituído por alguém que se inscreveu pela internet. A única temporada do reality atingiu 5 pontos de média, índice razoável para aquele momento da emissora.

Em outubro de 2004, ainda com o reality comandado por Márcio Garcia no ar, estreou *O Aprendiz*, com o empresário e publicitário Roberto Justus na apresentação. A versão brasileira do reality original comandado por Donald Trump gerou grande repercussão na mídia e imediatamente conquistou o telespectador. O programa foi bem além disso. Com todas as cotas de patrocínio vendidas, transformou-se num dos maiores faturamentos da emissora naquele ano, atraindo diversas ações de merchandising e gerando muitos licenciamentos de marca. Algumas semanas antes da grande final, as agências de publicidade foram informadas de que o programa voltaria no ano seguinte com mais possibilidades de comercialização. Foram dez temporadas, incluindo as versões *O Sócio, Universitário, Empreendedor* e *Celebridades*, além de uma versão com ex-participantes, chamada de *O Retorno*. Apesar de não mudar muito sua fórmula, *O Aprendiz* conseguiu se manter por um longo tempo no ar, mesmo com elevado custo de produção.

O confinamento dos participantes num hotel luxuoso em São Paulo atendia às expectativas do público que gostava dessa dinâmica, assim como as provas de superação e conhecimentos, que geravam tensão nos episódios, combustível fundamental para a audiência. Entretanto, segundo alguns especialistas, a credibilidade aumentava quando o destaque estava nas orientações profissionais. Ou seja, mesmo com tudo o que *O Aprendiz* levava ao ar, inclusive o desejo dos participantes de se transformarem em pessoas conhecidas na mídia, o telespectador não via a atração como algo apelativo ou exclusivo para o entretenimento. Com base nessa experiência, o empresário Roberto Justus passou a se dedicar cada vez mais ao comando de programas na televisão, com incursões em games, talk show e *A Fazenda*.

No final de 2008, os executivos da Record TV compraram os direitos de *The Farm*, formato criado pela sueca Strix com versões em várias partes do mundo e que tinha como diferencial o confinamento numa propriedade rural de pessoas acostumadas com a vida urbana, fossem elas famosas ou anônimas. Aqui no Brasil se optou por reunir um elenco conhecido do grande público, resgatando um pouco do que havia sido feito em *Casa dos Artistas*. A pré-produção do reality foi realizada num curto espaço de

Anúncio do programa Aprendiz Celebridades

tempo e o maior desafio foi encontrar o local ideal para realizar o projeto. O sítio precisava ficar numa região próxima a São Paulo a fim de facilitar a locomoção dos profissionais envolvidos, inclusive o apresentador, e abrigar todo o aparato técnico para a transmissão. "Uma miniTV foi erguida em Itu, porque necessitávamos de um estúdio, switcher, ilhas de edição e finalização, redação e produção, manutenção, além de salas de reunião", diz o diretor Rodrigo Carelli. "Eram mais de 50 câmeras, vários sets de provas, cenários variados e mais de trezentos profissionais atuando em silêncio nos bastidores para não interferir na rotina dos confinados", destaca Britto Júnior. "O que poucos sabem é que aquilo era um reality duplo: o que era exibido na TV e o que acontecia entre a equipe, naquilo que o convívio prolongado pode trazer a todos que ficavam semanas longe da família e dos amigos", fala o apresentador.

Assim como aconteceu em *Casa dos Artistas*, nem mesmo quem estava envolvido com o projeto sabia exatamente onde ficava o sítio alugado pela

Record TV para a realização de seu mais ousado e ambicioso reality show. Os carros utilizados para levar os técnicos que montavam a estrutura para a transmissão possuíam janelas com grossas películas para evitar que os passageiros enxergassem o caminho, e todos os profissionais da Record envolvidos eram orientados a manter segredo. Em algumas ocasiões, eles foram vendados, para não identificar a entrada de uma pequena estrada vicinal, num acesso da Rodovia Castelo Branco.

No domingo, dia 31 de maio de 2009, entrou no ar o primeiro episódio de *A Fazenda,* sob o comando de Britto Júnior, jornalista que já havia passado pelos principais programas de entretenimento da emissora. "Apresentar esse reality foi um desafio para mim, uma experiência que me fez crescer pessoal e profissionalmente. E foi um programa que possibilitou à Record subir para outro patamar", diz o âncora. Com 16 pontos de média, a novidade deixou claro que incomodaria a Globo e roubaria a vice-liderança do SBT enquanto estivesse no ar. E foi o que aconteceu. A temporada inicial fechou com 15 pontos de média.

Os bons números obtidos entre maio e agosto levaram os diretores da Record TV a trabalharem em ritmo acelerado para viabilizar em pouco tempo a segunda temporada do reality. *A Fazenda 2* estreou no dia 15 de novembro daquele mesmo ano, um intervalo de apenas dois meses e meio. Como consequência, a queda de audiência. Foram apenas 10 pontos de média geral. A redução pode ser explicada por vários fatores, entre eles o espaço pequeno entre as temporadas e o confronto direto com o *Big Brother Brasil.*

Realities como *A Fazenda* e *BBB* são os preferidos do brasileiro, um grande apreciador dessa dinâmica que expõe comportamentos e estabelece a disputa entre as pessoas. "Quem está em casa quer ver aquele que faz qualquer coisa para ganhar. Ele pode até rejeitá-lo na hora do voto, eliminando-o, mas gosta de assistir àquela tensão", explica Rodrigo Carelli. "No começo, havia o julgamento moral do participante, numa espécie de tribunal na TV. Os mais polêmicos eram eliminados imediatamente e o programa ficava esquálido. Com o tempo, o telespectador percebeu que era melhor deixar os polêmicos, porque um reality só acontece em altas temperaturas", destaca Britto Júnior. E, apesar de todo esse engajamento, críticas e desconfiança sempre surgem. "O brasileiro acredita na novela, que é ficção, e suspeita de algo que se baseia na realidade. É uma inversão de conceitos", afirma Carelli. "Roteiro jamais funcionaria, porque seria impossível alguém viver 24 horas como personagem."

Além das oito edições com celebridades e artistas, uma versão com anônimos foi realizada como uma espécie de teste. *Fazenda de Verão* entrou no ar no dia 31 de outubro de 2012 e terminou em 30 de janeiro do ano seguinte. Atingiu apenas sete pontos de média, índice abaixo das expectativas e que inviabilizou a realização de outra temporada com pessoas comuns.

O alto custo obrigou a Record TV a tirar *A Fazenda* da grade durante o ápice da crise econômica enfrentada pelo Brasil a partir de 2015. Nesse período, o mercado publicitário reduziu consideravelmente suas verbas e muitas empresas deixaram de investir na televisão ou concentraram seus recursos nas atrações com maiores índices de audiência e a garantia de atingir seu público-alvo. O reality continua no cardápio de programas da emissora.

Por registrar índices de audiência superiores aos de outros gêneros de entretenimento na televisão e atingir prioritariamente os mais jovens, o reality show é muito aceito pelos anunciantes, que buscam no formato outra maneira de mostrar seus produtos aos consumidores. Refrigerantes, cervejas e energéticos costumam patrocinar as festas realizadas durante o confinamento, ocasiões em que surgem os romances e conflitos, com desdobramentos em outros episódios. É exposição garantida.

Nesse sentido, no dia 30 de julho de 2010, a Band estreou o *Busão do Brasil*, reality desenvolvido pela Endemol em que 12 jovens foram confinados num ônibus que circulou por várias regiões do país, passando pelas principais capitais. O veículo estampava as imagens do Guaraná Antarctica e, por isso mesmo, funcionava como chamariz da marca, tanto na televisão quanto ao ar livre. Na época do lançamento do programa, a imprensa especializada em televisão e marketing chegou a afirmar que se tratava da melhor e mais moderna ação de *brand content entertainment*, uma forma de fazer propaganda por meio do conteúdo que um consumidor específico deseja.

Com regras não muito claras, o programa ficou abaixo do esperado em audiência. "O problema é que a emissora não possuía autonomia para adequar o formato à nossa cultura", afirma o apresentador Edgard Piccoli. "Era muita gente envolvida e com interesses bem diferentes. Tinha a dona do formato, a produtora que executava, a TV que exibia, a agência de publicidade e os diretores da Antarctica", ressalta o âncora. Assim, por exemplo, se a Band desejasse aumentar a audiência, não poderia apostar em polêmicas, sexo ou nudez, recursos que costumam melhorar os índices. Quando um dos participantes apareceu nu no banheiro, houve muita discussão nos bastidores, com direito a olhares bem diferentes sobre o que foi exibido. Entretanto, pela primeira vez, houve grande repercussão na internet entre os aficionados do gênero. "Esse é o produto da televisão que mais combina com as redes sociais e plataformas digitais. Os portais e canais que trabalham com informação direcionada a esses programas atingem elevados picos de acessos", analisa Rodrigo Carelli. *Big Brother Brasil, A Fazenda, MasterChef* e *The Voice Brasil*, só para citar alguns, enquanto estão no ar com suas temporadas, possuem mais espaço na web do que a novela das 21h da Globo, que costumam liderar o ranking dos programas mais assistidos no país. "Aliás, se você olhar a repercussão no Twitter do *MasterChef*, por exemplo, acha que ele está dando 30 pontos na TV", completa o diretor.

Desde que a televisão surgiu no Brasil, a culinária faz parte das grades das emissoras, seja por meio de quadros, atrações próprias ou reportagens. Esse é um segmento que sempre atraiu anunciantes, principalmente da indústria alimentícia, de produtos de limpeza e itens específicos para quem gosta de cozinhar. O que sempre funcionou muito bem no Brasil e em várias partes do mundo foi potencializado com os elementos de um reality ou talent show. O que não falta é exemplo.

A primeira experiência nesse sentido na televisão aberta aqui no Brasil aconteceu dentro do *Mais Você*, comandado por Ana Maria Braga, na Globo. "Super Chef" estreou no dia 8 de setembro de 2008 e impulsionou a audiência do matutino. A competição ganhou edições anuais e representa importante parcela do faturamento do programa. Na mesma época, os canais por assinatura também investiram no segmento, em função dos bons resultados que o gênero alcançava nos Estados Unidos e na Europa, com inúmeras atrações comercializadas para o mundo todo. Nigella, Jamie Oliver, Buddy Valastro, entre outros, ganharam popularidade aqui no país mesmo sem a força das grandes redes de TV. Algum tempo depois, de olho nos anunciantes certeiros para esses projetos, a maioria ligada à indústria alimentícia, SBT, Band e Record, principalmente, investiram pesado em versões das franquias de maior repercussão.

Com uma pré-produção relativamente rápida e muita repercussão na imprensa e na internet em função da presença de Ana Paula Padrão, o *MasterChef Brasil* entrou no ar no dia 2 de setembro de 2014. O impacto na audiência foi quase imediato, provando que o talent show de gastronomia atendia um público que gosta de competição, mas, fundamentalmente, busca algum tipo de informação que atenda ao seu estilo de vida.

Consagrada como uma das principais jornalistas do Brasil, com passagens como âncora no *Jornal da Globo*, *SBT Brasil* e *Jornal da Record*, Ana Paula Padrão assumiu a apresentação do *MasterChef Brasil* após um longo período de sondagens da Band. "Foram várias conversas com o Johnny Saad para que eu assumisse um dos telejornais da emissora, mas, naquele momento, não queria mais bancada. Era preciso um projeto novo", lembra a jornalista. Até que, um dia, a surpresa durante uma reunião com Diego Guebel, executivo responsável pelo comando artístico da empresa:

– Ana, você conhece o maior reality de culinária do mundo?
– Culinária? Você está de sacanagem comigo...
– É o *MasterChef*, fenômeno no mundo inteiro e que colocaremos no ar ainda este ano – disse o executivo.

Ana Paula deixou a sede da emissora no Morumbi pensando sobre o assunto e, como boa jornalista, buscou todas as informações a respeito. Chegou à conclusão de que aquela seria uma excelente oportunidade para a transição de sua carreira e mudança de imagem. Contrato assinado, ficou à frente de um excelente time, com Erick Jacquin, Henrique Fogaça e Paola Carosella. O talent show se transformou num excelente vendedor de publicidade e colocou a Band várias vezes em segundo lugar ao ultrapassar a barreira dos 8 pontos de pico.

Alguns meses depois, em outubro de 2014, o SBT colocou no ar sua versão para o *Hell's Kitchen*. Batizada como *Cozinha sob Pressão*, entrou no ar depois de muita tensão, causada pela desistência, dias antes da estreia, do chef Jefferson Rueda. Chamado às pressas, Carlos Bertolazzi refez as cabeças dos primeiros episódios e se transformou na imagem do programa no Brasil. A competição de culinária atingiu bons índices de audiência no fim das tardes de sábado e conquistou importantes empresas como patrocinadoras. Estava aberta a porta para a emissora de Silvio Santos investir mais no segmento. A segunda temporada foi exibida no início do ano seguinte, também com números positivos.

De olho no resultado alcançado com o talent show de Carlos Bertolazzi e diante de pesquisas que apontavam o envolvimento do brasileiro com esse tipo de conteúdo, em julho de 2015, entrava no ar o primeiro episódio de *Mão na Massa*, versão para o sucesso internacional *Bake Off Brasil*.

O fato é que os principais realities e talent shows realizados pela televisão brasileira foram ancorados por jornalistas. Pedro Bial ficou anos à frente do *Big Brother Brasil*. Britto Júnior comandou *A Fazenda*, Ana Paula Padrão se responsabilizou pelo *MasterChef* e Ticiana Villas Boas pelo *Bake Off Brasil*. Tiago Leifert deixou o esporte para, inicialmente, conduzir o *The Voice Brasil*, depois o *The Voice Kids* e, finalmente, o *BBB*. Para o público, essa passagem da redação para o show nunca gerou estranhamento, mas para alguns profissionais causou, no mínimo, questionamentos pessoais.

Já na Record, esse gênero de programa chegou em 2015 com Buddy Valastro, confeiteiro conhecido mundialmente e que, meses antes, fizera enorme sucesso entre os brasileiros com seu reality na TV por assinatura. *Batalha dos Confeiteiros*, produção da Endemol Shine Brasil exibida também pelo Discovery Home & Health, era uma versão do americano *Next Great Baker* e deu como prêmio ao vencedor a sociedade na primeira loja que o apresentador abriu no país. O talent show registrou índices satisfatórios, excelente faturamento e garantiu, no ano seguinte, mais uma atração com o Cake Boss.

*Batalha dos Cozinheiros* seguiu a mesma dinâmica do anterior, mas ampliou o cardápio, deixando de restringir os doces na competição. O programa enfrentou a concorrência do *MasterChef Brasil* e não obteve a mesma repercussão. No vídeo, ficou muito claro que os participantes não compreendiam o inglês falado por Buddy Valastro. Para o público, ele foi dublado, porém durante a gravação nem todos entendiam sua fala.

Na cartela de produtos realizados com os elementos de um reality show aparecem aqueles que apostaram no comportamento humano, fundamentalmente nas diferenças entre as pessoas. *Troca de Família*, *Simple Life* e *Power Couple Brasil*, atrações da Record TV, têm como ponto de partida os relacionamentos, sejam eles amorosos, familiares ou amizades. *SuperNanny* ensinou pais a educarem seus filhos e o *Esquadrão da Moda* e *10 Anos Mais Jovem* apostaram em estilo e beleza. Já *Mulheres Ricas* divertiu ao focar o cotidiano de cinco personagens pertencentes a uma classe social muito favorecida. O público compreendeu que muitas situações foram exageradas propositadamente para garantir o show na televisão.

Numa era cada vez mais conectada, em que a televisão vê as plataformas digitais avançarem entre o público com seus conteúdos diversificados, os reality shows se mostram eficazes na aproximação com a internet. As mensagens trocadas por meio das redes sociais durante e depois da exibição dos programas ampliam a plateia e o tempo de exposição – mesmo que apenas pela memória – das marcas dos anunciantes. "Por isso, se começou a trabalhar em conjunto para encontrar ações inteligentes para um marketing mais eficiente e, aos poucos, abandonar esse modelo de negócio de comerciais de 30 segundos no break", diz Ana Paula Padrão. "Se o eliminado, por exemplo, vai para o Twitter após o episódio, a relação com o telespectador permanece por mais algum tempo", explica ela. "Por isso, não tem formato mais propício para o que se desenha como conteúdo multiplataforma", completa Rodrigo Carelli.

Os reality shows devem permanecer na televisão brasileira por muito tempo. Envolventes, atraem anunciantes, possibilitam a interligação com outros meios e são facilmente moldados para as mudanças de comportamento de um telespectador que vive em constante transformação.

# A TV por assinatura no Brasil

O prédio do Banespa, na Rua João Brícola nº 24, centro de São Paulo, o terceiro maior "arranha-céu" da cidade na ocasião, recebeu a torre da TV Tupi, Canal 3, no início de suas operações. Assim como, no Rio de Janeiro, depois de breve período no Pão de Açúcar, a emissora de Assis Chateaubriand escolheu para isso o Morro do Sumaré, com mais de 700 metros de altitude, na floresta da Barra da Tijuca. A necessidade de pontos elevados se dá porque o sinal da televisão convencional é transmitido em linha reta. Por definição simples, quanto maior a altura, menor será o número de obstruções naturais, como edificações, vales ou montanhas. Embora não seja o único, esse é apontado como fator principal, imprescindível para uma recepção de qualidade. Um trabalho que, tanto nessas como em inúmeras outras cidades, foi se aprimorando com o tempo e que, independentemente dos esforços, aqui como em outros países, jamais chegou à perfeição absoluta. Algumas áreas de sombra, pelo sistema de transmissão em linha reta, como principal desafio, nunca deixaram de existir.

Nos Estados Unidos, um país também com grandes dimensões e regiões topográficas bem diferentes, desde o final da década de 1940 passou a existir o cabeamento, com as mesmas características daquele que, anos depois, viemos a adotar por aqui. Em uma central de controle, várias antenas com alto poder de recepção recebem os sinais vindos de satélites e antenas repetidoras das emissoras de TV, que depois de processados são enviados para o assinante por meio de cabos ótico e coaxial, um completando o trabalho do outro, eliminando barreiras e em condições de atingir, com qualidade, distâncias muito maiores.

Enquanto o cabo óptico transmite a luz por caminhos que podem ser retos ou tortuosos, o coaxial, com fios condutores, é utilizado nas ramificações aéreas ou subterrâneas. Um conversor, instalado no domicílio, se encarrega de transmitir esse sinal para uma frequência que o aparelho de TV consegue captar. Nos Estados Unidos, estima-se, foram investidos mais de US$ 15 bilhões em cabeamentos, para tornar possíveis os trabalhos de distribuição dos sinais. Diferentemente do que ocorreu nos Estados Unidos, onde a televisão paga surgiu por uma necessidade técnica de mercado, no Brasil esse modelo só foi implantado décadas mais tarde, com características mercadológicas muito semelhantes às que temos hoje, como uma opção diversificada e segmentada ao sinal aberto. Um dos nomes mais importantes do departamento de engenharia da história da TV Globo, Adilson Pontes Malta reafirma que a diferença entre a penetração de televisão paga no Brasil e no país da América do Norte é considerável. "Os Estados Unidos têm perto de 97% do seu público que recebe televisão paga, por cabo ou por satélite. Aqui, nós não chegamos a 30%."

Muito dessa realidade apontada por Adilson decorre da tardia implantação da televisão por assinatura no Brasil. Os primeiros testes começaram ainda nos anos 1980, mas a televisão paga somente começou a se tornar um negócio real na década de 1990, com a chegada dos grandes players. De acordo com a Associação Brasileira de Televisão por Assinatura (ABTA), o governo federal "introduziu oficialmente a TV a cabo no país" em dezembro de 1989. Antes, CNN (Grupo Turner) e MTV (Grupo Viacom), por conta e risco de cada uma, já haviam realizado testes da nova plataforma, sem ainda contar com o necessário suporte estrutural que pudesse sustentar a sua base de operações.

Porém, com a formação de conglomerados no Brasil e também das programadoras no exterior, o mercado se viu estimulado a investir com mais firmeza no setor. É o caso do Grupo Globo, na época Organizações Globo, com sua programadora Globosat. Também houve, quase no mesmo período, o surgimento da extinta operadora TVA, do Grupo Abril. Tudo isso no início dos anos 1990, com todos os problemas e custos que um trabalho no começo sempre apresenta.

Ainda assim, os investimentos eram acanhados, longe de atender às necessidades do processo. Em 29 de novembro de 1995, foi publicado no Diário

Oficial da União o decreto do dia anterior, que aprovou a regulamentação do serviço de TV a cabo no Brasil. Em 16 de julho de 1997, foi promulgada a Lei Geral de Telecomunicações, com a "criação e funcionamento de um órgão regulador e outros aspectos constitucionais", diz a ABTA. Foi fundada, então, a Agência Nacional de Telecomunicações – Anatel. O Ministério das Comunicações é que deu início ao primeiro processo licitatório da televisão paga. Isso ocorreu em 1998, segundo a ABTA: "(...) Os vencedores iniciaram a implantação de suas bases operacionais em 1999, para entrar em operação efetivamente a partir de 2000. Com a promulgação da Lei Geral de Telecomunicações (Lei nº 9.472) em 1997, a Anatel – Agência Nacional de Telecomunicações – assumiu a função de órgão regulador de todos os serviços de telecomunicações, inclusive de televisão por assinatura, e vem dando continuidade ao processo licitatório para expansão dos serviços".

Foi a partir dos anos 2000 que a TV paga no Brasil, sob o aspecto operacional, se viu plenamente pronta para funcionar e se transformar na realidade que hoje conhecemos. A crise cambial em 2001 foi uma das dificuldades, mas não inibiu uma forte expansão das programadoras e investimentos mais amplos nas empresas de comunicações. Ex-diretor-geral do Grupo Globo, Octávio Florisbal explica que o crescimento exponencial do segmento pago da televisão brasileira ocorreu em um período de dez anos. Antes, o acesso a esse conteúdo televisivo era restrito, e na segunda metade da década passada ele passou a ser consumido por pessoas das classes C e D. "A TV paga começou a crescer no Brasil nos anos 2000, quando se

Alberto Pecegueiro, CEO da Globosat

registraram 2 milhões de domicílios com esse serviço. Era uma coisa muito de nicho, voltada para as classes A e B. Ela cresceu e depois de dez anos saltou para 10 milhões, e em 2017 atinge 20 milhões", destaca Florisbal.

Tradicionais operadoras passaram a contar com uma infraestrutura maior e mais consolidada e, consequentemente, proporcionaram um mercado com grandes empresas internacionais. O histórico da TV paga veio a se modificar novamente em 2004, com a venda da NET para a gigante mexicana Telmex e, logo em seguida, a fusão entre Sky e DirecTV. A marca da Sky, mais conhecida entre os brasileiros, prevaleceu no mercado. Em 2006, a espanhola Telefónica adquiriu a TVA, e a NET ficou com a Vivax.

Resolvido o atraso na infraestrutura, o foco na televisão por assinatura se concentrou no conteúdo. Isso em uma época em que a produção local passou a ser valorizada pelas mais variadas audiências ao redor do planeta. Muitos distribuidores, que tinham suas operações e produção nos Estados Unidos ou na Argentina, viram a possibilidade de fincar bases mais sólidas em solo brasileiro. A vice-presidente de conteúdo da Discovery Networks Brasil, Mônica Pimentel, detalha a importância de os escritórios locais obterem autonomia para se aproximar da audiência. "A programação era toda feita em Miami. Então, o que aconteceu? A gente acabou tendo autonomia para poder definir as grades de programação dos canais, para poder fazer as chamadas e definir as campanhas de marketing. Obviamente, com isso, conseguimos ter um olhar local e entender melhor o público brasileiro", diz a executiva.

Importantes players, como o Fox Networks Group, já produziram localmente no país. Assim como a própria Discovery Networks e a HBO. Tudo isso antes de um relevante divisor de águas para o mercado de televisão por assinatura – o mais importante da sua história no que se refere a conteúdo.

Em 2012 foi sancionada a Lei nº 12.485, com o objetivo de fomentar a produção audiovisual brasileira no segmento pago da televisão. Com isso, foram estabelecidas cotas obrigatórias de "veiculação de obras nacionais". Essa realidade realinhou a estratégia dos programadores, que tiveram que se adaptar. Houve quem desistisse do mercado brasileiro, como foi o caso do Televisa Networks, com seu canal TLN, voltado para produções dramatúrgicas mexicanas, dubladas em português. Além disso, inicialmente, a falta de planejamento dos programadores causou uma repetição excessiva de filmes brasileiros. Era comum a mesma produção ser exibida em canais diferentes no mesmo dia e horário. Com o passar do tempo, no entanto, os incentivos funcionaram e os projetos saíram do papel – programas de culinária, dramas, sitcoms, talk shows, talent e reality shows. Até 2016, nenhum grande arrasa-quarteirão.

Com as dificuldades naturais do mercado, os programadores passaram a ver na coprodução e coexibição um caminho mais seguro para reduzir custos e produzir com qualidade. A Turner, por exemplo, se associou à Band para realização e veiculação do programa The X Factor, no TNT e na rede aberta. Nesse ponto, por exemplo, a audiência de uma, em teoria, não é a mesma de outra.

De volta à década de 2000 para considerar um processo que continua ainda hoje, as emissoras de esportes passaram a deter uma fatia considerável da audiência. A televisão paga viu a ascensão da ESPN Brasil (Disney) com suas competições americanas e o futebol europeu. O canal foi o primeiro da marca fora dos Estados Unidos e passou pelo processo de desenvolvimento da infraestrutura da TV por assinatura brasileira. Um dos fundadores, José Trajano, conta que a raça foi fundamental para colocar o canal no ar, já que foi preciso produzir de uma maneira diferente de uma rede generalista e para uma audiência específica. "Você tem que falar com um público especializado. Então, tivemos que nos adequar e fomos estudando mesmo, não tinha nada com pesquisas, fomos na intuição."

José Trajano na ESPN

Em 1995, eram apenas dois canais de esporte: a ESPN Brasil e a ESPN. Um era voltado para as questões do Brasil, enquanto o outro exibia parte da programação do canal americano, em inglês. A primeira distribuidora a carregar os canais ESPN foi a extinta TVA. "Deram um ano para a gente pôr no ar e a gente botou em três meses e meio. Claro que foi de uma forma precária, feita no peito e na raça, mas quando foi para o ar foi um grande feito", completa Trajano. Hoje, a ESPN Brasil é um dos principais canais da TV por assinatura em termos de investimentos, audiência e repercussão, ao lado de Fox Sports e SporTV. O canal da Globosat também tem parte importante na formação da base brasileira de assinantes. Se nos anos 1990 os canais não tinham tantos recursos e pouca gente assistia, pesquisas específicas e precisas contribuíram e, claro, ainda colaboram para o acirramento da competição entre os canais.

Alberto Pecegueiro, da Globosat, um dos nomes importantes da trajetória do SporTV, conta que o investimento em planejamento é fundamental para continuar líder em um terreno tão duro como se tornou a TV por assinatura. "Eu devo pontuar, aqui, que a Globosat já fazia pesquisa da audiência três anos antes do Ibope iniciar o serviço no Brasil. Ela tem a maior estrutura de pesquisa do mercado de TV paga do Brasil. A capacidade de manter a liderança vem da combinação de ingredientes que inclui talentos, no caso do esporte, direitos esportivos, sem dúvida, mas, também de maneira importante, ter o dedo no pulso da audiência, conhecer cada vez mais os desejos, as aspirações e as reações da audiência". O SporTV como referência número 1 em esporte determinou muito dos estandartes da televisão por assinatura brasileira. Ao lado da ESPN e com a chegada, em 2012, do Fox Sports, o canal da Globosat investe, além dos direitos esportivos, em coberturas ao vivo, noticiários, programas de reportagem e, sobretudo, no formato de debate.

A televisão paga brasileira oferece ainda canais de notícias, com a Globo News líder do segmento. Integrado ao departamento de jornalismo da Globo, iniciou as operações em 2006. A informalidade passou a fazer parte dos noticiários da emissora, que ainda tem muito do seu DNA inicial. Desde 2016, possui programação ao vivo todos os dias da semana, desde as primeiras horas até a noite. A concorrente Band News, um pouco mais nova, fundada em 2001, sempre apostou mais no modelo *all news* que no *news and talk*[15].

Conforme dados da ABTA, desde 2003 a TV paga apresentou crescimento

---

15 "All news" designa "totalmente de notícias"; "news and talk" refere-se a notícias e conversa, análise.

no número de assinantes. Até 2014, o mercado brasileiro foi o maior da América Latina em termos de assinaturas. Naquele ano, o número era de 19,6 milhões. No entanto, a crise na economia a partir de 2015 fez o Brasil perder a dianteira para o México e, a partir de então, o setor passou a encolher, terminando 2016 com 18,9 milhões de assinantes. Nesse ano, do total de assinaturas, 57,4% são de DTH[16], 41,5% são de cabo e 1,1% de FTTH[17]. Ainda de acordo com a Associação, o Brasil caiu para a sétima posição no ranking dos maiores mercados do mundo.

Apesar da crise que o setor passou a enfrentar em 2015, a TV paga brasileira ainda tem outras questões para encarar. O segmento já teve obstáculos no seu curto caminho, como a tardia implantação do negócio e a infraestrutura precária e quase inexistente. Agora, as barreiras tendem a ser a concorrência com as novas mídias e, consequentemente, a manutenção do crescimento do setor. Para o presidente da ABTA, José Simões, três desafios são mais destacáveis quando se olha toda a trajetória da televisão paga: "Ao longo da história da TV por assinatura no país, as maiores dificuldades foram o aprendizado de um novo negócio, seguido por uma crise de financiamento e da queda na renda da população".

Esse é um mercado que, assim como as grandes redes abertas, passa por um período de transformação, impulsionado também pela mudança de comportamento do telespectador diante da possibilidade de assistir ao seu conteúdo audiovisual preferido nas plataformas on demand.

---

16 DTH é "direto para casa". Refere-se a uma transmissão de televisão via satélite.
17 FTTH significa "fibra para casa", uma tecnologia de banda larga por fibra ótica que possibilita acesso a serviços como o de televisão.

# A TV digital no Brasil: mais qualidade e possibilidades

*Agora, com a qualidade da TV digital,
o futuro da TV aberta está assegurado.*
(Boni)

O Decreto nº 4.901, assinado pelo presidente Luiz Inácio Lula da Silva em 2003, criou o Sistema Brasileiro de Televisão Digital Terrestre – SBTVD-T. Mas os estudos para a implantação da TV aberta em alta definição tiveram início muito tempo antes, em 1994, por iniciativa da Sociedade Brasileira de Engenharia de Televisão (SET) e da Associação Brasileira de Emissoras de Rádio e Televisão (ABERT), que aprofundaram análises sobre os sistemas existentes na época, no caso o americano ATSC, o europeu DVB-T e o japonês ISDB-T. A Universidade Mackenzie colaborou de forma efetiva nos testes realizados, com vistas a se chegar a uma conclusão sobre qual desses sistemas melhor se ajustaria à nossa realidade e qual poderia apresentar maior qualidade de recepção.

O ATSC foi o que se mostrou menos apropriado, por ser o mais indicado ao cabeamento. Aqui no Brasil, ainda nos dias atuais, a recepção do sinal de

TV, em boa parte dos casos, é feita por meio de antenas. O ISDB-T, segundo estudos realizados naquela oportunidade, superando também o DVB-T, apresentou melhor qualidade de recepção doméstica e maior flexibilidade para acesso de receptores móveis e portáteis.

O ISDB-T, em 1998, chegou a ser definido pela Agência Nacional de Telecomunicações – Anatel – como o melhor sistema de TV digital para o Brasil, em uma decisão bastante contestada e que acabou provocando atrasos bem importantes na implantação do processo. Só o ato presidencial de 2003 pôs fim à questão. Já no dia seguinte à sua assinatura, por meio do Ministério das Comunicações e conforme publicação, a Anatel ficou encarregada de administrar os trabalhos que viriam a culminar na escolha do digital brasileiro. A agência regulatória trabalhou com o suporte do Centro de Pesquisa e Desenvolvimento em Telecomunicação – CPqD , além da colaboração de outros ministérios, do Instituto Tecnológico de Informação – ITI, de universidades e faculdades, fabricantes de eletroeletrônicos e outras 25 organizações interessadas, entre elas, emissoras e profissionais de TV. A pesquisa foi concluída com a publicação oficial de seu resultado:

Em 27 de novembro de 2003 foi fundado o comitê do SBTVD, responsável pelos estudos que definiriam o padrão a ser adotado no país. Após esses estudos, conduzidos juntamente com universidades e emissoras de televisão, o sistema foi apresentado no dia 13 de novembro de 2005 pelo Ministério das Comunicações.

Além dos aspectos técnico e econômico, colocados como principais, inúmeros fatores foram levados em conta por este grupo de trabalho, tais como a inclusão digital "para os que vivem às margens das sociedade; criação do "e-gov", para aproximar mais o governo da população e a condição de oferecer um melhor suporte cultural.

No lado técnico, as prioridades consideradas foram:
– Alta definição.
– Interatividade.
– TV móvel e portabilidade de qualidade.
– Robustez de sinal tanto externo como interno.
– Excelente aproveitamento de toda a faixa de transmissão reservada ao canal de TV.

Pelo Ato Presidencial nº 5.820, de 26 de junho de 2006, foi estabelecido que o ISDB-T passaria a ser "a base para o sistema oficial de transmissão de TV digital no Brasil, o SBTVD (Sistema Brasileiro de TV Digital), também conhecido como ISDB-TB (Integrated Services Digital Broadcasting – Terrestrial),

'B' de Brasil. Ficou determinado também que em sete anos todo o território brasileiro deveria ser coberto pelo novo sistema e que em dez anos (em 2016) todas as frequências para transmissão de TV analógicas deveriam ser devolvidas ao governo".

Na prática, verificou-se, isso não foi totalmente possível, porque os prazos estipulados para o desligamento em diversas regiões foram seguidamente alterados.

O SBTVD Fórum foi fundado em 2007 e constituído por empresas públicas e privadas, entre os quais, representantes dos fabricantes de televisores, universidades, agências reguladoras do governo e representantes das emissoras de televisão, para discutir e decidir sobre os assuntos técnicos do sistema adotado no Brasil. A indústria passou imediatamente a fabricar aparelhos em digital, ao mesmo tempo que se optou também pela existência de um conversor para permitir a recepção do novo sistema. Houve, inclusive, a promessa de distribuir esses equipamentos para classes menos favorecidas, o que, em parte, de fato aconteceu.

Nesse mesmo ano de 2007, no mês de junho, a Samsung transmitiu ao público, em um estande montado em São Paulo, um *demo* em SBTVD, com dois aparelhos LCD em full HD. O trabalho foi realizado pela Globo, com a inserção de imagens do Carnaval, de futebol, novelas e entrevistas.

Em dezembro de 2007, São Paulo iniciou as transmissões em digital. Menos de dois anos depois, esse sinal já estava distribuído em inúmeras outras regiões, entre elas, Rio de Janeiro, Goiânia, Belo Horizonte, Campinas, Salvador, Porto Alegre, Vitória, Curitiba, Teresina, Santos, Joinville, Londrina, João Pessoa, Sorocaba, Mogi das Cruzes, Florianópolis, Fortaleza, Recife e São José do Rio Preto.

É de se louvar a escolha do modelo brasileiro, porque hoje ele já é adotado em vários outros países da América Latina, com as vantagens do que isso significa no plano comercial, diferentemente do que aconteceu por ocasião da adoção do nosso sistema em cores, PAL-M, que só existia aqui e no Laos. Peru, Argentina, Chile e Venezuela, na América do Sul, em 2009, foram alguns desses países que optaram pelo SBTVD.

Tecnicamente e de forma bem resumida, sem entrar na intimidade de nenhum dos dois processos, é possível assegurar que a entrega do sinal digital, com som e imagem, possui uma qualidade bem superior à do analógico. Em suas linhas de transmissão, a diferença nas variações dos valores de um e de outro é bem acentuada, com desigualdades bem significativas nas suas resoluções. A frequência de 6 MHz, destinada a cada canal, é tomada por inteiro pelo sinal analógico. No digital, som e imagem, compactados, ocupam um espaço na banda muito menor.

No dicionário, pixel, substantivo masculino, é definido como ponto luminoso do monitor que, juntamente com outros do mesmo tipo, forma as imagens na tela. Dos 400 x 400 pixels do sistema analógico há um crescimento para 1.920 x 1.080 pixels no digital, possibilitando um aumento bem relevante na qualidade de áudio e vídeo, ausente de ruídos e interferências. Como outra grande vantagem, ao contrário da analógica, que é terrestre, a sua tecnologia permite ajustar os parâmetros de transmissão em função das características geográficas de cada local.

Em 2006, muitas emissoras já diziam estar preparadas para adotar o novo sistema, mas só a partir de 2009 se iniciou uma campanha mais intensa da TV digital, especialmente por meio das grandes redes de televisão, com maior divulgação dos seus benefícios. Entre eles, além da melhor qualidade na transmissão e recepção, as facilidades de acessibilidade e da interatividade.

Há, no entanto, quem não analise a TV digital com tantas vantagens e facilidades, até por entender que não é o sistema que melhor se ajusta à nossa realidade. Amilcare Dallevo, sócio e presidente da Rede TV!, homem inteiramente dedicado ao mundo da tecnologia, admite que o progresso será importante, mas que no Brasil a parabólica é muito mais interessante. "Os Estados Unidos são 99% cabeados. A Argentina também fez o cabeamento faz tempo. Aqui, por ser um país continental, isso não se justifica. Além disso, é uma grande balela dizer que a TV digital vai cobrir o Brasil inteiro. O satélite sempre vai existir, como existe desde a década de 1960, e sempre eficiente. O digital vai pegar nos mesmos lugares que o analógico sempre pegou".

Zico Góes, com experiência de vinte anos na MTV e agora na direção da Fox no Brasil, revela que também não era muito favorável "a essa loucura que virou a TV digital". E que muitas das suas promessas, como a interatividade, por exemplo, a internet transformou em realidade há muito tempo. Em sentido contrário, Octávio Florisbal, trinta anos de TV Globo, com passagens na direção comercial e direção geral, vê na chegada do novo sistema um avanço importante da televisão em todos os seus setores, mas muito especialmente na área dos equipamentos. "As câmeras, transmissores e retransmissores são muito mais sofisticados, assim como as mesas de controle e os efeitos especiais passaram a trabalhar com recursos que antes não existiam", ressalta. Ele vê na transição do analógico para o digital um sinal importante também para a área de conteúdo, tanto no entretenimento como no jornalismo, mas também para o comercial, que agora tem uma prestação de serviço das mais evoluídas.

A chegada da TV digital também levou todas as emissoras, além de se equiparem convenientemente, a cuidarem de suas produções de forma muito mais apurada, desdobrando cuidados em setores como figurinos, iluminação, maquiagem e cenografia, passando a trabalhar com os resultados de uma resolução seis vezes maior que aquela que até então existia. Antes, no analógico, um prego na parede, por exemplo, num plano aberto até passava despercebido – um descuido que hoje não é mais permitido.

Carlos Nascimento, um dos âncoras do jornalismo do SBT, entende que com o digital a tela da televisão mudou muito. "Hoje, temos telas enormes, e o sinal dentro delas é 100% ocupado no espaço físico. Quando era TV de tubo, basicamente só se via imagem no centro da tela. As beiradas, os cantos da TV antiga não tinham definição nenhuma", explica.

Imagens muito mais nítidas, com brilho, e som estéreo são as primeiras grandes diferenças que o telespectador observa no digital.

No início, isso chegou a causar preocupações no pessoal que faz vídeo. O diretor de novelas Jayme Monjardim nunca viu dessa forma. "Se a tecnologia evidencia imperfeições, cabe a nós trabalhar com perfeição", diz ele. Na novela América, ele foi o primeiro diretor a fazer a experiência de gravar algumas cenas com a nova tecnologia.

**Corta!**

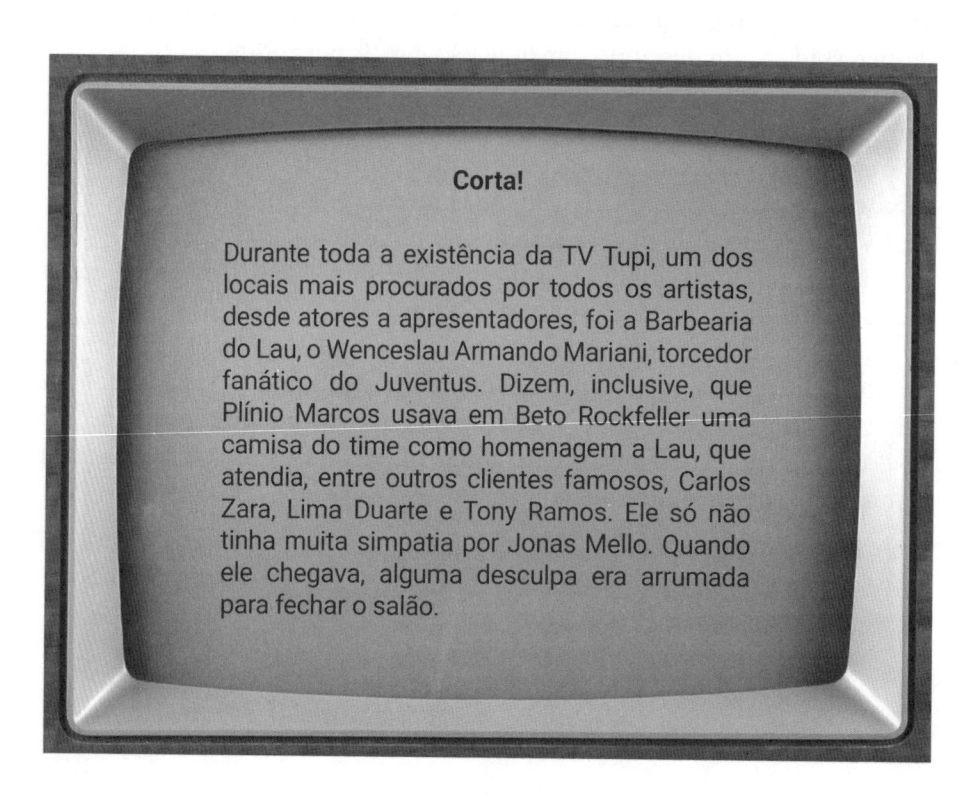

Durante toda a existência da TV Tupi, um dos locais mais procurados por todos os artistas, desde atores a apresentadores, foi a Barbearia do Lau, o Wenceslau Armando Mariani, torcedor fanático do Juventus. Dizem, inclusive, que Plínio Marcos usava em Beto Rockfeller uma camisa do time como homenagem a Lau, que atendia, entre outros clientes famosos, Carlos Zara, Lima Duarte e Tony Ramos. Ele só não tinha muita simpatia por Jonas Mello. Quando ele chegava, alguma desculpa era arrumada para fechar o salão.

# Saúde da TV – medição de audiência, um mal necessário para apontar o desempenho

Assim como o estetoscópio e o aparelho para medir a pressão arterial são fundamentais em qualquer diagnóstico médico, antes mesmo que a televisão fosse implantada no Brasil, já existia o Instituto Brasileiro de Opinião Pública e Estatística – Ibope –, uma empresa especializada em aferir a audiência. Carlos Augusto Montenegro, o presidente do Instituto desde 1971, faz questão de destacar o compromisso deixado por seu pai de sempre apresentar o que há de melhor, mais sério e de maior precisão nas pesquisas realizadas. "Auditorias caríssimas atestam a qualidade do nosso trabalho. São vários anos medindo audiência, primeiro no rádio e depois na televisão, procurando sempre oferecer um serviço que se tornou indispensável para os veículos e, ao mesmo tempo, para as agências e anunciantes na destinação das suas verbas. Não houvesse essa seriedade, tão rigorosamente atestada, teríamos deixado de operar há muito tempo. Tenho orgulho de afirmar que a mídia eletrônica do nosso país sempre esteve em primeiro lugar no mundo. Aqui se faz a melhor televisão, a melhor propaganda e o melhor serviço de pesquisa de audiência", diz Montenegro.

E ele completa: "É uma honra para nós, brasileiros, poder afirmar que aqui foi criado o *real time*, quando ainda não existiam tantos telefones fixos. Foi graças à instalação de linhas permanentes nos domicílios que nos foi permitido receber os resultados minuto a minuto. Em lugar nenhum do mundo, nem na Europa, nos Estados Unidos ou demais centros tão ou mais avançados se chegou a isso. Foi Auricélio Penteado, dono da rádio Kosmos, em São Paulo, em 13 de maio de 1942, o responsável pela criação desse instituto, interessado em saber qual era verdadeiramente a performance da sua emissora, frente a outras estações, como Record, América, Bandeirantes, Tupi e Nacional. Para tanto, se utilizou de técnicas e métodos que George Gallup tinha desenvolvido nos Estados Unidos. Reza a lenda que, entre uma atividade e outra, depois de verificar que o desempenho da sua rádio Kosmos deixava muito a desejar, Auricélio decidiu se dedicar inteiramente à prática das pesquisas. Foram oito anos de trabalho, até Auricélio passar, em 1950, o comando da empresa para Paulo Tarso Montenegro, José Perigault, Guilherme Torres e Hairton Santos.

Já a partir daí, a palavra "Ibope" passou a constar no vocabulário e até mesmo em alguns dicionários como sinônimo de "prestígio", "famoso", "grandeza". A medição de audiência se desenvolveu e foi se aperfeiçoando durante anos, segundo Dora Câmara, publicitária por formação e diretora do Ibope há quase três décadas. "O desafio começou lá, na primeira mensuração, porque não tinha outro jeito a não ser bater de porta em porta e sair perguntando: 'Você está com a televisão ligada neste momento?', e as pessoas diziam sim ou não. Foi um começo difícil, trabalhoso. Era tudo na base do caderninho, indo de casa em casa. Natural que, com o passar dos dias e o aperfeiçoamento dos métodos, a forma de abordar as pessoas e de formular as perguntas passou a apresentar resultados mais objetivos. E isso até se chegar ao revolucionário 'tevêmetro', inventado por Hélio Silveira da Motta", explica a diretora.

Com a necessidade cada vez maior de dar consistência aos seus planejamentos de mídia, esse publicitário brasileiro, utilizando-se de uma metodologia diferente, desenvolveu o primeiro equipamento do mundo capaz de medir a audiência da televisão em tempo real. Um aparelho eletromecânico de alta precisão, utilizado para aferição da audiência domiciliar, minuto a minuto, 24 horas por dia, semelhante ao "audímetro". Para aprimorar esse trabalho, o Ibope passou a disponibilizar um diário nas casas juntamente com o "tevêmetro", para que as pessoas pudessem anotar a que horas o televisor foi ligado, em que canal e a quantidade de telespectadores. Informações que se completavam com as do aparelho, a fim de se chegar ao número de audiência.

Na mesma década, com a morte de José Perigault, o sócio que ainda permanecia, Paulo Montenegro, convocou seus filhos, Carlos Augusto e Luiz Paulo, para ajudá-lo na tarefa de administrar o Ibope naquela que era, até então, a sua fase de maior crescimento, coincidente com o surgimento do revolucionário "peoplemeter". Esse novo aparelho, instalado dentro dos televisores de um número "x" de residências, escolhidas entre diferentes classes sociais, passou a permitir a transmissão de informações em tempo real, identificando individualmente cada pessoa.

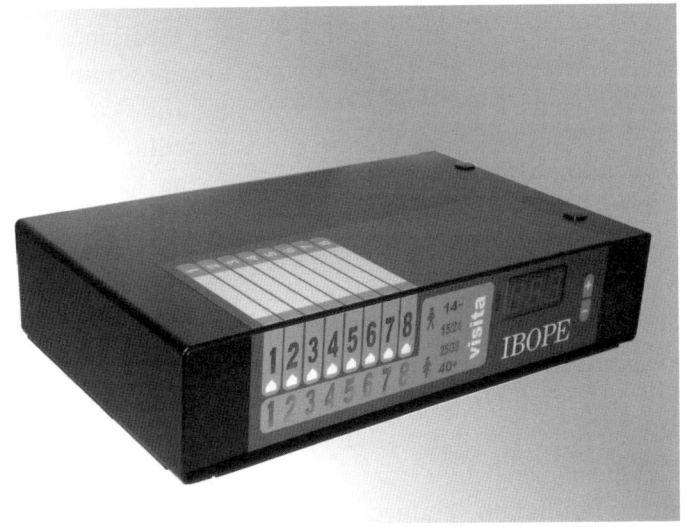

O peoplemeter, aparelho instalado na casa de pessoas previamente selecionadas, permite medir a audiência das emissoras

Várias versões desse equipamento foram desenvolvidas até se chegar ao hoje denominado DIB 6, que permite ao Ibope identificar assinaturas de áudio do conteúdo assim que ele é exibido e em diferentes plataformas. A metodologia para medição de audiência de televisão é denominada "Painel", que acompanha um grupo fixo de domicílios ao longo do tempo. "Esses domicílios, em linhas gerais, permanecem na amostra por até quatro anos, sendo que 25% do painel (amostra) é atualizado a cada ano", afirma Dora Câmara.

É interessante verificar que os resultados de audiência levantados e apresentados, desde que a pesquisa existe, sempre deram margem e motivos para as mais conflituosas opiniões. José Luiz Datena, do *Brasil Urgente*, em algumas oportunidades foi um crítico severo do Ibope, contestando os seus resultados muitas vezes no ar, sem nada esconder dos telespectadores. Adriane Galisteu, por sua vez, entende que as pesquisas acabam criando meios para atender melhor o telespectador, "porque com a maquininha do Ibope na frente, tem a coisa da adrenalina. Quando foi possível, no ao vivo, me ligar no minuto a minuto, eu sempre me dei bem. Sabia o que estava funcionando ou não", reconhece a apresentadora. Gugu Liberato é outro que também vive ligado no Ibope. Assinante há muitos anos, ele faz questão de acompanhar tudo o tempo todo, estando ou não no ar, a ponto de reconhecer que isso virou um vício na sua vida: "Não consigo desligar". Outra apresentadora, Cátia Fonseca, da TV Gazeta de São Paulo, porém, tem um ponto de vista diferente. "Se não tivesse a medição do Ibope e tudo que ela envolve ou representa, a televisão teria uma programação de melhor qualidade". Ana Paula Padrão, por sua vez, ainda que concorde que esses são os meios disponíveis para apurar o desempenho das programações, usa como exemplo o seu mais recente sucesso na televisão. "Você vê o *MasterChef*? É um fenômeno de audiência. Mas qual a audiência não medida do *MasterChef*, do cara que viu na internet no dia seguinte? Eu vou para Marabá, vou para Recife a passeio, fui para um lugar chamado São Miguel dos Milagres e eu entrava na padaria, o cara dizia assim: 'Ô do *MasterChef*, adorei aquele programa que a Elisa ganhou, tão bonitinha'. Em São Miguel dos Milagres, meu amigo, lá no interiorzão de Alagoas, todo mundo viu. Então não são 6 pontos ou 8 pontos. É muito mais do que isso. É a audiência não medida", diz a jornalista.

Magdalena Bonfiglioli, conhecida por seus trabalhos em programas policiais, recorda que sempre se envolveu muito com suas matérias e só depois de muito tempo atuando no *Aqui Agora*, do SBT, foi informada por seus diretores que, quando se emocionava e chorava durante alguma reportagem, o Ibope aumentava. Por ser uma novidade e por ser verdadeira, ao passar o que realmente sentia naqueles momentos, Magdalena entende que havia essa reação de solidariedade por parte do telespectador: "Acreditavam em mim e naquilo que eu estava apresentando. Hoje em dia, eu acho que houve uma banalização com esse tipo de coisa, por isso insistem tanto em fazer. Só que esse efeito imediato do 'chorou dá audiência' não existe mais. Não há verdade".

Por se tratar de um assunto delicado, nem todos os artistas gostam de expor suas opiniões a respeito de audiência. Preferem deixar isso a cargo daqueles que respondem diretamente por esse assunto, mas o Ibope sempre foi determinante na vida das emissoras. Houve um tempo no SBT, fim da década de 1990 e início de 2000, quando a emissora viveu a sua melhor fase, que qualquer programa com menos de dois dígitos tinha o seu final decretado. E nenhum dava menos de 10.

Algo que nunca faltou ao longo desse tempo foram contestações aos números divulgados. Os embates entre o Ibope e as emissoras de televisão sempre foram frequentes através dos tempos, algo que levou uma delas, o SBT, no início da década de 2000, por meio do engenheiro Alfonso Aurin, a trabalhar numa alternativa para medição de audiência no Brasil.

Assim, em 2003, entrou em funcionamento o Instituto Datanexus, fruto de uma parceria entre Silvio Santos e a empresa Geopolitics, do cientista político Carlos Novaes. Estima-se que algo em torno de R$ 4 milhões foram investidos no projeto, que acabou rapidamente sepultado por não despertar maior interesse. Tendo apenas o SBT como cliente, o Datanexus não passou de 12 meses de existência. Outras grandes redes, como Globo, Bandeirantes, Record e Rede TV!, entre as maiores, não se interessaram em comprar os seus serviços e avalizar o entendimento de que a existência de uma segunda empresa, atuando no mesmo campo, poderia trazer benefícios e até mesmo resultados diferentes dos que até então eram disponibilizados. A concorrência, porém, optou por não comprar essa ideia e o Datanexus foi levado a desmontar a sua central de operações, que funcionava dentro das instalações do SBT, na via Anhanguera. Ficou só o Ibope, mas nem por isso os seus resultados deixaram de ser contestados. "Os programas são como filhos dos canais de televisão. Ninguém gosta que alguém fale mal ou analise o desempenho deles. Então as emissoras fazem os seus programas com todo o empenho e trabalham com uma expectativa que, de repente, acaba não dando certo. Em vez de procurarem saber o porquê, muitas vezes jogam a responsabilidade no resultado da pesquisa", tenta explicar Dora Câmara.

Uma lição que apenas o tempo ensinou é que audiência não representa necessariamente bom resultado comercial. Programas que, ao longo do tempo, chegaram à liderança em seus horários de exibição nem sempre encontraram respaldo de uma boa parcela de anunciantes, por considerarem extremamente arriscado agregar suas marcas a produtos de qualidade duvidosa. Os exemplos são fartos, mas *O Povo na TV*, exibido por muito tempo pelo SBT, pode ser colocado entre os principais. Não raramente chegava ao primeiro lugar durante o seu horário de exibição. Tinha a Ave Maria, do diretor e apresentador Wilton Franco, às seis da tarde, com um copo d'água, que era um verdadeiro estouro no horário. Mas o faturamento que o programa proporcionava muito raramente cobria os seus custos. O publicitário José Carlos Missiroli cita o *Programa do Ratinho*, também como exemplo, no seu começo na Record: "Toda noite ele incomodava a Globo, porque entrava junto com o *JN* e muitas vezes ganhava do jornal e da novela que era exibida depois. Só que o seu faturamento era quase nenhum. É muito difícil para o comercial vender em um programa com muita baixaria, que fala palavrão. Os anunciantes têm restrições a isso. Têm medo de comprometer as suas marcas". Algumas emissoras, no entanto, entendem que precisam conviver com o que elas mesmas consideram "um mal necessário", mantendo em suas grades programas de forte apelo popular, ou para alavancar o restante da programação ou simplesmente para engrossar o Gross Rating Points, pontos de audiência bruta, muitas vezes decisivo em algumas negociações. Octávio Florisbal, que foi diretor-geral da Globo por muitos anos, no entanto, aposta que, com o passar do tempo e o aprimoramento dos serviços de pesquisas, haverá uma adequação ainda mais precisa em toda essa relação. "Hoje você tem a audiência nacional do Ibope, que é muito bem-feita e é o máximo que eles podem fazer mesmo. É naquelas 15 ou 16 cidades, com 6 mil 'peoplemeters', porque eles custam muito caro. Mas logo, logo vão inventar um mais baratinho, que vai permitir ampliar esse painel para cidades do interior. Hoje ninguém mede o interior de São Paulo, e quando se mede é pesquisa de uma semana. Todas as audiências estão baseadas nesse painel das grandes capitais. Quando esse trabalho for ampliado, teremos resultados mais precisos ainda e com pesos diferentes. Você irá verificar que no interior o camarada chega em casa mais cedo e está disponível para assistir à televisão às 18h ou 19h e vai dormir às 22h, porque no dia seguinte ele tem que levantar cedo para trabalhar. Então vai ter, assim, uma configuração muito interessante de mudanças. Isso ainda não existe, mas nós vamos chegar lá e poderemos constatar essas diferenças. Então você vai poder programar, fazer outras programações de televisão pensando nas grandes metrópoles de um jeito e de maneira diferente para outras cidades. Em São Paulo, hoje, você tem uma audiência altíssima até 2h da madrugada, mas, no interior, quando são 23h a grande maioria vai dormir porque no dia seguinte acorda às 6h. Será necessária uma adequação. O avanço da tecnologia vai favorecer tudo isso. Vai ser muito interessante. Gostaria de ter 20 anos para fazer e viver tudo isso", diz Florisbal.

Em dezembro de 2014 foi anunciado que a Kantar, braço do grupo inglês Wire and Plastic Products – WPP, responsável por gestão de informação e uma das maiores empresas de pesquisa, insight e consultoria do mundo, adquiriu o controle do Ibope Media, em valores que não foram divulgados para o mercado. A Kantar iniciou suas operações no Brasil na condição de líder de mercado em medição de audiência de televisão em 48 países. Um ano antes, dezembro de 2013, as redes Record, SBT, Band e RedeTV! firmaram contrato definitivo para a entrada do instituto alemão GFK (Growth from Knowledge) no Brasil, consolidando termos de uma carta de intenção assinada entre as partes em novembro do mesmo ano. Embora o segredo faça parte do negócio, depois se soube que, no compromisso firmado, as redes de televisão associadas se comprometeram a investir US$ 100 milhões em cinco anos para que o GFK pudesse abrir as suas portas e iniciar as suas medições de TV no Brasil, cabendo à Record cerca de 60% desse investimento. SBT com 28%, Band e SBT com 12% cada ficaram responsáveis pelas menores cotas. Ricardo Monteiro, que exerceu a direção executiva do GFK durante a sua implantação e nos primeiros dias de seu funcionamento, entende que isso acabou atendendo igualmente a expectativa das duas partes, "porque existia interesse de um grupo, que se propôs também a financiar parte do projeto, e o mercado é de uma monta tão importante que é interesse da empresa para ampliação dos serviços". A relação comercial entre a Bandeirantes e o GFK durou pouco mais de oito meses. Em agosto de 2015, a direção da emissora optou por rescindir o contrato com a empresa alemã, alegando "o não cumprimento dos prazos estabelecidos para o início da operação e a impossibilidade de atingir o número mínimo de residências proposto". A direção do GFK, no entanto, entende que os motivos colocados que levaram a Bandeirantes a tomar essa decisão não são definitivos. Tudo, segundo a empresa, continuará sendo feito para o seu reengajamento nesse processo de trabalho.

Sobre a entrada desse novo instituto de medição de audiência, há no mercado o entendimento de que ele veio para somar. A concorrência sempre é estimulante, em todos os setores, e importantes benefícios poderão ser extraídos – fatores que se entendem como determinantes e consequentes.

O simples anúncio da entrada do GFK, entre outros resultados, levou o Ibope a expandir as suas linhas de trabalho e promover entregas que antes não existiam. Fabio Wajngarten, criador e presidente do Controle da

Concorrência e um estudioso do assunto medição de audiência, se coloca de maneira bem reticente em relação ao futuro. Para ele, a convivência Ibope e GFK não deverá superar cinco anos. No entender dele, o mercado não comporta duas empresas prestando o mesmo tipo de serviço. Até de forma natural, ficará aquela que se sair melhor. "Não vejo fôlego financeiro nem oxigênio para que essas duas empresas continuem operando em nosso país por muito tempo", diz. Carlos Augusto Montenegro, sobre o mesmo tema, tem uma definição interessante: "Por que usar dois termômetros para medir uma febre só?". O importante é que com uma, duas ou até mais empresas atuando nessa mesma área, o registro da audiência continuará sendo importante e um fator vital para a sobrevivência da televisão como um todo. Os resultados obtidos ao mesmo tempo serão sempre fundamentais para o mercado da propaganda, agências e clientes, para o melhor emprego das suas verbas, assim como serão essenciais para as emissoras de televisão – discordâncias à parte – poderem medir o exato desempenho das suas produções.

# A televisão brasileira na era da multiplataforma

Desde que a internet chegou ao Brasil no início dos anos 1990, primeiro no meio acadêmico e depois, a partir de 1995, para o grande público, os especialistas em comunicação e os executivos das grandes redes de TV acompanharam uma profunda e constante transformação no comportamento do telespectador e, como consequência, no mercado televisivo. Esse movimento ganhou mais força com o crescimento, mesmo que modesto naquela ocasião, dos canais por assinatura, que passaram a oferecer as séries mais populares nos Estados Unidos, noticiário atualizado e eventos esportivos, incluindo campeonatos internacionais. A oferta de conteúdo era muito maior, dividindo a atenção de quem antes assistia à Globo, Record, SBT, Band, Cultura e algumas emissoras regionais. Além disso, naturalmente, houve um refinamento no gosto do público.

Não precisou de muito tempo para os primeiros apocalípticos anunciarem o fim da televisão, do rádio e dos jornais diante de uma internet capaz de repercutir os fatos no exato momento em que aconteciam e com um poder de envolvimento e sedução jamais visto em outra plataforma de comunicação, graças à interatividade. Mas não foi o que aconteceu. Alguns anos antes, essas mídias tradicionais investiram em novas tecnologias para agregar valor ao produto que ofereciam ao consumidor, como qualidade melhor da imagem ou som mais limpo. "Já nos anos 2000, começou a segunda fase. Os veículos buscaram na web uma forma de oferecer um pouco mais através de uma ferramenta que possibilitava novas abordagens. Agora é o terceiro momento, que consiste na desestruturação do que já estava estabelecido como meio de comunicação", explica Flávio Ferrari, especialista em pesquisas de mercado com passagens pelo GFK e Kantar Ibope.

Até então considerada o veículo mais popular do Brasil e presente em quase todos os domicílios brasileiros, a televisão atravessa um longo período de modificação ou, como dizem os especialistas, ajustes necessários diante de uma nova realidade. "Mesmo obrigada a rever seu modelo de operação e financiamento, as pesquisas apontam que é a primeira mídia na preferência do brasileiro, com 98% de presença. Embora esteja, especialmente nos centros urbanos, sobretudo São Paulo, perdendo audiência para outras plataformas, no conjunto do país ainda é disparadamente a mais importante e amada", ressalta Gabriel Priolli, jornalista com passagens pelas principais emissoras e professor de comunicação.

Essa profunda transformação no consumo de audiovisual pelo brasileiro levou as grandes redes nacionais, principalmente a Globo, a reverem seus conteúdos e processos de produção para atrair uma plateia mais jovem, que se mostra cada vez menos sensível a uma grade horizontal imposta pelos canais. "Muitos não possuem mais o hábito de sentar à frente da TV e se programar a partir dos horários fixos de jornais e novelas", diz Mauro Lissoni, diretor artístico e de programação da Rede Massa. Além disso, essa nova geração se mostra muito mais disposta a consumir produtos que não seja obrigada a acompanhar diariamente e que fujam dos clichês tão explorados nas décadas passadas em todos os formatos, inclusive na teledramaturgia.

O avanço da internet com a oferta de pacotes mais baratos trouxe para o Brasil, já no fim da década de 1990 e início dos anos 2000, o conceito da cultura da convergência, muito bem defendido por Henry Jenkins no livro *Convergence Culture: Where Old and New Media Collide*[18]. Considerado um dos maiores pesquisadores de mídia da atualidade, ele defende que, no novo século, "toda história importante é contada, toda marca é vendida e todo consumidor é cortejado por múltiplas plataformas". É esse fluxo de conteúdo que exige um olhar mais amplo dos criadores para que o público seja atendido em qualquer momento do seu dia. "É fundamental investir

---

18 N. do E.: Publicado no Brasil como *Cultura da Convergência*.

em conteúdo relevante, como sempre se fez na televisão. Plataforma é uma questão de distribuição e isso vai virar commodity", completa José Roberto Maciel, vice-presidente do SBT. "Os meios sempre migrarão, e, por isso, é fundamental apostar na alta qualidade do que é ofertado ao público final, independentemente de onde será consumido", reforça Mônica Pimentel, VP de conteúdo dos canais Discovery no Brasil. Para Roberto Irineu Marinho, presidente do Grupo Globo, o grande desafio do novo século para a televisão brasileira é reunir uma equipe capaz de acompanhar as tendências sociais e culturais e as mudanças da sociedade brasileira e mundial, antecipando os desejos e sonhos que se formam naturalmente. "O grande concorrente é a nossa possibilidade de acomodação. Claro que não podemos fechar os olhos ao fato de que hoje há multicanais, mas temos que ser melhores do que jamais fomos, em todos eles", ressalta o executivo.

Relevância é a palavra de ordem na era das muitas plataformas e da constante evolução da tecnologia, afinal, com tanta oferta de conteúdo, o telespectador buscará para sua informação ou entretenimento aquilo que realmente considera importante e, ao mesmo tempo, que agregue valores e emoções e justifique o tempo perdido com aquele produto exibido na televisão, celular, tablet ou computador. "Por isso, eu acho que está surgindo uma nova TV, que potencializa a capacidade de contar e compartilhar boas histórias e aliada ao meio digital, e não competidora", afirma Roberto Irineu Marinho. "Estamos sempre próximos ao público em diferentes momentos de seu dia e de ocasiões de sua vida. Os conteúdos da TV Globo, por exemplo, pautam grande parte dos comentários compartilhados e buzz nas mídias sociais", completa o executivo.

As novas tecnologias facilitaram e baratearam a transmissão de dados, imagens e informações no mundo inteiro, alterando não apenas o processo de produção das grandes corporações do mercado, mas, principalmente, a forma de consumir diferentes conteúdos. Houve também uma profunda mudança na maneira de enxergar os veículos de comunicação. Os conceitos tradicionais que os dividiam em televisão, cinema, rádio e impresso foram substituídos pelo poder da marca de mídia, independente da plataforma principal ou original da empresa. "Uma emissora de TV, por exemplo, pode chegar ao seu público através das ondas eletromagnéticas, por cabo, telefonia celular, Wi-Fi ou aplicativos. Ela pode ser assistida ao vivo, on demand ou pausada para você resolver um problema. Seu nome será apenas a referência de credibilidade e caberá ao consumidor definir por qual meio quer acessar a informação", explica Flávio Ferrari.

Se no início deste século a chegada da era digital era vista com muita preocupação e como grande ameaça, o tempo provou que a realidade é outra. Houve a convergência de recursos e elementos, iniciando uma nova fase na comunicação de massa no Brasil e no mundo. "Foi também um avanço significativo para o rádio, jornais e revistas, que ampliaram seu alcance através dos aplicativos que oferecem programações, reportagens e conteúdo extra através de um iPad, smartphone ou até mesmo um notebook", explica Octávio Florisbal, diretor-geral da Globo durante dez anos.

O vídeo, antes exclusivo da televisão, ganhou destaque nos portais e sites das emissoras de rádio e jornais. "Esse é o grande impacto. As pessoas estão consumindo cada vez mais imagem em movimento, principalmente através do celular e durante as atividades do dia a dia. Por isso, tudo tem que ser curto e objetivo", diz o publicitário Fernando Musa. O presidente do Grupo Ogilvy Brasil, uma das principais agências de publicidade do país, explica que os produtores de conteúdo precisam compreender que o público dos dias atuais tem diversas formas de interagir com o que é oferecido pelas emissoras de televisão. "Enquanto estou andando pela vida, quero algo ideal para uma tela pequena. Quando estou sentado em casa confortavelmente, busco algo maior. É uma equação complicada, mas fundamental", explica. Para ele, a mudança na indústria fonográfica é o maior exemplo da nova realidade: "Não se vendem mais CDs, entretanto, nunca se escutou tanta música como hoje".

Com pacotes de internet mais acessíveis, principalmente a móvel, houve no Brasil um acréscimo significativo de acesso a vídeos produzidos pelos grandes portais de informação, aplicativos das emissoras de TV ou canais de pequenos e independentes produtores de conteúdo, uma vez que, com poucos recursos financeiros, é possível viabilizar uma estrutura capaz de gravar, finalizar e disponibilizar esse material. "Aquilo que começou no cinema passou para a televisão aberta e fechada e é na internet o centro das atenções. O vídeo é destaque nas rádios digitais e nos sites dos jornais como complemento ao que essas mídias fazem originalmente", explica Octávio Florisbal. "No mundo acadêmico, por exemplo, não se fala mais em reportagem ou vídeo para a televisão, mas em audiovisual para qualquer janela de exibição", ressalta Zico Góes.

É em função dessa realidade que os especialistas e estudiosos em comunicação afirmam que não há concorrência entre a televisão e a mídia digital, mas uma convergência cada vez mais intensa que obriga a mudanças estruturais para atender aos anseios do público. "Perde-se audiência para aparelhos ligados e não para plataformas alternativas. O alcance da televisão aberta é cada vez maior no Brasil, assegurando seu futuro", avalia José Bonifácio de Oliveira Sobrinho. "E, com o sinal digital, a tendência é o telespectador voltar às emissoras abertas, cancelar as assinaturas e rever o consumo da internet. É o que aconteceu nos Estados Unidos, mostrando a força das grandes redes de TV", completa Ricky Medeiros. Além de chegar de graça ao consumidor, outro fator de relevância é a credibilidade conquistada ao longo de quase sete décadas de atividades no país. "Quando um factual grave ocorre, por mais que todos se informem pelos sites, a tendência é ligar a televisão para ver o repórter ao vivo direto do local", afirma Franz Vacek, superintendente de jornalismo da Rede TV! e, durante muitos anos, correspondente internacional.

Apesar de estar presente em todos os momentos do consumidor de conteúdo, o meio digital não possui força suficiente para atrair grandes recursos da publicidade. "Ainda é muito difícil monetizar esses sites e provedores. São poucos os players que ganham dinheiro com isso. Google e Facebook conseguem faturar um valor expressivo porque estão surfando nos produtos que eles não produziram, mas que conseguiram criar métrica para vender", explica José Roberto Maciel, VP do SBT. "Sem dados confiáveis sobre a abrangência, o anunciante não investirá nesse setor. Ele precisa ter a certeza dos resultados", diz Orlando Marques, publicitário e diretor da Kantar Ibope.

A era digital ou da multiplataforma não mexeu apenas na forma de a televisão produzir e distribuir seu conteúdo. Obrigou também os institutos de pesquisa a aprimorarem seus métodos para contabilizar a audiência. Nos anos 1990, a medição minuto a minuto determinava o sucesso de um programa. Uma década depois, o índice consolidado se transformou em informação preciosa na briga entre as redes de TV por espaço na mídia especializada ou para convencer as grandes agências de propaganda a investir em grades de emissoras. Agora, já se fala em impacto global, ou seja, até onde realmente um produto atingiu, somando os públicos da primeira exibição na tela convencional em sistema aberto ou por assinatura, ao vivo nos aplicativos e players digitais, on demand nos dias após a transmissão original e na repercussão por meio das mídias sociais. "O importante será descobrir como é a relação do telespectador com esse programa nos vários momentos de seu cotidiano. Muito em breve vamos quantificar o território de afinidade e a qualidade da absorção do que foi exibido", conclui Flávio Ferrari. "Descobriremos como o receptor vai interagir com o que é ofertado, independente do local", completa a professora Lana Santos, especialista em comunicação digital.

Três décadas depois da chegada da internet ao Brasil, o estranhamento e a preocupação gerados inicialmente entre os executivos de comunicação deram lugar à certeza de que todos os meios irão convergir, mas assegurando algumas características e elementos próprios. Caberá à televisão trabalhar com o factual e a emoção do entretenimento e da dramaturgia, sempre atenta a um novo público, cada vez menos dependente do veículo. O desafio, sem dúvida, como foi destacado por Roberto Irineu Marinho, será se antecipar aos desejos e entregar a esse telespectador histórias que façam a diferença e obriguem-no a ficar diante da tela, seja a convencional que ele tem em casa ou na palma da mão, para dividir a atenção com o cotidiano. Afinal, só a ferramenta mudou. A nova geração assiste ao seu filme preferido no Netflix, HBO GO ou Telecine Play. Os mais velhos recorriam às locadoras de bairro. O mundo hoje vai bem além da próxima quadra da rua em que moramos. A televisão conversa com muito mais gente e em qualquer lugar.

# Nem tudo é imagem na TV – vozes que marcam programas e emissoras

Sempre prevaleceu o conceito de que televisão é imagem, mas desde os primeiros dias existiram vozes que se tornaram marcantes na vida de todas as emissoras. No começo de tudo, elas se tornaram necessárias para complementar o sempre atrativo trabalho das garotas-propaganda ou mesmo se encarregar de outras mensagens comerciais. Mas eram também aquelas que, potentes e empostadas, anunciavam o obrigatório prefixo:
 – PRF3 – TV Tupi-Difusora, Canal 3 de São Paulo
 – PRG-3 – TV Tupi, Canal 6 do Rio de Janeiro
 – TV Paulista, Canal 5, Emissora da Organização Victor Costa
 – TV Record, Canal 7, São Paulo

Sem um modelo definido, em seu começo a televisão no Brasil continuou sendo muito como o rádio na forma de se apresentar e em quase todos os seus setores de programação. Os telejornais, por exemplo, sem maior ilustração, não iam além de alguém falando do começo ao fim, apenas lendo a papelada que tinha na frente, raramente desviando o olhar para a única câmera no estúdio.

A passagem do rádio para a televisão foi um caminho natural para muitos desses profissionais, caso dos conhecidos apresentadores Aurélio Campos e Homero Silva, além de outros na condição de atores, como Walter Forster, por exemplo, e alguns como locutores comerciais ou encarregados de anunciar o prefixo da emissora. César Monteclaro, galã das novelas do rádio e que durante anos levou suas ouvintes à loucura, foi alguém que, em meio à mudança para a televisão, não repetiu o mesmo sucesso. Conforme a sua biografia para o Museu da Televisão Brasileira, "o paulista de Guaratinguetá, por ser magro demais e de rosto anguloso, não era, enfim, um tipo fotogênico". Motivos que o levaram a aparecer só em última necessidade, no caso de substituir alguém, e a se dedicar mais à parte administrativa, além de colaborar como locutor e apresentador.

Nos anos 1970 e 1980, as chamadas e mesmo as mensagens comerciais continuaram seguindo um padrão quase único, com poucas alterações no dia a dia. A Globo é que se encarregou de, aos poucos, buscar modelos diferentes e que se ajustassem ao seu já então rigoroso "padrão de qualidade".

No entanto, quase como regra geral, o trabalho do locutor de chamadas aos poucos foi ganhando importância na televisão. E se no passado eles eram mais presos à rigidez do formato, no decorrer do tempo passaram a ter maior liberdade de criar e de colocar uma assinatura própria em cada mensagem. A única grande exigência, como um vendedor anônimo da programação, era não deixar espaço para dúvidas.

Entre Nelson Curcio e Dráuzio Ribeiro, dos primeiros anos, até épocas mais recentes, o público acabou se familiarizando com algumas vozes, sem saber que elas pertenciam a profissionais da qualidade de Luciano Durso, Gutemberg Barros, Ricardo Juarez, Robson Alencar, Jorge Oliveira, Dirceu Rabelo e Mabel, entre outros.

Muitos se transformaram em verdadeiras marcas ou patrimônio das emissoras. Na Globo, nos tempos de Walter Clark e Boni, foi desenvolvido todo um trabalho para alicerçar e singularizar a sua marca, por meio de providências que fizeram surgir o sinal eletrônico do "plim plim", como carimbo visual no momento de separar o filme do intervalo comercial e vice--versa, assim como fazer de Dirceu Rabelo a sua "identidade sonora".

David Roque, outra voz conhecida do rádio e TV brasileiros, com passagem pela Globo e Record TV em seus mais de trinta anos de carreira, ganhou a condição de determinar a sua maneira de trabalhar diante de diferentes situações. "O tom da leitura do noticiário no rádio não é o mesmo da gravação de comerciais, que exige até certa interpretação e que se assemelha mais ao de uma chamada na televisão, que nos obriga a vender um produto da programação. E chamada em TV nada mais é que um exercício de convencimento", explica o locutor.

Os promocionais de novelas, filmes, futebol e até mesmo eventos diferenciados, como o Oscar, eram colocados sempre na "forma" correspondente. A voz empostada e o texto linear, firme e nunca deixando de destacar as informações mais importantes, como data e hora. As mudanças que vieram depois a acontecer também se deram pela necessidade de acompanhar as novidades trazidas pelo tempo. Se antes a computação gráfica era limitada e a edição um pouco mais complicada, já há alguns anos o avanço observado deu campo para se usar de maior ousadia e para a experimentação de nova linguagem e abordagem nas chamadas.

Foi o que se viu, como começo de outro caminho, durante muitas temporadas nos promocionais dos filmes de domingo à noite do SBT e da Record, que passaram a se utilizar de elementos do próprio produto para anunciar a sua exibição. A Globo, aos poucos, também foi se libertando do modelo tradicional e passou a arriscar mais em novos formatos, especialmente o de atrações ligadas ao público jovem. Foram esses os responsáveis por uma mudança de conceito mais drástica e que só se acentuou nos últimos anos, distribuída para outros setores.

Ouvir a voz de uma mulher em uma chamada, assim, de repente, como aconteceu pela primeira vez em Joia Rara, foi algo para o que o público pareceu não estar preparado, tamanha a reação que isso acabou provocando. Mabel Cezar, dubladora e atriz da mesma novela, a Luluzinha dos desenhos e Catherine Zeta-Jones e Jennifer Aniston em filmes exibidos na televisão, teve a mesma surpresa quando foi chamada para uma missão que até então só era destinada aos homens. Na oportunidade, em entrevista ao jornal *Extra*, salientou que a voz feminina, por ter um apelo emotivo, se encaixou perfeitamente no projeto. Tudo a ver com a delicadeza da novela". Foi o início de um período em que donos e donas de outras vozes, conhecidas do público ou não, passaram a ser convocados para fazer chamadas de programas, séries ou novelas, com menos cara de chamada. Aquilo que antes exigia determinado grau de impostação, aos poucos, foi dando lugar para um tom mais de recado ou conversa com o telespectador.

Antônio Viviani, na ativa desde 1974 – aos 14 anos de idade trabalhava na Rádio Difusora, de Poços de Caldas –, participou dessa mudança "que aconteceu porque as agências de publicidade também quiseram assim, exigindo maior naturalidade, como se fosse um amigo falando com você ou te passando um recado", destaca. Em workshops que costumeiramente promove para profissionais da área, Viviani faz questão de apresentar essa nova tendência do mercado, "para mostrar essa diferenciação e para que hoje façam uma locução mais interpretada no lugar da locutável, como era a norma e costume de antigamente".

Porém, como ressalva, é necessário salientar que ainda existem comerciais ou peças para a televisão que continuam exigindo os moldes do passado, com pegada mais forte. Assim, como parte de um processo que ao longo do tempo foi se aperfeiçoando, também passaram a ser produzidas chamadas para a TV sem usar a voz de ninguém. Uma aposta que, a partir de determinado momento, passou a ser feita com edição dinâmica, trilha envolvente e texto legendado para passar as informações indispensáveis, como data e hora de exibição. É um caso recorrente da "Tela Quente" ou especificado no lançamento da minissérie *Justiça*, por exemplo.

No entanto, engana-se aquele que imagina ter a televisão ou o próprio telespectador prescindido das grandes vozes. Ao contrário. Hoje, o que se observa é que o novo estilo apenas se somou ao antigo, proporcionando a apresentação de trabalhos diferentes, mas que atendam a todas as necessidades. O mesmo Viviani, por exemplo, era o dono da voz empostada que o *CQC*, da Band, usou tanto na abertura do programa quanto no "Top Five da Televisão Brasileira", o seu quadro de maior sucesso, nos oito anos em que foi apresentado.

Dentro das emissoras e entre aqueles que trabalham diretamente com isso, existe a certeza de que nada se modificará no decorrer dos próximos anos: ao mesmo tempo que se pede mais informalidade, também não deixou de existir a exigência pelo padrão tradicional, o da voz empostada. Aliás, esse é um problema em discussão na TV de todo o mundo. A BBC, na Inglaterra, como exemplo, adotou já há algum tempo o tom mais "natural", enquanto em outros centros, como nos países vizinhos ao Brasil, ainda se preserva a necessidade de usar mais o peso, a força e a vibração, mesmo que isso, em algumas situações, transmita alguma artificialidade.

Todas as emissoras desenvolveram maneiras próprias de trabalhar e anunciar seus produtos. Carlos Alberto Lazarin, conhecido por Bem-Te-Vi, conta que cada produto tem o seu próprio padrão, cabendo a ele a decisão de criar esse diferencial, "aumentando ou diminuindo o volume, conversando ou até respondendo a perguntas, como já aconteceu". Uma diversificação que em várias oportunidades levou o telespectador a imaginar a existência de muitas vozes, embora fosse uma só, usada de maneira diferente. O SBT, onde trabalha, desde sempre é conhecido pelas frequentes mudanças em sua grade, muitas vezes alterando a programação do próprio dia, o que também acaba tendo sérios reflexos no pessoal das chamadas, tornando os bastidores do trabalho dos mais agitados e como algo que passou a fazer parte da rotina de Bem-Te-Vi. "Teve dia de eu ter feito 112 chamadas. É muita coisa, porque são muitas versões para o mesmo material. Há uma exigência, inclusive física, muito grande, por isso que uma mudança, às vezes, leva o departamento inteiro a se mobilizar, a ficar meio louco com a obrigação de dar conta do recado", ressalta.

Também coube a Bem-Te-Vi, como mais doloroso dever, refazer tudo o que Luís Lombardi Neto, o Lombardi, já havia gravado, no mesmo dia em que o famoso locutor morreu. Algo que ele define como a mais espinhosa missão de toda a sua vida – substituir alguém de quem era um amigo muito próximo, pessoa maravilhosa e que tinha um amor enorme por aquilo que fazia: "Gravei os resultados da Tele Sena, fiz algumas coisas do Programa Silvio Santos, mas sabia que, tanto para mim, como para aqueles que me ouviam, havia uma emoção impossível de ser descrita, porque vinha do fundo da alma. Mas eu fiz com muito orgulho e carinho", conta.

Entre as chamadas de lançamento de novos programas e as diárias, um locutor de emissora de alcance nacional, por exemplo, grava dezenas de promocionais por dia. Uma das questões do passado, de uma época sem internet, era a pronúncia de nomes estrangeiros. Quando a palavra era naturalmente impronunciável, como o nome de uma grande estrela hollywoodiana, era imprescindível realizar uma consulta. "A primeira vez que eu vi escrito 'Arnold Schwarzenegger', há muitos anos, eu não tinha ideia de como se pronunciava esse nome. Então, fiquei sozinho no estúdio olhando aquilo. Eu não tinha nenhuma informação, não tinha nenhuma referência. Fiquei olhando como se escrevia aquilo, uma coisa assim do outro mundo para mim", revela Bem-Te-Vi.

Para resolver essa questão da pronúncia estrangeira, a Globo, por exemplo, tinha uma estratégia interessante: com o filme vinha a gravação de um locutor norte-americano, por exemplo, apresentando os nomes de todos que integravam o elenco, facilitando o acesso à pronúncia correta.

Como resultado do processo de profissionalização e evolução, que começou nos anos 1970, houve a necessidade de dar outro tratamento ao departamento de chamadas, inclusive, com o investimento em pessoal. Há produtores, editores e sonoplastas exclusivos. É um trabalho que exige sincronia entre os membros do setor para que tudo atenda às expectativas de outras áreas da empresa, como esporte, jornalismo, entretenimento e, ainda, o comercial.

# 54

# A TV do intervalo

A propaganda, não por acaso e por tudo o que representa, faz por merecer um capítulo especial neste livro. E nem poderia ser de outra forma. Sem ela, com toda a certeza, a televisão não teria existido ou chegado ao estágio em que hoje se encontra. E a recíproca, de alguma forma, também não deixa de ser verdadeira. Já há muitos anos o principal volume das verbas publicitárias é destinado ou repartido entre as emissoras comerciais e, de uns tempos para cá, também entre os canais educativos. Desde o começo de tudo, a TV e a propaganda foram unidas por laços muito estreitos, que se tornaram ainda mais íntimos com o passar do tempo, como que em um casamento eterno, harmonioso e feliz. As duas partes se completam e passaram a ser indispensáveis uma para a outra.

A vinda da televisão para o Brasil se deu em 1950, mesmo período em que nos Estados Unidos, para efeito de comparação, já era autorizado o funcionamento da TV em cores. E enquanto aqui ensaiávamos os primeiros passos, lá fora a indústria da propaganda já produzia em estágios bem avançados. A primeira propaganda na TV Tupi, ainda em sua fase experimental, foi da goiabada Peixe, que bancou a viagem e a estadia do frei José Mojica.

Naquilo que diz respeito ao nosso desenvolvimento nesse campo, também nos vimos obrigados a superar as várias etapas de um necessário aprendizado. Os poucos filmes em lata que existiam e que aqui chegaram a ser veiculados eram importados por agências como McCann Erickson e J.W. Thompson e dublados por aqui. Muito mal dublados, por sinal.

A improvisação dava o tom da nossa debilidade nesse campo. Tudo era muito limitado e adequado às poucas possibilidades que existiam.

Os comerciais ao vivo, por exemplo, passaram por esse processo de adaptação, daí o surgimento das garotas-propaganda. Marlene Morel, Idalina de Oliveira, Meire Nogueira, Wilma Chandler e Odete Lara foram algumas das que mais se destacaram. Baseadas num pequeno texto, elas anunciavam o produto em questão, fugindo muito pouco do que a televisão atual, em muitos casos e em vários programas, ainda realiza com as ações de merchandising. O lado da criação, tanto lá no começo como o que ainda se observa agora em alguns casos, nunca foi priorizado, ao contrário da realização de filmes, que hoje chega a requintes de superproduções.

Em auxílio à televisão, que ainda engatinhava, em 1951 foi criada a Escola Superior de Propaganda e Marketing, a ESPM, impulsionada pelo crescimento econômico e populacional do país. Tornou-se realidade o projeto de Rodolfo Lima Martensen, apoiado por nomes de peso no ramo das artes e do cenário empresarial, como Pietro Maria Bardi, fundador do Museu de Arte de São Paulo – Masp, e Assis Chateaubriand, do ramo das comunicações e criador da TV Tupi. A formação de profissionais ajustados à nossa realidade fez surgir redatores dos mais criativos e fundamentais, que deram uma cara muito mais nossa às mensagens comerciais.

Aos poucos, os eletrodomésticos, a indústria automobilística e produtos de beleza ou limpeza começaram a destinar forte percentual das suas verbas para a criação e exibição dos seus próprios filmes, o que passou a acontecer mais intensamente no começo da década de 1960, algo que, aos poucos, também levou as anunciadoras de intervalos a perder lugar. E, como bem lembra Décio Clemente, ainda no seu início a própria TV Tupi, em uma ação musicada de utilidade pública, criou "já é hora de dormir, não espere mamãe mandar, um bom sono pra você e um alegre despertar", provocada pela preocupação das mães com a televisão. Desde o comecinho, elas entendiam que aquele novo aparelho, por causa dos desenhos animados ou programas que existiam, poderia levar os seus filhos muito tarde para a cama. Daí a ideia de uma ação de solidariedade a elas. A animação era de um pioneiro de desenhos animados no Brasil, César Memolo, e letra e música eram do maestro Erlon Chaves, à época funcionário da Tupi. E, como precisavam de um patrocinador, ligaram para a tecelagem Parahyba, dos cobertores Parahyba, para patrocinar essa propaganda. No começo da televisão, a maioria do que se anunciava era para a casa ou para a dona de casa, e boa parte disso sob forte influência do que existia lá fora ou era conhecido por meio do cinema.

Como uma indústria ainda no começo, tudo era feito de forma muito simples, quase artesanal, para apresentar produtos como sabão em pó, detergente, água sanitária e alvejante, café Seleto (um dos ícones da época), até evoluir e chegar às companhias aéreas, com promoções de viagens para Lisboa, porque a colônia portuguesa no Brasil era muito grande. Ainda de acordo com Décio Clemente, "a característica desses comerciais era muito simples, porque o público era muito simples, sem grandes exigências. E também não existiam ainda as leis do Procon ou o Ministério Público que protegesse o consumidor. Eles falavam o que queriam e o público aceitava porque era pouco exigente".

A propaganda e a televisão estabeleceram linhas paralelas de crescimento e forte relação entre uma e outra. Mesmo com os conceitos mercadológicos se modificando ou incessantemente se adaptando aos novos tempos, a matéria-prima de uma boa propaganda sempre foi a boa ideia e contar uma boa história. Desde o começo se tinha a plena certeza de que toda boa ideia numa mensagem comercial precisava ser simples e impactante, mas com algum ingrediente próprio para vender melhor. O sabonete Lever, um dos principais anunciantes do começo da televisão, passou a ser conhecido pelo público como "o sabonete das estrelas". Para o telespectador ou telespectadora levou-se a ideia de que era um cosmético de luxo e de qualidade, que lavava e tirava a sujeira, mas também contribuía para hidratar a pele. Já o sabão em pó era anunciado como um produto revolucionário, que tirava manchas e deixava a roupa muito mais branca.

Outro recurso bastante utilizado era lançar mão de desenhos animados, como fizeram os americanos da Esso, com as duas gotinhas que dançavam ao som de "só Esso dá ao seu carro o máximo, só Esso dá ao seu carro o máximo..." E, como o rádio ainda estava muito presente na vida de todos os brasileiros, a propaganda na televisão também se adequou ao que se veiculava nesse meio, colocando imagens ou criando ilustrações em cima de jingles. A Esso foi um desses casos, mas tivemos outros conhecidos, como o do açúcar União e Casas Pernambucanas, em um trabalho que foi se aprimorando com o tempo até chegar aos famosos comerciais da Varig, que sempre terminavam com o marcante "Varig, Varig, Varig".

O começo do aprendizado da publicidade na TV, embora trazendo também muita coisa do rádio, foi quase todo baseado no que se fazia nos Estados Unidos. Havia, pelo menos, a tentativa de copiar o que se criava lá, mesmo porque aqui ainda não havia formação para isso. Existiam alguns bons redatores, alguns desenhistas, e os filmes ou as animações começaram a ser feitos, por muito tempo sem originalidade ou sem uma marca que se ajustasse aos nossos costumes. De acordo com Lula Vieira, dono de um dos maiores acervos de comerciais, "a propaganda na televisão observou ao mesmo tempo, através dos anos, uma evolução técnica e de linguagem. Houve uma adequação ao meio, ao consumidor e dos produtos oferecidos".

Os comerciais mais sofisticados eram feitos como um longa-metragem de 35 mm, em preto e branco, montado como se fosse um filme, que então passava pela aprovação do cliente e só por último era reduzido para 16 mm, a bitola da televisão.

O som era óptico, revelado da mesma forma que se revelava o filme, e era muito ruim para todo o processo de televisão. Não havia condições de fazer com maior qualidade. Até no cinema o som brasileiro era ruim, porque tudo era revelado no mesmo banho em que se revelava a imagem. Não havia uma separação. Os americanos na mesma época já trabalhavam com o som magnético. Tinha a vantagem de ser estéreo, enquanto o óptico era mono, a qualidade era superior, mas tinha que ser acrescentado ao filme depois que ele já estivesse pronto, era mais caro e não tinha a mesma duração do outro. Sempre existiram dificuldades que foram superadas graças ao trabalho, determinação e capacidade do profissional brasileiro.

Demorou, mas a dona de casa acabou assimilando a ideia da cera líquida, que era mais fácil de ser aplicada e apresentava resultados muito bons. O costume da época, depois de esfregar a palha de aço, era passar a cera em pasta, e a Parquetina ficou conhecida como uma das grandes anunciantes do começo. Foram vários sucessos comerciais na década de 1960, quando a propaganda brasileira passou a mostrar a sua cara, criando campanhas como a do Bardahl – "tudo anda bem com Bardahl", com a turma da malvadeza; o time do Kolynos que fazia a criança dormir; o Papai Noel da Varig, que voava a jato pelo Brasil; "não adianta bater, eu não deixo você entrar", da Pernambucanas; o bordão "senta, levanta" do tecido Nycron, que não amarrotava, propaganda que teve a participação do ator Cláudio Marzo.

Na década de 1970, diversas campanhas passaram a ter como estrelas artistas de sucesso, aqueles que começaram a ficar ou já eram conhecidos pelos seus trabalhos em programas ou novelas, como Jô Soares, Chico

Anysio, Antônio Fagundes, Eva Wilma, Regina Duarte, entre outros. Havia também campanhas muito bem idealizadas, como eram as da bicicleta Caloi – "Papai, não esqueça a minha Caloi" –, do extrato de tomate Elefante, com a Turma da Mônica, e mesmo de serviços públicos, "como não jogar lixo na rua", com Sujismundo, um personagem sujo que mostrava que lugar de lixo é no lixo. Ou mesmo "que hora tão feliz, queremos biscoito São Luis" e a corajosa Pepsi, na época da ditadura, com "só tem amor quem tem amor pra dar". Além de outras que influenciaram profundamente as pessoas e acabaram passando de geração para geração. Até hoje, "nós viemos aqui para beber ou para conversar?", fala de Adoniran Barbosa no comercial da cerveja Antarctica, continua sendo usada.

O publicitário Orlando Marques, mesmo respeitando todas as outras mídias, as que sempre existiram ou as que passaram a existir mais recentemente, coloca como inquestionável a força da televisão aberta no Brasil. Entre outras razões, ou como a principal, o fato de o brasileiro gostar da televisão aberta e preferir esse meio a todos os demais. "A qualidade da TV aberta supera tudo. E quando eu falo de qualidade, não é só qualidade de conteúdo, mas qualidade também de cobertura de final, de entrega do produto acabado na mão do cara, com as distribuições de antenas no Brasil afora. Acho a combinação paixão do brasileiro pela televisão e a qualidade de entrega da televisão absolutamente imbatíveis", destaca Marques. Esses dois fatores sempre são considerados pelo mercado da propaganda e pelos próprios anunciantes. Se houver interesse de lançar um produto para o Brasil inteiro ou um serviço que será vendido na segunda-feira, basta colocar na televisão no domingo. Quantas vezes programas como o *Domingão do Faustão* ou o *Fantástico* não foram usados para esse fim? Já houve até o caso de as grandes emissoras, Globo, SBT, Band e Record, lançarem simultaneamente um mesmo produto na noite do domingo ou até formarem uma rede, como o comunicador de uma falando, ao vivo, com o da outra.

A parceria do meio TV com a propaganda levou os dois setores, ainda segundo Orlando Marques, a aprimorar os seus padrões de qualidade. A partir do momento em que a televisão passou a investir nas suas programações, a propaganda se viu forçada a fazer o mesmo. Não podia ficar atrás, caso contrário o telespectador fatalmente fugiria no intervalo. É uma afirmação que não encontra unanimidade. Alguns entendem que a recíproca é que é verdadeira: a partir do momento que a propaganda passou a se nivelar por cima, as emissoras se viram obrigadas a fazer o mesmo com a programação, o que acaba nos levando à velha história de quem nasceu primeiro, o ovo ou a galinha. E se perguntar a que levaria uma discussão dessas a essa altura.

Há, no entanto, unanimidade quanto à imprescindibilidade da televisão no momento de passar uma mensagem ao cidadão brasileiro, independentemente de onde ele se encontre, more ou trabalhe. Muito provavelmente por isso, exista também o entendimento de que a mídia mais barata no mundo inteiro é a TV aberta brasileira, porque com ela se atingem 200 milhões de pessoas e num intervalo curtíssimo de tempo.

O fato é que as agências de propaganda e os clientes brasileiros hoje não conseguem fazer uma boa programação e propor uma boa solução para o cliente sem incluir a televisão nos seus planos. Também é verdade que a tecnologia e o maior conhecimento do consumidor fizeram com que o produto final fosse cada vez mais aprimorado. Em relação ao passado, os comerciais podem ser menos engraçados, folclóricos e, possivelmente, menos criativos, mas vendem mais e concentram um foco muito maior naquilo que o cliente está querendo falar.

Torna-se interessante observar como a propaganda, principalmente aquela que se pratica na televisão, funciona como uma indústria que vive em permanente estado de transformação, o que leva àqueles que trabalham com isso, em seus diferentes setores, a se ligar em tudo o tempo todo. É uma exigência que invariavelmente tem consequências diretas no produto final. Tudo que vai para a TV e é preparado para a TV vai muito daí, desse campo de observação.

É curioso observar como a televisão entrou e ficou na vida também dos homens da propaganda. Luiz Fernando Musa, CEO da Ogilvy, conta que lembra exatamente quando o seu pai chegou com um aparelho novo de TV à sua casa: "Aquilo para mim foi supermarcante. Eu era de uma família de classe média. E média aqui no Brasil naquela época era classe média, e é engraçado, porque lembro exatamente desse dia. Era a televisão que todo mundo assistia, sem controle remoto, obviamente, que você ia lá e mudava o canal. E eu nasci no tempo dos clássicos, 2, 4, 5, 7 e 13". Quando questionado se a televisão ainda é o principal ou o melhor meio para o publicitário trabalhar, Musa é cauteloso: "Não sei se é o melhor. Eu não diria que a televisão é o melhor. Você não pode ter a arrogância e a prerrogativa de dizer que isso é melhor que aquilo. Eu sempre falo assim: olhe o que as pessoas estão fazendo. As pessoas hoje veem televisão com outras telas e você comenta o conteúdo da televisão nas redes sociais. A televisão continua tendo um papel importante e fundamental de retratar algumas coisas e de retratar a nossa sociedade. É um grande espelho da nossa cultura e da nossa sociedade. A televisão brasileira é diferente das outras. Ela passou a existir a partir de uns quatro ou cinco empresários e sofreu menos interferência. Consegue ser, acho eu, um bom retrato do Brasil", diz Musa.

Também é verdade que o brasileiro, por natureza, é muito televisivo e é natural que muita coisa da publicidade que aqui se pratica tenha nascido da linguagem da televisão. Aliás, assim como a propaganda na Argentina sempre teve o cinema como raiz e como base de ação, aqui no Brasil a televisão sempre exerceu influência muito forte na formação e desenvolvimento desse mercado. E, com o passar dos anos, a propaganda no Brasil, aquela que se vê na TV, pode até ter perdido um pouco do inusitado, mas isso não a levou a ser chata ou burocrática. Ao contrário, ela continua sendo uma das mais agradáveis e premiadas de todo o mundo. E o mundo está seguindo essa direção.

Foram vários os momentos de maior e menor exuberância criativa, em ambos os setores, nas últimas décadas. No entender de uma grande maioria, os anos 80 do século passado foram os de maior inspiração. Tanto no Brasil quanto no resto do mundo. E tanto na publicidade quanto na televisão.

O publicitário Washington Olivetto considera que a publicidade brasileira só se tornou mundialmente conhecida e reconhecida por causa da TV brasileira. "Publicidade é intromissão no meio da programação", diz ele, que é um dos maiores nomes do Brasil em sua área. E, para ser uma intrometida bem recebida num veículo de qualidade como é a televisão brasileira, nos seus melhores momentos, a publicidade brasileira teve de se aprimorar tanto na criação quanto na produção, e assim acabou dividindo com as publicidades norte-americana e inglesa o lugar de uma das três melhores do mundo. E tudo, ainda de acordo com Olivetto, funciona como numa via de mão dupla. "A publicidade alimenta a televisão com o dinheiro dos anunciantes, o que permite que a televisão de qualidade seja produzida. A TV realimenta a publicidade com a criação de cultura popular, que é a matéria-prima principal da criação de publicidade de alta qualidade", explica o publicitário.

A título de curiosidade, e a pedido desta publicação, Olivetto enumerou os 10 maiores comerciais da nossa história, que na opinião dele sempre estarão entre os principais:

1. Cerveja Antarctica – Adoniran Barbosa

"Nóis viemo aqui pra beber ou pra cunversá?" – obra-prima da cultura popular brasileira.

2. CNP – Homem com mais de 40 anos

Primeiro Leão de Ouro em Cannes da publicidade brasileira, foi o pai da linguagem visual utilizada depois em clássicos da propaganda brasileira, como o filme "Hitler", da *Folha de S. Paulo*.

3. Telesp – A morte do orelhão

A melhor peça de publicidade de utilidade pública criada e produzida no Brasil em todos os tempos.

4. Pinho Bril – Pense em mim

O personagem Garoto Bombril implantou a linguagem coloquial na publicidade brasileira. Esse filme, em que ele interpreta a canção "Pense em mim", sintetiza o brilho dos quase 400 filmes protagonizados pelo ator Carlos Moreno em 35 anos de campanha.

5. Caixa Econômica – Dedo de Deus

Primeiro filme da campanha que, além de revelar para o Brasil inteiro o ator Luiz Fernando Guimarães, deu continuidade à utilização da linguagem coloquial na publicidade brasileira iniciada pela campanha de Bombril.

6. Valisere – O primeiro sutiã

O mais conhecido e reconhecido comercial produzido no Brasil de todos os tempos. Sua frase de encerramento, "o primeiro sutiã a gente nunca esquece", invadiu todas as áreas da cultura brasileira.

7. *Folha de S. Paulo* – Hitler

O primeiro de uma série de comerciais antológicos feitos para a *Folha de S. Paulo* e reconhecidos mundialmente, como os filmes "Collor antes e depois do impeachment" e "Presidentes".

8. Brastemp – Opinião

O primeiro de uma série de magníficos comerciais da clássica e notável campanha "Não é nenhuma Brastemp". Outra obra-prima da linguagem coloquial.

9. Margarina Bonna – Cantor com fome

Vida inteligente na propaganda de margarina. *Appetite appeal* com humor, fato raro e precioso na publicidade brasileira e mundial.

10. *Revista Época* – A semana

Comercial perfeito sob todos os pontos de vista: ideia, texto, direção de arte, fotos, trilha sonora, produção e veiculação. Com 3 minutos de duração (secundagem totalmente atípica), esse comercial foi veiculado durante uma semana, em breaks exclusivos do *Jornal Nacional*.

# APÊNDICE

# Tô certo ou tô errado? Eternos bordões da TV brasileira

Os programas de humor, desde o surgimento da TV no Brasil, em 1950, sempre recorreram a bordões para criar vínculo com o telespectador e marcar os quadros e os personagens. Por iniciativa dos autores, redatores e dos próprios atores e apresentadores, a televisão sempre foi rica e criativa no que se refere a esse recurso, adotado também em outros produtos do entretenimento. "Quem quer dinheiro?", de Silvio Santos, criado para o "Topa Tudo Por Dinheiro", foi um deles, assim como a história dos aviõezinhos "fabricados" por Jorge Assis de Souza, o seu Assis, notas embrulhadas que até hoje voam sobre as "colegas de trabalho".

"Se vira nos 30", nome de um quadro do *Domingão do Faustão*, um dos mais antigos do programa, também foi um desses que imediatamente caíram no gosto popular. Aliás, a escolha desse título aconteceu durante uma conversa do apresentador com seu advogado e amigo de sempre, Luiz Schmidt. Depois de saber como seria o funcionamento do quadro, imediatamente deu a ideia do "Se vira nos 30". A aprovação foi geral. "Pegadinha" e "Videocassetadas" são outros dois termos que surgiram no programa e entraram para o vocabulário do brasileiro.

Existem outros tantos conhecidos como esses que não saem da memória do público:

– "Tô certo ou tô errado?", Lima Duarte, em *Roque Santeiro*.

– "Para! Congela! Ovulei!", Marcelo Serrado, em *Fina Estampa*.

– "Quem quer bacalhau?" e "Tereziiinha", Chacrinha.

– "Os nossos comerciais, por favor", Flávio Cavalcanti.

– "Miiiiirna", Regina Duarte, em *Roque Santeiro*.

– "Cada mergulho é um flash", Mara Manzan, em *O Clone*.

– "Felomenal", José Wilker, em *Senhora do Destino*.

– "Vamos que o tempo ruge e a Sapucaí é grande", José Wilker, também em *Senhora do Destino*.

– "Oxo", Walter Abrahão, para o 0 a 0 no futebol.

– "Volta pra garrafa", Nando Cunha, em *Salve Jorge*.

– "Punto e basta!", Tony Ramos, *Passione*.

– "Sweet child", Alexandre Nero, *Império*.

– "Oxente, my God!", Eva Wilma, *A Indomada*.

– "Oh, really?", Isabelle Drummond, *Geração Brasil*.

– "Quero ver aquela prédio na chon", Aracy Balabanian, *Rainha da Sucata*.

- "A pa pa pa", Irene Ravache e Lima Duarte, *Belíssima*.

- "Are baba", Juliana Paes e Rodrigo Lombardi, *Caminho das Índias*.

- "Quero lhe usar", José Wilker, em *Gabriela*.

- "Vamos deixar de lado os entretanto e partir pros finalmente", Paulo Gracindo, *O Bem-Amado*.

- "Nos trinques", Paulo Betti, em *Tieta*.

- "Abalou Bangu", Luiz Carlos Tourinho, *Suave Veneno*.

- "Brrrrasileirrro é tão bonzinho", Jacqueline Myrna e Kate Lyra, em *Praça da Alegria*.

- "Cala a boca, Magda!", Miguel Falabella em *Sai de Baixo*.

- "Olha a cascavel!", Chico Anysio.

- "Olho no lance" e "pelas barbas do profeta", do narrador Silvio Luiz.

- "Que fase!", do narrador do SporTV Milton Leite.

- "Cacildis!", Mussum em *Os Trapalhões*.

*Janela para o mundo. Lazer dentro de casa. Viagem coletiva que une pessoas, por mais diferentes que sejam. A TV é muito mais do que o cardápio de programas de cada emissora, é aquela que dá a cada um a liberdade de fazer suas próprias escolhas. E nós, que fazemos televisão, mais do que responsabilidade, temos a grande oportunidade de ofertar ao espectador o que temos de melhor.*

Eliana

*A televisão é objeto obrigatório na casa do brasileiro. Todo mundo assiste e acha que entende. Poucos são os que entendem de verdade e podem falar com propriedade sobre o seu conteúdo e a sua história. Este livro foi escrito por dois que entendem. Pode mergulhar de cabeça.*

Fábio Porchat

*Na minha casa, a TV nasceu em abril de 1972. Meus pais saíram da maternidade me levando no colo e, com o dinheiro do salário-família, compraram nossa primeira Colorado em preto e branco. Para mim, TV é uma paixão que vem literalmente do berço.*

Adriana Araújo

*A minha geração foi a mais fortemente impactada pela presença da televisão. Pessoas como eu tiveram seus valores, sua cultura, seu comportamento e sua linguagem formados por essa que já é hoje uma senhora com rugas visíveis no mundo da comunicação de massa. Uma senhora que tem uma sobrevida expressiva, especialmente se caminhar na direção de certos nichos – serviço, telejornalismo e esporte, por exemplo – mesmo que em todos eles já existam outras plataformas e com público crescente. Mas a televisão, ainda com adaptações no seu direcionamento, será uma presença muito significativa na vida de todos nós.*

Ricardo Boechat


*A televisão brasileira soube, como poucas no mundo, mesclar-se com formas de arte e outros meios de comunicação. Ela deu continuidade ao caminho criado pelo rádio, fez parceria com o cinema, incorporou o melhor da comunicação impressa e, hoje, cria uma amálgama com a internet. A televisão brasileira é, portanto, o espelho da história recente do nosso país. É nela que nos vemos, ora em nossas realidades, ora em nossos sonhos.*

Carlos Alberto de Nóbrega

# CRÉDITOS DAS FOTOS

## VOLUME I

Pág. 14: Associação Pró-TV/Museu da TV; pág. 15: Associação Pró-TV/Museu da TV; pág. 23: Associação Pró-TV/Museu da TV; pág. 29: Arquivo pessoal; pág. 43: Associação Pró-TV/Museu da TV; pág. 52: Associação Pró-TV/Museu da TV; pág. 54: Associação Pró-TV/Museu da TV; pág. 55: Associação Pró-TV/Museu da TV; pág. 57: Associação Pró-TV/Museu da TV; pág. 62: Arquivo pessoal; pág. 73: Associação Pró-TV/Museu da TV; pág. 80: Reprodução; pág. 95: Associação Pró-TV/Museu da TV; pág. 102: Associação Pró-TV/Museu da TV; pág. 117: Reprodução; pág. 124: Associação Pró-TV/Museu da TV; pág. 127: Associação Pró-TV/Museu da TV; pág. 133: Associação Pró-TV/Museu da TV; pág. 149: Arquivo pessoal; pág. 157: Arquivo pessoal; pág. 171: Associação Pró-TV/Museu da TV; pág. 183: Associação Pró-TV/Museu da TV; pág. 185: Associação Pró-TV/Museu da TV; pág. 189: Divulgação SBT/Lourival Ribeiro; pág. 196: Associação Pró-TV/Museu da TV; pág. 198: Associação Pró-TV/Museu da TV; pág. 215: Associação Pró-TV/Museu da TV; pág. 231: Associação Pró-TV/Museu da TV; pág. 237: Associação Pró-TV/Museu da TV; pág. 241: Reprodução; pág. 243: Associação Pró-TV/Museu da TV; pág. 250: Associação Pró-TV/Museu da TV; pág. 273: Reprodução; pág. 282: Divulgação Band; pág. 299: Acervo TV Globo; pág. 310: Associação Pró-TV/Museu da TV; pág. 315: Reprodução; pág. 317: Reprodução; pág. 327: Reprodução; pág. 345: Associação Pró-TV/Museu da TV; pág. 358: Reprodução; pág. 394: Arquivo pessoal; pág. 403: Arquivo pessoal; pág. 422: Associação Pró-TV/Museu da TV; pág. 427: Arquivo pessoal; pág. 430: Associação Pró-TV/Museu da TV; pág. 439: Arquivo pessoal.

## VOLUME II

Pág. 9: Associação Pró-TV/Museu da TV; pág. 16: Acervo TV Globo/Nelson Di Rago; pág. 35: Divulgação SBT; pág. 57: Arquivo pessoal; pág. 66: Marcos Júnior Micheletti/Nilton Neves; pág. 68: Arquivo pessoal; pág. 80: Acervo TV Globo/Ramón Vasconcelos; pág. 83: Acervo Band; pág. 88: Associação Pró-TV/Museu da TV; pág. 96: Arquivo pessoal/Magrão; pág. 103: Arquivo pessoal; pág. 105: Arquivo pessoal; pág. 112: Associação Pró-TV/Museu da TV; pág. 116: Acervo SBT; pág. 119: Acervo TV Globo/Ramón Vasconcelos; pág. 140: Acervo SBT; pág. 143: Acervo SBT; pág. 147: Acervo SBT; pág. 159: Arquivo pessoal; pág. 163: Associação Pró-TV/Museu da TV; pág. 181: Divulgação SBT; pág. 185: Acervo TV Globo; pág. 255: Arquivo pessoal; pág. 275: Acervo TV Globo - Matheus Melo; pág. 289: Associação Pró-TV/Museu da TV; pág. 291: Associação Pró-TV/Museu da TV; pág. 301: Acervo TV Globo/Matheus Cabral; pág. 321: Associação Pró-TV/Museu da TV; pág. 325: Associação Pró-TV/Museu da TV; pág. 336: Arquivo pessoal; pág. 339: Divulgação; pág. 358: Arquivo pessoal; pág. 375: Reprodução/MTV; pág. 378: DivulgaçãoRedeTV!; pág. 380: DivulgaçãoRedeTV!/Artur Igrecias; pág. 393: Divulgação SBT; pág. 403: Reprodução; pág. 413: Divulgação; pág. 415: Arquivo pessoal; pág. 427: Divulgação.

A editora e os autores fizeram todos os esforços para localizar os detentores dos direitos de todas as imagens desta obra e agradece qualquer informação a respeito. Qualquer erro ou omissão será devidamente corrigido numa reimpressão posterior.

# Visite nosso site e conheça estes e outros lançamentos

## www.matrixeditora.com.br

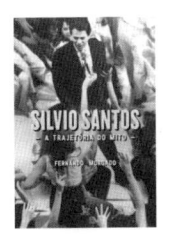

### Silvio Santos | Fernando Morgado

Silvio Santos nunca teve tantas falas suas reunidas em uma só publicação. Nascido no Rio de Janeiro em 1930, Senor Abravanel começou a trabalhar aos 14 anos de idade como camelô. Pouco tempo depois, ingressou no rádio e, mais tarde, na televisão, onde se tornou sinônimo de domingo. Formou um grupo empresarial bilionário, com milhares de empregados em todo o Brasil. Tentou ser prefeito, governador e até presidente. Cercou sua vida pessoal de mistérios, cultivados pela distância que mantém dos repórteres. Mesmo assim, ao longo da carreira, já causou polêmica ao opinar sobre diversos assuntos: de empreendedorismo até homossexualidade, passando por economia, sexo, drogas e política.

### Chaves | Luís Joly, Fernando Thuler e Paulo Franco

O programa Chaves chegou ao Brasil em 1981 e é um marco na TV brasileira, alcançando diversas gerações. Quem consegue explicar o sucesso de tantos anos? Nesta obra, você vai entender um pouco dessa saga, cheia de histórias engraçadas e interessantes. O livro mostra como o programa subverteu a lógica televisiva com seu humor; a batalha pelo ibope; a contribuição dos dubladores para o sucesso aqui no Brasil; a biografia dos atores e, no final, um capítulo com uma série de curiosidades imperdíveis.

### Animaq | Paulo Gustavo Pereira

Quem já foi criança ou quem ainda é vai adorar este livro. Os desenhos que marcaram época no Brasil. As curiosidades de cada um. Tudo isso agora está registrado em Animaq - Almanaque dos Desenhos Animados. É animação garantida e o seu sorriso de volta.

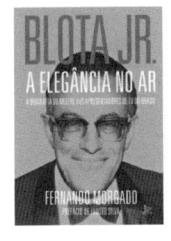

### Blota Jr. | Fernando Morgado

Blota Jr. foi apresentador dos grandes momentos da música na TV, um dos maiores nomes do rádio, formador de ídolos, empresário vitorioso, pioneiro do jornalismo esportivo, político atuante num período decisivo da história do Brasil. Essa trajetória é contada com riqueza de detalhes por Fernando Morgado, que dedicou três anos para pesquisar e escrever a história do filho ilustre de Ribeirão Bonito.

MATRIX